航　路

〔上〕

コニー・ウィリス
大森 望訳

早 川 書 房

7224

PASSAGE

by

Connie Willis

Translated by
Nozomi Ohmori
Published 2013 in Japan by
HAYAKAWA PUBLISHING, INC.
This book is published in Japan by
arrangement with
THE LOTTS AGENCY, LTD
through JAPAN UNI AGENCY, INC., TOKYO.

ブリキの樵（きこり）ことエリック・フェリースの懐かしい思い出に

担当編集者のアン・グローエル、エージェントのラルフ・ヴィチナンザ、ドリス・マイアズ、そして医学的ディテールについて助言してくれたフィリス・ジローとエリザベス・A・バンクロフト医学博士に心からの感謝を。

この本を書くこと自体が臨死体験のようなものでした。それを生き延びることができたのは、娘のコーディーリア、辛抱強い友人たち、《マージーズ・ジャヴァ・ジョイント》の店員のみなさん、それに、夫のコートニーとわが欠くべからざる女性秘書（ガール・フライデー）ローラ・ノートンの、義務の範囲を超えた献身的な助力のおかげです。

永遠に忘れないでしょう、あの暗闇と寒さは。

——タイタニック号の生存者、イーディス・ヘイズマン

「そっちはどんな具合だ、チャリデス？」

「すごく暗い」

「それで帰りは？」

「嘘ばっかりだ」

——カリマコス

航路

〔上〕

おもな登場人物

ジョアンナ・ランダー…………認知心理学者
リチャード・ライト……………神経内科医
ヴィエル・ハワード……………マーシー総合病院(ジェネラル)ＥＲ勤務の看護師
ティッシュ・
　ヴァンダーベック……………同病院内科勤務の看護師
バーバラ…………………………同病院小児科勤務の看護師
メイジー・ネリス………………心臓病で入退院をくりかえす少女
グレッグ・メノッティ…………心臓発作でＥＲに緊急入院した男性
カール・アスピノール…………昏睡(コーマ)カール。半昏睡状態の男性
ミセス・ウーラム………………心臓病で入院中の老婦人
ミセス・ダヴェンポート………内科に入院中の臨死体験者
アミーリア・タナカ
エドワード・
　ウォジャコフスキー
ミセス・トラウトハイム　……リチャードのプロジェクトの被験者
ミスター・セイジ
ミスター・ピアソル
ミセス・ヘイトン
モーリス・マンドレイク………ノンフィクション作家

第一部

「黙れ、黙ってくれ、いまレース岬と交信中なんだ」

——カリフォルニアン号が送ろうとした氷山の警告を
そうとは知らずにはねつけた、タイタニック号からの無電

1

「もっと光を！」

——ゲーテの臨終の言葉

「音がして」とミセス・ダヴェンポートがいった。「それからトンネルの中を進んでいました」

「もっとくわしくいうと？」ジョアンナは小型テープレコーダーを少しだけ相手に近づけた。

「トンネルのこと？」ミセス・ダヴェンポートはヒントを探すように病室を見まわした。

「ええと、暗くて……」

ジョアンナはつづきを待った。臨死体験（ニア・デス・イクスピアリアンス）についての対面聞きとり調査では、どんな質問も——たとえば、「どのぐらい暗かったんですか？」という程度でさえ——答えを誘導してしまうことになる。それに、たいていの人間は、沈黙がつづくとそれを埋めようとしてしゃべりだすから、聞き手はただじっと待つだけでいい。もっともこの作戦は、ミセス・ダヴェンポートには通用しなかった。自分用の点滴スタンドをしばらく見つめてから、もの問いたげな視線をこちらに向けてくる。

「トンネルについて思い出せることはほかにありますか？」

「いいえ……」しばらくしてミセス・ダヴェンポートがいった。「ええと……暗かった」

ジョアンナは《暗かった》とメモした。電池が途中で切れたり、機械の不具合でうまく録音できなかったりしたときのために、いつもメモをとるように心がけている。そうすれば、聞きとり対象の態度や声の調子も書いておくことができる。《無口。進んで話したがらない》とメモする。でも、こちらに忍耐心さえあれば、最初は話したがらなかった相手が最高の話し手になる場合もある。

「音がしたとおっしゃいましたが、もっと具体的にいうと？」

「音？」ミセス・ダヴェンポートはあやふやな口調でいった。

こちらにヨブの忍耐心さえあれば、と心の中で訂正する。「先ほど、〝音がして、それからトンネルの中を進んでいた〟とおっしゃいました」ジョアンナはメモを見ながらくりかえした。「音を聞いたのはトンネルに入る前ですか？」

「いいえ……」ミセス・ダヴェンポートは眉間にしわを寄せた。「……ええ。よくわからない。ベルが鳴るような……」問いかけるようにこちらを見て、「それとも、ブザーが鳴るような？」

ジョアンナはつとめて無表情を心がけた。励ますようにほほえんだり、反対にむずかしい顔をしたりすれば、それもまた誘導になる。

「ブーンという音だったと思うわ」と、しばらくしてミセス・ダヴェンポートがいった。

「くわしく説明していただけますか？」

面接をはじめる前になにか食べておくんだったと後悔した。もう正午をまわっているのに、朝からコーヒーとポップタート一枚しか口にしていない。でも、モーリス・マンドレイクより先にミセス・ダヴェンポートをつかまえたかったし、臨死体験（NDE）から時間がたてばたつほど、記憶に作話が混じるようになる。

「説明って？」とミセス・ダヴェンポートはいらだたしげにいった。「ブーンはブーンよ」

これではだめだ。誘導だろうがなんだろうが、もっと具体的な質問をしないかぎり、この人からはなにも引き出せそうにない。

「ブーンという音はずっとつづいていましたか？　それとも間歇的（かんけつ）でしたか？」

「間歇的？」ミセス・ダヴェンポートはとまどったように聞き返した。

「いったん止まって、また再開したんですか？　ほら、アパートメントの玄関ブザーを何回かつづけて押すときみたいに？　それとも、蜜蜂の羽音みたいにずっとブンブン鳴っていましたか？」

ミセス・ダヴェンポートはまたしばらく点滴スタンドを見つめた。

「蜜蜂」とようやくいう。

「大きな音でしたか、静かな音でしたか？」

「大きかった」と答えたものの、自信なげな口調だった。「それがやんだの」

この面接はまるで使いものになりそうにない。「音がやんだあと、どうなりましたか？」

「暗かった。それからトンネルの先に光が見えて——」

　ジョアンナのポケットベルが鳴り出した。まったく、こんなときにかぎって。心の中でそう毒づきながら、あわててスイッチを切る。もうたくさんよ。つねにスイッチを入れておくのがこのマーシー総合病院（ジェネラル）の規則だとはいえ、面接をはじめる前に切っておくべきだった。どうせベルを打ってくるのはヴィエルかミスター・マンドレイクのどっちかに決まっているし、そのおかげで面接を台なしにされたのも一度ではない。

「ご用事ですの？」

「いえ。その光——」

「ご用がおありなら……」

「ありません」きっぱり答えて、ジョアンナは画面を見ずにポケベルをポケットにもどした。

「なんでもないんです。光が見えたんですね。もっと具体的にいうと？」

「金色でした」とミセス・ダヴェンポートは即答した。はやすぎる。それに、質問の答えを知っている子供みたいに、得意そうなすまし顔になっていた。

「金色」

「ええ。いままで見たどんな光よりもまぶしくて、でも目が痛くないの。あたたかくておだやかで、じっと見つめているうちに、それが生き物だとわかったんです。光の天使」

「光の天使」胸に失望が広がった。

「ええ、そしてその天使のまわりを、死んだはずの人たちがとり囲んでいたの。母や、かわいそうな父や、アルヴィン伯父さん。伯父は第二次大戦中、海軍にいて、ガダルカナルで戦死したんです。そして光の天使は――」

「トンネルに入る前ですが」と口をはさんだ。「体外離脱体験はありましたか？」

「いいえ」とまた即答。「そういう体験をする人もいるとミスター・マンドレイクはおっしゃったけど、わたしはトンネルと光だけ」

ミスター・マンドレイク。もちろん。わかっていたはずなのに。

「ゆうべ、話を聞きにいらっしゃったのよ。あのかたをご存じ？」

ええ、もちろん。と心の中で答える。

「有名な作家でらっしゃるのよ。『トンネルの向こうの光』の著者。ご存じでしょ、ほら、ベストセラーになった……」

「ええ、知っています」

「いま、新作を書いてるんですって。『《向こう側》からのメッセージ』。あんなに有名なのに、とてもいいかたで。質問のしかたもすごく上手なの」

そうでしょうとも。ミスター・マンドレイクの面接には立ち会ったことがある。〝トンネルを抜けるとき、ブーンという音がしませんでしたか？　トンネルの先に見えた金色の光のことを話していただけませんか？　いままで見たこともないほどまぶしい光なのに、目が痛くならなかった、そうでしょう？　光の天使にはいつ出会いました？〞誘導尋問と呼ぶのもばかばかしい。

　求めるとおりの答えが返ってきたときは、励ますようにほほえんだりうなずいたり。唇をぎゅっと結んで、〝ベルというよりブザーに近い音ではなかったというのはほんとうにたしかなんでしょうな？〞むずかしい顔をして、気遣わしげな口調で、〝空中に浮かんで手術台を見下ろしていたことは覚えていないと？　どうしても思い出せませんか？〞

　そして面接対象は彼のためになにもかも思い出してくれる。肉体を抜け出してトンネルに入り、イエス様と出会ったことを思い出し、《光》と《人生回顧（ライフ・レヴュー）》（過去の人生がフラッシュバックすること。いわゆるパノラマ視現象）と《いとしい故人との再会》を思い出す。それにあてはまらない光景や音は都合よく忘れ去り、あてはまるものを作話する。じっさいに起きたこととはまったくなんの関係もない。

　レイモンド・ムーディの著書や『光に抱かれて』（ベティー・イーディーのベストセラー。邦訳『死んで私が体験したこと』同朋舎出版）をはじめとする臨死体験本だのTV特番だの雑誌記事だのがあふれかえって、臨死体験はどうあるべきかを懇切丁寧に教えているだけでもじゅうぶん嘆かわしいのに、このマーシー・ジェネラルでわざわざそれを患者の耳に吹き込んでまわる男がいようとは。

「ミスター・マンドレイクのお話では、体外離脱をべつにすれば、わたしの臨死体験は、あのかたが採取した臨死体験の中でもベストのひとつなんですって」とミセス・ダヴェンポートが自慢げにいう。

たしかに採取済みだ。これ以上つづけても意味はない。「ありがとうございました、ミセス・ダヴェンポート。もうじゅうぶんだと思います」

「でもまだ天上のコーラスのお話をしてないわ。それに人生回顧のことも」ミセス・ダヴェンポートはとつぜん話す気満々になったらしい。「光の天使の導きで水晶を見つめたら、わたしがいままでにしてきたことすべてがそこに映っていたの。いいことも悪いこともひっくるめて、わたしの全人生が」

で、わたしはいまからそれを聞かされる運命らしい。ジョアンナはこっそりポケットに手を入れて、ベル端末のスイッチを入れ直した。だれか鳴らして、と心の中で念じる。いますぐ。

「……それから、キーをなくして車から締め出されたときのことが水晶に映ったの。ハンドバッグもコートのポケットもぜんぶ探したのに、どうしても車のキーが見つからなくて……」

鳴ってほしいと思うときにかぎって、ポケットベルは頑固に黙り込んでいる。緊急時には自分でボタンを押して鳴らせるタイプが必要だ。レディオシャックで売ってるだろうか。

「……そして最後は、わたしが病院に運ばれて心臓が停止するところが映ったの。そのあと光が点滅しはじめて、天使が電報をさしだした。アルヴィン伯父が戦死したときうちに届いたのとそっくりの電報。〝わたしが死んだってこと？〟とたずねると、天使がこういったの。〝いいえ。あなたが地上の生にもどらなければならないというメッセージですよ〟。ねえ、ちゃんとメモしてらっしゃる?」

「ええ」といいながら、ジョアンナは〝チーズバーガー、ポテト、コークのL〟とメモした。

「〝あなたの時はまだ満ちていないのです〟と光の天使がいって、つぎに気がつくとわたしは手術室にもどっていた」

〝はやくこの病室を出ないとカフェテリアが閉まっちゃう〟とジョアンナはメモした。〝だからおねがい、だれかベルを鳴らして〟

ポケットベルがついに鳴ってくれたのは、ミセス・ダヴェンポートが問題の光を「ダイヤモンドとサファイアとルビーを合わせたような輝くプリズム」と説明しているときのことだった。『トンネルの向こうの光』からの一言一句違わぬ引用だ。

「もうしわけありませんが、これで失礼します」ジョアンナはポケットからとりだしたベル端末の画面を見るふりをした。「急用ができてしまって」レコーダーをとって、録音を止めた。

「NDEのことでまたなにか思い出したら、どこに連絡すればいいかしら」

「ポケットベルを鳴らしてください」と答えて病室を逃げ出した。もう安全だという距離に達してから、ようやくだれが連絡してきたのかをたしかめてみる気になった。表示されている番号には見覚えがないが、病院の中からだ。おりかえし連絡するために、ナース・ステーションへ向かった。

「この番号がだれなのかわかる?」主任看護師のアイリーンにたずねた。

「見ただけじゃわかんない。ミスター・マンドレイク？」

「ううん、ミスター・マンドレイクの番号なら知ってる」ジョアンナはむっつりいった。「ミセス・ダヴェンポートの面接は彼に先を越された。彼に台なしにされた面接は、今週だけでこれが三度め」

「冗談でしょ」アイリーンが同情するようにいった。ポケットベルの液晶に出ている番号をまだ見つめたまま、「これ、ドクター・ライトかも。しばらく前、ここへあなたを捜しにきてたから」

「ドクター・ライト？」ジョアンナは眉根にしわを寄せた。聞き覚えのない名前だ。つい習慣で、「もっと具体的にいうと？」といってしまう。

「背が高くて、若くて、ブロンドで――」

「キュート」と、カルテを持ってデスクにやってきた看護師のティッシュが口をはさんだ。

その説明に該当する知り合いはひとりも思い当たらない。「なんの用だって？」

アイリーンが首を振った。「あなたがNDEの研究をやってる人かどうか聞かれただけ」

「すばらしい。たぶん、トンネルを抜けて光を見て、亡き親族一同とモーリス・マンドレイクに出会ったって話をしたいんでしょ」

「どうかしら」アイリーンは疑わしげにいった。「だって、彼は医者なのよ」

「それが頭がいかれてない保証になるんならね」とジョアンナはいった。「マウント・サイナイ病院から来てるドクター・エイブラムズを知ってる？　向こうの理事会にかけあって、あっちでも面接調査ができるようにやってみるからとか、まんまと口車に乗せられてお昼をつきあったんだけど、そしたらいきなり自分のNDEの話をはじめちゃって。トンネル見て、光を見て、それからモーゼが出てきて、現世にもどって人々に声高くモーゼ五書を読み聞かせよと命じたんだって。で、彼はその命令どおりのことをしたわけ。ランチのあいだじゅうずっとよ」

「冗談でしょ」とアイリーン。

「でも、ドクター・ライトはキュートなのよ」とティッシュがまた口をはさむ。

「残念ながら、その属性も保証にはなりません。先週、とってもキュートなインターンに会ったんだけど、彼、NDEでエルヴィスに会ったそうよ」ジョアンナは腕時計に目をやった。カフェテリアはまだかろうじて開いている時間だ。「お昼を食べてくる。もしそのドクター・ライトがまたあらわれたら、ミスター・マンドレイクに会うようにいっといて」

ジョアンナは、万が一にもそのどちらかに出くわさないよう、エレベーターではなく非常階段を使って、本館一階のカフェテリアへと歩き出した。ミセス・ダヴェンポートの面接中にベル呼び出ししてきたのはたぶんドクター・ライトだろう。でも、もしかしたらヴィエルかもしれない。患者のだれかが心停止して、NDEの可能性があると連絡してきたのかもしれない。たしかめたほうがいい。ジョアンナはG階の救急救命室に足を向けた。

　ERはいつものようにごった返していた。いたるところに車椅子、真っ赤に染まった布を片手に巻いて診察台に腰かけている男の子がひとり、受診受付担当の看護師に早口のスペイン語で腹立たしげにまくしたてている女がふたり、外傷治療室では女性の患者が声をかぎりに猥褻(わいせつ)な言葉をわめきちらしている。ジョアンナは林立する点滴スタンドや緊急医療用カートのあいだを縫うようにして歩きながら、ヴィエルの青い手術着(スクラブ)と心配そうな黒い顔を捜した。ERにいるときのヴィエルは、いつも心配そうな顔をしている。心肺蘇生処置のときも、患者のトゲを抜くときも。よく思うのだが、その表情は患者にどんな影響を与えるんだろう。いた。詰所のデスクのそば。心配そうな顔でカルテを見ている。ジョアンナは車椅子一台と毛布の山ひとつを迂回して、ヴィエルのもとにたどりついた。「さっきページした？」

ヴィエルはブルーのキャップをかぶった頭を振った。「こっちは静かなもんよ。文字どおりお墓みたいなもんね。撃たれたのがひとり、過剰摂取(OD)がふたり、AIDS性の肺炎患者がひとり。過剰摂取の片方を除いて、あとはみんな到着時死亡(DOA)」

ヴィエルはデスクにカルテを置き、処置室のひとつへと身振りで導いた。処置室の診察台は運び出され、ワイヤやケーブルの山のただなかにワンセットの電子機器が鎮座している。

「なにこれ？」

「通信室よ。完成すればだけど。そうなれば、救急車や救急ヘリとつねにコンタクトして、こっちに向かう途中の救急隊員に医学的な指示が与えられる。そうすれば、病院に着く前にDOAかどうかがわかる。それとも武装してるかどうか」ヴィエルは外科手術用のキャップを脱ぎ、頭をひと振りして細く編んだ黒髪を下ろした。「DOAじゃなかったほうの過剰摂取患者が、自分を診察台に運ぼうとしたスタッフを撃つところだった。最近出まわりはじめたローグっていう新しいドラッグをやってて。さいわい、摂取量が多すぎたおかげで、ひきがねを引く前に死んでくれたけど」

「小児科への転属願いを出さなきゃだめよ」

ヴィエルはぶるっと身震いした。「子供はヤク中よりタチが悪いわ。それに、もし転属したら、NDE発生をだれが連絡するの？　みんなマンドレイクに先を越されちゃうよ」

ジョアンナはにっこりした。「いまはあなただけが頼り。ところで、ドクター・ライトって知ってる？」

「何年も前からずっと捜してるんだけど」

「そのドクター・ライトじゃないと思う（「理想の恋人」を意味するミスター・ライトの医者版のこと）。ERのインターンか研修医にいない？」

「知らない。すごくおおぜいいるから、いちいち名前も覚えてないし。どいつが相手でも、あたしはただ、〝やめて〟とか〝なにやってるつもり？〟とかいうだけ。調べてみようか」

ふたりはERにもどった。ヴィエルはクリップボードを手にとり、名簿の名前を指でたどった。「ないね。マーシー・ジェネラルに勤めてるのはたしか？」

「ううん。でも、もしその人がわたしを捜しにきたら、西7にいると伝えて」

「で、もし臨死体験者が出て、わたしがあなたを捜したいときは？」

ジョアンナはにやっと笑って、「カフェテリアにいる」

「じゃあページする。午後は忙しくなりそう」

「どうして？」

「心臓発作日和だから」ジョアンナのぽかんとした表情を見て、ヴィエルは救急救命室の入口のほうを指さした。「けさ九時からずっと雪」

びっくりして、ヴィエルが指さしたほうに目を向けた。もっともここからでは、外に面した窓は見えない。「朝からずっと、カーテンを閉めた病室にいたもんだから」それに窓のないオフィスと廊下とエレベーターに。

「凍った路面に足を滑らせて転倒とか、雪かきの最中の心臓発作とか、自動車事故とか。大忙しになるね。ポケットベルのスイッチは入れてある？」

「はい、お母さま。あなたのところのインターンとは違います」ジョアンナはヴィエルに手を振って一階に上がった。

意外にもカフェテリアはまだ開いていた。ジョアンナがこれまでに知っているどんな病院のカフェテリアとくらべても、ここの営業時間は最短だ。昼食に下りてきてみると、両開きのガラス扉がロックされていて、赤いプラスチックの椅子がフォーマイカのテーブルの上に積み上げてあるところに出くわすのがいつものことだった。でも、きょうはまだ営業している。もっとも、ヘアネットをした従業員がサラダバーを解体し、もうひとりが皿の山をかたづけている最中。かたづけられる寸前でトレイをひっつかみ、ジョアンナはホットフードのコーナーに歩き出し——そして唐突に足を止めた。モーリス・マンドレイクがドリンクマシンの前に立ち、カップにコーヒーを注いでいる。だめ、とジョアンナは心の中でつぶやいた。

いまはだめ。絞め殺しちゃうかもしれない。

　くるっときびすを返し、足早に廊下を歩き出した。エレベーターに飛び込んで《閉》ボタンを叩いたあと、どの階のボタンを押すべきか逡巡した。すぐ連絡がつく場所にいるとヴィエルに約束した以上、病院の外に出るわけにはいかない。北棟にはスナックの自動販売機があるけれど、現金の持ち合わせがあるかどうか。カーディガンのポケットを漁ってみた。しかし、小型レコーダー以外に持っていたのは、ペンが一本、十セントコイン一個、面接調査承諾書が一枚、使用済みクリネックス数枚、それに絵葉書が一枚。赤い空と珊瑚色の海を背景にパームツリーのシルエットが黒く浮かび上がる、夕暮れどきの熱帯の写真。なんだっけ、これ？　ひっくりかえしてみる。《こっちは最高。あなたも来ればよかったのに》という手書きの文章の下に、だれかの読みにくいサイン。そしてその横に、ヴィエルの筆跡で、『プリティ・ウーマン』『タイタンズを忘れない』『ホワット・ライズ・ビニース』とある。この前のディッシュ・ナイトのとき、ヴィエルが観たいとリクエストした映画のリストだ。

　残念ながら、前回のディッシュ・ナイトで食べ残したポップコーンまではポケットに入れていなかったし、自動販売機のスナックはいちばん安いやつでも七十五セント。ハンドバッグはオフィスに置いてあるが、もしかしたらドクター・ライトが部屋の前で待ち伏せしているかもしれない。

　どこかほかに食べものを調達できそうな場所は？　腫瘍科にはエンシュア（完全栄養の流動食）があるが、でもそこまで空腹というわけじゃない。東5のポーラ。彼女はいつもm＆mを隠し持っている。それに、カール・アスピノールのようすも見てきたほうがいい。そう結論して、ジョアンナは五階のボタンを押した。

昏睡（コーマ）カール——と看護師たちは呼んでいる——の容態はどうだろう。脳脊髄炎で二カ月前に入院したときから、彼はずっと半昏睡状態だった。時間によって、どんな刺激にもまったく無反応なこともあれば、手足を痙攣（けいれん）させたり、言葉をつぶやいたりすることもある。そしてごくまれに、ちゃんと理解できるはっきりした言葉を発する。

そうした言葉のすべてを看護師に書き留めさせてもかまわないという許可をカールの妻から得たとき、担当看護師のひとりであるグァーダループが異を唱えた。「でも彼は臨死体験してるわけじゃないのに。一度も心停止はしてないのよ」

「状況は似てるでしょ」とジョアンナはそのとき答えた。それにカールは、さしものモーリス・マンドレイクでさえ手が出せない患者だ。

何人たりとも、カールに手を出すことはできない。もっとも、カールの妻や担当看護師たちは、自分たちが話しかける言葉をカールが聞いているというふりをしている。病室にいるあいだ、看護師はコーマ・カールというニックネームを使ったり、彼の容態について話し合ったりしないように気をつけている。そしてジョアンナに対しても、カールにできるだけ話しかけるようにと指示した。「昏睡状態の患者が、まわりの人間が話していることを聞いてるっていう研究があるのよ」ポーラはm＆mをさしだしながらそういったものだ。

でも、わたしは信じない。五階に着いたエレベーターのドアが開くのを待つあいだ、ジョアンナは心の中でいった。カールにはなんにも聞こえてない。わたしたちの手が届かない、どこかべつの場所にいる。

エレベーターのドアが開き、ジョアンナは廊下を歩いてナース・ステーションに向かった。ポーラは不在。ブロンドの痩せた看護師がコンピュータの前にすわっていた。「ポーラはどこかしら？」

「病欠です」鉛筆のように細い看護師が用心深い口調でいった。「どんなご用でしょうか、ドクター……」ジョアンナが首にかけているＩＤにちらっと目をやって、「ランダー？」

この看護師に食べものをねだっても無駄だ。生まれてこのかた、m&mなんかただの一個も食べたことがないような体型だし、ジョアンナの体を見る目つきからして、ジョアンナの食習慣に対して肯定的な見解は持っていないらしい。

「いいえ、いいの。ありがとう」そっけなくそう答えたとき、カフェテリアのトレイを持ったままだったことにようやく気がついた。エレベーターに乗っているあいだじゅうずっと持っていたのに、まるで気づかなかったらしい。

「これをキッチンにもどしておいてちょうだい」とぶっきらぼうにいって、トレイを看護師に手わたした。「コー――ミスター・アスピノールに面会にきたの」そういって、カールの病室のほうに歩き出した。

ドアは開いていた。グァーダループがベッドの向こう側でスタンドの点滴袋を新しいものに交換している最中だった。いつもカールの妻がすわっている椅子はからっぽだ。

「きょうはどんな具合?」小声でたずねながら、ベッドに歩み寄った。

「ずいぶんいいわ」グァーダループは元気よくそう答えてから、声をひそめて、「熱がぶり返してるの」とささやき、空になった点滴袋をスタンドからはずし、それを持ったまま窓辺に歩いていった。「暗いわね。光を浴びてみたらどうかしら、カール」といいながらカーテンを開けた。

ヴィエルのいったとおりだ。雪が降っている。鉛色の空から大きな雪片が舞い落ちてくる。

「雪よ。知ってた、カール?」

いいえ。ベッドに横たわる男を見下ろしながら、ジョアンナは心の中でかわりに答えた。酸素チューブの下のたるんだ顔は、窓から射し込む灰色の光を浴びて、青白く無表情に見える。目は完全に閉じているわけではなく、重たげなまぶたの下に白いすじがのぞき、口は半開きになっていた。

「外は寒そうね」といいながらグァーダループがコンピュータのほうに歩いていった。「もう積もってた?」

グァーダループがカールにではなく自分に質問しているのだと気がつくまでしばらく時間がかかった。

「どうかしら」カールの邪魔にならないように声をひそめたくなる衝動と闘いながら答えた。

「出勤してきたのは雪が降りはじめる前だから」

グァーダループが画面のアイコンをタップして、カールの体温と点滴袋の交換時刻を入力した。

「けさ、カールはなにかいった？」

「一言もしゃべってない。また湖でボートを漕いでるんだと思う。しばらく前までハミングしてた」

「ハミング？」とジョアンナは聞き返した。「もっと具体的にいうと？」

「ハミングはハミングよ」ヴァーダループがベッドのそばにやってきて、点滴チューブをテープで留めた腕と胸の上まで毛布をひっぱりあげた。「なんかの曲だと思うけど、なんの曲なのかわからなかった。さあ、これですっぽりあたたかく毛布にくるまったわね」ヴァーダループは空(から)の点滴袋を持って戸口に歩き出し、「あんな雪の下じゃなくて、このあたたかい病室にいられて運がよかったわね、カール」といって部屋を出た。

でもカールはここにいない。「どこにいるの、カール？」と声に出してたずねる。「湖でボートに乗ってるの？」

湖のボート遊びは、カールのつぶやきをもとにして看護師たちが考え出したシナリオのひとつだった。カールはときおり、両腕を使ってオールを漕いでいるようなしぐさをする。そういうときは興奮したり叫び声をあげたりしないので、なにか牧歌的な場面だろうと判断されたわけだ。

シナリオはほかにもいくつかある。何度も何度も「水をくれ！」と叫び声をあげる『バターン死の行軍』。『バスに向かって走れ』。看護師によって呼び名がちがう『火焙りの刑』または『ヴェトコンの待ち伏せ』または『地獄の責め苦』のときは、しわくちゃのシーツめがけて狂ったように両手を振りまわし、点滴チューブを引き抜いてしまう。一度など、おさえつけようとしたヴァーダルループが殴られて、目のまわりに黒いあざをつくったこともある。そのときは、何度も何度も金切り声をあげて、「消された（ブランクト・アウト）」と叫んだ。あるいはもしかしたら、「プラケット！」か「ブラック」かもしれない。そして一度だけ、パニックにかられた恐怖の口調で、「結び目を切れ」といった。

「点滴チューブをロープだと思ってるのかもね」そんなもっともな推測を口にしつつ、腫れたまぶたに片目をふさがれたヴァーダルループが、カールのうわごとの筆記録をジョアンナに手わたしてくれた。

「たぶんね」と、そのときは答えたが、本心ではそう思っていなかった。カールは点滴チューブがくっついてることも、外の雪も、まわりの看護師の存在も知らない。ここからはるか遠いどこかにいて、まるでちがう景色を見ている。この二年間に面接した心臓発作や自動車事故や大量出血の患者たちすべてもそれとおなじ。見るべくプログラムされた天使やトンネルや親族たちの話をやり過ごしながら、彼らがなにげなく口にした即席の一言に――彼らがなにを見たのか、どこにいたのかの手がかりになるかもしれない、一見どうでもよさそうな細部に――耳をそばだててきた。

「光にすっぽり包まれて、しあわせであたたかくて安全な気持ちがしたの」帝王切開の最中に心臓が止まったリーサ・アンドルーズはそういったが、そういっている最中にぶるっと身震いし、そのあと長いあいだ沈んだまなざしで遠くを見つめていた。

ロッキー山脈の登山中に岩棚から転落したジェイク・ベッカーは、トンネルのことを説明しようとして、「ずっと遠くにあった」といった。

「あなたから見て、トンネルがずっと遠くにあったということ？」とたずねると、ジェイクは、「ちがう」と怒ったように答えた。「おれはそこにいたんだ。トンネルの中に。それがどこにあったかって話だよ。ずっと遠くにあったんだ」

窓辺に歩み寄り、外の雪をながめる。さっきより勢いが強まり、来客用駐車場の車がすっぽりと白に包まれている。灰色のコートを着てプラスチックの雨よけ帽をかぶった老女が、自分の車のフロントガラスに積もった雪を苦労して掻き落としている。心臓発作日和、とヴィエルはいった。自動車事故日和。死亡日和。

カーテンを閉め、ベッドのそばにもどって、すぐ横の椅子に腰かけた。どうせカールはしゃべらないだろうし、カフェテリアはあと十分で閉店だ。なにか食べるつもりなら、いますぐ行かないと。しかしジョアンナは椅子にすわったまま、医療機器のモニターを見つめていた。ジグザグに動く線やくるくる変わる数字を見つめ、かすかに上下するカールの落ちくぼんだ胸を見つめ、静かに降りしきる雪景色を閉ざしているカーテンをながめた。

かすかな物音に気づいた。カールを見やったが、身じろぎひとつしていない。口は半開きのまま。モニターに視線を向けたが、物音は機械ではなくベッドから聞こえてくる。くわしく説明していただけますか？　と、心の中で反射的につぶやく。深い、一定の音。霧笛のように、音と音のあいだに長い間があり、ひとつ間をはさむごとに、音の高さが微妙に変化する。

カールのハミングだ。ポケットからレコーダーをとりだし、録音ボタンを押してからカールの口に近づけた。「んむんむんむんむ」とうなり、それからわずかに低い音で、さっきより短い「んむんむ」。息継ぎをしているらしい間を置いて、さらに低い音で「んむんむ」。たしかにメロディだ。でもなんの曲なのか、ジョアンナにもわからなかった。音と音の間隔が長すぎる。でも、まちがいなくハミングしている。

夏の湖かどこかで、美しい娘のウクレレをバックに歌ってるんだろうか？　それとも、トンネルの向こうのあたたかくてふんわりした光に包まれ、ミセス・ダヴェンポートの天上のコーラスに合わせてハミングしているのか。それとも、闇の中かヴェトナムのジャングルで、忍び寄る恐怖と闘うためにひとりで鼻唄を歌っている？

とつぜんポケットベルが鳴り出した。「ごめんなさい」空いているほうの手であわててスイッチを切る。「ごめんなさい」

でも、カールはなにごともなかったようにハミングをつづけている。んむんむ、んむんむ、んむんむ、んむんむ、んむ、んむ。無頓着に。手が届かないところで。

ポケットベルの着信表示に出ていたのはERの番号だった。「ごめんなさい」と、もう一度いってから、レコーダーを止めた。体の横でじっと動かないカールの手を励ますように軽くたたき、「行かなきゃ。でも、またすぐ会いにくるから」といって病室を出ると、ERに向かった。

「心臓発作」ERに着くと、ヴィエルがいった。「脱輪した車を側溝から出そうとしてる最中。救急車の中で心停止して、直後に蘇生した」

「患者はどこ？」とたずねた。「心疾患集中治療室（CCU）？」

「いいえ。ここにいる」

「ERに？」驚いて聞き返した。ERで患者と話をしたことは一度もない。ミスター・マンドレイクよりはやく面接するために、できるものならそうしたいと思ったことは何度もあるけれど。

「ほんとにあっという間に蘇生したのよ。いまは、心臓専門医の診察を受けるまで、入院なんかする気はないとがんばってる。心臓医はポケットベルで呼び出してるけど、まだ来てない。とにかくその患者がうるさくて。おれは心臓発作なんか起こしてない、週に三回、スポーツクラブでエクササイズをやってるんだから、って」ヴィエルはERの中央エリアを抜け、外傷治療室のほうに歩き出した。

「ほんとに話が聞けるぐらい元気なの？」ジョアンナはあとについて歩きながらたずねた。

「ちょっと目を離すとベッドから抜け出そうとするし、責任者を出せとわめきっぱなし」ヴィエルは体を横にして、備品カートとポータブルX線マシンのあいだを器用にすり抜けた。

「心臓医が来るまであんたが相手をして、しばらくベッドに釘づけにしておいてくれたら、みんな助かる。患者自身を含めてね。ほら、聞こえるでしょ。あれがあんたの面接対象」

「どうして医者がまだ来ないんだ?」いちばん奥の検査室からバリトンの声が響いてきた。「それにステファニーはどこだ?」心停止から蘇生したばかりの男にしては、ずいぶん力強くて元気のいい声だ。もしかしたら本人が主張するとおり、心臓発作なんか起こしてないのかもしれない。「どういう意味だ、まだ連絡がつかないって? 携帯を持ってるんだぞ」と怒鳴る。「電話を貸してくれ。自分でかける」

「起きてはだめです、ミスター・メノッティ」と女性の声がいった。「あちこちに線がついてるんですから」

ヴィエルがドアを開け、ジョアンナもそのあとについて中に入った。看護助手が必死に止めるのもかまわず、ベッドに横たわる男が胸の電極をはがそうとしている。患者は見るからに若々しく、せいぜい三十五歳。褐色に焼けた肌の下は筋肉が盛り上がっている。週に三回エクササイズしているというのは嘘じゃないらしい。

「やめなさい」ヴィエルがぴしゃりといって、四十五度の角度に傾けてあるベッドに患者の上半身を押しもどした。「安静にしている必要があるの。担当医は二、三分で来るから」

「ステファニーに連絡しなきゃ」と男はいった。「点滴なんかいらない」

「いいえ、必要です。電話なら、ここにいるニーナがあなたのかわりにかけるから」ヴィエルは心臓モニターに目をやってから、患者の脈をとった。

「もうかけたんですけど」看護助手がいった。「出ないんです」

「だったらもう一回かけなさい」とヴィエルが言下にいい、看護助手は急ぎ足で部屋を出ていった。

「ミスター・メノッティ、こちらはさっき話したドクター・ランダー」ヴィエルはグレッグ・メノッティの体をぎゅっとベッドに押さえつけた。「あとはおふたりでどうぞ」ジョアンナの耳元に口を寄せ、「ベッドから起きないように注意してて」とささやいてから、ヴィエルも検査室を出ていった。

「来てくれて助かったよ」とグレッグ・メノッティがいった。「あんたは医者だろ。連中に道理を教えてやってくれ。おれが心臓発作を起こしたといいはってるんだが、そんなことはありえない。週に三回エクササイズしてるんだから」

「わたしは医者《メディカル》のドクターじゃないの。認知心理学者。救急車で体験したことについて話をうかがいたいんです」ジョアンナはカーディガンのポケットから面接調査の承諾書をひっぱりだして開いた。「これが規定の情報開示承諾書です、ミスター・メノッティ」

「グレッグと呼んでくれ。ミスター・メノッティは親父のほうだ」

「グレッグさん」

「で、きみのことはなんて呼べばいい？」とたずねてにっこり笑う。いくらか貪欲《どんよく》そうなところはあるが、とてもキュートな笑顔だった。

「ドクター・ランダーと」ジョアンナはそっけなく答えて、書類を手わたした。「その承諾書は、あなたが話した内容を――」

「これにサインしたら、ファーストネームを教えてくれる？　それと電話番号」

「ガールフレンドがもうすぐ来るんでしょ、ミスター・メノッティ」といいながらペンをさしだす。

「グレッグ」と訂正してから、患者はまた体を起こそうとした。ジョアンナはさっと前に出て書類を支え、あおむけのままでもサインできるようにした。

「ほらよ、ドクター」と、メノッティは書類とペンを返してよこした。「なあ、おれは三十四歳だ。医者じゃなくたって、この年齢の男が心臓発作を起こしたりしないのはわかるだろ？」

いいえ、とジョアンナは心の中で答えた。それに、ふつうは心停止から蘇生するほど幸運でもない。「心臓専門医は二、三分で来ます。それまでのあいだ、なにがあったか聞かせてもらえないかしら」ジョアンナは小型レコーダーの録音ボタンを押した。

「オーケイ。ラケットボールをやってからオフィスにもどる途中だった。ラケットボールは週二回やってる。それと、週末ごとにステファニーとスキー。それでニューヨークから越してきたんだよ、スキーのために。滑降とクロスカントリーをやってる。心臓発作を起こすなんてありえない」

「オフィスにもどる途中だったんですね」とジョアンナは先を促した。

「ああ。雪が降ってて、路面がすごく滑りやすくなってるところへ、ジープ・チェロキーに乗ったまぬけがいきなり前に割り込んできた。あわててハンドルを切ったら側溝に突っ込んだわけだ。車にシャベルを積んでたから、自分で掘り出そうとした。そのあとなにが起きたのかは自分でもわからない。トラックがはねた氷のかけらが頭にぶつかるかなんかしたらしい。それで気を失って、次に気がついたらサイレンが鳴ってて、おれは救急車の中。救急隊員がやたら冷たいパドルをおれの胸におしつけていた」

そうでしょうとも。ジョアンナはあきらめたように心の中でぼやいた。モーリス・マンドレイクに台なしにされていない面接対象をようやく見つけたと思ったら、なにひとつ覚えてないとは。

「なにか思い出せることはありませんか、あなたが死——頭になにかぶつかってから、救急車の中で目を覚ますまでのあいだに」と期待をこめてたずねる。「なにか聞いたとか、見たとか？」

だが、グレッグはもう首を振っていた。

「去年、十字靭帯の手術をやったときといっしょだったよ。ソフトボールをやってるときに切ったんだ。麻酔医が〝深く息を吸って〟といってると思ったら、次の瞬間はもう回復室にいた。その中間はなんにもなし。ビュン、ゼロ」

まあいいわ、とにかく心臓医が来るまでベッドに縛りつけておくことはできる。

「さっきの看護師から、あんたが話をしたがってるって聞いたとき、ちゃんとそういったんだ。おれが臨死体験なんかしたはずはない、そもそも死にかけたりしてないんだから、って。それはそうと、一度死んだ人間はどんなことをいうんだい？　ＴＶでやってるみたいに、トンネルやら光やら天使やらを見たっていうわけ？」

「なるほどね。もしおれが本物の心臓発作を起こして臨死体験をしたら、真っ先にきみに電話するよ」

「さあ。わたしはそれを突き止めようとしてるのよ」

「ほんとにそういう体験をしたのか、ただでっちあげたのか、どっちだと思う?」

「そういう人もいるわね」

「それはどうも」

「そのためには、電話番号を聞いとかないとね」グレッグの顔にまた貪欲そうな笑みが広がる。

「はいはいどうも」ヴィエルといっしょに入ってきた心臓医がいった。「どういう患者さんかな」

「心臓発作じゃない」グレッグが体を起こそうとしながらいった。「おれは週に三回——」

「じゃあ、とにかく調べてみましょう」心臓医はジョアンナのほうを向いて、「悪いけど、ちょっとはずしてもらえますか」

「もちろんです」ジョアンナはレコーダーを止めてポケットにしまい、検査室を出た。たぶん、診察が終わるのを待つ必要はないだろう。グレッグ・メノッティは、なにひとつ経験していないといったのだから。しかしときには、根掘り葉掘り質問しているうちに、対象者がなにかを思い出すこともある。それに、グレッグは頭から否定してかかっている。臨死体験をしたと認めることは、心臓発作を起こしたと認めることになるから。

「どうしてＣＩＣＵに移さない？」と心臓医の声。ヴィエルに質問しているようだ。

「ステファニーが来るまでどこへも行かないぞ」とグレッグ。

「もうこっちに向かってるわ」とヴィエル。「さっき連絡がとれたの。二、三分で着くはず」

「よし、じゃあ心臓の音を聞いて、どんな具合かたしかめてみましょう」と心臓医。「いや、体を起こさないで。そのまま。そうそう……」

心臓医がグレッグの心音を聴くあいだ、一分かそこら沈黙がつづいた。そのあと医師がなにか指示したが、ジョアンナには聞きとれなかった。「はい、先生」とヴィエルの声。さらにささやき声の指示。「ステファニーが来たらすぐに会いたい」と、これはグレッグ。

「上で面会できますよ」と心臓医。「これからＣＩＣＵに移ってもらいます、ミスター・メノッティ。心筋梗塞を起こしたようですね。したがって、いまからすぐに――」

「ばかばかしい。おれはぴんぴんしてる。氷のかけらがぶつかって気を失っただけだ。心臓なんか――」それから、とつぜんの沈黙。

「ミスター・メノッティ？」とヴィエル。「グレッグさん？」

「心停止だ」と心臓医。「ベッドを倒して、救急カートをここへ」心停止アラームの音が鳴り響き、人々が小走りに集まってくる。ジョアンナは邪魔にならないように下がった。

「心肺蘇生(CPR)開始」と心臓医。それにつづく言葉は聞きとれなかった。心停止アラームはまだ鳴りつづけている。耳を聾(ろう)する間歇的なビープ音。ブザーのような音でしたか、それともべルのような音でしたか？　と、くだらない連想が働く。が、そのとき思い当たった。そうか、臨死体験者がトンネルに入る前に聞く物音はこれなんだ。

「そこのパドルを持ってきて」と心臓医。「それと、そのうるさいアラームを切れ」ブザー音が止まった。点滴スタンドががちゃがちゃやかましい音を立てる。「除細動用意、よし」と心臓医がいい、さっきとはべつのブザー音が響いた。「もう一度。よし」間。「エピを一アンプル」

「遠すぎる」とグレッグ・メノッティの声がして、ジョアンナはつめていた息をほうっと吐き出した。

「回復した」とだれかの声。またべつの声が、「洞調律は正常」

「彼女は遠すぎる」とグレッグ。「遠すぎて間に合わない」

「いいえ、だいじょうぶよ」とヴィエル。「もうこっちに向かってる。二、三分で着くから」

また間。ジョアンナはモニターの心強いビープ音に耳をそばだてた。「血圧は？」と心臓医。

「五十八」しかしそれはグレッグ・メノッティの声だった。

「八十の六十です」とべつの声。

「ちがう」メノッティが怒ったようにいう。「五十八だ。ぜったい間に合わない」

「ほんの二、三ブロック先よ」とヴィエル。「たぶんいまごろ駐車場に車を入れてる。がんばって、グレッグ」

「五十八」とグレッグ・メノッティがいい、そのときブルーのパーカを着たかわいいブロンドの娘がERに駆け込んできた。前に検査室にいた看護助手がそのすぐうしろから、「すみません、待合室でお待ちください。ここには入れない規則なんです」と声をかけている。

ブロンド女性は検査室に飛び込んだ。「ステファニーが来たわ、グレッグ」とヴィエルの声。「来るっていったでしょ」

「グレッグ、あたしよ、ステファニーよ」とブロンド女が涙声でいう。「来たわ」

沈黙。

「七十の五十」とヴィエル。

「スーパーで買い物するあいだ、携帯をちょっとだけ車に置いていったの。ほんとにごめんなさい。できるだけ急いで来たの」

「六十の四十。下がりつづけています」

「だめだ」とグレッグは弱々しい声でいった。「遠すぎて来られない」それから、心臓モニターの信号音がかん高い一定した音に変わる。フラットラインの音。

2

「フォークト・リヴァー上空。レイクハースト方向」

——ヒンデンブルクからの最後の電信

「ぼくが捜してるって、ほんとに伝えてくれた？」リチャードは主任看護師にたずねた。

「ええ、たしかに伝えました、ドクター・ライト。けさここへ来たときに。あなたの番号も教えました」

「それはいつのこと？」

「一時間ぐらい前。患者の面接に来たとき」

「そのあとどこへ行ったか知らない？」

「いいえ。ポケットベルの番号ならわかりますけど」

「それは知ってる」午前中ずっとベルを鳴らしつづけていたのに、まるで返事がなかった。

「彼女、ポケットベルを持ち歩いてないんじゃないかなあ」

「病院の規則では、全スタッフがつねにポケットベルを携行することになっています」主任看護師は非難がましい口調でそういうと、規則違反を記録しておこうとでもいうように処方箋用紙に手をのばした。

ああ、たしかにそうだ。彼女がポケットベルのスイッチを入れておいてくれたら、ずいぶん話がはやくなる。とはいえ、この規則は不合理だ――リチャード自身、病院にいる時間の半分はポケットベルの電源を切ってある。そうじゃないと、ひっきりなしに邪魔が入ることになる。それに、仕事を頼もうと思っている以上、ドクター・ランダーに規則違反のトラブルを押しつけるのは愚の骨頂だ。

「また鳴らしてみるよ」リチャードはあわてていった。「患者の面接をしてたっていったけど、どの患者？」

「ミセス・ダヴェンポート。314です」

「ありがとう」リチャードは廊下を歩いて314号室に向かった。

「ミセス・ダヴェンポート？」ベッドに横たわる銀髪の女性に声をかける。「ドクター・ランダーを捜してるんですが――」

「わたしもですよ」ミセス・ダヴェンポートは不機嫌そうにいった。「お昼からずっとポケットベルを鳴らしてるんだけど」

これでまた出発点に逆もどり。

「臨死体験についてほかになにか思い出したら、いつでも呼んでくれっていわれたんですよ。こうして横になってるうちにいろんなことをどんどん思い出してきて。だから看護師に頼んで何度も呼んでもらったのに、ちっとも来ないの」

「ダヴェンポートさんと会ったあとどこに行くかいってませんでした？」

「なにも。わたしが話をしている最中にポケットベルが鳴り出して、それであわてて出ていったの」

ポケットベルが鳴った。ということは、少なくともその時点では電源が入っていたわけだ。あわてて出ていったということは、べつの患者にちがいない。だれかが心停止から蘇生した？　どこの患者だろう。ＣＩＣＵ？

「ありがとうございました」リチャードはそういって戸口に足を向けた。

「もし見つかったら、体外離脱体験を思い出したって伝えてちょうだい。手術台の上に浮かんで、見下ろしているみたいだった。医師や看護師たちがわたしのまわりで懸命に作業しているのが見えた。それからお医者さんが、〝もうだめだ〟といって、そのときブーンという音がして、気がつくとトンネルの中にいたの。わたしは――」

「伝えますよ」リチャードはそういって廊下に出ると、ナース・ステーションに向かった。

「ミセス・ダヴェンポートの話だと、ドクター・ランダーは面接中にだれかにポケットベルで呼ばれたそうなんだけど」とさっきの看護師にいう。「電話を借りられるかな。ＣＩＣＵにかけたい」

看護師は電話をさしだしてから、わざとらしくそっぽを向いた。

「ＣＩＣＵの内線番号はわかる？」とリチャード。「ぼくは――」

「４５０２です」ナースステーションにやってきたキュートなブロンドの看護師がいった。

「ジョアンナ・ランダーを捜してるんですか？」

「そうなんだ」リチャードはほっとする思いで、「どこにいるか知ってる？」

「いいえ」看護師はまつ毛の下からこちらを見て、「でも、いるかもしれない場所ならわかりますよ。小児科です。しばらく前、彼女を捜して、こっちに連絡がありましたから」

「ありがとう」といって電話を置いた。「小児科への行きかたを教えてくれる？　ぼくは新入りで」

「知ってます」ブロンドの看護師ははにかむような笑みを浮かべて、「ドクター・ライトでしょ？　わたし、ティッシュです」

「小児科は何階なのかな、ティッシュ」

「ええ、でも小児科は西棟。いちばんわかりやすいルートは、まず内分泌科へ行って」と反対の方向を指さし、「階段で五階まで上がってから――」そこで口をつぐみ、またにっこりした。「案内してあげたほうがいいみたいですね。ややこしいから」

「それは気がついたよ」自分のオフィスから内科に行くだけで三十分近くかかり、途中で三人に道を聞かなければならなかった。ピンクの上っ張りを着た看護助手から、「ここからでは行けませんよ」といわれたときはてっきり冗談だと思ったものだが、いまではリチャードも道理をわきまえている。

「ちょっと小児科まで行ってくるわ、アイリーン」

ティッシュが主任看護師にそう声をかけ、先に立って廊下を歩き出した。

「マーシー総合病院（ジェネラル）はもともと、サウス・ジェネラルとマーシー・ルーサランと看護学校だったんですよ。その三つが合併したとき、もとの建物をそのまま残して、行き来ができるように連絡通路だの廊下だのをいっぱいくっつけた。バイパス手術かなにかみたいに」ティッシュは《職員専用》と書かれた扉を開け、階段を上がりはじめた。「この階段で四階五階六階には行けるけど、七階と八階には通じてません。七階八階に行くときは、さっき通ってきた廊下をずっと先まで行って、職員用エレベーターに乗らないと。この病院に来てどのぐらいなんですか？」

「六週間だよ」

「六週間？　なのにどうしていままで一度も会わなかったのかしら。ハッピー・アワーでも会ってないですよね」

「まだ発見できてないんだ。自分のオフィスを発見できただけでもラッキーだったよ」

ティッシュは鈴を鳴らすような笑い声をあげた。「マーシー・ジェネラルではみんな道に迷うんですよ。だれでも知ってるのは、駐車場から自分の職場まで行ってもどるルートだけ」といいながら先に立って階段を歩いていく。ぼくに脚を見せるためかな、とリチャードはぼんやり思った。「何科のお医者さんなんですか？」

「神経内科だよ。研究プロジェクトのためにここへ来たんだ」

「ほんとですかぁ？」ティッシュが興味津々の口調でいう。「アシスタントの必要ってありませんか？」

あいにくだけど、必要なのはアシスタントじゃなくてパートナーなんだ、と心の中で答える。

ティッシュは《5》と書かれたドアを開け、廊下に出た。「どんなプロジェクトなんですか？　わたし、とにかく内科からよそへ移りたいんです」

どんなプロジェクトか聞いたあとでも、そんなに熱心に転属したがるだろうかと思いながら、「臨死体験の研究をしてるんだよ」

「あの世の実在を証明するんですか？」

「まさか」リチャードはむっつり答えた。「科学的な研究なんだよ。臨死体験の身体的な要因を調べてる」

「ほんとですか？　なにが原因だと？」

「それを突き止めようとしてるんだ。手はじめは側頭葉の刺激、それから無酸素状態」

「へえ」とまた興味津々の口調でティッシュがいう。「臨死体験って聞いたから、ミスター・マンドレイクがやってるような研究のことかと思ったんです。あの人、死後生とかあの世とかを信じてるでしょ」

みんなそうだよ、と苦々しい思いでひとりごちる。そのおかげで、まじめなNDE研究プロジェクトは資金調達がむずかしい。この分野はチャネラーや電波野郎の巣窟だとだれもが思っているし、じっさいそのとおりだ。ミスター・マンドレイクとその著書『トンネルの向こうの光』が典型的な例。しかし、ジョアンナ・ランダーはどうなんだろう。

彼女の信用保証は申し分ない。エモリーで学士号をとり、スタンフォードで認知心理学の博士号を取得。とはいえ学位は——医学の学位でさえ——正気であることの保証にはならない。ドクター・シーガルを見るがいい。それにアーサー・コナン・ドイル。ドイルは医師だった。しかも、あのシャーロック・ホームズの生みの親だというのに、それでも死者との交信と妖精の存在を信じていた。

しかしドクター・ランダーは、《サイコロジー・クォータリー・レヴュー》と《ネイチャー》に論文を発表しているし、まさしく彼が必要としている種類の、臨死体験者面接調査の経験とノウハウがある。

「ドクター・ランダーのこと、なにか知ってる？」とリチャードはティッシュにたずねた。

「あんまり。わたし、内科に来てからまだ一カ月なんですよ。彼女とミスター・マンドレイクはときどき患者の面接に来ますけど」

「ふたりいっしょに？」ついとげのある口調になる。

「いいえ、ふだんはべつべつ。ふつうはミスター・マンドレイクが先に来て、そのあとドクター・ランダー」

補足調査のため？　それとも単独の調査？　「ドクター・ランダーは、きみがいう〝死後生とかあの世とか〟を信じてる？」

「さあ。彼女とは、患者に面会できるかどうかっていう話しかしたことがないんですよ。なんか暗っぽい人だし。だって眼鏡かけてるんですよ。でも、その研究ってすごくおもしろそう。もしアシスタントが必要だったら――」

「考えておくよ」

ふたりは廊下の突き当たりにやってきた。

「そろそろもどったほうがいいみたい」ティッシュは残念そうにいった。「その廊下をまっすぐ行って」と左のほうを指さし、「突き当たりを右に曲がると、通路が見えます。その通路を進んで、右に行ってから左に行くと、エレベーターホールに出ます。それで四階に下りてから右に行くと小児科。迷いっこないですよ」

その言葉が正しいことを祈りながら、「わざわざありがとう」と礼をいった。

「いつでもどうぞ」ティッシュはまつ毛の下から笑みを向けた。「お話しできてとても楽しかったです、ドクター・ライト。ハッピー・アワーに行きたいときはいつでもいってくださいね。喜んでご案内しますから」

右に曲がると通路、それから右に行って左、と頭の中で復習した。ドクター・ランダーがいるうちにかならず小児科にたどりつく決意で歩き出す。小児科でつかまえられなければ、もう二度と見つからない気がする。まあとにかく、この迷路の中では。別棟と連絡通路と廊下が多すぎて、たとえおなじフロアにいても永遠にめぐり逢えないことがじゅうぶんありうる。もしかしたら彼女のほうも、一日中ずっとリチャードを捜し歩いているのかもしれない。あるいは階段とトンネルの迷路をさすらっているか。

エレベーターを降りて右に進むと、ああ、たしかにそこは小児科だった。主任看護師の姿をひとめ見ただけでそれがわかった。ピエロと風船の柄のナース服を着ている。

「ドクター・ランダーを捜してるんですが」とリチャードはその看護師にいった。

看護師は首を振った。「呼び出したんですけど、まだこちらには来てません」

くそ。「でも、来る予定にはなってる？」

「うん、そうだよ」廊下の向こうからかん高い声がした。病室のひとつから、赤いチェックのローブを着たはだしの子供が顔を出す。九歳ぐらいの——男の子？　女の子？　どっちとも判別がつかない——だった。彼または彼女はダークブロンドの髪を五分刈りにして、チェックのローブの下には入院患者用のガウンを着ている。ということは男の子だ。たしか、女の子はピンク色のバービーみたいな部屋着を着るんじゃなかったっけ？

当て推量のリスクはおかさないことにした。近づいていって、「やあ」と声をかける。

「名前は？」

「メイジー」と彼女はいった。「あなたは？」

「ぼくはドクター・ライト。ドクター・ランダーを知ってるかな？」

「うん。きょう、あたしに会いにくるよ」

助かった。彼女があらわれるまでここにいることにしよう。

「あたしが入院するたびに会いにきてくれるの」とメイジーはいった。「ふたりとも災害に興味があるから」

「災害？」

「ヒンデンブルクとか。犬が乗ってたの知ってる？　焼け死んだんだよ。跳んで逃げようとしたけど」

「ほんとに？」

「あたしの本に書いてあるもん。犬の名前はウーラ」

「メイジー」デスクにいたのとはべつの看護師が、病室の戸口にやってきて声をかけた。「ベッドから出ちゃいけないはずでしょ」

「だって、ジョアンナがどこにいるかって、この人に聞かれたんだもん」とメイジーがリチャードを指さした。

「ジョアンナ・ランダー？　きょうは来てないじゃない。それに、スリッパはどうしたの？」看護師はメイジーをまっすぐ指さし、「メイジー。ベッドに入りなさい」と、厳しいけれどあたたかみのある口調でいった。「いますぐ」

「でも、お話はつづけてもいいんでしょ、ナース・バーバラ？」

「ちょっとだけならね」といいながら、バーバラ看護師はメイジーを病室に連れもどし、ベッドに入るのに手を貸した。ベッドのサイドガードを上げて、「安静にしてるのよ」

「もしお邪魔なら――」とリチャードは口を開きかけた。

「アルセシアンってなに？」とメイジーがたずねた。

「アルセシアン？」バーバラがぽかんとした表情でくりかえす。

「ウーラはそれだったの」とメイジーはリチャードのほうに向かっていった。「ヒンデンブルクに乗ってた犬」

看護師がリチャードに笑みを向け、それからメイジーの足を毛布の上から軽くたたくと、「ベッドを出ちゃだめよ」といい残して病室を出ていった。

「アルセシアンっていうのはジャーマン・シェパードのことじゃないかな」とリチャードはいった。

「きっとそう。ヒンデンブルクはドイツの飛行船だもん。レイクハーストに着陸しようとしてたときに爆発したんだよ。ニュージャージーの。写真がある」メイジーはサイドガードを下ろしてベッドから抜け出し、クローゼットのほうにとことこ駆け寄った。「あたしの本に載ってる」ピンク色のダッフルバッグから——こっちのほうはたしかにバービーの絵がついていた——大判の本をとりだした。カバーはセントヘレンズ山の写真、タイトルは『二〇世紀の災害』。「これ、ベッドまで持ってってくれる？　重いものを持っちゃいけないことになってるの」

「いいとも」リチャードは本を運び、ベッドの上に載せた。メイジーはベッドの横に立ち、本のページを開いた。

「女の子ひとりと小さな男の子ふたりが大やけど。女の子は死んじゃった」メイジーが荒い息をつきながら説明する。「ウーラもね。ほら、ここに写真がある」

犬の写真を予想して本を覗き込んだが、それは炎に包まれて落ちていくヒンデンブルクの写真だった。「この本、ジョアンナにもらったんだ」メイジーがページをめくりながらいう。「災害ならなんでも載ってるんだよ。ほら、これがジョンズタウンの大洪水（二千二百人を超える死者を出した一八八九年五月三十一日の洪水）」

リチャードはいわれるがままに、押し流された家々が橋にぶつかっている写真を見つめた。そのうちの一軒の二階の窓から一本の木が突き出している。

「じゃあ、ドクター・ランダーとは仲良しなんだね？」

メイジーはページをめくりながらうなずいた。「あたしの心臓が止まったとき、ジョアンナが話を聞きにきたの」とこともなげにいう。「そのとき、ふたりとも災害好きだってわかったわけ。ほら、彼女は臨死体験の研究をしてるでしょ」

リチャードはうなずいた。

「心室細動になっちゃって。あたし、心筋症なの」と、これまたなんでもないことのようにいった。「なんだか知ってる？」

リチャードは心の中でうなずいた。心臓の機能が大きく低下して、血液をきちんと送り出すことができなくなる。心室細動に至る可能性が高い。すぐに息を切らしてしまう理由がそれでわかった。

「心停止したとき、妙な音が聞こえて、次に気がつくとトンネルの中にいたの。キリストとか天国とか、いろんなことをいっぱい覚えてる人もいるんだけど、あたしは覚えてない。トンネルの中は暗くてもやもやしてたから、ほとんどなんにも見えなかった。ミスター・マンドレイクは、トンネルの出口に光があるっていうけど、あたしには光なんかぜんぜん見えなかった。ジョアンナは、きっと見たはずだとほかの人がいうことじゃなくて、自分が見たもののことだけを話すべきだって」

「そのとおりだね。ミスター・マンドレイクの面接も受けたのかい？」

「まあね」といって、メイジーは目玉をぐるっとまわしてみせた。「出迎えの人たちを見たかっていうから、〝いいえ〟と答えたの。だって見なかったから。そしたら、〝ようく思い出してみて〟だって。ジョアンナは、ほんとに起きたんじゃないことを心がでっちあげちゃうから、そんなことしないほうがいいっていうのに、でもミスター・マンドレイクは、〝ようく思い出して。光が見えたんじゃないかな、メイジーちゃん〟。ちゃん付けで呼ばれるのは大きらい」

「ドクター・ランダーはちがう？」

「うん」力を込めてきっぱりうなずいたせいか、またメイジーの息遣いが荒くなった。「いい人だもん」

まあ、情報としては参考にならなくもない。ドクター・ランダーは明らかに、前もって用意した結論に合わせてデータをとるタイプの研究者ではないらしい。それに、臨死体験後の作話の可能性にも配慮しているようだ。しかも、幼い女の子に本をプレゼントしている――子供に読ませるには風変わりな本ではあるにしても。

「ほら見て。糖蜜（とうみつ）大洪水。一九一九年に起きたの」メイジーは粒子の粗いモノクロ写真を指さした。油膜のように見えるものが写っている。「この大きなタンクいっぱいにトーミッツが入ってて――トーミッツっていうのはシロップみたいなやつね」と解説する。

リチャードはうなずいた。

「こういう大きなタンクが破裂して、蜜がぜんぶ噴き出して、みんな溺れちゃった。二十一人。子供が交じってたかどうかは知らない。シロップの中で溺れるって、なんかちょっと笑っちゃうと思わない？」メイジーはぜいぜいしはじめた息でいった。

「さっきの看護師さんに、ベッドに入ってなきゃだめだっていわれなかったかい？」

「すぐ入る。ねえ、お気に入りの災害はなに？　あたしはヒンデンブルク」メイジーはまたさっきのページを開いた。炎に呑み込まれ、後尾から先に落ちていく。「爆発してほかのみんなが落ちていったとき、クルーのひとりが気球のほうにいたんだけど、その人は金属のこれにしがみついたの」メイジーは炎の合間に見える金属の骨組みを指さした。

「支柱だね」

「両手が焼けちゃったけど、それでも手を放さなかったんだって。ジョアンナが来たら、そのひとりの話を教えてあげなきゃ」

「いつ来るっていってた？」

メイジーは肩をすくめた。鼻先が紙にくっつきそうなほど本に顔を近づけている。炎の中にいるその不運なクルーを探しているかのようだ。あるいは犬か。

「あたしが来てるのを知ってるかどうかわかんないの。ナース・バーバラにページしてもらったんだけど、ポケットベルをずっと切ってることもあるから。でも、あたしが入院したって聞いたらいつもすぐ来てくれる。ねえ、ヒンデンブルクの写真はほかにもまだいっぱいあるんだよ。ほら、これが船長。死んだ。それから——」

リチャードはそれをさえぎって、「メイジー、ぼくは行かないと」

「待って。まだ行っちゃだめ。ジョアンナはすぐ来るって。いつだって、あたしが入院したとわかったらすぐ——」

バーバラが病室の戸口から顔を出した。「ライト先生？　メッセージが入ってます」

「ほらね」これが証拠だという顔でメイジーがいった。

「ベッドにもどりなさいといったはずよ」とバーバラがいい、メイジーはあわててベッドによじのぼった。「ティッシュ・ヴァンダーベックからの伝言で、ドクター・ランダーと連絡がついて、内科に来るように伝えたと」

「ありがとう」とリチャードはいった。「メイジー、ぼくはドクター・ランダーに会いにいかなきゃ」

「だめ。まだ行っちゃだめ。話が残ってるもん。女の子ひとりとちっちゃな男の子ふたりの話」

メイジーは悲痛な表情を浮かべているが、ここでまたドクター・ランダーを逃がすわけにはいかない。「わかったよ。ひとつだけ短い話を聞かせて。そしたら行くからね」

「うん。ええとね、どこもかしこも燃えてたから、みんな外へ飛び出したの。その女の子も飛び出した。でも、小さな男の子ふたりはこわくて飛べなくて、そのうちかたっぽの子の髪に火がついて、それでお母さんがその子を外へ放り投げた。さっきのクルーの人も両手が燃えてたけど、でもその人は手を放さなかった」メイジーは無邪気な顔で、「どんな感じだと思う？　自分が燃えてるのって」

「どうかな」病気の幼い少女とこんなグロテスクなテーマで話をするのはいかがなものかと思いつつ答えた。「ひどい感じだろうね」

メイジーはうなずいた。「あたしなら手を放しちゃうと思う。それから、またべつの男の人なんだけど――」

「メイジー、ほんとにドクター・ランダーを見つけなきゃいけないんだ。またすれ違いになるのはいやだからね」

「待って！　ドクター・ランダーに会ったら、話があるって伝えて。臨死体験のこと。456号室にいるからって」

「そうする」といってリチャードは歩き出した。

「ヒンデンブルクが爆発したとき、気球の中にいたクルーのことよ。彼は――」

この調子だと、きょう一日ずっとここにいることになりそうだ。「ごめんよ、メイジー」抗議の声を待たずに病室を出ると、急ぎ足で廊下を歩き、左に曲がり、そしてたちまち道に迷った。足を止め、通りかかった病棟助手に連絡通路までの道をたずねた。

「この廊下を引き返して、右に曲がって、突き当たりまでまっすぐ。どこへ行くんです？」

「内科なんだけど」

「本館か。だったらいちばんの早道は、この廊下をまっすぐ行ってから右に曲がって、《職員専用》と書いてある扉を開けると階段がある。その階段で二階に下りて通路を進み、放射線科を抜けると職員用エレベーターがあるから、それを使って三階に上がる」

リチャードはその指示に従った。ドクター・ランダーが用事を済ませてまた姿を消してしまうんじゃないかと心配で、最後の廊下は小走りになった。が、ドクター・ランダーはまだ内科に到着していなかった。

「少なくとも、わたしは姿を見てない」主任看護師がいった。「もしかしたらミセス・ダヴェンポートのところかも」

ミセス・ダヴェンポートの病室まで行ってみたが、ドクター・ランダーはそこにもいなかった。

「来てほしいんですけどねえ」とミセス・ダヴェンポートはいった。「ドクター・ランダーとミスター・マンドレイクに話すことがそれはそれはたくさんあって。自分の体を見下ろして空中を漂っていたとき、お医者さんの声が——」

「ミスター・マンドレイク?」とリチャードは聞き返した。

「モーリス・マンドレイクですよ。『トンネルの向こうの光』を書いた。わたしがなにを思い出したか聞いたら、きっと大喜びして——」

「話を聞きにきたのはドクター・ランダーでは」

「ふたり両方よ。ほら、あのおふたりはいっしょに仕事をしているから」

「いっしょに仕事をしている？」

「ええ、と思いますけどね。ふたりとも、わたしの話を聞きにきたから」

それではかならずしもいっしょに仕事をしているとはかぎらない。

「──そうはいっても、ミスター・マンドレイクにくらべると、ドクター・ランダーのほうはどうもねえ。ミスター・マンドレイクは、人の話にそれは熱心に耳を傾けてくださるのよ」

「いっしょに仕事をしていると彼女の口から聞いたんですか？」

「いいえ、はっきりとは」ミセス・ダヴェンポートはとまどった顔になった。「てっきりそうだと……ミスター・マンドレイクは、あの世からのメッセージについて、新しい本を書いてるの」

ふたりが共同で研究していると、ミセス・ダヴェンポートに確証があるわけではない。しかし、もし万一の可能性だとしても……死者からのメッセージとは。かんべんしてくれ。

「失礼します」唐突にそういって病室を出たリチャードは、ピンストライプのスーツを着た長身で銀髪の男とまともにぶつかりそうになった。「失礼」といってすれ違おうとしたが、男に腕をつかまれた。

「もしやドクター・ライトでは？」男はリチャードの手を握り、力強く握手した。「ちょうど会いにいこうとしていたのですよ。あなたの研究に関して相談したいことがあって」

いったいだれだろう。同僚の研究者？　いや、このスーツはいかにも高価そうだし、髪の毛がつやつやしすぎている。病院理事会のメンバーか。

「まずミセス・ダヴェンポートに面会してから、そちらにうかがうつもりだったが、ここでばったりお目にかかれるとは。ミセス・ダヴェンポートを訪ねていらっしゃったのは、彼女の臨死体験を聞くためでしょうな。もっともわたしは、臨死体験(ニア・デス)ではなく臨死後生体験(ニア・アフターライフ)、NAEと呼んでいます。そちらのほうが、そのものずばりの名前ですからな。われわれの行く手に待つ死後生(アフターライフ)を――墓地の向こうからのメッセージを垣間見る体験」

　モーリス・マンドレイクか。くそっ。本のジャケットについている著者近影でそうと気づくべきだった。それに、自分の周囲にもっと目を光らせておくべきだった。

「あなたがこのマーシー・ジェネラルにいらっしゃったこと、そして科学がついに死後生の存在を認めはじめたことをうれしく思いますよ。科学と医学のアカデミズムは、魂の不滅という問題に対して頑なに心を閉ざしつづけてきた。あなたがそうでないことはじつに喜ばしい。ところで、あなたの研究は具体的にどのような内容なのですかな」

「いまは話している時間がないんですよ。約束がありまして」とリチャードはいったが、マンドレイクは意に介さなかった。解放してくれるつもりはないらしい。

「臨死体験者が一致しておなじものを見たと報告していることは、それがたんなる幻覚ではないことを証明している」

「ドクター・ライト？」主任看護師がデスクから呼んだ。「まだドクター・ランダーを捜してる？　居場所がわかったわ」

「ジョー？」マンドレイクがうれしそうにいった。「それがお約束の相手ですか？　かわいいお嬢さんだ。彼女とはいっしょに仕事をしているんですよ」

リチャードはがっくり肩をおとした。「いっしょに仕事をしている？」

「ええ、そうですとも。多くの症例について、親しくいっしょに研究しています」

予想しておくべきだった、とリチャードは思った。

「もちろん、主たる関心は異なるが。現在わたしは、NAEのメッセージの側面に興味を持っている。それに彼女とは面接方法もちがう」マンドレイクはかすかに眉をひそめ、「ドクター・ランダーとここで待ち合わせを？　彼女はなかなかつかまえにくい女性でね」

「約束の相手はドクター・ランダーじゃありません」とマンドレイクに答えてから、リチャードは主任看護師のほうを向いて、「いや。もう会う必要はなくなった」

マンドレイクがまた手を握ってきた。「お目にかかれてよかった、ドクター・ライト。いっしょに仕事ができるのを楽しみにしています」

おれを殺してからにしてくれ、と心の中で答えた。死んだって、墓の下からあんたにメッセージを送る気はないけどな。

「では、ミセス・ダヴェンポートに会わなければなりませんので」と、マンドレイクはまるで自分がリチャードにひきとめられていたような口振りでいい、彼を残して病室に入っていった。

予想しておくべきだった。NDE研究者はデータを収集して統計サンプリングをおこない、《サイコロジー・クォータリー・レヴュー》に論文を発表し、子供に好印象を与えるかもしれない。しかしそんなのはみんな目くらましだ。その正体は、事実上の宗教に疑似科学的な装飾で信憑性を与えようとする現代の降霊術師。リチャードはエレベーターホールに向かって廊下を歩き出した。

「ドクター・ライト！」うしろからティッシュの呼ぶ声がした。

リチャードはふりかえった。

「ほら、そこにいますよ」ティッシュはくるっときびすを返し、ナース・ステーションに向かって歩いていくスカートとカーディガン姿の若い女性のあとを小走りに追いかけた。「ドクター・ランダー」とその女性に追いついたところで声をかけ、「ドクター・ライトがあなたに会いたいんですって」

「じゃあ伝えといて。いまは時間が――」とドクター・ランダーがいいかけたが、「そこにいるのよ」とティッシュがリチャードのほうに手を振った。「ドクター・ライト、ほら、見つけてあげましたよ」

ああくそ、このお節介女め。あと一分あればここから消えられたのに。こうなったいま、ドクター・ランダーにいったいなんの用だったといえばいいだろう。

リチャードはしかたなくジョアンナ・ランダーのほうに歩み寄った。ティッシュの言葉に反して、べつだん暗そうには見えない。たしかにワイヤフレームの眼鏡をかけていて、そのせいか辛辣そうな印象があった。眼鏡の奥の瞳ははしばみ色。うしろにひっつめた褐色の髪を銀のバレッタで留めている。

「ドクター・ランダー」ととりあえず口を開いた。「ぼくはその――」

「いいですか、ドクター・ライト」とドクター・ランダーは片手を上げてそれをさえぎり、「たしかにさぞやすばらしい臨死体験談をお持ちなんでしょう。でも、いまはだめなんです。きょうはさんざんな一日だったし、どっちみち話をする相手はわたしじゃありません。モーリス・マンドレイクに会えばいいんです。彼のポケットベルの番号をお教えしますから」

「ミスター・マンドレイクなら、ミセス・ダヴェンポートの病室ですよ」とティッシュが口を添える。

「だったらいますぐティッシュがそこまで案内します。彼なら一部始終をくわしく知りたがるはずだわ。ティッシュ、こちらの先生をミスター・マンドレイクのところへお連れして」

ドクター・ランダーはすたすたと歩き出した。

「いいんだ、ティッシュ」リチャードは女の不作法な態度に腹を立て、「ドクター・ランダーのパートナーと話をする気はないから」

「パートナー？」ドクター・ランダーがくるっとこちらに向き直った。「わたしが彼のパートナーだなんてだれがいったの？　彼が自分でいったの？　最初はわたしの面接対象を盗んでめちゃめちゃにして、今度はわたしといっしょに仕事をしてると触れ歩くなんて。そんな権利なんかないのに！」足をどんと踏み鳴らして、「わたしはミスター・マンドレイクのパートナーじゃありません！」

　リチャードは彼女の腕をつかんだ。「待って。そこでストップ。タイムだ。ええと、最初からやりなおしたほうがいいと思うんだけど」

「いいわ。とにかくわたしは、モーリス・マンドレイクといっしょに仕事をしてるわけじゃない。わたしは、臨死体験をテーマにオーソドックスな科学研究をしようと努力してる。ただし、マンドレイクのおかげでそれが百パーセント不可能に――」

「そしてぼくは、きみのその研究について話し合うために連絡をとろうと努力してたんだ」そういって片手をさしだし、「リチャード・ライトです。臨死体験の神経学的な要因に関するプロジェクトをやってる」

「ジョアンナ・ランダーです」ふたりは握手した。「まあ、ほんとにごめんなさい。きょうは――」

　リチャードはにっこりした。「さんざんな一日だったから」

「ええ」とドクター・ランダーが答え、リチャードはその沈んだ表情に胸を衝かれた。

「いまはだめだといってたけど」とあわてて口を開く。「べつにいますぐ話をしなきゃいけないわけじゃない。そのほうがよければ、時間を決めて、あした相談することにしてもいいし」

　ドクター・ランダーはうなずいた。「きょうはとにかく――面接対象のひとりが――」気をとりなおしたように、「あすならだいじょうぶ。時間は？」

「十時では？　それともランチの席でもいいけど。ここのカフェテリアっていつ開いてるの？」

「一日に三分ぐらいね」とにっこりして、「十時でいいわ。場所は？」

「ぼくの研究室は東6にある。602号室」

「では、あしたの午前十時に」といってドクター・ランダーは廊下を歩き出したが、五歩も行かないうちにくるっとUターンしてもどってきた。

「なにか──」

「しっ。モーリス・マンドレイクよ」とささやいてリチャードの横を通り過ぎ、《職員専用》と書かれた白い防火扉を押し開けた。

うしろをふりかえると、ピンストライプのスーツが角を曲がってくるところだった。あわててドクター・ランダーが開けた扉の向こうに飛び込む。そこは下りの階段だった。

「ごめんなさい」と灰色に塗装されたコンクリートの階段を下りながら、ドクター・ランダーがいった。「でも、いまここで彼と話をしなきゃいけなくなったら、彼を殺しちゃいそうで」

「気持ちはわかる」あとについて階段を下りながらいった。「ぼくもいまさっきファースト・コンタクトを済ませたから」

「この階段で一階まで下りられる」ドクター・ランダーはもう踊り場までたどりついていた。「一階からは正面のエレベーターに乗ればいいわ」が、そのとき、愕然とした顔で唐突に足を止めた。

「どうした？」と声をかけ、彼女が立っているところまで下りていった。《立入禁止》の黄色いテープが階段に張りわたしてある。そこから下の階段は、塗り立てのつややかな水色のペンキでぴかぴか輝いていた。

3

「ああ、くそっ」
——墜落機から回収されたフライトレコーダーに残る
最期の言葉の最大多数

「もう乾いているかもしれない」とドクター・ライトはいったが、どう見てもペンキはまだ濡れている。

ジョアンナはかがみこんでさわってみた。「だめね」と、指先についた水色の染みを見せる。

「ほかに出口はない？」

「さっきの扉に引き返すしか。ミスター・マンドレイクはどこへ行くかいってた？」

「ああ。ミセス・ダヴェンポートに面会だって」

「うわ、やめて。それだと永遠に出ていかないかもしれない。ミセス・ダヴェンポートの人生回顧は、たいていの人の人生より長いのよ。それに、わたしが彼女と面接してからもう三時間。きっとそのあいだに、ありとあらゆるディテールを思い出してる。そして彼女が思い出せないことは、ミスター・マンドレイクがかわりに捏造する」

「そもそも、マーシー・ジェネラルみたいな立派な病院でミスター・マンドレイクみたいないかれ野郎がリサーチをする許可がどうして下りたんだい？」

「お金。『トンネルの向こうの光』の印税の半分を病院に寄付したのよ。二千五百万部以上売れてる」

「ばかは死ななきゃ治らないってことわざの証明だね」

「それと、人は自分が信じたいことを信じるって事実もね。とくにエスター・ブライトマンはそう」

「エスター・ブライトマンって？」

「ブライトマン・インダストリーズのハロルド・ブライトマンの未亡人で、マーシー・ジェネラル病院理事会の最長老メンバー。マンドレイクの心からの信奉者よ。いまにもあの世へ行っちゃいそうな年齢だからだと思うけど。彼女はマンドレイク以上の金額をマーシー・ジェネラルに寄付してるし、それに加えて、研究センターは全額彼女の出資。もしエスター・ブライトマンが死んだら、その一切合切が病院のものになる。ただし、死ぬ前に遺言を書き換えなければの話だけど」

「だからマンドレイクが好き放題にやるのを認めると」

「そういうこと。それに、ＮＤＥに関連したほかのプロジェクトも容認せざるを得ない。だからこそ、わたしがここにいられるわけなんだけど」

リチャードはけげんな顔になった。「ミセス・ブライトマンは、正統的な科学研究が死後の生というコンセプトを冒瀆（ぼうとく）するかもしれないとは思ってない？」

「科学的な証拠があればあの世の実在が証明されるし、その証拠をわたしが見つけ出すと信じてるのよ。ありがたいことだと思うべきでしょうね。ほとんどの病院は、NDE研究プロジェクトなんか棒の先でつつこうともしないんだから。でも、それをありがたがる気にはなれない。とくに、いまこの瞬間は」ジョアンナは階段室の扉をじっと見つめた。「ミセス・ダヴェンポートが小学校三年生の書きとりのテストにまつわる興味津々の物語でミスター・マンドレイクの関心を釘づけにしているあいだに、こっそり病室の前を通過できるかも」

ジョアンナは抜き足さし足で階段を上がり、階段室の防火扉を一センチだけ開けた。

ミスター・マンドレイクは廊下に立ち、ティッシュを相手に話をしている。「ミセス・ダヴェンポートをはじめとする人々は、この世に使者として送り返されたのだよ。あの世でわたしたちを待つものの言葉を伝えるために」

ジョアンナはそっと扉を閉め、ドクター・ライトが立っているところまでもどった。「ティッシュを相手に、NDEは《向こう側（ジ・アザーサイド）》からのメッセージだって話をしてる。そのあいだ、わたしたちは《こちら側》に閉じ込められてるわけね」ドクター・ライトの横を過ぎて、踊り場まで下りていった。「あなたはどうだか知らないけど、わたしは彼の《死後の生》理論をまた聞かされると考えただけで耐えられない。きょうはだめ。だからとにかく、いなくなるまで待つことにする」

ジョアンナは踊り場の向こうにまわり、上の扉から見えない場所に腰かけて、黄色い《立入禁止》テープのすぐ上の段に足をのせた。「べつにつきあってくれなくていいのよ、ドクター・ライト。もっとだいじな用があるだろうし――」

「きょうはすでに一回、マンドレイクにつかまってるんだ。それにほら、きみと話がしたかったんだよ。ぼくのプロジェクトでいっしょに仕事をしてもらうことについて。ここは理想的な場所みたいじゃないか。騒音はないし、邪魔も入らない――でも、ドクター・ライトはやめてくれ。ペンキ塗り立ての階段に閉じ込められてるこの状況では。リチャードだ」といって手をさしだす。

「ジョアンナ」その手をとって握手した。

リチャードはジョアンナと向かい合うようにして踊り場に腰を下ろした。「さんざんな一日の話を聞かせてくれないかな、ジョアンナ」

ジョアンナは頭を壁にもたせかけた。「人が死んだの」

「親しかった人？」

ジョアンナは首を振った。「知らないも同然だった。ERで面接をしてたの。そしたら彼が……」いままでそこにいたのに、次の瞬間にはもう逝ってしまった。これはただの言葉のあや――死を〝逝去〟と呼ぶような婉曲表現ではない。まさしくそんなふうに感じたのだ。ERで横たわる彼を見つめ、モニターがむせび、心臓医や看護師たちが必死に救命処置をつづけていたあのとき、グレッグ・メノッティは機能を停止したとか、存在をやめたとかいうふうには思えなかった。まるでどこかに消え失せてしまったような気がした。行ってしまった。

「臨死体験者？」

「いいえ。わからないけど。心臓発作で倒れて、救急車の中で心停止したんだけど、なにも覚えてないっていうのよ。でも、医師が検査している最中にまた心停止して、そのとき〝彼女は遠すぎる。遠すぎて間に合わない〟といった」ジョアンナはリチャードを見上げた。「彼女っていうのはガールフレンドのことだと看護師たちは思ったけど、そうじゃなかった。ガールフレンドはもう来ていたの」どこかべつの場所にいたのは彼のほうだ。コーマ・カールのように。遠すぎて彼女が来られないどこかに……。

「何歳だった？」

「三十四」

「それにたぶん、心臓に既往症はなかっただろう」とリチャードが腹立たしげにいった。「あと五分生き延びていたら、バイパス手術を済ませて、あと十年か二十年か、五十年でも生きられたのに」こちらに身を乗り出して、「だからこの研究が重要なんだよ。死に瀕している脳の中でなにが起きているかを解明できたら、そういう無用の死を防ぐ戦略を考え出せる。その鍵を握るのがＮＤＥだと思ってるんだ。つまり、臨死体験は一種のサバイバル・メカニズムで——」

「じゃあ、ノイズやリンデンの主張には賛成しないのね？　NDEは、人間の精神が自分の死を理解できない結果だっていう」

「ああ。それに、恐怖からの心理的分離（デタッチメント）だっていうロス博士の仮説にも賛成しない。死ぬことを楽にしたり快適にしたりすることに、進化上のメリットはまったくない。肉体が傷つくと、脳は一連のサバイバル戦略を実行に移す。血流がとだえても支障がない身体各部の血流を止め、呼吸率を増大させて酸素量を増やし、いちばん必要な場所に血液を集中させ——」

「NDEもそうした戦略のひとつだと？」

「ああ。臨死体験者のほとんどは電気ショックやノルエピネフリンで蘇生するが、中には自分で呼吸を再開した人もいる」

「そういう人たちを蘇生させたのはNDEだと？」

「NDEを引き起こす神経化学的な現象が蘇生させたんだと思う。NDEはその現象の副作用なんだよ。それに、その現象がどんなもので、どんなふうに働くのかを解明するための手がかりでもある。そしてそれを解明できたら、その知識は最終的に、心停止した患者の蘇生に応用できる。新開発のRIPTスキャンは知ってる？」

ジョアンナは首を振った。「陽電子放射断層撮影（PET）スキャンみたいなもの？」

「脳の活動を測定するという意味ではね。ただしRIPTスキャンのほうが幾何級数的に高速で、解像度が高い。プラス、放射性のあるやつじゃなくて、化学的なトレーサーを使うから、患者ひとりあたりのスキャン回数に制限がない。脳のさまざまな場所で起きている電気化学的活動を同時に記録して、生きている脳の神経活動の3D写真を撮る。それをいうなら、死にかけている脳でもおなじことだけど」

「つまり、理論的にはNDEの写真が撮れるってこと？」

「理論的にじゃないよ。ぼくは現実に――」

階段のてっぺんの扉が開いた。

ふたりとも凍りついた。

頭上で男の声が、「――じつに実り多いセッションだったよ。ミセス・ダヴェンポートは、死んでいるあいだに、《帰還命令》と《人生回顧》を経験したことを思い出した」

「うそ」ジョアンナはささやいた。「ミスター・マンドレイクだ」

リチャードは首をのばし、角の向こうを慎重に覗いた。

「ほんとだ」と、こちらもささやき声で、「扉を半分開けたまま手で押さえてる」

「向こうからこっちが見える？」

リチャードは首を振った。

「じゃあ、ほんとなんですね？」と、戸口のほうから若い女の声。

「いまのはティッシュね」とジョアンナはささやいた。

リチャードがうなずき、ふたりは息をつめて完全に動きを止めた。階段と扉の方向に頭を向け、耳に神経を集中する。

「死ぬときは、ほんとに全人生がフラッシュバックするんですか?」とティッシュ。

「ああ。人生の出来事がイメージのパノラマとなって目の前に広がる。それが人生回顧だよ。光の天使が魂を導いて、その人生と、そうした出来事の持つ意味を検討させる。ついさっきまでミセス・ダヴェンポートの話を聞いていたんだが、天使は彼女の人生を見せながら、〝見て、理解しなさい〟といったそうだ」

マンドレイクが扉に寄りかかってもっと大きく開けたらしく、声がとつぜん大きくなった。

「われわれは見て、理解することになる。自分たちの人生を理解するだけではなく、生そのもののありようを理解するんだよ。われわれが永遠の世にたどりついたとき、理解と愛の広大な大洋がわれわれのものになる」

リチャードがジョアンナのほうを見た。「あの調子でいつまでしゃべりつづけると思う?」

「永遠」とささやき返した。

「じゃあ、ほんとにあの世があると信じてるんですかぁ?」とティッシュ。

待ってる患者がいるんじゃないの、ティッシュ。ジョアンナは心の中でそう毒づいた。しかし、相手がティッシュでは、いっても無駄。彼女にとって、異性に媚(こ)びを売るのは呼吸のように自然な行為だ。たとえ相手がミスター・マンドレイクでも、男と見ればちょっかいを出さずにいられないタイプ。そういえば、リチャードはもう彼女と顔を合わせているらしい。いったいどうやって切り抜けたんだろう。

「信じているわけではない。あの世があると知ってるんだよ。それが存在するという科学的な証拠を握っている」

「ほんとにぃ？」とティッシュ。

「目撃者がいる。わたしの面接対象は、死後の世界が、黄金の光と愛する人々の顔で満たされた、美しい場所だと証言している」

間があった。ようやくどこかへ行く気になったのかも。ジョアンナはそうであることを祈った。

防火扉がさらに大きく開き、だれかが階段を下りはじめた。リチャードがぱっと立ち上がり一瞬で踊り場を横切ると、ジョアンナの手をひっぱって立たせ、ふたり並んで壁にぺったり張りついた。リチャードの片腕がジョアンナの体を壁に押しつけている。ふたりは息をつめて待った。

扉がカチリと音をたてて閉じ、コンクリートの階段を下りる足音がこちらに近づいてくる。ものの数秒で踊り場までたどりつくだろう。かくれんぼしている子供みたいにこんなところで身を縮めている理由を、いったいなんと説明したものか。問いかけるようにリチャードを見たが、彼は人さし指を唇にあてた。足音がさらに近づく。

「ミスター・マンドレイク！」ティッシュの遠い声がした。ドアがまた開く音。「ミスター・マンドレイク！　その階段は使えませんよ。まだ乾いてないんです」

「乾いてない？」とミスター・マンドレイク。

「階段にペンキを塗り直したばっかりなんですよ」

間。ジョアンナの体を壁に押しつけているリチャードの腕の力が強くなる。それから、今度は階段を上がっていく足音。

「どちらへいらっしゃるつもりなんですかぁ、ミスター・マンドレイク？」

「ERだ」

「ああ、だったら整形外科まで行って、そこのエレベーターに乗るんです。こっちです。案内しますから」

また長い間があり、扉がカチリと閉まった。

リチャードがジョアンナの前に頭を突き出し、階段を見上げた。「行ったよ」腕を離してジョアンナのほうを向くと、「階段のペンキがほんとに乾いてないかどうか自分でたしかめるといいはったらどうしようと、気が気じゃなかったよ」

「冗談でしょ。彼のキャリアすべては、ものごとを額面どおり受けとめることで成立してるのよ」

リチャードは声をあげて笑い、扉に向かって階段を上りはじめた。

「わたしならそんなことはしないけど」とジョアンナは背中に声をかけた。「まだそのへんにいるわよ」

リチャードは足を止め、けげんな顔でこちらを見下ろした。「でも、ERに行くっていってたじゃないか」

ジョアンナは首を振った。「聴衆がいるうちは行かない」

リチャードは用心深くドアをわずかに開け、またそっと閉めた。

「ほんとだ。ティッシュを相手に、光の天使が宇宙の神秘をミセス・ダヴェンポートに解き明かした話をしてる」

「それだと一ヵ月はかかりそう」ジョアンナは観念して、階段にがっくり腰を落とした。

「あなたはお医者さんでしょ。人間が餓死するまでにどのくらい時間がかかる？」

リチャードは驚いた顔になり、「おなかがすいてるの？」

ジョアンナは壁に頭をあずけた。「朝食にポップタートを一枚食べたきり。約百万年前」

「冗談だろ」といいながらリチャードは白衣のポケットを漁った。「エナジー・バーとか食べる？」

「食べもの持ってるの？」ジョアンナは声をはずませた。

「食事に行こうと思うと、いつもカフェテリアが閉まってるもんだから。開いてることってあるの？」

「ない」

「それにこの近くには一軒もレストランがないみたいだし」

「ないわ。いちばん近いのがタコ・ピエールで、十ブロックの彼方」

「タコ・ピエール？」

ジョアンナはうなずいて、「ファストフード式のブリトーと大腸菌」

「ふうん」リチャードがポケットからりんごを一個とりだし、白衣の襟にこすりつけて磨いてから、こちらにさしだした。「りんごは？」

ジョアンナはありがたく受けとった。「命の恩人ね。最初はミスター・マンドレイクから、今度は飢え死にから救ってくれた」りんごをひと口かじり、「なにをしてほしいのか知らないけど、なんだって協力する」

「よかった」リチャードはまたべつのポケットに手を入れた。「ぼくのために臨死体験を定義してほしいんだ」

「定義する？」口いっぱいのりんごの隙間からジョアンナはいった。

「感覚をね。NDEの最中に患者が経験するもの」フォイルで包装された栄養物添加穀物バーを一本とりだし、わたしてよこす。「全員がおなじことを経験するのか、それとも各人各様なのか」

「各人各様じゃないわね」ジョアンナはエナジー・バーの包装をはがそうとしながらいった。「臨死体験に、ミスター・マンドレイクいうところの〝コア体験〟があるのはまちがいないみたい」包装紙に歯を立てて破ろうとする。「それを定義するのはまた別問題だけど」

リチャードがエナジー・バーをとって包装をはがし、中身を返してくれた。

「ありがと。問題は、ミスター・マンドレイクの本を筆頭に、臨死体験関連の情報が山ほど出まわってること。臨死体験者がなにを見るべきかメディアが教えるから、もちろんみんなそれを見ちゃうわけ」

リチャードが眉をひそめた。「じゃあ、トンネルや光や聖なる人物をほんとに見てるわけじゃないと?」

ジョアンナはエナジー・バーをひと口かじってから、「そうはいってない。NDEは、ミスター・マンドレイクや最近のトンデモ本の洪水といっしょにはじまったわけじゃないもの。古代ギリシャにまで遡る臨死体験談だってある。プラトンの『国家』には、エルという名の兵士が死んで、あの世の王国につづく通路を旅し、そこで精霊やなんかが天国に近づくところを見たという話が出てくる。八世紀チベットの『死者の書』には、肉体を離れて、霧に包まれた虚空に浮かび、それから光の王国に入ると記されている。それに、コア要素のほとんどは、はるか過去にまで遡るみたい」

ジョアンナはバーをもうひと口かじった。「臨死体験者がトンネルやなんかを見ないってことじゃないの。麦殻と麦粒をより分けるのがすごくたいへんっていうだけ。麦殻の量は半端じゃない。だれでもNDEをだしにして目立ちたがる傾向があるし。でなきゃ、NDEを証拠にして、超常現象に対する信仰を広めようとするとかね。臨死体験をしたと主張する人間の二十二パーセントは、自分が透視能力者だとか念動力者だと主張している。でなきゃ、ブライディ・マーフィみたいに前世を思い出すとか。十四パーセントは、エイリアンに誘拐(アブダクト)されたと主張している」

「じゃあ、その麦殻と麦粒をどうやって見分けるんだい?」

ジョアンナは肩をすくめた。

「ボディ・ランゲージを観察するの。先月面接した患者は、〝その光を見たとき、宇宙の秘密を理解したんです〟といったんだけど――ちなみにこれはありがちなコメントね――その秘密がなんだったのかと質問すると、彼女いわく、〝だれにも話さないとイエス様に約束したので〟。でも、そのとき彼女は、ぎりぎり手が届かない場所にあるものをつかもうとするみたいに、片手をのばしていた」と、そのしぐさを実演してみせる。「あとは、よくある臨死体験のイメージからはずれた経験に注意して、話が首尾一貫しているかどうか気をつけること。見るはずだと思っているものを説明しているときにくらべて、自分がじっさいに経験したことを説明している場合には、話の中に具体的なディテールが――一見、なんの関係もなさそうなものまで含めて――もっとたくさん出てくることが多いの」

「で、彼らはじっさいにどんなことを経験してるんだい？」

「そうね、まずまちがいないのは暗闇の感覚と、それから光の感覚。ふつうはこの順番。それから、ある種の物音。もっとも、どんな音なのかは、だれもうまく説明できないようだけど。ミスター・マンドレイクはそれがブザーみたいなブーンという音だという主張で――」

「だから彼の患者は全員、ブーンという音だという」

「ええ。でも、彼らだってそんなに自信がある口振りじゃない」ジョアンナはミセス・ダヴェンポートのあいまいな口調を思い出しながらいった。「それに、わたしが面接してきた人たちの場合だと、音の説明にすごく大きなばらつきがある。カチカチだったり、咆哮（ほうこう）だったり、ひっかくような音だったり、キンキン響く音だったり」

「でも、音が聞こえるのはまちがいない？」

「ええ、そうね。わたしの患者の八十八パーセントはそれに言及してる。誘導抜きで」

「手術台に横たわる自分の体を空中から見下ろしていましたってやつは？」リチャードが、白衣のポケットから箱入りのレーズンをとりだしながらたずねた。

「ミスター・マンドレイクは自分の患者の六十パーセントが体外離脱を体験しているというけど、わたしのほうは十一パーセントだけ。わたしのほうの七十五パーセントは平和であたたかな感覚に言及し、五十パーセント近くがなんらかの人影を見たといってる。ふつうは宗教的な人物で、ふつうは白い服を着てて、輝いてたり光を放射してたりする場合もある」

「マンドレイクいうところの《光の天使》か」

ジョアンナは片手をさしだし、リチャードがそのてのひらにレーズンを何粒か落としてくれた。

「ミスター・マンドレイクに洗脳された臨死体験者は、光の天使と死んだ親族が出迎えてくれるのを見る。でも、そうじゃない全員についていえば、どんな宗教を信じてるかによって決まるみたい。クリスチャンは、天使やキリストを見る。カトリック教徒の場合は聖母マリアね。ヒンズー教徒はクリシュナかヴィシュヌで、無神論者は血縁者を見る。でなきゃエルヴィス・プレスリーとか」ジョアンナはレーズンをひと粒食べた。「麦殻っていうのはそういうこと。それぞれの個人的な背景しだいですごくバイアスがかかっちゃうから、ほんとになにを見たのか突き止めるのはほとんど不可能」

「子供の場合はどうなんだい？　子供のほうが先入観は少ないだろ？」

「ええ。でも、子供の場合は、質問してくる大人を喜ばせようという傾向がもっと強くなる。八〇年代の児童虐待裁判が証明しているとおりよ。うまく操作すれば、子供はなんでも好きなことをいわせられる」

「そうかなあ」リチャードが疑い深い口調でいった。「きょうぼくが会った女の子は、ちょっとやそっとじゃ操作されそうになかったけど。きみの友だちだよ。メイジー」

「メイジー・ネリスと会ったの？」といってから、ジョアンナは眉をひそめた。「また入院してるなんて知らなかった」

リチャードがうなずき、「きみに伝えたいだいじなことがあるって伝言を頼まれた。ヒンデンブルクについてたっぷりおしゃべりしたよ」

ジョアンナはにっこりして、「じゃあ、それが今週の災害？」

「うん。それと糖蜜大洪水。一九一九年に二十一人がパンケーキ的な非業の死を遂げたって知ってた？」

ジョアンナは思わず吹き出した。「何時間メイジーのところにいたの？　いえ、いわなくても想像がつく。あの子は、もうちょっとだけ長く病室に残っていないといけない理由を考え出す天才なのよ。世界チャンピオン級の引き留め屋ね。世界チャンピオン級にすばらしい子供でもあるけど」

「同感だ」とリチャードはうなずいた。「心筋症で、心室細動を起こしたって聞いたけど」

「ウイルス性心内膜炎。どうしても安定しなくて、いろんな抗不整脈薬で副作用が出てるの。歩く災害みたいな状態」

「だからヒンデンブルクに興味を持つわけか」

「ええ。内心の不安を間接的に表現するあの子なりのやりかたなんじゃないかと思う。母親は娘が病気の話をすることを許さない。メイジーが死ぬかもしれないという可能性を認めることさえ拒んでる。でもそれ以上に、説明できない災厄にとつぜん見舞われた他人の話を読むことで、メイジーは自分自身の境遇に折り合いをつけようとしてるんだと思う」

　ジョアンナはまたひと粒レーズンを口に入れた。

「それプラス、子供はいつだって人間の死に興味を持つものよ。わたしがメイジーぐらいの歳だったころ、『森の幼な子』っていう歌がお気に入りだった。〝晴れた夏の日に連れ去られ〟て森の中に置き去りにされたふたりの子供の歌。祖母がよく歌ってくれたんだけど、母はぞっとするって嘆いてたわ。老人も死に惹かれるのね」

「そうなのかい？」リチャードが好奇心にかられたようにたずねた。「死んじゃうの？　その歌に出てくる、森に置き去りにされたふたりの子供は？」

「ええ。何行か闇の中をさまよったあげくにね。〝月は沈み、星明かりもなく〟」とジョアンナは歌詞を暗唱した。「〝ふたりは涙を流し、ためいきをつき、声をあげて泣きました。そしてかわいそうなふたりの幼な子は、じめんに横になって死にました〟。そのあと、鳥たちがやってきて、亡骸を木苺の葉で隠す」ジョアンナは昔を懐かしむようなためいきをついた。「この歌、ほんとに好きだった。たぶん、子供が出てくるからね。メイジーの災害もたいてい子供が関係してる。でなきゃ犬」

「ヒンデンブルクにも犬が一匹乗ってたそうだよ。名前はウーラ」

だが、ジョアンナは聞いていなかった。「なんの話があるのかいってた？」

「臨死体験だって」

「まさか、また心室細動を起こして心停止したんじゃなきゃいいけど」

「ちがうと思うよ。起きて歩きまわってたし。ベッドに縛りつけておくのに看護師が苦労してた」

「会いにいかなきゃ」

ジョアンナは階段の上を見上げた。足を忍ばせて階段を上がり、扉を細めに開ける。

「……光の天使が、きらめくダイヤモンドのように金色の光を周囲に放射していた」とミスター・マンドレイクの声。

ジョアンナはそっと扉を閉めた。「まだいる」

「そりゃよかった。ぼくの説得工作がまだ終わってないからね。なんとかきみを説き伏せてプロジェクトに協力してもらわなきゃ。それに、NDEの最中になにを経験するのかっていう話も済んでないよ。おまけに、デザートもまだだし」リチャードは白衣のポケットに手を入れて、ピーナツ入りm&mのパッケージをとりだした。

ジョアンナは首を振った。「ありがとう、でもいいの。そんなの食べたら、ますますのどが渇きそうだから」

「ああ、それだったら」リチャードが右のポケットに手を入れ、「モカ・フラペチーノ」と、とりだしたボトルを段の上に置き、それからもう一本とりだした。「もしくは」とラベルを読み、「朝鮮人参エキス配合マンダリン緑茶」

「すごい人ね」ジョアンナはフラペチーノを受けとって、「いったいほかになにが入ってるの？　シャンペン？　ロブスター・テルミドール？　わたしのポケットに入ってるものといったら、絵葉書が一枚とテープレコーダーと……」カーディガンのポケットを探って、「……ポケットベル一個——おっと、これは切っとかなきゃ。とつぜん鳴り出して、わたしたちの居場所がミスター・マンドレイクにばれたらたいへんだから」ポケットベルの電源をオフにしてから、「それに使用済みクリネックスが三枚」ジョアンナはフラペチーノのボトルの注ぎ口を開けてから、「ストローはお持ちじゃありませんこと？」

リチャードはポケットから紙で包装されたストローを一本とりだしてジョアンナに手わたし、「暗闇の感覚があるっていったよね。トンネルじゃなくて？」

ジョアンナはストローの袋を破った。「大多数の臨死体験者はトンネルと呼んでるけど、でも説明を聞いてるとトンネルじゃないの。ある人には回転する渦巻きみたいに見えるし、通路とか廊下とか細長い部屋とか形容する人もいる。わたしの面接対象の数人は、周囲の闇が崩れて自分に押し寄せてくるみたいだったといってる」

「なるほどね。視覚皮質の機能停止だ」リチャードは防火扉のほうを親指で指して、「人生回顧は？」

「わたしの面接対象は、約四分の一しか経験してない」ジョアンナはフラペチーノをすすった。「でも、過去の人生が目の前でフラッシュバックするっていうのは、事故のときなんかにさんざん報告されてる現象だから。ミスター・マンドレイクによれば、臨死体験には——彼好みの表現では臨死後生体験だけど——」

「ぼくも聞かされたよ」リチャードが渋面をつくった。

「——十のコア要素がある。体外離脱体験、音、トンネル、光、死んだ親族、天使の光、平和と愛の感覚、人生回顧、全宇宙的な知識の授与、帰還の命令。わたしの対象の大多数は、このうちの三つか四つを経験してる。ふつうは音、トンネル、光、それプラス、だれかが——人間だか天使だかが——いるという感じ。もっとも、くわしく質問してみると、それをうまく説明できないんだけど」

「側頭葉刺激みたいだな。付随する視覚的なイメージ抜きで、聖なる存在の中にいるという感覚を引き起こすことがあるんだ。それだけじゃなく、フラッシュバックとか、声まで含めたいろんな物音とか。しかし、二酸化炭素の蓄積や、ある種のエンドルフィンにもおなじ効果がある。それが問題のひとつなんだ——ＮＤＥで語られるような現象を引き起こす身体的なプロセスはいくつも考えられる」

「そしてミスター・マンドレイクは、実験室でつくられた効果は、ＮＤＥ者が経験するものとはちがうと主張するわね。彼は著書の中で、無酸素状態から生じる光やトンネル視は、自分の患者が語るそれとはまったくの別物だと述べている」

「客観的な基準がないかぎり、それを論破するのは不可能だ。ＮＤＥの説明は、たんに主観的というだけじゃなく、伝聞だからね」

「それにあいまい。じゃあ、あなたのプロジェクトの目標は、客観的な基準を確立すること？」

「いや。基準ならある。三年前、脳の活動部位マップをつくるためにＲＩＰＴスキャンを使っていた。被験者に一から五まで数を数えさせたり、好きな色はなにかとか、薔薇（ばら）はどんなにおいがするかとか質問したりして、シナプス活動の部位を特定するんだよ。そしてその実験の最中に、被験者のひとりが心停止した」

「スキャンのせいで？」

「まさか。ＲＩＰＴはＣＴスキャンとおなじぐらい安全だ。いや、放射線を使わないからＣＴ以上に安全だね。心停止の原因は重度の冠動脈血栓。スキャンとはまったく無関係だった」

「その人、死んだの？」ジョアンナはグレッグ・メノッティのことを思い出しながらたずねた。

「いや。救急カート・チームが蘇生させた。バイパス手術を受けて元気になったよ」

「それで臨死体験を？」

「そうなんだ。そしてぼくらはその画像を撮影した」リチャードは白衣のポケットから蛇腹に折り畳んだ横長の紙をとりだした。「救急カートの到着までに三分かかった。そのあいだじゅう、RIPTスキャンが脳の状態を記録しつづけていたんだ」

リチャードは体を動かしてジョアンナのとなりにすわると、横長の連続写真を開いた。PETスキャン画像とおなじような脳の断層画像だが、青と緑と赤に彩られ、解像度はこちらのほうがはるかに高い。写真の両側に、暗号のようなデータが何列も何列も並んでいる。

「赤は活動レベルがいちばん高いところ、青はいちばん低いところだ」リチャードはオレンジがかった赤のエリアを指さして、「ここが側頭葉。それからここが海馬」と小さな赤い染みを指す。連続写真のプリントアウトを手わたして、「ようくご覧じろ。これがNDEだよ」

ジョアンナはオレンジと黄色と緑のまだらをまじまじと見つめた。「じゃあ、本物なのね」

「それは〝本物〟の定義によるね。ここにまったく活動してない部位があるだろ？　これが視覚野。ここもここも、外界から入ってくる情報を処理する一次感覚野。脳は外界からのデータをまったく受けとっていない。つまり、受けとる刺激は脳の奥深くからやってくるものだけなんだ。マンドレイクの仮説にとっては都合が悪いね。患者がまばゆい光だの天使だのを現実に見ているとしたら、ここ
とかここ
とかの視覚野は活性化しているはずだからね」

ジョアンナはダークブルーの部位を見つめながら、「彼はなにを見たの？　心停止した人は？」

「ミスター・オレアドンだ。彼が見たのは、順番にいうと、トンネル、光、それと子供時代の情景がいくつか」

「人生回顧」ジョアンナはつぶやいた。

「そういうイメージは、ここが活性化している理由になるんじゃないかと思う」リチャードは連続写真の黄緑色の部分を指さした。「長期記憶シナプスにランダムな発火が見られる」

「白に身を包んだ輝く人物は見たの？」

リチャードは首を振った。「聖なる存在を間近に感じて、その存在がもどれと命じ、気がつくと手術台の上にいたそうだ」

リチャードは最後のほうの写真を指さした。「この時点で彼はNDE状態を脱した。パターンががらっと変わってるのがわかるだろ。側頭葉の活動が急激に落ち込み、そのかわり視覚野、聴覚野の活動が増大している」

しかしジョアンナは、それにはうわのそらで、べつのことを考えていた。臨死体験者は十人が十人、行って帰ってきたという言い方をする。まるで、死が実在の場所であるかのように。

「そのとき、わたしは救急車にもどってきたんです」とか、「トンネルを進んでいきました」とか、「そこにいたあいだじゅう、平和で安全な気持ちだったわ」とか。そしてグレッグ・メノッティは、「遠すぎて彼女は来られない」といった。まるで彼自身が、ERではなく、どこかべつの場所に行ってしまっているかのように。遠すぎる。〝その境を越えた旅人はだれも戻らぬ遠い国〟とシェイクスピアは死を形容した（『ハムレット』第三幕第一場。正しくは「未知の国」）。

「活動レベルがいちばん高いのはここだ」リチャードが説明をつづけている。「側頭葉前部のシルヴィウス溝に接した部分。ということは、臨死体験の原因はもしかしたら側頭葉刺激かもしれない。側頭葉てんかん患者は、声、聖なる存在、多幸感、オーラを報告しているからね」

「わたしの患者の多数は、白に身を包んだ人影のまわりに後光が射して、その人影からも光が放射されていたといってる。そのうち何人かは、その光の話になると、光線を示すみたいに両手を広げてみせた」といいながら、ジョアンナはじっさいにそれをやってみせた。

「まさにそういう情報が必要なんだよ。このプロジェクトにぜひ協力してほしい」

「でも、ＲＩＰＴスキャンの読み方なんかわからないし」

「だいじょうぶ、そっちはぼくの担当だから。いま話してくれたようなことを話してくれれば――」

階段の上の扉がばんと開き、看護師がとんとんと階段を下りてきた。ジョアンナとリチャードは同時に踊り場へ飛び出したが、あとの祭りだった。すでに姿を見られている。

「あらまあ」看護師はびっくりしたようだが、すぐに興味津々の表情になった。「ごめんなさい。知らなかったものだから」といって、リチャードに愛敬たっぷりの笑みを向けた。

「ここから下へは降りられないわよ」とジョアンナはいった。「ペンキを塗り直したばかりだから」

看護師はいわくありげに眉を上げてみせた。「で、おふたりさんはペンキが乾くのを待ってたわけ?」

「ええ」とリチャード。

「ミスター・マンドレイクはまだ上にいる?」とジョアンナはたずねた。「廊下に?」

「いいえ」看護師はまだリチャードに笑みを向けたままで答えた。

「ほんとに?」とジョアンナ。

「廊下に見えるのは夕食のカートだけね」

「夕食のカート? やれやれ、もうそんな時間なの」ジョアンナは腕時計に目をやった。

「うわっ、まいった。もう六時をまわってるじゃない」

看護師はまた眉を上げた。「時間を忘れてたってわけね。お邪魔さまでした、ごゆっくり」といって看護師はリチャードのほうに手を振り、とんとんと階段を上がって出ていった。

「こんな時間になってるなんてちっとも気づかなかった」ジョアンナはエナジー・バーの包み紙をまるめてカーディガンのポケットに突っ込んだ。立ち上がり、フラペチーノのボトルやりんごの芯を拾い集める。

リチャードが階段を二段飛ばしに駆け上がってきて追い越すと、くるっとこちらを向き、両手を広げて通せんぼした。「まだ行かせないよ。プロジェクトに協力してくれるかどうか返事をもらってない」

「でも、この病院に入院してる臨死体験者は、もう全員、面接調査を済ませちゃったのよ。

聞きとり結果の筆記録なら喜んで提供するけど――」

「この病院の臨死体験者のことをいってるんじゃないんだ。ぼくのほうの志願者の面接を頼みたい。きみは麦殻と麦粒を見分けるエキスパートだからね。それをやってほしいんだよ。ぼくの被験者に話を聞いて、彼らがじっさいに経験したことだけをよりわけて、ぼくがそれとRIPTスキャン・マップとの関係を調べられるようにする」

「臨死体験者のRIPTスキャン・マップ?」ジョアンナはとまどった。「よくわからない。病院で心停止する患者はごく少数だし、もしそういうことが起きたとしても、スキャナーをERに運んできてセットするまで四分から六分の時間しかないのよ。それに――」

「いやいや、そうじゃない。ちがうんだよ。ぼくはNDEを観察するんじゃない。NDEをつくるんだ」

4

「ごめんなさい、ムシュー。そんなつもりではなかったのですけれど」

——ギロチン台に上がる途中、処刑人の足をうっかり踏んでしまったマリー・アントワネットの言葉

「NDEをつくる？　『フラットライナーズ』みたいに？」とうっかり口走ってから後悔した。そんなことというんじゃなかった。頭がいかれた相手とふたりきりで階段にいるんだから。

「『フラットライナーズ』？」リチャードはぞっとしたようにいった。「片っ端から人間の心臓を止めて、脳死状態になる前に蘇生させてまわる映画のこと？　もちろんちがうよ。〝つくる〟というのは言葉が悪かった。〝シミュレートする〟というべきだった」

「シミュレートね」ジョアンナはまだ用心深くいった。

「うん。ジテタミンっていう神経刺激薬を使うんだ。ちょっと待って、最初から話そう。ミスター・オレアドンの心臓が止まって、彼のNDEがいわば録画された。しかし、気持ちは

わかってもらえると思うけど、ぼくはその事実を公表したいとは思わなかった。ちょうどミスター・マンドレイクの本が出たばかりで、彼はテレビのトーク番組に出ずっぱりになって、あの世は現実に存在するとぶちあげていたからね。NDEの証拠写真を公表したりすればどんな事態になるかは想像がつくよ」両手を広げて大見出しのサイズを示し、「〝臨死体験の実在を科学者が証明〟」

「ちがうちがう。〝科学者、天国の写真を撮影〟。脳の断層画像に真珠の門のいんちき写真を合成してね」

「まさしく。おまけにそれは、当時ぼくがやっていたマッピングのプロジェクトとはなんの関係もなかった。だからスキャン結果とミスター・オレアドンの臨死体験談をファイルにまとめて引き出しにしまいこんだわけだ。二年後、精神活性薬が側頭葉に与える影響に関する研究論文を読んでいたとき、ジテタミンを投与した患者のfPETスキャン画像が目にとまった。どこかで見たような画像だなと思って、それでミスター・オレアドンのスキャン画像をひっぱりだしてみたら、どっちもおなじパターンを示していた」

「ジテタミンって？」

「PCP(フェンシクリジン)に似た薬だよ」リチャードが白衣のポケットを探るのを見て、ジテタミンの瓶(バイアル)をとりだすのかと思ったが、出てきたのはスペアミント味のライフセイヴァーズだった。

「食後の口直しにミントはいかが？」とこちらにさしだす。ジョアンナは一個とって残りを返した。

「ＰＣＰとちがって精神面の副作用はないし」リチャードはライフセイヴァーズの紙の包装を剝きながらいった。「ハイになることもないんだけど、幻覚を引き起こす作用はある。さっきの研究論文を書いたドクターに電話して、被験者がどんな幻覚を見たのか教えてもらったんだ。そしたら、被験者は自分の肉体の上空に浮かび、それから出口に光の見える暗いトンネルに入り、その光の中には輝く存在が立っていた、と。それを聞いて、あたりくじを引き当てたんだと気がついた」

心霊術やミスター・マンドレイクの著書の人気が証明するとおり、人間ははるか昔から、死んだあとになにが起きるのか知りたいと願ってきたが、それを突き止めるための科学的な方法を考え出した者はだれもいない。数少ない例外はハリー・フーディニだが、あの世から妻とコミュニケートしようという彼の試みは失敗した。それにラボアジエも。

ギロチンによる斬首刑を宣告されたこの偉大なフランス人化学者は、斬首された人間に死後も意識があるかどうかという問題に答えを出す実験を提案した。首を斬られたあとも、意識があるかぎり瞬きをつづけるとあらかじめ約束し、そしてそれを実行した。彼は十二回瞬いたのだ。

しかしそれは、もしかしたらただの反射作用だったかもしれない。頭を切断された鶏がしばらく走りまわるのとおなじような。じっさいになにが起きたのかをたしかめるすべはなかった。いまのいままでは。

「じゃあ、あなたのプロジェクトは、被験者にジテタミンを投与して、ＲＩＰＴスキャンにかけ、そのあと面接調査を実施するわけ？」

「うん。彼らがトンネルや光や天使を見たと報告するのはいいとして、ぼくにはそれが臨死体験者が経験するのとおなじ種類の現象なのか、それとも全然べつの種類の幻覚なのか、区別がつかないんだ」

「その判別をわたしにやってほしい、と。あなたのプロジェクトの被験者に面接して、彼らの話が臨死体験者の話と合致すると思うかどうかを教える？」

「そのとおり。それに加えて、被験者から詳細に話を聞き出してほしい。彼らの主観的な体験は、脳のどの部位が興奮し、どんな神経伝達物質が関係しているかを示す指標になる。このプロジェクトには、NDE面接調査に関するきみの経験とノウハウが必要不可欠なんだよ。いままでぼくが被験者から引き出すことのできた話は、情報としてあまり役に立つものじゃなかった」

「だったらきっとNDEね。自分がどんな経験をしたのかミスター・マンドレイクに教えてもらってないかぎり、臨死体験者の話は要領を得ないことで有名だから。それに、ことこまかに聞き出そうと根掘り葉掘り質問した場合には、彼らの証言に影響を与える危険をおかすことになる」

「たしかに。だからきみの力が必要なんだよ。きみなら誘導にならない質問のやりかたを心得てるし、NDEに関する経験もある。コア要素をべつにすれば、ぼくにはジテタミン幻覚と本物のNDEを比較対照するすべがない。それに、きみにとってもこのプロジェクトは役に立つんじゃないかと思うんだ」リチャードは熱心な口調でいった。「コントロールされた環境下で被験者に面接するチャンスができるんだから」

しかも、ミスター・マンドレイクに先を越される心配なしで――とジョアンナは心の中でつけ加えた。

「で、どう思う？」とリチャード。

「どうかしら」ジョアンナはこめかみのあたりを指先でこすりながら、疲れた声でいった。「願ってもない話に聞こえるんだけど、じっくり考えてみないと」

「いいとも。もちろんだよ。いきなり突拍子もない話を聞かせちゃったし、それでなくてもきょうはたいへんな一日だったんだから」

ええ、たしかに。検査台の上に横たわるグレッグ・メノッティの遺体が目に浮かんだ。青白く冷たい、魂の脱け殻。行ってしまった。

「いますぐ返事してくれといってるわけじゃないんだ」とリチャードがなおも話している。「実験の段どりも見ておきたいだろうし、研究助成金の申請書も見せる。結論を出すのは今夜じゃなくていい」

「それだと助かるわ」急にぐったり疲れた気分になって、ジョアンナはいった。「今夜はとても無理だと思うから」立ち上がり、「たしかにきょうはたいへんな一日だったし、帰る前にテープ起こしを済ませておきたい面接記録も残ってるの。それにメイジーの顔も見てこないと――」

「わかるよ。今夜のうちに考えておいてくれ。あしたの朝、実験の段どりを見てもらう。それでいいかい？」

「了解。十時ね」ジョアンナはそういって階段を上がりはじめた。「それと、夕食をありがとう。あなたの白衣のポケットは、この界隈でいちばんのレストランよ」

ジョアンナは用心深く階段のてっぺんまで上がると、扉を細めに開けて、おっかなびっくり外を覗いた。廊下は無人だった。

「敵影なし」とリチャードに報告し、ふたりは廊下に出た。

「じゃあ、あしたの朝十時に」リチャードがそういってにっこりした。「なにか聞きたいことがあったらいつでもここに電話して」と、白衣のポケットから名刺をとりだす。まるでサーカスの道化師みたい。ハンカチや自転車のホーンやウサギをポケットからどんどんとりだす。

「ぼくらふたりなら最強タッグが組めるよ」

「考えてみる。結果はあした伝えるわ」

リチャードがうなずいた。「このプロジェクトをいっしょにやりたいと心から思ってるよ。きみとなら、大きな仕事ができると思う」廊下を歩き出したが、すぐに立ち止まり、途方に暮れたような顔でこちらをふりかえった。「ぼくのオフィスにもどるにはどう行けばいいのかな」

ジョアンナは吹き出した。「エレベーターで七階へ行って、連絡通路をわたってから、磁気映像室の外の階段で六階に下りる」

リチャードはにやっと笑って、「ほらね。きみの助けなしじゃ、ぼくはどうしようもないんだよ。この仕事を引き受けるといってくれなきゃ」

ジョアンナは笑みを浮かべて首を振り、西棟のメイジーに会いにいこうと歩き出した。そして、まっすぐモーリス・マンドレイクにぶつかった。

「きみのポケットベルはおよそ用をなしていないようだ」ときびしい口調でいう。「患者の面接をしているのだろうと思っていたが。これから面接にいくのかね？」

「いいえ」ジョアンナは立ち止まらずに答えた。

「きょうの午後、心停止した患者がＥＲに運び込まれたと聞いたが」とミスター・マンドレイク。「彼はいまどこにいる？」

それが問題だ。グレッグ・メノッティはいまどこにいるのか？「亡くなりました」とジョアンナは答えた。

「亡くなった？」

「ええ。運び込まれた直後に」

「それは残念だな。心臓発作の患者の臨死体験がもっともディテール豊かなのに。これからどこへ？」

べつの臨死体験者をどこかに隠しているんじゃないかと思っているにちがいない。「帰ります」といって、決然と歩き出した。

ミスター・マンドレイクが追いついてきた。「きょうの午後、ミセス・ダヴェンポートと話した。NDEに関して細かい点をずいぶんたくさん思い出してきたよ。黄金の階段と、そのてっぺんにいた輝く白い翼を持つふたりの天使を見たそうだ」

「へえ」ジョアンナは歩きつづけた。廊下の先に、職員用エレベーターがある。一瞬でもミスター・マンドレイクを振り切れさえすればそれに乗れるのだが、このようすでは望み薄だ。

「ふたりの天使にはさまれて、伯父のアルヴィンが立っていたそうだよ。海軍の白い軍服姿で。彼女の体験が現実だということをそれが証明してる。ガダルカナルで伯父が戦死したときどんな服を着ていたのか、ミセス・ダヴェンポートには知る由（よし）もないからね」

家族のスナップショットや過去のありとあらゆる第二次世界大戦映画をべつにすればね、と心の中でつぶやく。ミスター・マンドレイクはどこまでもついてくるつもりなんだろうか。どうやらそのつもりらしい。ということは、メイジーに会いにいくわけにはいかない。メイジーはミスター・マンドレイクに屈しなかった数少ない臨死体験者のひとりだが、彼はメイジーがまた病院にもどっていることを知らない。ジョアンナとしては、そのまま知らせずにおきたかった。

「ドクター・ライトにミセス・ダヴェンポートの体験のことをはやく聞かせてやりたくてね」とミスター・マンドレイクはいった。「看護師に聞いた話によると、彼は研究室で臨死後生体験（NAE）を再現するつもりらしい。もちろんそんなことは不可能だ。これまで何人もの研究者が、感覚遮断や薬剤や音波振動を使ってそれに挑戦してきたが、NAEの再現に成功した者はひとりもいない。それもそのはず、NAEは物理的なものではなく、霊的なものだからね」

廊下の向こうからふたりの女性がこちらに歩いてくる。だれか知っている人間ならと思ったが、ふたりとも見舞客らしい。片方はチューリップの花束を持っている。

「NAEは、無酸素症説でも、エンドルフィン説でも、シナプスのランダムな発火説でも説明できない。それはわたしが『トンネルの向こうの光』の中で証明したとおりだよ」ふたりは見舞客らしい女性たちとすれ違った。「唯一の説明は、彼らが現実に彼岸へ赴いたということだ。今度の本では、NAEにおける多くのメッセージを検討して——」

「失礼」と背後から声がした。チューリップを持っているほうの女性だった。「聞くつもりはなかったんですけど、耳に入ってしまいました。もしや、モーリス・マンドレイクさんでらっしゃいますか？　でしたらほんの一言だけ、ぜひ——」

ジョアンナはためらわなかった。「お邪魔でしょうから」というなり廊下の角をさっと曲がって階段に向かった。

階段室の扉を開けるとき、チューリップの女性が、「ご本を読ませていただいてほんとうに勇気づけられました」と話しているのが聞こえた。ジョアンナは階段を三階まで駆け下り、放射線科をダッシュで横切り、連絡通路をわたって西棟に行くと、階段で四階に上がった。

４５６号室を覗いたが、メイジーはいなかった。検査に連れていかれたんだろう。ベッドは毛布がめくれたままになっている。テレビもついたままで、画面では種々様々な孤児たちが階段を上ったり下りたりしながらダンスを踊っていた。『アニー』だ。

メイジーがいつもどるかナース・ステーションで聞いてこようときびすを返したとき、向こうからメイジーの母親がやってきた。「メイジーを捜してるんですか、ドクター・ランダー？」と笑顔でたずね、「いま、下で心エコーを撮ってるんですよ」

「ちょっと顔を見に寄っただけなんです、ミセス・ネリス。あした会いにくると伝えておいてください」

「あしたここにいるかどうか」とミセス・ネリス。「検査に来てるだけだから。たぶん、検査が終わりしだい、ドクター・マロウが退院させてくれるんじゃないかしら」

「あら。具合はどうなんですか？」

「すごくいいのよ」とミセス・ネリスは興奮した口調でいった。「新しい抗不整脈薬がすごくよく効いて。前にもらっていたお薬とは段違い。見違えるほどよくなりました。もしかしたら、もうすぐ学校にもどれるかも」

「よかった。会えなくなるのはさびしいけど、メイジーが元気になればなによりです。あしたの朝早く、メイジーが帰ってしまう前に会いにくると伝えておいてください」

「ええ」ミセス・ネリスは腕時計に目をやって、「もう行かなきゃ。メイジーが帰ってくるまでに、なにか食べてくるつもりだったの」と、エレベーターのほうへ急ぎ足で歩き出した。

カフェテリアをあてにしてるんじゃなきゃいいけどと思いながら、ジョアンナは階段のほうに足を向けた。

「帰っちゃだめ！」と叫び声がした。ふりかえると、メイジーが勢いよく手を振っていた。知らない看護師が押す車椅子に乗っている。ジョアンナはふたりのほうに歩いていった。

「ほらね」メイジーが看護師に向かって、勝ち誇ったようにいう。「あたしがここにいると知ったらすぐ会いにきてくれるっていったでしょ」それからジョアンナのほうを向いて、「話したいことがあるって伝言、ドクター・ライトから聞いた？」

「ええ」ジョアンナはそう答えてから、看護師に向かって、「わたしが病室に連れていきましょうか」

看護師は首を振った。「ちゃんとモニター機器を接続して、それからメイジーがちゃんとベッドの上で休むように目を光らせてないといけませんから」と、怒った表情をつくってメイジーをにらむ。

「ちゃんと休むよ」とメイジー。「ただ、ほんのちょっとだけジョアンナに話すことがあるの。NDEのこと。ヒンデンブルクの本を読んでたんだけど」と車椅子を押されて病室に入りながら、ジョアンナに向かっていう。「もう最高。ピアノがあったって知ってた？　気球のほうにだよ」

看護師が車椅子をベッドの横まで押していった。「アルミ製のピアノなんだけど、でもそれにしたって！」看護師がフットレストを上げるよりはやく、メイジーは車椅子からぽんと飛び出した。ベッドの横に置いてあるスタンドの引き出しを開けて、中をひっかきまわす。

「ヒンデンブルクが爆発したとき、きっとそのピアノ、だれかの頭の上に落っこちたはずよ」

そうでしょうとも、と心の中でいう。

「メイジー」モニター装置のコードと電極に塗るゼリーのチューブを持って、看護師がいった。

「ベッドに入ってなさい」とジョアンナは提案した。「本はわたしが探すから」

「本じゃないの」とまだ引き出しを漁りながらメイジーが答えた。「紙一枚。そのピアノ、重さは百八十キロだったって」

「メイジー」看護師がきびしい声でいった。

「ラジオのレポーターがひとり乗ってたって知ってた？」メイジーは看護師が電極をつけられるように、患者用ガウンを平然とたくしあげてぺちゃんこの胸を出した。「なにもかもぜんぶレポートしたんだよ。〝おお、なんとひどい！〟うわっ！　これって最低！　〝おお、人類よ〟」

看護師がモニターをチェックし、ダイヤルを調節し、表示を確認するあいだも、メイジーはしゃべりつづけた。NDEとはなんの関係もない話だが、まあそれは予想どおりだ。メイジーはこの三年間の半分以上を病院で過ごしている——看護師の目を盗んだり、不愉快な手続きを先延ばしにしたり、そしてなによりも見舞客を引き留めていつまでも話し相手をさせたりする技術に熟達していた。

「さあ、これでよし、と。ベッドから出ちゃだめよ」と看護師がメイジーに命令した。「安静にしてるように見張っててくださいね」とジョアンナにいってから病室を出ていった。「聞いたでしょ」とジョアンナは立ち上がった。「あしたの朝また会いにくるっていうのでどう？」

「ううん。まだ帰っちゃだめだってば。NDEの話が済んでないもん。死にかけたとき、あたしがなんにも見なかったのは知ってるでしょ。ミスター・マンドレイクは、いや、そんなはずはない、みんなトンネルや天使を見るんだっていったけど、でもそうじゃない。ヒンデンブルクに乗ってた男の人がその証拠。爆発したとき、その人は気球の中にいたの。ほかのみんなは落ちていったけど、この人は落ちなかった。金属の支柱にしがみついてた。すごく熱いやつに。両手はひどいやけどでこんなふうにちりちりの黒焦げになっちゃって」と両手で実演し、「手を放したいと思ったけど、でも放さなかった。ぎゅっと目をつぶって」とまた実演。「そのとき、いろんなものを見たのよ」

メイジーは畳んだ紙を開いてこちらにさしだした。本のページをコピーしたものだった。

「本物の臨死体験かどうかはよくわかんない。だって、もしその人がほんとに死んでたら、手を放してたはずでしょ。でも、臨死体験の人が見るようなものを見てるの。雪と、列車と、海から尻尾をはねあげる鯨」

メイジーは電極がはずれないように注意しながら前に身を乗り出して、

「鳥かごの中で、火の中に落ちてしまわないように、空中ブランコ乗りみたいに両足でふんばるところがいちばん好き」

ジョアンナはコピーに目を落とし、ヒンデンブルクのクルーがそのとき見た情景を物語る一節を読んだ。輝く白い雪原と、いまメイジーが触れた鯨、それから列車がそばを走り過ぎる感覚。彼は列車が止まらなかったことに驚き、特急だったんだろうと思ったけれど、そんなはずはなかった。ブレゲンツに特急は走っていないのだから。

ジョアンナは目を上げた。「あなたのいうとおりみたいね、メイジー。これ、臨死体験ビジョンだと思う」

「やっぱり。雪を見たって書いてあるのを読んで、そうじゃないかと思ったんだ。みんなが見るっていう光とおんなじ真っ白だから。雪が花に変わるとこは読んだ？」

「まだよ」ジョアンナはそういって続きを読みはじめた。彼は、暖炉のそばにすわっている祖母の姿を目にして、それから自分自身が鳥かごの鳥になって暖炉の火の中に投げ込まれるところを見た。それからまた白い野原。ただし雪原ではなく、それははてしない天国の牧場となってどこまでも眼下に広がるりんごの花の野原だった。

「ねえ、どう思う？」メイジーがせっかちにたずねる。

こういう人に面接したいと思うわよ、と胸の中でつぶやいた。彼の説明はディテール豊かだし、天国の牧場という言葉が出てくるのをべつにすれば、よくある宗教的なイメージやトンネルやまばゆく輝く白い光とも縁がない。こんな話が聞きたいとずっと夢見ているのに現実にはまず遭遇することがないタイプの臨死体験談だ。

「しっかりつかまってがんばりつづけたのは勇敢だったと思う」とメイジーがいった。「両手がすごく痛かったりとかしたのに」

「ええ、そうね。これ、もらっていい？」

「そのためにナース・バーバラに頼んでコピーしてもらったんだよ。ジョアンナの研究に使えるかもしれないと思って」

「ありがとう」ジョアンナは紙片をまた折り畳んだ。

「あたしなら無理だったと思う」メイジーが考え込むようにいった。「きっと手を放しちゃったと思う」

ジョアンナは紙をポケットにしまいかけたところで手を止めた。「メイジーならきっとがんばれたはずよ」

メイジーは真剣な表情で長いあいだこちらを見ていたが、やがていった。「研究の役に立つ？」

「ええ。いつでも研究助手に採用するわ」

「ほかのも探してみる。災害に遭った人たちの中には、そういう人がきっとおおぜいいるよ。地震やなんかのときに」

そうでしょうとも。

「セントヘレンズ山大噴火だったら、きっといるはず。ぜったい確実」メイジーは毛布をはねのけ、ベッドから起き上がった。

「そんなに急に動いちゃだめでしょ。体じゅうに線がくっついてるんだから。研究助手に採用する条件は、看護師さんのいいつけをちゃんと守ること。安静にしてなさいといわれたでしょ」

「地震の本をとってこようと思っただけ。窓枠のところに置いてあるの。安静にするのと本を読むのとはいっしょにできるもん」

そうでしょうとも。ジョアンナはメイジーに本をとってやった。「十五分だけなら読んでいいわ。それでおしまい」

「約束する」メイジーはもう本を開いていた。「もっと見つかったらベルを鳴らすね」

ジョアンナはうなずいた。「じゃあまたね、相棒」メイジーの片足を毛布ごしにぎゅっと握ってから、戸口のほうに歩き出した。

「行っちゃだめ！」とメイジーがいった。ふりかえったジョアンナに、「ピアノの写真を見せるの忘れてた」

「わかった。写真一枚だけよ。そしたらほんとに帰らなきゃいけないから」

問題のピアノの写真プラス、炎上するヒンデンブルクの骸骨みたいな残骸の写真二枚の都合三枚を見せられたあと、ジョアンナはようやくメイジーの病室からの脱出に成功し、自分のオフィスにもどった。その途中のどこかでとうとう活力の予備タンクも底をつき、強烈な疲労感に襲われた。

ヤマハッカの鉢植えに水をやる気にも、留守番電話の伝言を聞く気にもなれず（ランプが倍の速さで点滅し、メモリの限度いっぱいまでメッセージが入っていることを示している）、電源を切ったポケットベルをぐったりした気分でデスクに投げ出すと、コートを着込み、手袋をしてオフィスを出た。

「ああ、よかった。まだ帰ってなかったんだ」とヴィエルの声。ジョアンナはふりかえった。ダークブルーの手術着に手術キャップ姿のまま、ヴィエルが廊下をこちらに歩いてくる。

「ここでなにやってるの？」とジョアンナ。「おねがいだから、またNDEだなんていわないでよ」

「ううん、西部戦線は異状なし」ヴィエルが手術キャップを脱ぎ、細く編んだ黒い髪を下ろした。「ドクター・ライトがあなたに会えたかどうかたしかめようと思って。それに、木曜のディッシュ・ナイトでどんな映画をレンタルすればいいかもまだ聞いてなかったし」

ディッシュ・ナイトというのは、毎週木曜の夜、ふたりいっしょにレンタルビデオの映画を観る会のこと。「人が死なない映画だったらなんでもいい」

「だよねえ。あのあと、あんたと話をする時間がなかったから――あれから二十分ぐらい手をつくしたけど、でも無駄だった。死んだ（ヒー・ウォズ・ゴーン）わ」

逝った（ゴーン）。死に関して、行くとか去るとかの言葉を使うのは臨死体験者だけじゃない。医師や看護師も使う。患者が逝去した。彼は身罷（みまか）った。妻とふたりの子供を残して世を去った。あの世に旅立った。ジョアンナの母は、父が「不意打ちのように退場した」といい、その母の葬儀で牧師は「愛する人の旅立ち」や「われわれを残して行ってしまった人々」について語った。行ってしまった。でも、どこへ？

「いつだって、ああいうのはつらいのよ。なんの前触れもなくて、それも彼みたいに若い患者だととくにね。あんたがだいじょうぶなのかたしかめたくて」

「だいじょうぶ。ただちょっと——ねえ、あれ、どういう意味だったと思う？　〝遠すぎて彼女は来られない〟っていうのは」

「ガールフレンドが着いたときにはほとんど意識がなかったから、来てるのがわからなかったんじゃないの」

ちがう。そうじゃない。「〝五十八〟っていいつづけてた。どうしてそんなことをいったんだと思う？」

ヴィエルは肩をすくめた。「知るわけないでしょ。看護師の言葉をおうむ返しにしてただけかもしれないし。血圧は八十の五十だったから」

いいえ、血圧は七十の五十だった。「ガールフレンドの携帯の番号に五十八は入ってた？」

「覚えてない。ところでさ、ドクター理想（ライト）は首尾よくあんたを発見したの？　もしまだだったら、彼を避けるのはやめたほうがいいってアドバイスしようと思って。こっちに来る途中でルイーザ・クレプケにばったり会ったんだけど、彼は神経内科医で、最高にゴージャスで、しかも独身だって」

「発見したわよ。彼の研究プロジェクトでいっしょに仕事をしてほしいんだって。ＮＤＥが研究テーマ」

「で？」

「で、それだけよ」ジョアンナは疲れた声でいった。

「キュートじゃなかったの？　ルイーザの話だと、ブロンドの髪にブルーの瞳だって」

「ええ、キュートだったわよ。彼は――」

「わっ、おねがいだから、彼も臨死バカの仲間だったなんていわないでくれる」

「ううん、バカじゃない。彼はNDEが神経化学的なサバイバル・メカニズムの副作用だと考えている。NDEをシミュレートする方法を発見したんだって。プロジェクトに参加して、被験者の面接調査をやってほしいといわれた」

「で、イエスと答えたんでしょ」

ジョアンナは首を振った。「考えてみるっていったけど、でもどうかな」

「そのシミュレーションとかをやれっていわれたわけじゃないんだよね」

「うん。わたしはただ、被験者を面接して話を聞き、彼らの経験がNDEのコア体験と合致するかどうかを彼に教えるだけ」

「じゃ、なにが問題なのよ」

「わかんないけど……自分の仕事が予定よりずっと遅れてるから。まだテープ起こしをしてない面接の録音が十件以上たまってるし。この仕事を受けたら、自分の臨死体験者はいつ面接すればいいの？」

「つまり、ミセス・ダヴェンポートみたいな臨死体験者のこと？　そりゃまあもっともな話よね。ゴージャスな男、正規の研究プロジェクト、モーリス・マンドレイク抜き、ミセス・ダヴェンポート抜き。たしかに最低の取引だ、こりゃ」

「わかってる。あなたのいうとおりよ」ジョアンナはためいきをついた。「願ってもないプロジェクトに思える」

そのとおりだった。ミスター・マンドレイクに汚染されていない患者に面接し、それも彼らが体験した直後に話を聞くことができる。いままでそんなチャンスに恵まれたことはほとんどない。心停止するほど病状の深刻な患者は、蘇生してもすぐには面会できない場合がほとんどだし、時間がたてばたつほど記憶が捏造される可能性が高くなる。それに、リチャードのプロジェクトの被験者は、自分が幻覚を見ていることを認識しているだろう。面接対象としてはそのほうがずっと好都合だ。だったらどうしてこのチャンスにとびつかないの？

なぜなら、それがほんとうはNDEに関する研究じゃないから。ドクター・ライトは、NDEをたんなる副作用と見なしている。なんていったっけ？「脳のどの部位が興奮し、どんな神経伝達物質が関係しているかを示す指標」だ。

でも、臨死体験はただそれだけのものじゃない。彼らはなにかを見て、なにかを体験している。それが重要だ。きょうの午後のグレッグ・メノッティや、コーマ・カールのような人たちのそばにいるとき、彼らが直接自分に向かって語りかけ、死ぬことについて話してくれているような気がすることがある。そのメッセージを解読することがわたしの義務なんだと、そんなふうに思うことがある。でも、ヴィエルやドクター・ライトにそれをどう説明すればいい？　モーリス・マンドレイク信者のおばかさんたちみたいに聞こえるのは避けられない。「とにかく、考えてみるって返事をした」ジョアンナははぐらかすように答えた。「それはそれとして、ひとつ頼みがあるんだけど。グレッグ・メノッティの記録を調べて、彼のガールフレンドの電話に五十八が入ってたかどうか、でなきゃ彼の電話番号とか社会保障番号とか、五十八と関係のある数字がどこかに出てこないかたしかめてくれない？」

「ERの記録は——」

「部外秘。わかってる。でも数字を知りたいわけじゃないの。〝五十八〟といいつづけていたのに理由があるかどうかを知りたいだけ」

「わかった。でも理由なんか見つかるかなあ。もしかしたら、〝心臓発作なんか起こすはずがない。けさはプッシュアップを五十八回やったんだ〟といいたかっただけかもしれないし」ヴィエルがジョアンナの腕をつかんだ。「そのプロジェクト、ぜったいやったほうがいいよ。最悪の結果になったところでどうだっていうの？　すばらしい面接技術を目のあたりにして彼がたちまちあんたに夢中になって、結婚して十人の子持ちになって、ノーベル賞を受賞するぐらいでしょ。ねえ、ほんとのこと教えてあげようか。あんたは怖がってるんだよ」

「怖がってる？」

ヴィエルはこっくりうなずいた。「ドクター・ライトのことが好きになった。でも、チャンスをつかむのが怖い。あたしにはいつもリスクを恐れるなっていってるくせに、自分はどうよ。こんな最高のチャンスをふいにするなんて」

「リスクを恐れるななんていってない。リスクを避けろっていってるの。ＥＲは最前線よ。もし転属願いを出さないと――」

　エレベーターが到着して、低いブザー音が鳴った。

「ベルに救われたわね」ヴィエルがそういって、そそくさとエレベーターに乗り込んだ。「これって一生に一度のチャンスかもよ。がっちりつかみなさい。じゃ、木曜の夜に。人が死なないやつね。それと忘れないで」と、いきなり歌い出し、『人生にはまだまだやることがいっぱいあるんだから！』（ジューン・アリスンを起用した、尿漏れ用の紙おむつパッドのＴＶＣＭより）」

「それとミュージカルも禁止」とジョアンナはいった。「あと、ばかみたいなロマンスもね」と閉じかけたドアの隙間からつけ加えた。《上》のボタンを押し、やれやれと首を振る。恋愛、結婚、子供、ノーベル賞か。

　で、そのあとは？　湖でボート遊び？　光の天使？　むせび泣き、歯をきしませる？　それとも、なんにもなし？　脳細胞は心停止の瞬間から死にはじめる。四分から六分後、脳の損傷は不可逆となり、そのあとはたとえ患者が死から甦ったとしても、トンネルや人生回顧について語ることはない。どんな言葉もしゃべることはない。自分でものを食べることも、光に反応することも、リチャードのＲＩＰＴスキャンに皮質の活動を記録することもなくなる。脳死。

　でも、死が消滅に直面することだとしたら、どうして彼らは「おしまいだ！」とか「終了」とかいわないんだろう。『オズの魔法使い』の西の悪い魔女みたいに、「溶けてゆく、溶けてゆく！」となぜいわない？　「あっちはきれいだよ」とか「いま行くよ、母さん！」とか「彼女は遠すぎる。遠すぎて間に合わない」とか、どうしていうんだろう。どうして「プラケット」とか「五十八」とかいうんだろう。

エレベーターが五階に着き、扉が開いた。連絡通路をわたり、向こう側のエレベーターホールへと歩いてゆく。向こう側。ミスター・マンドレイクはNDEをこういう通路みたいなものとして思い描いてるんだろうか。《向こう側》を、こちら側のホールマーク・グリーティングカード版みたいに考えているのはまちがいない。天使たちや抱擁や楽しい空想。なにもかもよくなる。すべては赦され、だれもがもう孤独ではない。

死がどんなものだとしても——と、ジョアンナは駐車場に向かって降下するエレベーターの中で思った——消滅であれ、あの世であれ、とにかくそれは、ミスター・マンドレイクが考えるようなものじゃない。

外に出るドアを押し開けた。雪はまだ降っている。駐車場の車は雪におおわれ、静かに降りしきる雪ひらがナトリウム灯の光を浴びて金色に輝いている。落ちてくる雪に向かって顔を上げ、佇んだままそれを見つめた。

じゃあ、ドクター・ライトは？　彼が考える死——側頭葉刺激と、シナプスが燃えつきる前のランダムな発火は？

ふりかえり、コーマ・カールが湖でボート遊びをしている東棟を見上げた。ドクター・ライトの話はやっぱり断ることにしよう。そう考えて、自分の車がとめてあるほうに歩き出した。

けさはブーツで来るべきだった。雪に足をとられて滑った拍子に靴の中に雪が入り、足がぐっしょり濡れてしまった。車はすっぽり雪に埋まっている。サイドウィンドウの雪を素手で掻き落としながら、凍りついていないことを祈ったが、もちろんそんな幸運には恵まれなかった。車のドアを開けてバッグを後部座席に放り込んでから、霜とりスクレーパーを探した。

「ジョアンナ?」うしろで女性の声がした。

車から上半身を出してそちらにふりかえった。小児科のバーバラだった。

「メイジー・ネリスから伝言」とバーバラがいった。「またもどってることと、あなたになにかだいじな話があるってことを伝えてほしいって」

「知ってる。さっき会ってきたの。ずいぶん具合がよくなったそうね」

「だれに聞いたの?」

「あの子の母親。検査のために来ただけで、新しい抗不整脈薬がすごくよく効いてるって。そうなんでしょ?」

バーバラは首を振った。「検査のために来たというのはそのとおりだけど、それは心臓カテーテルでわかるよりずっと深刻な損傷があるとマロウ先生が考えているから。移植リストに載せるかどうか決めようとしてるのよ」

「母親はそれを知ってるの？」

「知っているという言葉の意味しだいね。心理学用語でいう否認っていうのは聞いたことあるでしょ。メイジーの母親はクレオパトラ級。否認の女王よ。ポジティヴ・シンキングの女王でもある。メイジーはただ安静にして楽しいことを考えていればいいだけ、そうすればすぐ元気に走りまわれるようになる、ってね。そういえば、前から不思議だったんだけど、あの母親から、メイジーにNDEの話を聞く許可をよくとれたわね。彼女、死はもちろん、心臓の状態っていう言葉さえ使うのを許してくれないのに」

「母親の許可なんかとってない。承諾書にサインしたのは彼女の元夫。でも、心臓移植？　メイジーのチャンスはどのぐらい？」

「移植を生き延びるチャンス？　かなり高いわよ。この病院の心臓移植生存率は七十五パーセントだし、拒絶反応の出現率はずっと下がりつづけている。九歳児の心臓が手に入るまでメイジーが生きていられるチャンス？　そっちのほうははるかに低い。とくに、心房細動を抑制する方法がまだ見つかってない現状では。メイジーはすでに一度、心停止してるし——ああ、それは知ってるわね」

　ジョアンナはうなずいた。

「まあとにかく、メイジーが来てることを伝えたかっただけ。あなたが病室を訪ねると、あの子、いつも大喜びだから。ああもう、外はめちゃくちゃ寒いわね！　足が凍えちゃう！」

　バーバラはそういって、自分のホンダのほうに歩き出した。

ジョアンナはスクレーパーを発掘し、フロントガラスの霜を落としはじめた。心臓移植の待機は、リストのトップに名前があった場合でさえ、しばしば一年を越えることがある。損傷を受けた心臓はその一年のあいだに機能が低下しつづけ、それにともなって肺や腎臓の機能も、生存確率もいっしょに落ちてゆく。

しかもそれは、成人の心臓の場合だ。子供の場合には、よほど運がよくないかぎり、待機期間はさらに長くなる。そして、運がいいというのは、どこかの子供がプールで溺死したり、自動車事故で死んだり、ブリザードで凍死したりすることを意味する。その場合でさえ、心臓に損傷がないことが条件だ。しかも健康な心臓。そして適合すること。そして、ドナーの心臓が届いたとき、レシピエントの患者がまだ生きていること。また心室細動を起こして死んでしまっていてはなんにもならない。

「死のプロセスがどうなっているかを解明できれば、その知識は最終的に、心停止した患者の蘇生に応用できる」とリチャードはいった。

ジョアンナは車のうしろにまわって、リア・ウィンドウの霜を落としはじめた。コーマ・カールの病室で窓越しに見たあの老女のように。心臓発作日和、とヴィエルはいった。死亡日和。災害日和。

ジョアンナは病院に引き返し、フロントデスクにいたボランティアに電話を貸してほしいと頼んだ。ドクター・ライトの研究室の内線番号をたずねる。

彼は不在だった。「発信音のあとにメッセージをどうぞ」と留守番電話がいった。発信音が鳴った。

「ドクター・ライト？　ジョアンナ・ランダーです」と留守番電話に吹き込んだ。「わかった。やります。あなたのプロジェクトの仕事を引き受けるわ」

5

「CQD CQD SOS SOS CQD SOS。すぐ来てくれ。本船は氷山に衝突した。CQD OM。現在地、北緯41度40分、西経50度14分。CQD SOS」

——タイタニック号からカルパチア号に発信された無線電文

翌朝、リチャードはオフィスに出勤するなり、ジョアンナが電話してきたかどうかたしかめようと、真っ先に留守番電話の再生ボタンを押した。

「十二件のメッセージがあります」と留守電が非難するようにいった。きのうまる一日、人を捜してこの病院の中を駆けずりまわった結果がこれだ。

リチャードは伝言を順番に聞いて、相手が名を名乗りしだい、次の伝言に飛ばした。ミセス・ベンディクス。ミセス・ブライトマン。「マーシー・ジェネラルへようこそと一言ごあいさつをもうしあげたくて」と、老いた震える声でミセス・ブライトマンはいった。「たいへんうれしく思っています、ここで臨死体験の研究をなさっていただけること——いえむしろ、臨生体験といったほうがいいかしら。実験によって、患者たちが目撃しているのがもうひとつの生だと証明されることをわたくしは確信していますから。彼らは墓場の向こう側で、愛しい人々とふたたび出会うのです。モーリス・マンドレイクもマーシー・ジェネラルに来ていることはご存じ？　『トンネルの向こうの光』は当然もうお読みでしょうけど」

「ええ、読んでますとも」とリチャードは留守電に向かっていった。

「あのかたをここに迎えられたことはほんとうに幸運でした」とミセス・ブライトマンのメッセージはつづいた。「あなたがたおふたりは、たがいに議論することがたっぷりあると思いますよ」

「手近に階段があるときはべつだけどね」とつぶやき、リチャードは《次の伝言》ボタンを押した。全米超常体験協会のミスター・エデルマンなる人物。それからミスター・ウォジャコフスキー。

「念のためにあしたのことを確認しとこうかと思って」とミスター・ウォジャコフスキーはいった。「前にも電話したんだが、通じなかった。《ヨークタウン》の艦内電話を思い出したよ。ブリッジに連絡したいときは、クランクをぎりぎりまわして――」

ヨークタウンの話になるとミスター・ウォジャコフスキーはいつまででもしゃべりつづける。リチャードは《次の伝言》ボタンを押した。助成金事務局から、未提出の書類があるという連絡。「ライトか？」と男の声。インターン時代のルームメイト、ピーター・デイヴィスだ。彼はいつも名乗らない。「もう聞いてると思うが」とピーターはいった。「狐（フォックス）の件は信じられんよな、まったく。これ、ウイルスかなんかじゃないのか？　だとしたら、おまえもワクチン打っとけよ。せめて星に当たるとき（ヒット・ザ・スター）は、前もって教えてほしいね。電話してくれ」

いったいなんの話だろう。リチャードが知っているフォックスといえば、神経心理学者のR・ジョン・フォックスぐらいだ。臨死体験の原因として無酸素症に関する研究に従事している。リチャードは《次の伝言》ボタンを押した。

国際超常協会のだれか。ミスター・ウォジャコフスキーふたたび。「こんちゃ、ドク。連絡がないもんだから、もっかいこっちからかけてみるかと思って。確認しときたいんだが、あしたは二時だったな。ヨークタウン流にいやあ十四鐘だ」

アミーリア・タナカから、「二、三分遅れるかもしれません、ドクター・ライト。解剖学の試験があるんですけど、前に受けたときはまるまる二時間かかったから。できるだけはやくうかがいます」

ミスター・スアレスからは、あしたのセッションの予定を変更したいという伝言。つづいてまたデイヴィスから、さっきよりさらに意味不明の伝言。「場所をいい忘れた。十七。ファントムの下」それから、なんの曲だかさっぱりわからない調子はずれのハミング。そのつぎはハウスキーピングから。

「ドクター・ライト？」ジョアンナの声がいった。リチャードは留守電のスピーカーに身を乗り出した。「ジョアンナ・ランダーです。わ——伝言がいっぱいです」

「あくそ」と思わず悪態をついた。デイヴィスの馬鹿野郎。ミスター・ウォジャコフスキーの果てしないヨークタウン思い出話のくそったれ。よりにもよって、ほんとに聞きたい唯一の伝言が――

リチャードは《聞き直し》ボタンを押して最後の伝言をもう一度再生した。「ドクター・ライト？　ジョアンナ・ランダーです。わ――」

最後の〝わ〟は〝わたし〟だろうか？「わたしは喜んでプロジェクトに協力させてもらいます」の〝わ〟？　それとも、「わざわざお誘いいただいたのに残念ですが、今回はお断りさせていただきます」の〝わ〟？

もう一回聞いてみた。「悪いけど忘れて」？「わたしはこういうプロジェクトに参加するチャンスをずっと待ち望んでいました」？　判断するすべはない。十時まで待って、彼女がやってくるかどうかたしかめるしかない。それとも、いま居場所を突き止めるか？

この病院のことを考えると、それはよしたほうがいい。彼女がこの部屋にやってきて、いらいら腕時計をながめているあいだ、こっちは西棟からの帰り道がわからなくてうろうろしつづけているということになりかねない。リチャードは受話器をとり、ジョアンナがポケットベルの電源を入れている可能性に賭けて、その番号を呼び出してみた。それからまた《聞き直し》ボタンを押した。声の調子をよく聞けば、もしかしたら色好い返事かどうかの手がかりが――

「伝言をすべて消去しました」と機械音声がいった。ちがう！　留守電にとびついて《再生》ボタンを押す。

「伝言はゼロ件です」

リチャードは処方箋用紙をひっつかんだ。《ウォジャコフスキー》と殴り書きでメモする。《カートライト・ケミカル、デイヴィス――》あとはだれだった？　さっき聞いた伝言を頭の中で再現しようとする。ミセス・ブライトマン、それからノースウェスタンのだれか。ジェニーヴァ・カールスン？　電話が鳴った。リチャードは受話器をひっつかみ、ジョアンナであることを祈りながら耳にあてた。

「もしもし？」

「で、もう見たか？」とデイヴィスがいった。

「なにを見たって？」

「星だよ」

「なんの星だ？　伝言は聞いたけど、まったく解読不能で――」

「解読不能？」デイヴィスはむっとしたように、「あんなわかりやすい伝言はないぞ。記事が載ってるページまで教えてやったのに」

星じゃない。《スター》だ、タブロイド新聞の。「なんの記事？」

「フォックスだよ！　頭がいかれて、死後生の存在を証明したと発表しやがった。ちょっと待て、現物がここにあるから、読んでやろう……」電話を投げ出すガタンという音。新聞をがさがさめくる音がそれにつづく。「〝臨死研究の分野における高名な科学者、R・ジョン

・フォックス博士はこう語った。『臨死体験の研究を始めた当初は、酸素の欠乏による幻覚だと信じていた。しかし徹底的な研究の結果、臨死体験は死後生のいわば予告篇であるとの結論に達した。天国は実在する。神は実在する。わたしは神と話をした』〃」

「まいったな(オー・マイ・ゴッド)」とリチャードはつぶやいた。

「医者を辞めて、エターナルライフ研究所を設立するそうだ」とデイヴィス。「だからおれの質問は、NDEを研究する人間すべてにこんなことが起きるのかってことだよ。つまり、最初はシーガルが、側頭葉で魂の所在を突き止め、魂が肉体を抜け出すところを写真に撮影したと主張した。で、今度はフォックスだ」

「シーガルは前からいかれていた」

「だが、フォックスはちがった。NDEを研究する人間すべてに感染するウイルスかなんかがあって、それでみんな頭がおかしくなるんじゃないか? おまえがある日とつぜんRIPTスキャンの画面に顕現した聖母マリアの写真を撮ったと発表しないとどうしてわかる?」

「信用してくれ。ぼくはだいじょうぶだ」

「まあとにかく、そのときは真っ先におれに電話しろ。《スター》に連絡する前に。おれは昔から、友人の談話ってやつを取材されたかったんだ。〝いえ、おかしなようすはまったくありませんでしたよ。いつも物静かで、礼儀正しくて。まあ多少はひとりでいたがる傾向があったかもしれませんけど〃みたいな。そういえば、そっちでいい女は発見できたか?」

「いや」と答えながらジョアンナのことを考えた。壁の時計に目をやる。もう十時をまわっている。途中で切れた伝言の「わ——」がなにを意味していたにしろ、色好い返事ではなかったわけだ。たぶん《スター》を読んで、臨死体験研究者といっしょに仕事をするのはリスクが大きすぎると判断したんだろう。かえすがえすも残念だ。彼女と仕事をするのを心から楽しみにしていたのに。エナジー・バー一本よりもっとまともなものでもてなしておけばよかった。

「かわいい看護師はいないのか?」とデイヴィス。「おまえの場合、専門がよくなかったな。おれなんか、ドアの外に列をつくって並ばせてるぞ」デイヴィスならほんとにやりかねない。

「もちろん、もうひとつべつの説明もあるが」

「ドアの外に女を整列させることに?」

「ちがう。NDE研究に関わった人間がみんな、いきなり信者（ビリーバー）に転向する理由だよ。もしかしたら、なにもかもほんとうなのかもしれん。トンネルも天国も魂も。そして死後の世界はほんとうにあるのかも」デイヴィスはまたハミングをはじめた。留守電に吹き込まれていたのとおなじ、メロディのない不気味な音。

「神を冒瀆（ぼうとく）するようなその鼻唄はなんなんだ?『トワイライトゾーン』か?」

デイヴィスは鼻を鳴らした。「『Xファイル』のテーマだよ。可能性はあるだろ。臨死体験者が正しくて、おれたちは死ぬと《プレシャス・モーメンツ》のマスコット人形たちに囲まれることになる。その場合、おれはあの世になんか行かないぞ」

「ぼくもだ」とリチャードは笑った。

「そのときは前もって電話してくれ。すぐに不死の研究をはじめるから」

「わかった」リチャードは約束した。そのとき、ドアにノックの音がした。願望をこめた視線をそちらに投げてから、「来客だ」といって電話を切り、戸口に急いだ。

「やあ、ドクター・ライト」ミスター・マンドレイクが研究室に入ってきた。「お留守ではないことを祈っていたよ。昨日は話をするチャンスがなかったのでね」

リチャードは逃げ道を求めて周囲を見まわしたくなる衝動を抑えつけた。「あいにく、いまは都合が——」

ミスター・マンドレイクはRIPTスキャン装置に歩み寄った。「この装置でNAEを記録しようと？」アーチ型のドームの下を覗き込み、「無理でしょうな。NAEは撮影できない」

幽霊が写真に映らないように？　UFOみたいに？

「これまで無数の研究者がNAEを説明する物理的な要因を探し求めてきた。二酸化炭素の蓄積、エンドルフィン、シナプスのランダムな発火」ミスター・マンドレイクは軽蔑するようなしぐさでRIPTスキャン装置をぽんとたたき、脳波計のほうに歩いていった。「科学では説明できないNAE現象はいくらでもある」

じゃあ、ひとつでいいからいってみろよ。

「たとえば、NAEを体験したすべての人間が、夢ではなく現実に起きたことだと語っている事実をどう説明する？」

主観的な経験は、およそ証拠として認めがたい。

「それに、エンドルフィンやCO_2の蓄積が、いったいどうやってNAE中の患者に知識を与えることができる？　通常の方法では患者が得ることは不可能だと科学者たちも認めている知識を？」

どんな科学者たちだ？　ドクター・フォックスか？　ドクター・シーガルか？

「わたしのNAE者たちの多数が、まだ存命のはずの血族と《向こう側》で出会い、そのことに驚いたと報告している。こちら側にもどってきてから、親族に電話して、その親戚が死んだばかりだと聞かされる。どのケースでも、その親族の死を前もって知ることは不可能だった」

「その人たちの名前のリストはありますか？」

「自分の研究対象の名前を洩らすことは、職業倫理にもとる行為といえよう」ミスター・マンドレイクは非難するようにいった。「しかし、こうした現象の実例は、多数の論文になっている」

「へえ？　どこの学術誌（ジャーナル）ですか？」

「科学アカデミズムは、臨死研究の結果を出版することに対してはきわめて狭量だ」ミスター・マンドレイクはかたい声でいった。「ドクター・シーガルやドクター・ランダーのような少数の勇敢なパイオニアをべつにすれば、周囲に広がる、より大きな現実を見ることができない」

ジョアンナの名前が出たところで、リチャードはまた時計に目をやった。十時三十分。

「この天と地のあいだにはな、ホレーシオ、哲学など思いもよらぬことがあるのだ」とミスター・マンドレイクが『ハムレット』を引用した。「そしてまた、帰還したNAE者が超常的な力を授かった例も無数にある。わたしの対象のひとりは――」

「ほんとにいまは都合が悪いんですよ」とリチャードは口をはさんだ。「急ぎの電話を一本かけなきゃいけないので、よろしければ――」といいながら受話器を上げる。

「もちろんだとも。わたしはミセス・ダヴェンポートに会ってこなければ。つぎの機会には、あなたが発見したことについてぜひ議論したいものだね」

ミスター・マンドレイクが研究室から出ていった。リチャードは受話器を置きかけたが、思い直してアミーリア・タナカの番号をプッシュしはじめたとき、ミスター・マンドレイクがまた姿をあらわした。「『トンネルの向こうの光』を一冊進呈させていただこう」といいながらリチャードのペンに手をのばし、「いやいや、どうかかまわずに。電話を邪魔するつもりはないから」と手を振った。「ライトはWではじまるWrightだったね?」

「ええ」リチャードは番号を最後まで押した。呼び出し音が鳴りはじめる。マンドレイクは自著の扉ページになにか書いている。

「ミズ・タナカ?」とリチャード。「ドクター・ライトです」

ミスター・マンドレイクは本を閉じてこちらにさしだした。「きっと役に立つと思う」といって歩き出す。

リチャードは送話口に向かっていった。

「ミズ・タナカ？　電話をいただいたので」とリチャードは呼び出し音に向かっていった。「ええ、十一時で」それと、解剖学の試験にパスすることを祈ってるよ、と心の中でつけ加える。「ええ。いや、それはかまいませんよ」

ミスター・マンドレイクが部屋を出てドアを閉めた。リチャードは受話器を置いて時計に目をやった。十時四十五分。ジョアンナが来ないのはもうまちがいない。

リチャードは本を開いて、マンドレイクが書いた字を読んだ。いわく、《死とその彼方へ向から貴君の旅の一助に》。脅迫かなんかのつもりだろうか。

ドアにノックの音がした。きっとマンドレイクだ。CO_2の蓄積はNDEの原因にならないとか、言い忘れたご高説を垂れにきたんだろう。また受話器をひっつかんで耳にあててから、「はい、どうぞ」と怒鳴った。

ドアを開けたのはジョアンナだった。「遅くなってごめんなさい——あ、電話中ね」

「いや、とんでもない」リチャードは受話器を置いた。「どうぞどうぞ、入って」

「ほんとにごめんなさい、こんなに遅くなっちゃって。伝言は聞いてくれた？」

「いや」

「あら。まあとにかく、ゆうべ留守電に伝言を入れたんだけど、でも午前十時に来るつもりだったのよ、直接会って話をするために」やっぱり断る気なんだ。興味がないというためだけに来たのか。「でもその前にメイジーのとこへ行かなきゃならなくて、あの子の病室を出るのに手間取ったの」笑顔で首を振り、「例によってね」

「まだヒンデンブルクの話？」とリチャードはたずねた。避けられない宣告を先送りにするだけだが、もしかしたら話をしているうちにジョアンナの気が変わるかもしれない。

ジョアンナはうなずいた。「両親を出迎えようと離着陸場へやってきたおおぜいの子供たちが、両親の死の現場を目撃したの。知ってた？」

「知らなかったよ。あの子、そういう残虐なディテールがほんとに好きなんだね。きみに会いたがった理由がそれ？」

「いいえ。ヒンデンブルクがらみの臨死体験談を見つけてくれたの。それのことでメイジーに話を聞きたくて。その体験談がまた聞きなのかどうかを確認したかったのよ。事件当時に書かれたものなのか、しばらく時間がたってからのものなのか」

「答えはわかった？」

「いいえ。メイジーの本には、体験談を入手した事情も、そのクルーの名前も書いてなかった。でも、メイジーは探してみるって」

「じゃあそのＮＤＥの主って、ヒンデンブルクのクルー？　墜落の最中に心停止して臨死体験を？」

「そうじゃなくて、幻を見たの。炎上するツェッペリンの中で金属の骨組みにしがみついている最中に」

「でも、トンネルや天使を見た？」

「いいえ、鯨と鳥かご。スタンダードなイメージはひとつも含まれてない。でも、だから興味を持ったのよ。ムーディの一党より前の話だから、臨死体験の先入観にイメージが汚染されてない。にもかかわらず、典型的なNDEと明確な類似点がある。彼は物音を聞いてるし――金属を引き裂くようなかん高い音――自分の祖母と、まばゆい白い光を見て、その光を雪原だと解釈してる。それと、人生回顧によく似た、いくつものイメージ。すごく役に立つ臨死体験談かもしれない。とはいっても、いつどんなふうにして彼がそれを語ったのかがはっきりするまで、あんまり大きな期待は持ちたくないわけ。ぜんぶ作り話だったってこともありうるし。とくに、墜落の数週間後とか数カ月後に体験談を語ってた場合にはね。まあとにかく――」

ジョアンナは眼鏡を鼻の上に押し上げた。

「そんなこんなでメイジーの病室から脱出するのにしばらく時間がかかって、それからここへ来る途中で、ミスター・マンドレイクがあなたの研究室に向かってるのが見えたのよ」

で、きみは手近の階段室に飛び込んで隠れていたわけか。

「彼、いったいなんの用だったの？　プロジェクトのことを探りにきた？」

「いや。むしろプロジェクトが失敗する運命にあると教えることに関心があったみたいだね」

「どの演説だった？　〝科学だけでNAEは説明できない〟演説か、〝現実のように見えるのは、それが現実だという証拠なのだよ〟暴言か、〝天と地のあいだにはな、ホレーシオ〟版か」

「その三つぜんぶだよ。NDE中に、体外離脱しないかぎり知り得ない情報を入手した患者の例がいくつもあって、きちんとした証拠で裏付けられているといってたけど」

ジョアンナはうなずいた。「あの世で出迎えてくれた人たちの中にエセル伯母さんがいて、生き返ったあとミネソタの両親に電話してみたら、じじつエセル伯母さんはついさっき事故で亡くなったばかりだった、と」

「じゃあ、そういう例が実在する？」

ジョアンナは首を振った。「そういう与太話は、ヴィクトリア朝の霊媒師の時代からいくらでもあるけど、裏付けなんか存在しない。みんなまた聞きのまた聞きか――エセル伯母さんの身にこんなことが起きたと話しただれかの知り合いのだれかとか――彼女の死を報じるミネソタからの電話があったあとで都合よく報告されたかのどっちかね。また都合のいいことに、ラストネームは〝患者のプライバシーに配慮して〟隠されているから、裏をとろうとか反証を挙げようとかする方法がない。プラス、けっきょく死んでいなかったことが判明しただれかをあの世で目撃しても、わざわざそれを報告する人間はいないから。ミスター・マンドレイクはW・T・ステッドの話はした？」

「いや。だれ？」

「有名な霊媒兼サイキック。まあけっきょく、そんなにたいしたサイキックじゃなかったことが判明したんだけど。でなきゃタイタニック号の航海を予約したりしなかったでしょ。おなじ業界のサイキックだの霊媒だのはみんな、あとになってから、じつは彼の死を予知していたとか予兆があったとかいいたてたけど、沈没事故が新聞の一面を飾って、ステッドが死亡者名簿に名を連ねるより前にそれを公表しようと思いついた人間はひとりもいなかった。それに、生きているステッドと最後に話をした人は、船が氷山に衝突したと聞かされた彼が、〝まあ、たいしたことじゃないと思うね〟といったと語ってる」

ジョアンナはいぶかしげな顔になり、

「ミスター・マンドレイクからプロジェクトのことを聞かれなかった？」

「ＲＩＰＴスキャンと脳波計を見物したけど、なにも質問しなかったな。どうして？　質問されなきゃおかしい？」

ジョアンナはまだけげんな表情のまま、

「彼は自分の時間の半分を使って、わたしの患者がだれなのか突き止めようとしてる。わたしよりはやく患者のところへたどりつくために。ほんとになにも聞かれなかった？」

「ああ。最初に部屋に来たときは、プロジェクトの話をしたいみたいだった。でもそれから、物理的な原因ではＮＤＥを説明できないって演説をはじめて、そこから科学アカデミズムがいかに狭量かという話になった。きみとかドクター・シーガルとかみたいな勇敢なパイオニアを例外として」

「わたしたちがいっしょに仕事をするって話はしてないわよね？」

「してないよ」リチャードはとつぜん押し寄せてきた歓喜の奔流をつとめて顔に出さないようにしながら答えた。「そうなのかい？」

「ええ。伝言を聞いてないの?」

「その、ここの留守番電話が……」

「まあいいわ、ええ、わたしはあなたのプロジェクトでいっしょに仕事をしたいと思ってます。たしか留守電には、〝わかった。やります〟とかなんとか、ぶっきらぼうな伝言を吹き込んだと思った。ゆうべ、あれから電話したのよ」

じゃあ、「忘れてちょうだい」の〝わ〟じゃなくて、「わかった」の〝わ〟だったのか。

「すばらしい」といって、リチャードはにっこりした。「うれしいよ。きみといっしょに仕事ができたら最高だ」

「この病院に運ばれてくる患者の面接調査もつづけたいの。あなたが反対しないかぎりは」

「いや、本物のNDEのデータがたくさん集まれば、比較対照の精度も上がるからね。ぼくのほうは、一日に一回か二回のセッションしか予定してない。スキャン結果を分析する時間が必要だから。きみのスケジュールに合わせて予定を組めると思う」

「ありがとう」

「よかった。きょうの午後、助成金事務局に電話して、きみの名前を公式に登録しておくよ」

「よろしく。ただし、ミスター・マンドレイクには黙ってて。できるだけ長く秘密にしておければ、彼から逃げまわる時間がそれだけ短くて済むから。さて」ジョアンナがこちらに笑みを向けた。「実験の段どりを見せてくれるんでしょ?」

「もっといいことがある。被験者のひとりが――」と壁の時計に目をやる。十一時十五分。「もう来るころだ。それまでのあいだに手順をざっと説明しておくよ」ジョアンナをコンソールのほうに案内して、「これがスキャン・コンソール。画像はここに出る」と、コンソールの上にあるモニターアレイを指さした。「これがふつうに活動している状態の脳」キーボードからコマンドを打ち込むと、画面にオレンジと黄色と青の画像があらわれた。さらにコマンドを入力する。「それからこっちがREM睡眠で夢を見ている状態の脳。前頭前野と――覚醒時の思考と現実検証を司るエリアだ――感覚入力のエリアがほとんど活動してないのがわかるだろ。それからこれが」とまたタイプして、「NDE状態の脳。少なくともぼくはこれがNDE状態だと思ってるんだけど」

ジョアンナがまた眼鏡の位置を直してから画面を覗き込んだ。「夢を見ている状態と似てる」

「うん。ただし、前頭前野の活動は皆無だし、側頭葉前部の活動は増加してる。ここだよ」と赤い部分を指さした。「それに、海馬と扁桃体の活動も」

「じゃあ、これが長期記憶?」とジョアンナが前頭葉に散らばる赤とオレンジの点を指してたずねた。

「うん」リチャードは画面にミスター・オレアドンのスキャンを呼び出した。「これがNDEスキャン画像の雛型（テンプレート）になる。それとこっちが、ミスター・ウォジャコフスキーの第一回セッションで撮ったスキャン」と新しい画像を呼び出してから、その両者を重ね合わせてみせた。「前頭葉の活動をべつにすれば、このふたつはよく似てるだろ。でもそっくりおなじじゃない。それも、きみに協力してもらいたい理由のひとつ」

リチャードはスキャン装置に歩み寄り、アーチ形のドームに片手を置いた。

「で、これがRIPTスキャン装置の本体。被験者はスキャンの下、そこに横たわる」と検査台を指さして、「それからスキャンの位置が動いて頭の上にくる。トレーサーと、それから持続時間の短い鎮静剤とジテタミンを点滴で投与する。NDEの前後と最中にも血液サンプルを採取する。看護師のアシスタントがひとりきてくれる。前はフローターを使ってたんだけど」

ジョアンナは、考え込むような表情でアーチ形の開口部を見つめている。

「なにか問題でも？」

ジョアンナがうなずいた。「これ、トンネルみたいに見えるでしょ。被験者が位置につくまで、前にカバーかなにかをかけて隠しておくことはできる？　幻覚の物理的な要因になりそうなものはできるだけ排除しておいたほうがいいでしょ」

「いいとも。できるよ」

ジョアンナは天井を見上げた。「セッションのあいだ、あの照明は必要？」

「いや。でも、被験者には目隠しをするけど」

「どんなやつ？」

「黒いアイマスク」備品棚から実物をひとつとりだして、ジョアンナに見せた。「それにへッドフォンをつけてもらって、ホワイトノイズを流すようにしてる」

「それでいいわ。でも、やっぱり真上の照明はマスクしたほうがいいと思う。NDE者がなぜまばゆい光を見るかについて、ガーランドは、手術台の上のライトのせいだといってる。目が眩むほど明るいのは、患者の瞳孔が開いてるからだって」

リチャードはうれしそうにジョアンナの顔を見た。

「まさにそういうアドバイスがほしかったんだよ。黒い紙かなんかをすぐ調達してくる。ぼくらは最高のチームになるよ」

ジョアンナは笑みを返し、それから両手を腰にあてて歩きながら、ダークグレイの備品棚や、ガラス扉がついた背の高い木製の薬戸棚――病院が合併してマーシー・ジェネラルになる以前の名残り――を点検している。

「ほかになにか変えたほうがいいところはある？」

「いいえ。追加したいだけ」ジョアンナはカーディガンのポケットから、新聞紙に包んだものをとりだした。「これがわたしたちのテニス靴」

「テニス靴？」新聞紙の包みを見ながら聞き返した。どう見ても靴の大きさには足りない。子供の靴ならべつだが。

「ミスター・マンドレイクからまだ靴の話を聞いてないの？　それはびっくり。あの靴こそNDEの現実性を証明する証拠だって、だれにでも力説してるのに。エセル伯母さんの話以上のお気に入りよ」

ジョアンナは新聞紙にくるんだものをポケットにもどして、リチャードのデスクに歩み寄った。

「マリアっていう名前の女性が手術中に心停止したの」椅子を手前に引きながら、「そのあと、手術台に横たわる自分の体を天井付近から見下ろしていたと語り、手術スタッフの行動をことこまかに描写してみせた」

「そういう患者は何人もいるだろ。挿管とかパドルとかの話をする。でもそれは、過去の病院体験から得た情報じゃないのかい？」

「でなきゃ、テレビの『ER』ね」とジョアンナはそっけなくいった。「でも、マリアはそれ以外の話もした。そしてその中に、ミスター・マンドレイクがしょっちゅう引き合いに出す〝科学的証拠〟が含まれていたわけ」

ジョアンナは椅子をダークグレイのスチール製備品棚の前まで押していった。

「マリアは、天井のそばに浮かんでいたとき、窓の外のでっぱりに靴が片方載ってるのを見たといったの。赤いテニス靴」

椅子の上に立って戸棚のてっぺんを覗き、顔をしかめて椅子から降りた。

「その靴は、手術室のほかの場所からは見えない位置にあったんだけど、担当医がビルの上の階に上がって、窓から思いきり身を乗り出して下を見ると、たしかに靴があった」

「したがって、魂がたしかに肉体を抜け出して宙を漂っていたことの証明になる、と」

「さらにそこから敷衍して、被験者がＮＤＥで経験したことすべてが、たんなる幻覚ではなく、現実の出来事だと証明される」

ジョアンナは、木製の薬戸棚の前まで椅子をひっぱっていって、その上に立った。

「なかなか説得力があるでしょ？　唯一の問題は、そんなことは起きなかったってこと。研究者が真偽をたしかめようと調べてみたら、話に出てくるような出来事も、患者も、病院も実在しないことが判明した」

ジョアンナはポケットから新聞紙にくるんだものをとりだした。

「もちろん、それがほんとうにあった話だったとしても、なんの証明にもならない。その靴は、病院のどこかほかの場所から見えたのかもしれないし、問題の患者なりNDE研究者なりが自分でそこに置いたのかもしれない。でも、わたしたちの被験者がもしこれを」と手に持ったものをかざし、「見たといったときには、ほんとうに体外離脱したのかもしれないという可能性を考慮するわ」

「中身はなんなんだい、それ？」

「だれも当てられそうにないもの」ジョアンナは椅子の上でつま先立ちになり、体をのばして、戸棚のてっぺんにそれを置いた。「あなたを含めてね。なんなのか知らなきゃ、うっかりそのことをだれかに洩らしちゃう心配もないでしょ」はずした新聞紙をくしゃくしゃにまるめ、椅子から降りた。「ひとつだけヒントをあげる」とまるめた新聞紙を投げてよこし、「靴じゃありません」

ジョアンナはふりかえり、壁の時計に考え込むような視線を投げた。

「時計もはずしたほうがいいかな」

「いいえ。でも、被験者から見えない場所に移したほうがいいかもしれない。被験者が作話する材料になりそうなものは、少なければ少ないほどいいのよ。でも、ほんというと時計を見てたのは、あなたの被験者のことを考えてたから。何時に来る予定だっていったっけ？」

「十一時の予定だったけど、試験があるから何分か遅れるかもしれないと電話があった。医学部進学課程の学生なんだ」時計に目をやり、「それにしても、もう来ていいころだな」

「被験者はみんな医進課程の学生？」

「いや、ミズ・タナカだけだよ。ほかの志願者はみんな――」

「志願者？　志願者を使ってるの？　志願者募集のとき、プロジェクトの内容はどんなふうに説明した？」

「神経学研究プロジェクト。ここに現物が一枚あるよ」リチャードはデスクに歩み寄った。

「NDEには触れてない？」

「ああ」デスクの書類の山をかきまわしながら答えた。「プロジェクトの内容については、審査を通過してから説明するといってある」

「どんな審査？」

「健康診断と心理プロファイル」ようやく志願者募集要項を見つけ出し、ジョアンナに手わたした。「それと、臨死体験についてなにか知っているか、過去に臨死体験をしたことがあるかどうかを質問した。体験者はゼロ」

「もうセッションを実施した被験者もいる？」

「ああ。ミセス・ベンディクスが一回、ミスター・ウォジャコフスキーとミズ・タナカ――って、きょう来る予定の被験者だけど――は二回ずつ」

「志願者はいっぺんに募集して、まとめて審査した？」

「いや。セッション開始まで待たなくて済むようにと思って、審査はすぐにはじめたけど。どうして？」

ドアにせわしないノックの音がして、アミーリア・タナカが飛び込んできた。

「遅くなってほんとにすみません」といいながら、バックパックを床に放り出し、ウールの手袋を引っこ抜いてポケットに突っ込んだ。「伝言は聞いてもらえましたよね、遅れるっていう？」

ストレートの長い黒髪に雪が散っている。頭を振ってそれを払い落とし、

「解剖学の試験がとにかく悲惨で」といいながら髪をクリップで留める。「問題の半分は、授業で一回もやってないところなんです」コートのジッパーを下ろし、「〝マーシャル靭帯はどこにあるか？〟知るもんですか。心膜の中って解答したけど、正解が肝臓でも驚かないわ」

アミーリアはコートを脱ぐと、それをバックパックの上に投げ出し、こちらにやってきた。

「おまけに、ここへ来るまでのあいだ、ずっと雪に降られて――」

そのときとつぜん、ジョアンナの存在に気がついたらしい。

「あら、どうも」といってから、リチャードのほうにもの問いたげな視線を投げる。

「ドクター・ランダーを紹介するよ、ミズ・タナカ」

「アミーリアです」と訂正した。「でも、さっきの試験の成績が自分で思ってるぐらいひどいと、この名前も泥だらけになっちゃうけど」

「はじめまして、アミーリア」

「ドクター・ランダーは、このプロジェクトでぼくと共同研究することになる。面接を担当してくれる」

「〝マーシャル靭帯はどこにあるか？〟なんて質問をするわけじゃないですよね」

「もちろんよ」ジョアンナはにっこり笑った。「あなたがなにを見聞きしたかをたずねるだけ。それときょうは、あなた自身についていくつか質問させてほしいの。あなたのことを知るために」

「いいですよ。いますぐですか？　それともセッションの用意をしてから？」

「じゃあ、先に準備をしてきてちょうだい」とジョアンナがいい、アミーリアがリチャードを見た。リチャードは備品棚をあけて、畳んだ服をひと山さしだした。アミーリアはそれを持って、奥の小部屋に消えた。

アミーリアが更衣室のドアを閉めるのを待ってから、リチャードはジョアンナにたずねた。

「ミズ・タナカが来る前、なにをいいかけてたんだい？　審査のこと？」

「志願者のリストを見せてもらえる？」

「いいとも」また書類の山をひっくり返し、「これだ。全員、事務局の承認を受けてるけど、まだ予定は組み終わってない」

リストをわたすと、ジョアンナは〝靴〟を薬戸棚の上に置くときに使った椅子に腰を下ろし、名簿の名前に指先を走らせた。

「なるほどね。少なくともこれで、ミスター・マンドレイクがあなたのプロジェクトについて探りを入れてこない理由は説明がついたわね。そんな必要はなかったのよ」

「どういうこと?」リチャードはジョアンナのうしろにまわって、肩越しにリストを覗き込んだ。

「あなたの志願者のすくなくともひとりは、ミスター・マンドレイクのスパイだってこと。たぶんそうじゃないかというのがもうひとり。それからこの人物は」とジョアンナは〝ドヴォルヤーク、A〟という名前を指さし、「CAS、注目強迫症患者よ。不完全人格障害の一種。自分に注目を集めるためにNDEをでっちあげる」

「どうやってNDEをでっちあげるんだい?」

「マンドレイクの本の中で――あなたもそこに一冊持ってるのね――NDEと呼ばれているものの半分は、じっさいにはNDEでもなんでもないの。出産や手術や失神のときに見たビジョンよ。トンネルとか光とか天使とかの標準的なイメージを見てれば、たんなる失神さえNDEと認定している。エイミー・ドヴォルヤークは失神が専門。都合のいいことに、外から見てわかる徴候はいっさいないから、そんなことは起きてないと証明することはできないわけ。彼女は二十三回それを経験してる」

「二十三回！」

「ええ。ミスター・マンドレイクでさえ、彼女のいうことはもう信じない。どこのだれがなにをいってもぜんぶ額面どおり信じる男なのに、よ」

リチャードはジョアンナの手からリストをひったくり、〝ドヴォルヤーク、A〟の上にバツ印を書いた。「マンドレイクの面接対象は？」

ジョアンナは哀れむような目でこちらを見た。「聞きたくないと思うけど。そのうちのひとりはメイ・ベンディクスよ」

「ミセス・ベンディクスが！　たしかなのかい？」

ジョアンナはうなずいた。「マンドレイクのお気に入り。例の本にも出てくるぐらい」

「臨死体験がなんなのかも知らないといったのに！」リチャードはむかっ腹を立てた。「信じられん！」

「志願者を使って実験を実施する前に、名簿の残りの名前もチェックしてみたほうがよさそうね」

リチャードは更衣室のドアに目をやった。「アミーリアには、スキャン装置の故障できょうのセッションはだめになったと伝えるよ」

「それがいいわ。彼女も含めて全員、ミスター・マンドレイクや臨死体験となんらかの関係がないかたしかめたあとで、まずわたしが面接してみる」

「そうだな」とうなずいてから、「待てよ。マンドレイクと関係があるかもしれないやつがもうひとりいるっていってたよね。どいつだ?」

「これ」とジョアンナがリストの名前を指さした。「トマス・スアレス。先週電話してきて、臨死体験をしたといったの。ミスター・マンドレイクに電話するように伝えた」

「マンドレイクに台なしにされる前に、臨死体験者の話を聞きたいんじゃなかったのかい」

「そのとおりよ。ふつうはね。でも、ミスター・スアレスは、例の、UFOに誘拐されたとも信じている十四パーセントのひとりなの」

6

「おい、パラシュートはいったいどこなんだ？」

――パリ行きの飛行機に乗り込むときグレン・ミラーが発した質問。バセル中佐はそれに答えて、「どうしたんだ、ミラー。永遠に生きたいのか？」


リストの残りの名前を臨死研究協会の会員名簿とつきあわせて、ジョアンナはさらにふたりをあぶり出した。

「これで五人ね」

「全員、マンドレイクのスパイ？」リチャードが腹に据えかねた口調でたずねた。

「そうとはかぎらない。ベンディクスとドヴォルヤークはふたりとも自分自身の意志で申し込む可能性がじゅうぶんあるし。狂信的信者（トゥルー・ビリーバー）は、自分が信じていることを認めてもらえる可能性があることにいつも目を光らせているのよ」

「でも、どうやって突き止めたんだろう」

「ここはマーシー・ジェネラルよ。またの名をゴシップ・ジェネラル。でなきゃ、最初にあなたの面接を受けたグループのだれかが、プロジェクトの研究内容を他の連中に知らせたのかもしれない。臨死体験者はちょっとしたネットワークを持ってるし――組織とか、インターネットとか――研究センターがNDE研究プロジェクトをサポートしているという事実は広く知られている。ミスター・マンドレイクはこの件についてなにひとつ知らないかもしれない」

「本気でそう信じてるわけじゃないんだろ？」

「まあね」

「やっぱりマンドレイクの件を理事会に訴え出るべきだと思うけどなあ」

「そんなことしたってなんの役にも立たない。ミセス・ブライトマンが理事会にいるかぎりはね。それに、いちばんありがたくないのは、彼と正面切って対決することでしょ。必要なのは――」

「――階段室に隠れること」

「ほかに方法がなければ。そして、他の志願者がだれも、ミスター・マンドレイクや臨死コミュニティと関係してないのを確認すること」

「あるいは、うわごとをしゃべる狂人じゃないのをね。心理プロファイルであぶり出せなかったのがまだ信じられないよ」

「あの世の実在を信じることは精神障害じゃない。世界中のメジャーな宗教が何世紀も信じてきたんだから」

「ミスター・スアレスのＵＦＯは？」

「責任能力のある精神の持ち主だって、ありとあらゆるばかなことを信じるもの。だから、臨死業界と関係があるかどうかのチェックが終わったら、自分で面接してみたいのよ」

　ジョアンナは午後いっぱい使ってチェックをつづけ、自宅に持ち帰るために、スピリチュアリズム推進国際協会と超常協会の会員名簿をプリントアウトした。

　ミスター・マンドレイクが留守番電話に三件の伝言を残し、話し合う必要があるとくりかえしていたから、駐車場までのルートは大きくまわり道をした。五階の連絡通路をわたって西棟へ行き、三階に下り、連絡通路をもどり、腫瘍科病棟を抜けて患者用エレベーターに向かった。

　中年の男女がエレベーターを待っていた。「帰りなさい」と男のほうが連れの女に向かっていった。「ふたりそろって残っている理由はないんだから」

　女がうなずき、ジョアンナは彼女の目が赤くなっているのに気がついた。「なにか変化があったらすぐ電話してくださいね」

「約束する」と男がいった。「すこし休むといい。それと、なにか食べること。朝からなにも食べてないだろう」

　女は肩を落とした。「わかったわ」

　エレベーターが到着し、ドアが開いた。女が男の頬に軽くキスしてからエレベーターに乗り込んだ。ジョアンナもそのあとにつづく。女が《Ｇ》のボタンを押した。ドアが閉まりはじめたとき、女はまた口を開いた。「待って！　わたしの携帯の番号は覚えてる？」

男がうなずき、「３２９‐６０５８だろ」というのと同時にドアが閉じた。
五十八、とジョアンナはひとりごちた。五十八。グレッグ・メノッティは電話番号を告げようとしていたんじゃないかと思っていたけれど、考えてみればそれはおかしい。電話番号を口で伝えるときは、ひとつずつ数字をいうのがふつうだ。でも、住所の場合はちがう。「自宅はパール・ストリートの二千百十五（トウェンティワン・フィフティーン）です」とか。グレッグ・メノッティは住所を告げようとしていたんだろうか。
身を乗り出して《２》のボタンを押した。二階に着いてドアが開くと、エレベーターを降り、外来ラウンジまで行って、電話帳でグレッグ・メノッティの住所を調べた。サウス・ワイアンドット１９０３。電話番号は７７１‐０６４２。五十八はおろか、五も八も入ってない。もちろん、ガールフレンドの住所とか、自分の実家の住所を告げようとしていた可能性もある。でもそうじゃない。彼はなにか大切なことを彼女に告げようとしていたのだ。数字の五十八が含まれる大切な情報って？

電話帳を閉じ、エレベーターホールに引き返した。発泡スチロールのカップを持った看護助手がそばを通り過ぎ、立ち止まって看護師に声をかけた。「どの病室っていいましたっけ？」

「二百五十八号室（トゥー・フィフティエイト）」

グレッグ・メノッティの知り合いがこの病院にいて、その人物を連れてきてくれといおうとした？　それも筋が通らない。だとしたら、ガールフレンドに連絡しろと要求していたとき、そのことにも触れていたはず。番号がついているのはどんな部屋だろう。オフィス？アパートメント？

エレベーターで駐車場まで下りた。五十八。貸し金庫の番号？　年？　いや、彼の若さでは、一九五八年にはまだ生まれていない。ジョアンナは車に乗った。五十八は、十三とか66とか、そういう有名な数字ではない。駐車場から車を出し、コロラド・ブールヴァードを走らせた。前の車はナンバープレートのまわりに紫のネオンランプをつけていた。《WV－58》。ジョアンナは右のガソリンスタンドに目をやった。《無鉛》と看板が出ている。《1・58》

迷信じみた恐怖で背すじにさむけが走り、うなじの毛が逆立った。ヴィエルといっしょにレンタルビデオで観た映画を思い出す。予兆（オーメン）が山ほど出てくる、飛行機事故の映画。『ファイナル・デスティネーション』だ。

ジョアンナは頬をゆるめた。じっさいには、目に映る周囲のものの中で、特定のなにかに対する注意力だけが極端に高くなった結果にすぎない。五十八という数字は、他の数字とおなじように、いつもそのへんにあふれている。しかしいまは、彼女の脳がそれに対して特別の注意を払っている。蛇が出ないか用心して山を歩くハイカーみたいなもの。これが迷信の正体だ。ランダムなデータとランダムな出来事に——夜空の星や手相や数字に——意味を見出そうとする試み。

意味なんかないのよ、と自分にいい聞かせる。意味がないものに無理やり意味をこじつけようとしているだけ。

しかし、家に帰り着くと、インターネットにつないで、五十八という数字を検索エンジンで調べてみた。結果は、死亡記事がいくつかと――「エルバート・ホジンズ、享年五十八歳」――USハイウェイがひとつ、ステートハイウェイが十四、それにamazon.comで書籍が三件――『米ロ冷戦の政策1946‐1958』、『五十八度線上を漂って』、『ベッドの達人：性生活を向上させる58の方法』。

これじゃどう見ても『トワイライトゾーン』にはなりそうにない。ジョアンナは心の中でくすっと笑い、超常協会の会員名簿をチェックしはじめた。アミーリアは会員ではなかったし、他の志願者も同様。しかしスピリチュアリズム推進国際協会の名簿に志願者ひとりの名前が見つかり、翌朝NDEウェブサイトをチェックしてみるとさらにふたりがひっかかった。これで残る被験者は八人だけ。まだだれにも面接していないのに。

「ほんとに残念」とジョアンナはリチャードにいった。「わたしの目的は、プロジェクトを壊滅させることじゃなくて、不適格者をはじくことだったのに」

「プロジェクトが壊滅するとしたら、それはぼくの被験者のだれかがマンドレイクの本に登場したときだよ。でなきゃ《スター》の一面を飾るとか」とリチャード。「きみがいったことは正しかった。マンドレイクの件を理事会に訴え出たりするべきじゃない。ぶん殴ってやるべきだ」

「時間がないわ。残った被験者をふるいにかけて、追加の候補者を準備しないと。名簿を出してから承認が下りるまでに時間はどのくらいかかるの？」

「理事会とプロジェクト審査委員会からOKをもらうのに、合わせて四週間から六週間。いまリストにあるメンバーを通したときは、書類仕事に五週間半かかった」

「じゃあ、新しい募集告知をすぐに出したほうがいいわね。わたしのほうは、いまのメンバーの面接をはじめる。アミーリア・タナカに話を聞く準備はだいたいできてる。彼女は有望そうよ。いまのところ不審な点はなにも見当たらない。二十四歳なのにまだ医進課程の学生だっていうのはちょっとひっかかるけど、わたしの第六感では、彼女はまとも」

「第六感か」リチャードがにやっと笑って、「科学者に第六感があるとは知らなかった」

「もちろんあるわよ。ただ、それに頼らないだけ。鍵を握るのはあくまでも証拠」とスピリチュアリズム推進国際協会の名簿に手を振り、「客観的なデータによる裏付け。だからこそ、まず彼女の関係先に照会して、そのあと本人に面接したいのよ。でも、それがうまくいったら、予定どおりに実験を進めない理由は見当たらない」

ジョアンナは自分のオフィスにもどってアミーリアの関係先に電話して話を聞き、それから本人に電話して面接の時間を決めた。スケジュールの設定には多少ほねがおれた。授業や実習の予定がつまっているし、目前に迫っている生化学の試験の勉強をしないとほんとにまずいんです。最終的に、翌日の午後一時に来るということで承知させた。

予定を組み直すのがたいへんだというのはいい傾向だ。あまり気乗りがしていないという
こと自体、ビリーバーじゃない証拠になる。ジョアンナはアミーリアの名前が神智学協会の
名簿にないことを確認し、それからあと七人の志願者のファイルを調べはじめた。
　有望そうだった。ミズ・コフィはデータ・システム・マネージャー、ミスター・セイジは
溶接工、ミセス・ヘイトンは地域のボランティア、ミスター・ピアソルは保険代理人。ND
E関連サイトを片っ端からチェックしても、彼らの名前は――それにロナルド・ケルソの名
――も、エドワード・ウォジャコフスキーの名も――見つからない。ひとりだけちょっと心
配なのは、デンヴァー在住ではないミセス・トラウトハイムだった。
「彼女、東部グレートプレーンズに住んでるのよ」とジョアンナは翌日リチャードにいった。
「ディア・トレイルの近く。ボランティアとして研究プロジェクトに参加するためだけに、
はるばるそんな遠くから――距離はどのぐらい？　百キロ？――やってくるっていうのはち
ょっと怪しい。でも、それ以外はとくに問題なかったし、残りは全員だいじょうぶそう」
　ジョアンナは時計に目をやった。一時十五分前。
「そろそろアミーリア・タナカが着く時間ね」
「よし」
「否定的な情報がなにも見つからないなら、セッションに進むことにしよう。看護師にはス
タンバイしててくれといってあるし」
　ノックの音がした。

「きょうははやかったわね」といってジョアンナは戸口に向かった。

背の低い高齢の男性が立っていた。褪せた赤毛の髪が、しみの浮いたひたいから後退しかけている。「ドク・ライトはいるかい？」と身を乗り出してジョアンナの体の向こうを覗き、リチャードのようすをうかがう。「こんちゃ、ドク。ちょっくら寄って、次のセッションがいつだったかたしかめようと思って。おれはドク・ライトのモルモットのひとりでね」

「ドクター・ランダー、こちらはエドワード・ウォジャコフスキーさんだ」と戸口にやってきたリチャードがいった。「ミスター・ウォジャコフスキー、こちらのドクター・ランダーがこのプロジェクトに加わってくれることになったんだ」

「エドと呼んでくれ。ミスター・ウォジャコフスキーはおれの親父だから」とウィンクする。

グレッグ・メノッティがおなじジョークをいっていたのを思い出す。ミスター・ウォジャコフスキーは何歳なんだろう。少なくとも七十歳には見える。このプロジェクトの志願者の応募資格は、二十一歳から六十五歳までと限定されていたはずなのに。

「昔、ジョアンナって女を知ってたよ」とミスター・ウォジャコフスキー。「海軍時代、第二次大戦のころに」

また第二次大戦と海軍か。最初はミセス・ダヴェンポートで、今度はミスター・ウォジャコフスキー。彼女から話を聞いたってこと？　それともミスター・マンドレイクが両方と話をしたってこと？　杞憂ならいいんだけど――この調子では、もうすぐ被験者がひとりもいなくなってしまう。

「ホノルルの米軍慰問協会（USO）酒保で働いてた女だ」とミスター・ウォジャコフスキーが話しつづけている。「かわいい子だったよ、まああんたほど美人じゃないが。ある晩、スティンキー・ジョハンスンとふたりでこっそり彼女を乗船させて、おれたちのワイルドキャットを見せてやったんだが――」

「次のセッションの予定はまだ決まってなくて」リチャードがいった。

「そうかい、わかったよ、ドク」とミスター・ウォジャコフスキー。「たしかめてみようと思っただけだから」

「せっかくいらっしゃったんだから、いくつか質問させていただいてもいいかしら」ジョアンナはリチャードのほうを向いて、「ミズ・タナカが来るまでまだ十五分ぐらいあるから」

「いいとも」とリチャードは答えたが、なんだか浮かない顔をしている。

「なんだったら、またべつの機会にしてもかまわないけど」

「いや、いまでいい」

リチャードの表情を読み違えたんだろうかと思いながら、「いくつか質問に答えてもらう時間はありますか、ミスター・ウォジャコフスキー？」

「エドだ。もちろんあるとも。隠居の身だからな、時間ならいくらだってある」

「うん。じゃあ……」といってからリチャードがまた浮かない顔になって、「一時にもう一件べつの面接の予定が入ってるんだけど」

「了解だ、ドク。ちゃっきり手早く」ミスター・ウォジャコフスキーはジョアンナのほうを向いて、「なにを聞きたいんだい、ドク?」

ほんとうにこのまま進めていいのか、リチャードの本心がよくわからなくて、ちらっと顔を見たが、リチャードがうなずいてみせたので、ミスター・ウォジャコフスキーに椅子にすわるよう促した。こういう場合に備えて、合図を決めておく必要があるかもしれない。

「ただ、ご自身のことをちょっとうかがいたいだけなんですよ。ウォジャコフスキーさんのことをよく知るために。これからしばらく、いっしょに仕事をすることになりますから」ジョアンナはそういって、向かい側の椅子に腰を下ろし、テープレコーダーの録音ボタンを押した。「経歴とか、このプロジェクトに志願した動機とか」

「おれの経歴? そりゃもう、見てのとおり、海軍上がりの老いぼれさね。USSヨークタウンで兵役に就いていた。第二次大戦でいちばんの船だった。ジャップに沈められちまったが――」ジョアンナの表情を見て、「おっと失礼。当時はそう呼んでたんだ。敵国の日本人のことを」

だがジョアンナは、ジャップという不快語のことを考えていたわけではなかった。頭の中で、彼の年齢を計算していたのだ。第二次大戦に従軍したとすれば、八十歳近くになっているはずだ。

「ヨークタウンで兵役に就いていたとおっしゃいましたね?」とファイルを見ながらたずねる。姓名。住所。社会保障番号。どうして年齢が載ってないんだろう。「ええと、戦艦でしたっけ?」と時間稼ぎに質問する。

「戦艦なもんか！」ミスター・ウォジャコフスキーは鼻を鳴らした。「航空母艦だよ。太平洋一の空母。ミッドウェイ海戦じゃ、四隻の空母を沈めた。そのあと、ジャップの潜水艦にやられた。魚雷でな。横づけしていた護衛の駆逐艦もいっしょにやられた。ハンマンだ。石ころみたいにあっさり沈んだよ。そうと気づかないうちにくたばってたってわけだ。二分間。乗員もろとも」

まだ年齢が見つからない。医薬品に対するアレルギー。病歴。高血圧から糖尿病まで、すべての項目で《無》にマークしている。たしかに活発だし元気そうに見える。でももし八十歳だとしたら――

「……ヨークタウンが沈むにはずっと長くかかった」とまだ話がつづいている。「まるまる二日。かわいそうで見ちゃいられなかったよ」

職歴。身元保証人。緊急時の連絡先。でも生年月日の記載はなし。わざとだろうか。

「……船を捨てろという命令が出て、水夫たちはみんな靴を脱いで甲板に並べた。何百足も並んだ靴が――」

「ミスター・ウォジャコフスキー、失礼ですがひとつ――」

「エドだ」と訂正してから、まるでジョアンナの質問を予見したかのように、「海軍に入ったのは十三の年だ。年齢を偽ってね。生まれた病院が焼けたんで出生証明書が残ってないといってやった。もっとも、そんなことをいちいち調べてたわけじゃないが。なにしろ真珠湾の直後だ」挑戦するようにジョアンナを見て、「あんたの若さじゃ、真珠湾なんか知らんだろうな」

「日本軍の真珠湾奇襲攻撃ですか？」

「奇襲？　むしろ電撃だな。アメリカ合衆国は外の世界から目をそむけて、ぼんやり内政にかまけていた。そしたらどっかーん！　宣戦布告なし、警告なし、なんにもなしだ。一生忘れんよ。日曜日のことで、おれは新聞の漫画を読んでいた。『カッツェンヤンマー・キッズ』だよ。まだ目に浮かぶね。ふと顔を上げると、二軒先の家に住んでた奥さんが息を切らしてやってきて、〝ジャップがいまさっき真珠湾を爆撃したわ！〟だと。まあ、そんときゃみんな、真珠湾がどこにあるのかも知らなかった。知ってたのは妹だけ。前の晩、映画を観に行ったとき、ニュースフィルムで見たんだと。『無頼漢』だ、やってた映画は。ランドルフ・スコットの。で、まさにその翌日、おれはダウンタウンの海軍徴募センターに出かけてって入隊した」

ミスター・ウォジャコフスキーがひと息ついた瞬間に、ジョアンナはすばやく口をはさんだ。

「ミスター――エド、どうしてこのプロジェクトに志願したのかしら？　このプロジェクトのことはどこで？」

「アスペン・ガーデンズの娯楽室で張り紙を見た。そこに住んでるんだよ。それから、ここへ来てドクと話をしてみて、おもしろそうだと思ったんだ」

「この病院で前に研究プロジェクトに関わったことは？」

「いいや。しょっちゅう募集の張り紙が出てるがね。ほとんどは、どっか体に具合の悪いところがあるのが条件だ——ヘルニアとか、目がよく見えないとか。あいにくおれはそういう条件に合わなくて、どれにも応募できなかった」

「このプロジェクトがおもしろそうだと思ったということですが、もっと具体的にいうと？臨死体験に興味があった？」

「TVの番組で見たよ」

「だからこのプロジェクトに参加したいと？」

ミスター・ウォジャコフスキーは首を振り、「臨死体験なら戦争でいやっていうほど味わった」ひとつウィンクして、「トンネルに光か。いっとくけどそんなもん、こっちめがけて飛んでくる零戦とか、ぶっ放してた機銃がいきなり弾詰まりを起こしたりとかにくらべりゃ屁でもない。あのくそいまいましい1・1インチときたらいつもつっかえる。掌砲兵曹が金槌持って機銃の下に潜り込み、ガンガン叩いて直すんだよ。あるときストレート・ホルセクが——やつをストレートと呼んでたのは、いつもカンチャン（インサイド）待ちのストレートを引き当てるからなんだが、とにかくこいつが——」

アミーリアの到着を数分後に控えて、ミスター・ウォジャコフスキーを面接することにリチャードがいい顔をしなかったのも無理はない。そのリチャードはぐるっと向こうにまわって、ミスター・ウォジャコフスキーのうしろに立っている。ジョアンナがそちらに視線を向けると、リチャードはにやっと笑った。

「……ちょうどそのとき、零戦が一機、まっすぐこっちへ急降下してきた。ストレートはぎゃっと叫んで、持っていた金槌をおれの足の上に落っことし――」

「では、おもしろそうだと思った理由が臨死体験じゃないとしたら、どうしてこのプロジェクトに興味を？」とジョアンナはたずねた。

「ヨークタウンで兵役に就いていたといっただろ。いわせてもらやあ、あれは最高の船だった。ボタンみたいにぴかぴかの新品で、ちゃんと横になれる本物の寝台もついていた。ソーダ・ファウンテンまであったんだぜ。そこへ行ってモルトチョコレートやチェリー水を注文するんだ。故郷の町のドラッグストアみたいに」昔を懐かしむような笑みを浮かべ、「まあとにかく、ラバウルをやっつけたあと、オールド・ヨーキーは――おれたちはそう呼んでた――珊瑚海で哨戒任務に就くことになった。それから六週間は、エーシー・デューシー（カードゲームの一種）で勝負したり、だれの足指の爪がいちばんはやく伸びるかで賭けをしたり、まあひたすらのらくら過ごした」

志願の理由といったいなんの関係があるんだろう。まったくなんの関係もなくて、とにかくチャンスさえあればだれが相手でも戦争の話をしたいだけなんじゃないかという疑念が湧いてくる。放っておくと、ミッドウェイ海戦の一部始終を語ってしまいそうな勢いだ。

「ミスター・ウォジャコフスキー、このプロジェクトになぜ応募したかという話だったはずですが」

「だからその話だよ。とにかくそんなわけで、ひまでひまでしょうがない日がつづいたもんだから、そのうち退屈で死にそうになって、ジャップが急降下爆撃してくるのが待ちきれなくなった。そうなりゃすくなくとも、こっちだってやることができるからな。急降下爆撃といやあ、ジョー＝ジョー・パワーズが珊瑚海でなにをやったか話したっけか。やつの飛行隊が第一次攻撃から収穫ゼロで引き揚げてきたときだ。魚雷一発当たらなかった。で、これから第二次攻撃に出るってとき、やつはいったもんだ。〝この爆弾をどうしても命中させなきゃいけないんなら、まっすぐ飛行甲板に突っ込んでやる〟ってな。それで――」

「ミスター・ウォジャコフスキー」ときびしい声で口をはさんだ。「応募の動機を」

「アスペン・ガーデンズに行ったことはあるかい？」

ジョアンナは首を振った。

「そりゃあ運がいい。あそこの暮らしは珊瑚海の哨戒任務とそっくりおんなじ。しかもエーシー・デューシー抜きと来たもんだ。だから、なんかおもしろそうなことをやってみようと思ったわけさ」

というのは上々の応募動機だ。「ご自身で臨死体験をしたことはありますか、ミスター・ウォジャコフスキー？」

「いや、そのドーナツみたいなやつの中に入ってフランケンシュタインみたいに体じゅうに線をつながれるまでは、一回もなかったよ。トンネルだの光だのイエス様だのを見るって話は嘘八百のごたくに決まってると前から思ってたんだが、いやほんと、気がついたらトンネルの中だったよ。もっともキリストは抜きだ。そっちはいまでもやっぱりたわごとだと思ってる。戦争中いろんなもんを見すぎたせいで、宗教ってやつはあんまり信用できなくてな。あるとき、珊瑚海で――」

この老人はミスター・マンドレイクのスパイじゃない。それに満足して、しばらくミスター・ウォジャコフスキーに勝手にしゃべらせておいた。プロジェクトに応募したほんとうの目的が、戦争話を聞かせる新しい相手を見つけることだというのは明白だ。もしミスター・マンドレイクが彼から話を聞き出そうとしたら、当然の報いを受けることになる。そう考えて、ジョアンナは心ひそかにほくそ笑んだ。太平洋戦争全史をそっくり聞かされるだろう。とはいうものの、アミーリアが来ないと、わたしもそれとおなじ運命だ。壁の時計に目をやる。もう二時近い。アミーリアはどこ？

そのとき、ポケットベルが鳴った。

「失礼」ジョアンナはこれ見よがしにポケットからベルをとりだし、画面に目をやった。「すみません、ちょっと電話を受けなければいけないみたいで」

「いいとも、ドク」とミスター・ウォジャコフスキーはがっかりした顔でいった。「いまどきのそういうちっこいキカイ（ギズモ）はたいしたもんだ。大戦中にそれがありゃあなあ。じっさいの話、たとえば――」

「予定が決まったらすぐに連絡します」まだしゃべりつづけているミスター・ウォジャコフスキーを、断固たる態度で戸口へと導いた。ドアを開けて、「一日か二日ではっきりするはずですから」

「いつでもいいって。時間なら売るほどあるからな」

ミスター・ウォジャコフスキーのその言葉に、とつぜん良心の呵責を覚えた。

「エド、さっきの急降下爆撃機の話だけど。爆弾を自分で命中させなきゃいけないんなら飛行甲板に突っ込んでみせるといった人。彼はどうなったの？」

「ジョー＝ジョーのことかい？　あの世への道づれにあの空母を沈めてやるといって、そのとおりのことをした。そりゃ見物だったぜ。ケツから火を噴いてる機体で翔鶴めがけてまっすぐ突っ込んでいく。まわりじゅう零戦だらけ。しかし、あいつはやるといったとおりにやった。あの爆弾を翔鶴の飛行甲板のど真ん中に命中させた。投下したとき、甲板までの距離は二百フィートもなかったはずだがな、それでもやったんだ。それからどっかーん！　あいつの爆撃機は海に突っ込んだ」

「まあ――」

「しかし、やつはやったんだ。爆弾を投下したとき、もう死んでいたとしても。それでもやりとげたんだよ」

7

「リヴァプール発NY行きのパシフィック号にて――船内は混乱、四方八方に氷山。脱出できないのはわかっている。友人たちにいつまでも気を揉ませるのは忍びないので、わたしたちの死の原因をこうしてはっきり書いておく。これを見つけた人は公表してほしい。Wm・グレアム」

――瓶の中で発見されたメッセージ、一八五六年

首尾よくミスター・ウォジャコフスキーにおひきとりいただくまでには、さらに二十分の時間とヨークタウンにまつわる逸話ふたつが必要だった。

「ふう。やれやれ」ようやく彼を送り出して閉めたドアにもたれて、ジョアンナがためいきをついた。「ふりきるのがたいへんなのはメイジー以上ね」

「マンドレイクの手先だと思う?」

「いいえ。もし彼がビリーバーだったら、そっち方面の話をいつまでもえんえん聞かされて

たはず。USSヨークタウンの話さえ止められたら、じっさいすごくいい被験者になりそう。細部を見る目、聞く耳を持ってるし、それによくしゃべる」

リチャードはにやっと笑って、「よくいうよ。あれが長所になるって？」

「ええ。いちばん始末に負えないのは、単音節でしか答えないとか、ただすわってるだけの人。それだったらおしゃべりのほうがずっとまし」

「じゃあ、予定を組んでいい？」

「ええ。でも、すぐあとにほかの被験者のセッションの予定を入れるようにしておいて。でないと、いつまでも居座られちゃいそうだから」ジョアンナはデスクのところまで歩いていって、ミスター・ウォジャコフスキーのファイルをとった。「アミーリア・タナカがやってきて、うまく切り上げるきっかけになるのをずっと期待してたのに。もうとっくに来てるはずでしょ。いつも遅刻するの？」

「いつもだよ。でも、ふだんは遅れると連絡してくる」

「あ。もしかしたらこっちに連絡してきてるのかもしれない」ジョアンナはポケットベルをとりだした。「この番号を教えたから」あわてて交換に電話して、伝言をたずねた。

「アミーリア・タナカから遅れると伝言があったわ。二時までには着くって」交換のオペレーターがいった。「それと、ハワード看護師から、おりかえし連絡がほしいと」ヴィエルだ。臨死体験者が出たという知らせじゃないだろう。だれかが心停止したのなら、ERに来いと伝言を残すはずだ。

ということは、グレッグ・メノッティの「五十八」の意味を突き止めたにちがいない。壁の時計に目をやった。一時四十分。

「ひとっ走りERまで行ってくる」電話を切って、リチャードにいった。「アミーリアは二時に来るそうだから、それまでにはもどる」

「なに？　NDE？」

「ううん。ちょっとヴィエルに聞くことがあるだけ」五十八がなにを意味しているのかを。どうせなんでもないことだろう。五階まで急ぎ足で階段を下りながら、自分にそういい聞かせた。グレッグ・メノッティがいおうとしていたのは完璧にあたりまえのこと、たとえば「ステファニーの勤務先の電話を調べてくれ。住所はグラント1658だ」とか、「心臓発作なんか起こすわけがない。けさはスポーツクラブで五十八ラップこなしたんだから」とかもしれない。

連絡通路をわたり、本館のエレベーターホールに向かう。でもそうじゃない。彼はラップや電話番号のことをいってたわけじゃない。わたしたちに、なにか大切なことを伝えようとしていたんだ。

エレベーターで一階に下りてから階段と廊下を走ってERに向かった。ヴィエルは中央デスクでカルテに記入していた。ジョアンナはそこに駆け寄って、「どういう意味だったかわかったのね。いったいなにをいおうとしてたの？」

「だれが？」ヴィエルはぽかんとした顔で聞き返した。「いったいなんの話？」

「グレッグ・メノッティ。火曜日に心停止した心臓発作の患者」

「ああ、そうだった。心筋梗塞で、〝五十九〟といいつづけてた人」

「五十八」

「そうそう。ごめん。彼のガールフレンドの電話番号を調べることになってたんだっけ。完璧に忘れてた」ゴムのキャップをひたいから押し上げ、ジョアンナの向こうを見やる。「夕方までに調べとく。約束する。それを聞きにきたの？」

「いいえ。電話してきたでしょ」

「あ、そうか」ヴィエルは浮かない顔になった。「電話したけど、いなかったんだよね」また忙しそうにカルテに書き込みはじめる。

「で？」とジョアンナ。「なんの話があったの？」

「なんでもない。忘れちゃった。ディッシュ・ナイトのことだったと思った。だれも死なない映画を見つけるのがどんなにたいへんか知ってる？　コメディもアウト。『恋におちたシェイクスピア』、『めぐり逢えたら』、『フォー・ウェディング』。ゆうべブロックバスター・ビデオで一時間半も探しまわったわよ、デス・フリーなやつを」

話をそらそうとしてるのが見え見えだ。でもどうして？　それに、いったいなんの用で電話してきたんだろう。とにかく、途中で気が変わって、わたしにはそれを話さないことにしたらしい。

「キッズ映画もダメなのよ」とヴィエルがぺちゃくちゃしゃべりつづける。「シンデレラの父親でしょ、バンビのお母さんでしょ、それに西の悪い魔女――なに、ニーナ？」そばにやってきた看護助手にヴィエルがたずねた。これも妙だ。話を邪魔する助手はいつも怒鳴りつけるくせに。

「デスクのミセス・エドワーズがこれをと」ニーナがそういって、引き伸ばした写真を一枚さしだした。タトゥーを入れ、ニット帽をかぶったブロンドのティーンエージャーの正面写真だった。下に数字の長い列が並んでいるところを見ると、手配写真のようだ。

「また発砲事件があったんじゃないでしょうね」とジョアンナはいった。

「ぜんぜん」ヴィエルは受け身の口調でいった。「きょうは一日、教会みたいに平穏無事。足首の捻挫と、紙で手を切った傷ぐらい。ミセス・エドワーズがこれをなんだって？」とニーナに向かってたずねる。

「この男が来たら、すぐ連絡するようにと警察からの通達があったそうです。鋲打ち銃でだれかの脚を撃ったとか――」

「ありがとう、ニーナ」ヴィエルは写真を返し、「ドクター・セアにも見せてきて」

「この男に撃たれた被害者のほうがやってきた場合にも、やっぱり警察に通報してほしいそうです」とニーナ。「ふたりはどっちもギャングのメンバーで――」

「ありがとう、ニーナ」

ニーナが立ち去るなり、ジョアンナは口を開いた。「ネイルガン！　ヴィエル、いったいいつ転属するつもり？　ここは危険だって――」

「わかってるわかってる。前にも聞いた」ヴィエルはジョアンナの向こうを見やり、「おっと、行かなきゃ」といって、ERの正面入口のほうに歩き出した。ふたりの男が、真っ青な顔をした女を両脇から抱えている。

「ヴィエル――」

「あしたの晩、ディッシュ・ナイトで」といいながらヴィエルは小走りになった。

遅かった。女は床とふたりの男に向かって嘔吐した。男のひとりがぱっと腕を放して火線のうしろにとびすさり、女は横向きに床に滑り落ちた。またいつもの不安そうな表情にもどったヴィエルが、うしろから彼女の体を支えた。

ここで待っていてもしかたない。女の処置にはどう見てもしばらく時間がかかりそうだし、もうすぐ二時になる。それに、ここに残ったとして、どうやって話を聞き出す？　〝ヴィエル、電話してきたほんとの理由はなんなの？　バンビのお母さんのことだなんていわないでよ〟？

ジョアンナは階段を上がり、研究室にもどった。アミーリアはまだ着いていなかった。

「知りたがってたことはわかった？」とリチャードがたずねた。

「いいえ」それどころか、答えを知りたい謎が増えてしまった。「それはそうと、ヴィエルが――」

ノックの音がして、アミーリアが飛び込んできた。

「遅くなってほんとにすみません！　信じられます？　うちの教授たち全員がおなじ週に試

験を実施することに決めたんですよ！」バックパック、手袋、コートを、二日前とおなじ速度で脱ぎ捨てながら、そのあいだじゅうしゃべりつづける。「ダメだったのはわかってる。生化学なんか大嫌い！」

　長い黒髪は、ぐるっと巻き上げて、近ごろの学生全員がやっているだらしない感じのトップノットにまとめてある。アミーリアはいったんそれをほどいてから、さらにだらしない感じのノットに巻き直した。

「きっとD。わかってる」大きな金色のプラスチック製ヘアクリップで髪を留めながらいう。

「着替えてきましょうか、ドクター・ライト？」

「ちょっと待って」とリチャード。「その前に、ドクター・ランダーからいくつか質問がある」

「アミーリア」ジョアンナは三つの椅子のひとつを示した。自分も腰を下ろし、リチャードがぐるっとまわってもうひとつの椅子にすわる。「あなたは医進課程の学生ね？」

　アミーリアは三つめの椅子にどしんと腰を下ろした。

「ええ、いまさっきの生化学の試験までは。解剖学の試験より悲惨だった。医進課程の学生だったのはそれまでの話で、いまは死体かも」

　ジョアンナは《医進課程学生》とメモしてから、「いま何歳？」

「二十四です。ええ、医進課程学生にしては歳食ってますよね。ミュージカル科で文学士号をとって、そのあとやっぱり女優にはなりたくないと思ったんです」

女優。役を演じるのが得意。他人を欺くのが得意。「どうして女優になりたくないと思ったの？」

「わたしがもらえる役は、『王様と私』のタプティムかミス・サイゴンがせいぜいで、いくらがんばっても司書のマリアン（『ミュージックマン』のヒロイン）も『アニーよ銃をとれ』もぜったいやれないって気がついて。だからかわりにメディカル・スクールに行くことにしたんです。少なくとも医者ならパーツには不自由しないでしょ。ほら、腎臓とか胆嚢とか肝臓とか」とにっこり笑う。

ジョーク。ビリーバーはめったに冗談を口にしない。臨死体験狂信者と超能力者とUFOアブダクティになにか共通した特徴があるとすれば、ユーモア感覚の欠如だ。そしてアミーリアは、科学の知識もあるし、情報を進んで提供しようとする意志もある。なにも隠すことがない証拠。やっと入選者が出たみたい。

「このプロジェクトにどうして応募したのか教えてもらえる？」

アミーリアはうしろめたそうな視線をちらっとリチャードに向けた。「どうして応募したか？」とくりかえし、目をそらした。「ええと、それは……」

もう安心と思ったとたんにこれだ。

「神経学に興味があるっていってたじゃないか」とリチャードがいった。ジョアンナは相棒をにらみつけた。助け船を出しちゃだめ。

「たしかに神経学に興味はあります。いずれ神経学に進みたいと思ってるから。でも、黙ってたことがあって」アミーリアはひざの上で組んだ手をもじもじさせた。「自分から進んで応募したわけじゃないんです」

ほら来た。ミスター・マンドレイクに命じられたか、最悪の場合は、頭の中の声に命じられたか。

「心理学の教授が、医進課程の学生たる者、一度は患者の側に身を置くことが必要だという考えの持ち主で。そうすれば、医者になったとき、患者の気持ちがわかるからって」アミーリアは目を伏せたままでいった。「だから、研究プロジェクトに参加すると、そのぶん点数を上乗せしてくれるんです。わたし、どうしてもその点数が必要で。心理学の成績は最悪だったから」もうしわけなさそうな顔でリチャードを見て、「黙ってたのは、それをいったら採用してもらえないんじゃないかと……」

採用しない？　まさか。あなたみたいな人があと十人いてほしいぐらいよ。授業の点数を稼ぐために志願してくる学生というのは、被験者としてパーフェクトだ。研究テーマになんの先入観も特別な関心もない。したがって、マンドレイクの著書をはじめとする臨死体験本を読んでいる可能性も低い。

「教授にいわれてこのプロジェクトに応募したの？」

「いいえ」アミーリアはそういってから、またうしろめたそうな表情を浮かべてリチャードのほうをちらっと見た。「興味があるプロジェクトなら、どれでも好きなのを選んでいいんです」

「じゃあ、NDEに興味があったわけ？」失望を隠してそうたずねた。

「いえ、参加登録したときはNDEのことなんかなにも知りませんでした」また両手をもじもじ動かしはじめる。「記憶実験のひとつだろうと思ったんです。そっちのほうがよかったと思ってるわけじゃありません」アミーリアは顔を赤くした。「こっちのほうがずっとおもしろいです」

アミーリアはまたリチャードの顔を盗み見た。ジョアンナもそれでようやくぴんと来た。

「授業予定表のコピーをちょうだい。それをもとにしてセッションのスケジュールを組みましょ」

リチャードがもの問いたげな視線を向けてきたが、ジョアンナはそれを無視して、「あすの午前十一時はどうかしら、アミーリア」

「はい」とアミーリアが元気よく答える。「なんなら、きょうこのまま残ってセッションを受けてもいいです」

「助かるわ。じゃあ、着替えてきてもらえるかしら」

ジョアンナは立ち上がり、リチャードとは目を合わせずに、まっすぐ検査台のほうに歩いていった。

「場所はわかってますから」アミーリアは検査台から服の山をつかみ、更衣室に姿を消した。

「ほんとにいいのか？」更衣室のドアが閉まるなり、リチャードがたずねた。「このプロジェクトに志願した理由を聞かれたときのあの反応。見るからにどぎまぎしてたじゃないか。

ほんとのことをいってるとは思えない」

「たしかにね」とジョアンナ。「機械のセッティングでなにか手伝うことある？」

「嘘をついてたとすれば、どうしてマンドレイクの手先じゃないと信用できる？」

「どうでもいい嘘だったからよ。問題の核心とはなんの関係もない、個人的な動機からついた嘘。ミステリで登場人物がトラブルに巻き込まれる原因になるような嘘ね」ジョアンナはにっこりして、「あの子はビリーバーじゃない。心理プロファイルがちがうし、最初のNDEに関する説明も問題なし。照会先はチェックしたし、面接結果はわたしの第一印象を裏付けるものだった。彼女はまったく見たとおりの人間よ。点数を稼ぐためにプロジェクトに志願した医進課程の学生」

「わかったよ。ならいい。はじめよう。ホーリー看護師を呼んでくる」

　リチャードが研究室を出ていった。しばらくして、更衣室からアミーリアが出てきた。ジーンズの上から患者用ガウンを着て、アイマスクを首からぶら下げている。アミーリアは部屋の中を見わたしてから、問いかけるような目でジョアンナを見た。

「ドクター・ライトなら、アシスタントの看護師を呼びにいったわ」

「ああ、よかった」アミーリアが近づいてきて、「彼がいる前ではいいたくなかったんですけど、さっきのは嘘でした。このプロジェクトを選んだ理由」

　誘導尋問は禁止。とくに、もう答えの見当がついているときは。アミーリアはさっきのようにまた顔を伏せた。「ほんとの理由は、ドクター・ライトなんです。キュートだなって思って。こんな動機でも被験者の資格がなくなるってことはないですよね？」

「だいじょうぶよ」やっぱり、思ったとおりだった。「彼、キュートだもの」

「ええ」とアミーリアは力強くうなずいた。「ほんと、嘘みたいに魅力的っていうか――」

アミーリアが唐突に口をつぐみ、ふたりは同時にドアのほうをふりかえった。

「ホーリー看護師がいないんだ」といいながらリチャードがもどってきた。電話に歩み寄り、「ページしなきゃ。この分だと、ひとり専属の看護師を雇ってたほうがよさそうだな」リチャードは交換に電話しはじめた。

「アミーリア、待ってるあいだに、最初のセッションのことを話してくれる？」とジョアンナ。

「はじめて潜った（ゴー・アンダー）ときですか？」とアミーリアが聞き返した。この言いまわしに意味はあるんだろうかとジョアンナは思った（go underには「意識を失う」のほかに、「死ぬ」の意味もある）。「最初はまぶしい光が見えただけ。すごくまぶしくて、なんにも見えないくらい。二度めに潜ったときはそれほどまぶしくなくて、その光の中に人が見えたんです」

「もっと具体的にいうと？」

「うーん、無理かも。つまり、ちゃんと見えたわけじゃないんですよ、光のせいで。でもそこに人がいるのはわかった」

「何人だった？」

「三人」その場面を目に浮かべようとするように目を細くした。「ううん、四人」

「彼らはなにをしていたの？」

「なにも。ただそこに立って、待ってただけ」

「待ってた？」

「ええ。わたしを待ってたんだと思います。こっちを見てました」

待つことと見ることとはおなじことではない。「あなたが見たものに、なにか感覚は付随していた？」

「ええ。あったかくて……」と口ごもり、「……平和な感じ」

あたたかさと平和は、NDE者が経験を語るときにひんぱんに使う言葉だ。〝安全〟と〝愛に包まれたような〟感じも多い。それもまた、エンドルフィンの分泌と関係する感覚だ。

「その感覚をべつの言葉で説明できる？」

「ええ」と答えてから、アミーリアは数秒間沈黙した。「おだやか」とようやく口にしたものの、質問のように語尾が上がっていた。「ぬくぬく」と、もっと自信ありげにいう。「暖炉の前にいるときとか、毛布にくるまってるときみたいに」その感覚を思い出したようににっこりした。

「光の中の人影を見たあと、どうなったの？」

「なにも。覚えてるのはそれだけです。光と、そこに立って待っていた人たちだけ」

リチャードが渋い顔でやってきた。「ポケットベルでホーリー看護師を呼んでみたんだが、返事がない。彼女抜きでやるしかないな。アミーリア、検査台の上に上がってくれるかい」

アミーリアは検査台にぴょんと飛び乗り、あおむけに横たわった。

「よかった。あのライト、隠してくれたんですね。まぶしくてしょうがなかったんですよ」

リチャードがよしよしという視線をこちらに投げ、それから酸素飽和度計をとって、アミーリアの指にはさんだ。「脈拍と血圧はつねにモニターしているからね」

リチャードはコンソールの前に行ってなにかタイプした。端末の上のモニターが点灯する。右下のスクリーンに数値が表示された。酸素レベル九十八パーセント、脈拍六十七。リチャードが検査台のそばにもどってきた。「アミーリア、これから電極をつけるよ」

「ええ、どうぞ」とアミーリア。

リチャードが患者用ガウンの首のところを引き下げて、アミーリアの胸に電極を貼りつけた。

「これで心拍数とリズムをモニターするんだ」とジョアンナに向かって説明し、血圧測定用のカフをアミーリアの腕に巻いた。「よし、じゃあアイマスクをつけて」

「はい」アミーリアはちょっと頭を持ち上げてアイマスクを眼の上にかぶせた。リチャードがこめかみと頭皮に電極をつけはじめた。

「待って！」アミーリアが体を起こそうとした。

「どうしたの？」とジョアンナ。「どうかした？」

「ええ」アミーリアは左手で頭のうしろを手探りし、ヘアクリップをはずしてから、長い髪を下ろした。「ごめんなさい。これが後頭部に食い込んじゃって」またあおむけに横たわり、

「なんか線が抜けたりとかしてませんよね」

「だいじょうぶだよ」リチャードはこめかみの電極をつけ直し、それより小さい電極を髪の生え際につけていった。

ジョアンナは検査台に横たわるアミーリアを見ていた。白い顔のまわりに黒髪が扇のように広がっている。眠れる森の美女みたい。眠れる森の美女は百年の昏睡状態のあいだになにかビジョンを見たんだろうか。もし見たとすれば、どんなビジョンだろう。トンネルと光か、それとも湖のボートか。

そのとき研究室のドアが開き、中年の看護師が飛び込んできた。「遅くなってすみません。担当の患者に呼ばれて」

「生食の点滴をはじめて」そういいながら、リチャードがアミーリアのアイマスクの端を持ち上げ、目尻に電極をつけた。「こっちの電極は、ＲＥＭ睡眠中の眼球運動を記録するんだ」とジョアンナに説明した。

看護師はアミーリアの腕をゴムの駆血帯で縛り、慣れた手つきで血管を探している。リチャードはアミーリアの反対の腕を持ち上げ、その下に厚さ五センチのフォームラバー片をあてがった。おなじように、ひざやふくらはぎの下にもフォームラバー片を入れてゆく。外部からの刺激をできるだけ減らすためだろう。

「点滴ははじまってる？」リチャードが看護師にたずねた。「よし、じゃあトレーサーをはじめて」アミーリアの上にかがみこみ、「どこか痛いところはない？　きゅうくつなところとか、ひっぱられてる感じとか、異物感とか」

「いいえ」アミーリアがマスクをしたまま笑みを浮かべた。「だいじょうぶ」

「よし」

リチャードはヘッドフォンをとってジャックに接続し、自分の耳にあてた。しばらく聞いてからヘッドフォンをはずし、アミーリアのところへ持っていく。「準備よし。これからヘッドフォンをつけるよ。いいかい？」

「毛布もらえます？　いつも寒くなるから」

寒くなる？　あたたかくてぬくぬくした感じだといったばかりなのに。ジョアンナは、あたたかくて安全な感じがしたといいながら身震いしていたリーサ・アンドルーズのことを思い返した。

「いつ寒くなるの、アミーリア？」

「終わったあと。目を覚ましたときにぞくぞくするの」

「横になっているときは体温が下がるのよ」とホーリー看護師が横から口を出し、ジョアンナは絞め殺してやりたい気持ちになった。

「目を覚ましてから寒くなるの、それとも目を覚ましたときにはもう寒くなってる？」

「どうかなあ。あと……かな」しかし、今度もまた、疑問文のように語尾が上がっている。

リチャードが白いコットンの毛布をアミーリアの体にかけた。点滴している腕だけが毛布の外に出ている。「これでどう？」

「ええ、いいです」

「よし、じゃあヘッドフォンをつけるよ」リチャードはヘッドフォンを上下逆さまにしてアミーリアの耳にセットした。ヘッドバンドがあごの下に来ている。スキャンの邪魔にならないようにするためだろう。

「ヘッドフォンからはホワイトノイズが流れている。内耳のノイズといっしょに外界の音もマスクする」とリチャードがジョアンナに説明してから、声を大きくして、「アミーリア？」と呼びかけた。返事はなかった。

「よし」リチャードはジョアンナの向こう側にまわって、スキャン装置の正面に立ててあったボール紙のついたてをはずした。「いいかい？」

「ええ」と答えたが、白い毛布におおわれて静かにじっと横たわるアミーリアの姿と、頭のまわりに広がる黒い髪を見ていると、なぜかしら不安が忍び寄り、背すじにさむけが走った。

「この処置はほんとに安全なのね？」

「もちろん。それと、声をひそめる必要はないよ。アミーリアには聞こえないから。百パーセント安全だ」

ヒンデンブルクの乗客だってそう思っていた。それにミスター・オレアドンは、スキャンの最中に心停止した。「でも、アミーリアが潜ってるあいだに、もしなにか起きたら？」

「生命徴候（バイタル）の数値とＲＩＰＴスキャン画像をたえずモニターしているプログラムがある。脳機能や心臓の活動になにか異状があったらただちにアラームが鳴って、ジテタミンの点滴を中止し、ノルエピネフリンを投与する。深刻な問題なら、自動的に心停止アラームを鳴らして救急医療チームを呼ぶようになってる」

「このフロアの？」西５からはるばるやってくる救急カート（クラッシュ）を想像しながらたずねた。

「この棟の、このフロアからだよ」とリチャードが安心させるように答えた。「でも、そんな必要はない。この処置は百パーセント安全だし、被験者はセッションの最中もあともたえずモニターされてるんだから」

「あの……なんにも起きないんですけど」とアミーリアがいった。自分の声が聞こえないせいで、異様に大きな声になっている。

リチャードがヘッドフォンの片方をちょっとだけ持ち上げて、「すぐはじめるよ」といってから、慎重な手つきでヘッドフォンをもとにもどした。「ほかになにかとるべき予防措置がある？」

ええ、とジョアンナは心の中でいった。「いいえ」

「よし、じゃあはじめよう。ホーリーさん、ゼルパムを開始して」リチャードはジョアンナをふりかえり、「被験者をまずノンREM睡眠に導く」と説明した。「もっとも、それなしでもNDE状態に入る場合もあるけどね」

ホーリー看護師が点滴を開始した。リチャードはコンソールの前にすわっている。一分後、アミーリアの両手から力が抜け、意識があったときとくらべて指と指の間隔が心持ち広がった。アイマスクと電極で半分隠されたその顔も、心なしかリラックスしているように見える。

唇がわずかに開き、息遣いが軽くなってきた。ジョアンナはモニターの数値を見やった。脈拍がわずかに上昇し、脳波は浅くなっている。

「脳の活動が運動野や感覚野から深部脳に移行するのがわかるだろ」とスクリーンを指さしながらリチャードがいう。「いまはノンREM睡眠だ。よし、これからジテタミンの投与をはじめる。見てて」と、またスキャン画像を指さした。側頭葉前部の黄色がかたちを変えながら赤に変わってゆく。「側頭葉はNDEの特徴的なパターンを示している」側頭葉が真っ赤に燃え立つのを見ながら、「離昇(リフトオフ)」

「もうNDEがはじまったの？」ジョアンナはスキャン画像を見上げ、それからアミーリアに視線をもどした。「いま？」

リチャードがうなずいた。「光を見てるはずだよ。それに、あたたかさとおだやかさを感じている」

検査台に横たわるアミーリアの姿に、トンネルやまばゆい光を見ている気配はうかがえない。それに、コーマ・カールやグレッグ・メノッティのときとちがって、いまのアミーリアからは、どこか手の届かない遠くにいるという印象も受けなかった。ただすやすや眠っているだけにしか見えない。唇をわずかに開きリラックスした表情に、いま彼女が経験していることの手がかりはまったくない。

また画面を見上げたが、そこに映る青と赤と黄色の染みも、アミーリアの表情と同様、なんの手がかりにもならない。

脳の活動とバイタルはたえずモニターされ、血圧や脳機能に変化があれば警報が鳴る、とリチャードはいった。でも、モニターに出てこない変化だったとしたら？　NDE者の十四パーセントはぞっとするような経験をしている。悪魔や怪物や息がつまる闇。いまこの瞬間、アミーリアになにか恐ろしいことが起きていて、でも彼女にはそれを伝えるすべがないのだとしたら？

けれど、アミーリアは怯えているようには見えなかった。それどころか、なにか楽しいものを見ているみたいに、かすかに笑みを浮かべている。天使？　天上の合唱隊？

「NDEはどのぐらいつづくの？」とジョアンナはたずねた。

「ケースバイケース」リチャードがコンソールにかじりついたまま答えた。「ミスター・オレアドンのNDEは三分間つづいた。でも、肉体的にいうと、十分とか十五分とか持続しない理由はない」

でも、患者は四分から六分で脳死状態に陥る……。これがシミュレーションじゃなくて本物のNDEだという気持ちをまだ拭いきれないまま、ジョアンナはそんなことを思った。

「理論的には、ジテタミンの投与がつづくかぎり長くNDEもつづいていいはずなんだ。でも、その時間の半分は——くそっ！」

「なに？　どうかしたの？」ジョアンナは不安な視線をモニターに投げ、それからアミーリアを見やった。

「自発的にNDEから脱した。投与量の問題なのか、NDEに関連したことなのかはわからない。それも解明する必要がある課題のひとつだよ。被験者がひとりでにNDE状態を抜けて意識をとりもどしてしまう原因がなんなのか」

「もう目を覚ましたの？」

「いや」リチャードがもう一度ちらっとモニターに目をやって、「ノンREM睡眠にもどってる」

ジョアンナはアミーリアを見つめた。両手はまだ力なくクッション材の上にある。満足げな薄い笑みもそのまま。

「もしNDEが原因だとしたら」とリチャードがいった。「臨死体験中の患者を蘇生させるのとおなじメカニズムかもしれない。もしそうだとしたら――」

物音がした。

「しっ」ジョアンナはアミーリアの上にかがみこんだ。

「目を覚ましたのかい？」リチャードがスクリーンを見やる。「そんなはずはないんだけど」スキャンのパターンはノンREM睡眠を示している。

「しいっ」ジョアンナはそういって、アミーリアの口元に耳を近づけた。

「ああ、だめ」とアミーリアがつぶやいた。絶望したようなしわがれ声。「ああ、だめ、ああ、だめ、ああ、だめ」

8

「死ぬっていうのはすごい大冒険だろうな」

——ブロードウェイのプロデューサー、チャールズ・フローマンの最期の言葉。ルシタニア号の沈没直前、親友だったジェイムズ・バリの『ピーター・パンとウェンディ』から引用して

アミーリア・タナカは自分のＮＤＥに関して、否定的な記憶はなにひとつ持っていなかった。「前回とまるきりいっしょでした」とアミーリアはジョアンナに語った。「光があって、それからあのすてきな感覚があって」

「それを説明してもらえる？」

「感覚を？」アミーリアは夢見るような口調で、「おだやかで……安全な感じ。愛に包まれてるみたいな」

あなたは愛になんか包まれていなかった。怯えた声だったじゃないの。

「その感覚はずっとつづいていたの？」

「ええ」

そこに突っ込むのはあとまわしにしよう。

「光について説明してもらえる？」

「きれいな光だった。まぶしいんだけど、目は痛くならないの」

「どんな色だった？」

「白。電灯みたいな。ただし、ほんとに明るい光」アミーリアはさっきの言葉とは裏腹に、まぶしくて目が痛かったとでもいうように目をすがめた。

「その光はずっとあったの？」

「いえ、途中からです。彼らがドアを開けてから」

リチャードがさっとこちらを見た。面接のときは同席させないほうが得策かもしれない。

「そのドアはどこにあったの？」と平板な口調でたずねる。

「突き当たり……わかりません」アミーリアは眉間にしわを寄せた。「そのときわたしがいたのは、廊下っていうかトンネルっていうか……」といいよどみ、やがて首を振った。

しばらく時間を置いて、言葉をつづけるのを待った。アミーリアがいつまでも口を開かないので、

「〝彼らがドアを開けた〟といったわね。もっと具体的にいうと？」

「ええと、その……じっさいにはだれかがドアを開けるところを見たわけじゃないんです。真っ暗で、そしたらとつぜん光が見えた。夜、どこかの家の玄関のドアが急に開いて、光が

どっとあふれ出してきたみたいに。それでわたし……」アミーリアはまた目をすがめ、それから首を振った。「光があったんです」

「なにか聞こえた？」

アミーリアは首を振ったが、しばらくして、「いちばん最初に音が」

「どんな音だったか説明してもらえる？」

「ええと……」ベルみたいな音か、ブザーみたいな音か。ジョアンナはあきらめたような気持ちでつづきを待った。「説明できません。とにかく音がして、それから廊下みたいなところにいて、ドアが開いて光が見えたんです。すごくリアルでした」

「どんなふうにリアルだった？」

「夢とはちがうっていうか。ほんとにそこにいたんです」だが、触覚や感覚について突っ込むと、アミーリアはまたあやふやな口調になった。「四方八方に光があって。あたたかくて……すてきな気持ち」

「光の前はどう？　暗い場所にいたときは？」

アミーリアはにっこりした。「平和」

「温度には気づいた？」

「いいえ、ぜんぜん」

いまさっき、あたたかいっていったじゃないの。そう思ったが口には出さなかった。ドアと白い服を着た人々に質問を切り替え、数分たってからまた感覚のことに話をもどしたが、アミーリアはおだやかであたたかくてすてきな感じだったとくりかえすばかりだった。「あたたかさに囲まれてたんです、光みたいに。それからドクター・ライトがヘッドフォンをはずして、気分はどうかとたずねました」

質問はこれで終わりよと告げたとき、アミーリアは熱のこもった口調で、「わたし、今度はいつ潜るんですか？」とたずね、着替えを済ませてからもう一度、「次のセッションはいつ？」とたずねた。バックパックを肩にかけて、「これ、生化学よりずっと楽しい」

「ジョアンナ、最高だったよ」アミーリアが帰るなり、リチャードがいった。「彼女からこんなにたくさん話を引き出せるなんて信じられない」

「彼女がどうして〝ああ、だめ、ああ、だめ、ああ、だめ〟といったのか突き止められなかった」

「もしかしたら覚醒プロセスの一部で、NDEとは関係ないかもしれない。ミスター・ウォジャコフスキーも、最初にジテタミンから醒めたときなにかいってたけど」

「なんて？」ジョアンナは鋭い口調でたずねた。

「覚えてない。あの人のことだから、たぶんヨークタウンの話だと思うけど」

「彼がそれをいったとき、怯えたような口調だった？」

「いや、ちがうと思うな。覚えてないけど。看護師なら覚えてるかもしれない。セッションの筆記録に名前が書いてある。NDEの一部ってことはありえないよ。NDE状態では発話は不可能だからね。言語野を含めて、表在脳は基本的に機能停止している」

でも、覚醒直後のNDE記憶かもしれない。事後に語るNDEとは大きくちがう記憶……。

「ぼくがいちばん知りたいのは、きみが面接した臨死体験者の話とくらべて、アミーリアの話がどうだったかってことなんだけど」

「十のコア要素のうち三つを体験してる。音、光、平和な感覚」

「それとトンネル」

ジョアンナは首を振った。「あいまいすぎる。暗闇についてもトンネルまたは廊下についても説明できなかったし、光は最初からあったのかと質問するまで、それに言及することさえなかった。音と光とのあいだにただ空白があっただけで、その空白を満たすものを作話してるのかもしれない」

「でも、説明できなかったという理由でトンネルをはずすなら、音はどうなんだい？　そっちだって説明できなかったじゃないか」

「物音について多少なりともはっきりした言葉で説明できる人はだれもいないの。ほとんどの人はどんな音だったかまったく説明できないし、最初にたずねたときはベルみたいな音だったといった人が、次におなじことをたずねるとビューッという音だったとかいうのよ。キーキーとかガリガリとかドシンドシンとか。あるいはその三つぜんぶとか。ミスター・スタインホーストは、最初、だれかがささやくような音だったといったのに、二度めにたずねると、スーパーの缶詰コーナーの棚がまるごと倒れたみたいな音だったといった。どんな音が聞こえたか、みんなわかってないんだと思う」

「臨死体験者はみんなおなじように、自分が体験したことの話がころころ変わるわけ？」

「イエスでもありノーでもある。ふつうはそれよりもっと首尾一貫してるけど、でもミスター・マンドレイクに入れ知恵されないかぎり、あいまいで一般的な言葉を使う傾向が強い。光は〝まぶしい〟し、自分がいた場所は〝美しい〟。知覚を具体的な言葉で表現することはほとんどなくて、〝白〟と〝金色〟をべつにすると、色彩もめったに出てこない」

「言語野がごく部分的にしか関与していないってことを意味してるのかもしれない」といいながら、リチャードがメモをとった。「音に対する説明があいまいになる理由もそれで説明できる」

ジョアンナは首を振った。「それとこれとは話がちがうの。なにを見たかを説明するときはあいまいな口調になるけど、なにを見たかは知ってる。説明する言葉を探すのに苦労するだけ。でも、音に関しては、自分がなにを聞いたのか自分でもさっぱりわかってないみたいなの。当て推量でいってるだけなんじゃないかって気がする」

「アミーリアは十のコア要素のうち三つを経験してるといったよね。臨死体験者のほとんどは十個ぜんぶを体験するのかい？」

「それはミスター・マンドレイクの面接対象だけ。わたしが話を聞いた臨死体験者の大半は、二から五のあいだ。一個しか体験してない人もいる。ゼロの人もいるわよ」と、霧しか見なかったメイジーのことを思い出しながらいった。「いちばん多いのは、アミーリアが経験した三つと、それプラス、人間もしくは〝存在〟が近くにいるという感覚」

「これはNDEじゃないだろうと思うようなことは？」アミーリアが怯えた口調だったことを気にしてたみたいだけど。恐怖は、あれがNDEじゃないことを示唆する指標になる？」

「いいえ。わたしが記録した臨死体験談のうち二十パーセントは否定的な要素が含まれてる。恐怖や不安、終末が迫っているという感覚とか」

「状況を考えれば理解できるね」

ジョアンナはにっこりした。「十一パーセントは完全に否定的な経験をしてる――灰色の虚無とか、恐ろしい姿とか。伝統的な地獄を経験したのはひとりだけ。炎、煙、悪魔。でも」と眉間にしわを寄せて、「アミーリアは、否定的なものはなにも経験しなかったといってる。ふつう、臨死体験者が否定的な感覚について語るとき、それと同時に平和な気分とかあたたかさを語ることはないの」

「おもしろい。もしかしたら、ある種のNDEでは、エンドルフィン・レベルが他のNDEより低くて、不安な感情を完全にマスクしきれないのかもしれない。アミーリアのエンドルフィン・レセプター部位の活動をチェックしてみるよ」といって、リチャードは端末の前にすわった。「これがNDEじゃないと思うようなことはほかになにかあった？」

「いいえ、変則的な要素はひとつもなかったし、幻視とか夢とか、別種の体験であることを示唆するようなものもなかった。じっさい、夢じゃなかったと主張するのは、臨死体験者に共通する現象なの。わたしの面接対象のほとんど全員が、あれは現実だったという意味のことをいってて、夢や幻視ではなかったのかとたずねるとひどく興奮する。ミスター・ファークァハーが、〝おれはそこにいたんだ！　あれは現実だった！　まちがいない！〟と叫んでたのを覚えてる」

「じゃあ、あれはたしかにNDEだった？」

「ええ、そう思う。アミーリアの話は、わたしが面接した蘇生患者の話とそっくりに聞こえた」

「そっくりすぎるってことはない？　マンドレイクのスパイで、話をつくってるとか」

ジョアンナは思わず吹き出した。「もしマンドレイクのスパイだったら、コア要素十個すべてを体験し、向こう側からのメッセージを携えてもどってきたはずよ。科学では説明できないことがある、ってね」

ジョアンナはそれを区切りに立ち上がり、ファイルを抱え上げた。

「記憶が鮮明なうちにこれをテープ起こししてくる。それに、あと三人の志願者の面接も予定を組まないと。オフィスにいるから、用があったら連絡して。なにもなければ、またあした」

「あした？」リチャードが驚いたようにいった。

「ええ。どうして？　きょう、まだほかになにか用があった？」

「いや」リチャードは妙な顔をした。「用はないよ。ぼくのほうは例のレセプター部位をたしかめてから、アミーリアのモニターの数値をもとに、どんなエンドルフィンが分泌されていたのかを調べてみる」

ジョアンナはオフィスにもどり、アミーリアの面接テープを文章に起こそうとしたが、まず残りの志願者に連絡する必要があった。ミスター・セイジ、ミズ・コフィ、ミセス・トラウトハイムとの面接時間を決め、その合間に、いつも留守らしいミセス・ヘイトンに電話をかけつづけた。ヴィエルが四時に電話してきた。

「きょうは早めに来られる？」

「たぶん。ねえ、早く寝たいんだったら、六時半とか？　日にちをずらしてもいいのよ」

「だめ。ちょっと話があるの。それだけよ」

「なに？」ジョアンナは疑り深い口調でたずねた。「例のネイルガン男がやってきてだれか撃ったとかいうんじゃないでしょうね」

「ちがうって。でも、ネイルガンで撃たれた男のほうはあらわれたよ。病院が連絡して、警官が逮捕にやってきたんだけど、その警官がすごいの。身長一八五センチで顔はデンゼル・ワシントンそっくり。残念ながら、あたしは化膿した足の指を消毒してて会えなかったんだけど」

「話って、そのデンゼル・ワシントンの件？」ジョアンナはおもしろがってたずねた。

「おっと、行かなきゃ。ヴァンの横転事故。まったく、やっと非番になるってときにこれだもん」

「遅くなりそうだったら、なにも今夜じゃ——」

「六時半。それと、クリームチーズ買ってきてくれる？」といって、ヴィエルは電話を切った。

いったいどういうことなんだろう。ディッシュ・ナイトは開会時間がきっちり決まってたりするような集まりではまったくない。二回に一回は、おしゃべりに夢中になって、夜も更けるころまで映画を観なかったりするんだから、話があるというならべつにいつでもいいはず。それに、昼間ERを訪ねたときは、必死に話を避けようとしていたのに。

グレッグ・メノッティがなにをいっていたのかようやく突き止めて、その結果が恐ろしいことだったから、ERでは話したくなかったのかも。

でも、あのときのヴィエルは、メノッティのことなんか完璧に忘れているようだった。そうか、ヴィエルはとうとうERからの異動が決まったんだ――いやいや、想像がひとり歩きしてる。

ジョアンナはアミーリアの臨死体験談を注釈入りでタイプしはじめた。録音が「ああ、だめ」にさしかかったとき、いったん止めて巻きもどし、さらに二回聞き直した。恐怖、絶望、そしてもうひとつほかのなにか。また巻きもどし、再生ボタンを押した。

「ああ、だめ、ああ、だめ、ああ、だめ」聞きたくなかった知らせだ、とジョアンナは思った。耐えがたい悲報を知らされたばかりの人みたいな……。

研究室にもどり、ミスター・ウォジャコフスキーのファイルをリチャードから受けとって、彼のセッションでアシスタントをつとめた看護師の名前を調べた。アン・コリンズ。知らない看護師だった。病院のオペレーターに電話して彼女の担当フロアを教えてもらったが、三時で非番になっているという。「何件か伝言が入ってますよ」とオペレーターがいかめしい声でいった。

「ごめんなさい。どんな伝言かしら。どうもポケットベルの調子が悪いみたいで」オペレーターが伝言を伝えた。もちろんミスター・マンドレイク、それとミセス・ダヴェンポート、それからメイジー。「重要な発見があったので連絡してほしいと。ええと、その……」とオペレーターは口ごもり、「ヒルデブラントの件？」

「ヒンデンブルク」とジョアンナは訂正し、腕時計に目をやった。五時過ぎ。いますぐメイジーに会いにいけば、またしばらく足止めされる。アミーリアの面接記録はまだ最後まで打ち込んでいない。テープ起こしを終わらせてから、帰りにちょっとだけメイジーの病室に立ち寄ることにした。

仕事を終えてオフィスを出る間際、最後にもう一度だけミセス・ヘイトンに電話してみたら、意外にも返事があった。

「ハウスキーパーです。ミセス・ヘイトンはシンフォニー・ギルド理事会の会合でお留守です。ヴィクトリア？　ミセス・ヘイトンからの伝言で、オペラ・コロラドの会合があるからあしたの会合には遅れるって」

「ヴィクトリアじゃありません」ジョアンナはミセス・ヘイトンにあした電話するよう伝えてほしいとハウスキーパーに頼み、コートとバッグをつかんでメイジーの病室に向かった。

エレベーターを降り、五階の連絡通路のすぐ横に出たとき、廊下を歩いてくるミスター・マンドレイクの姿を見つけた。車椅子の患者に向かって死後の生について滔々（とうとう）と弁じ立てている。ジョアンナはあわててエレベーターに引き返し、三階のボタンを押した。三階の連絡通路を使って内科と火傷センターを突っ切り、非常階段で四階に上がった。

メイジーは背中に枕を敷いて『ピーター・パン』を読んでいた。じつにあどけない姿だが、妙にわざとらしい、不自然な空気が漂っている。一瞬はやくドアを開けていたら、ベッドの上で宙返りか逆上がりでもやっている現場をおさえられたんじゃないかという感じ。

「ベル打（ページ）った、メイジー？」と声をかけると、メイジーは瞬間的に本を閉じて体を起こした。

「やっほー」と、うれしそうな声で、「来てくれると思った。ナース・バーバラはページするのに反対したんだけど、ジョアンナはぜったいすぐ知りたがるはずだって説得したんだよ。ほら、ヒンデンブルクに乗ってて臨死体験した男のこと」

「ええ。名前がわかったの？」

「それはまだ。でも、名前を突き止める方法を思いついたの。うちの学校の司書で、いつも読む本を持ってきてくれる人がいるの。ミズ・サタリー。今度彼女が来たら、調べてほしいって頼むつもり。彼女、ものを調べるのがすごく得意なんだ」

そしてあなたは、わたしをここへ来させる理由を考え出すのがすごく得意ってわけね。

「名案だと思わない？」

「そうね。もしその人に頼んで、答えがわかったら、ページしていいわよ」でも、それまではだめ。と心の中でつけ加えてから、きびすを返して戸口に向かった。

「待って、まだ行っちゃだめ。来たばっかじゃない。話すことがいっぱいあるのに」

「二分間」とジョアンナはきっぱりいった。「そしたら行かなきゃ」

「デート？」

「いいえ。今夜はディッシュ・ナイト」

「ディッシュ・ナイト？　それなに？」

ヴィエルとふたりでポップコーンを食べながら映画を観る会だと説明した。「だからほんとに行かなきゃいけないの」毛布の上からメイジーの足をたたき、「じゃあね、相棒。あした会いにくるから、ヒンデンブルクの話はそのときに聞かせて」

「ヒンデンブルクの話じゃないの。あれはもう好きじゃない」

ジョアンナはびっくりしてメイジーの顔を見た。「どういうこと？」さすがのメイジーにとっても残酷すぎたとか？　そんな災厄がありうるだろうか。

「飽きちゃったのよ」

「じゃあ、いまはなにを読んでるの？」身を乗り出して、メイジーが脇に放り出した本を手にとった。「『ピーター・パン』か。いい本でしょ？」

メイジーは肩をすくめた。「ティンカーベルが死にそうになったとき、まわりのみんなが妖精はいるんだって信じるだけで助けるところ。あれはばかみたいだと思った」

そうでしょうとも。

「でも、ピーター・パンが、死ぬってていうのはすごい大冒険だろうなっていうとこは好き。

ルシタニア号には赤ん坊が山ほど乗ってたって知ってた？」

「ルシタニア号？　第一次大戦のとき、ドイツ軍の魚雷で沈められた船のこと？」

「そう」とメイジーがうれしそうに答え、毛布の下に手を入れて、表紙に竜巻の写真がついている巨大な本をひっぱりだした。病室に入ってきたときに感じたわざとらしくてあわただしい雰囲気の原因はそれだったらしい。「船にはおおぜいの赤ん坊が乗ってたの」といいながら本を開く。「乳児用ベッド（バシネット）に救命胴衣をくくりつけたんだけど、ぜんぜん役に立たなかった。赤ちゃんはみんな溺れちゃったの」

〝残酷すぎ〟仮説もこれまでか。

「この写真のディーンとウィリーも」とメイジーが白い水兵服姿の小さな男の子の写真を見せながらいった。「やっぱり溺れ死んだ。それと、これがお葬式の写真」ジョアンナは、何列も並ぶ棺の前で、白い聖職衣（サープリス）姿の司祭たちが密集隊形を組んで司式している写真を義務的に見つめた。

「ルシタニア号のクルーの人は、だいじょうぶ、沈没なんかしない、なんにも心配はないんだといいつづけてたんだって。そんなことといっちゃいけなかった。でしょ」

「そうね。船が沈没しかけていたんなら」

「人がウソをつくのはきらい。ヒンデンブルクにウーラって名前の犬が乗ってたの知ってた？」

「ジャーマン・シェパードの？」

メイジーはこっくりうなずいた。「その犬も助からなかった。なのにママもパパも、子供たちには助かったとウソをついた。ほんとは焼け死んだのに、ママとパパはべつのジャーマン・シェパードを連れてきて、それがウーラだっていったんだよ。子供たちが悲しまないようにに」メイジーはジョアンナをきっとにらみつけた。「死に関することで自分の子供にウソをついたりしちゃいけないと思う。どう?」

「そうね」この話の行き着く先に——メイジーが次にどんな質問を発するのかにひやひやしながら、ジョアンナは答えた。「わたしもそう思う」

「ルシタニア号にはプードルが一匹乗ってたの」メイジーはそのプードルと、岸辺に打ち上げられたいくつもの遺体と、炎と煙を噴き上げながらなすすべもなく沈んでゆくルシタニア号の写真を見せた。

「ほんとにもう行かなきゃ」とジョアンナはいった。「クリームチーズを買っていくって友だちに約束したから、途中で店に寄らないといけないし」

「クリームチーズ? ポップコーン食べるんじゃなかったの?」

「いつもはそう」といいながら、いったいヴィエルはなにを企んでいるんだろうとあらためていぶかしんだ。それに、いつもよりはやく来いだなんて、いったいなんの話があるんだろう。「でも今回はクリームチーズを食べることになってて、それを調達しにいかなきゃいけないの」ジョアンナはまた戸口に歩き出した。

「待って!」メイジーが悲鳴のような声をあげた。「その前にヘレンの話をしなきゃ」

「ヘレン？」

「ルシタニア号に乗ってた小さな女の子」メイジーは、ジョアンナが制止する間もなく早口でまくしたてた。「ヘレンはママを捜してあちこち見てまわったんだけど、どうしても見つからなくて、それでしかたなく、知らない男の人のところに駆け寄ってこういったの。〝おねがいです、ミスター、いっしょに連れてってください〟って。そしたらその男の人は、〝ここにいるんだよ、ヘレン〟といって、ヘレンの救命胴衣をとりに走っていった」

そして彼は二度とヘレンに会うことがなかった、とジョアンナは心の中で話を締めくくった。メイジーがいつも話してくれるエピソードのお決まりのパターンだ。しかし意外にも、メイジーの話はいつもとはちがう展開だった。

「……そしてその人がまた走ってもどってきて、ヘレンの体に救命胴衣をつけて、それから抱き上げて、いっしょに救命ボートを探しにいったんだけど、ボートはもうみんな海に下ろされたあとだった」メイジーはそこで、芝居がかった間を置いた。「で、彼はどうしたと思う？」

彼は女の子を助けようとしたけれど助けられなかった。そう思いながらメイジーを見た。そして女の子は溺れてしまった。

「わからない」とジョアンナは答えた。

「ヘレンをボートに放り投げたのよ」とメイジーが勝ち誇ったようにいった。「そして自分もボートに飛び降りて、そしてふたりとも助かった」

「その話、気に入った」

「あたしも。その男の人がヘレンを助けるから。それに彼は、だいじょうぶだなんていわなかったから」

「だいじょうぶであってほしいと思ってるから、だいじょうぶだって口に出していう場合もあるのよ。でなきゃ、ほんとうのことを知ったら相手が怖くなったり悲しくなったりするんじゃないかと心配なときとか。ウーラのことで両親が子供たちに嘘をついたのはたぶんそれだと思う。子供たちを守りたかったのよ」

「それでも、ウソをいっちゃいけなかった」メイジーは真剣な顔でいった。「たとえ悪い話でも、ほんとのことをいわなきゃ。そうでしょ？」

「ええ」ジョアンナはそう答えてから、次に来る質問を覚悟して待ち受けたが、メイジーはこういっただけだった。

「帰る前にあたしの本しまってって。ダッフルバッグの中に。そうすれば部屋がかたづくでしょ」

それに、ママに見つからずに済むしね、と思いながら、ジョアンナはその本をクローゼットへ持っていき、ピンクのダッフルバッグにしまって、メイジーに『ピーター・パン』を手わたした。

そしてそのとき、まさに間一髪のタイミングで、巨大なピンク色のテディベアを抱えたメイジーの母親が、輝くような笑みを浮かべて病室に入ってきた。

「あたしのメイジー・デイジーの具合はどうかしら？　ドクター・ランダー、この子、すごく調子がよさそうでしょ？」娘にテディベアを手わたし、「さて、ふたりでいったいなんの話をしてたのかしら？」

「犬の話」とメイジーは答えた。

9

「ミルドレッド、どうして服を出してくれてないんだ？　七時の舞台があるのに」

——バート・ラーの最期の言葉

ようやくヴィエルの家にたどりついたのは六時四十五分だった。

「どうしたのよ。六時半っていったでしょ」

「メイジーにつかまっちゃって。そのあとお母さんのほうにも」とジョアンナはコートを脱ぎながら弁解した。「メイジーの具合がどんなによくなったかを話したくてしょうがないらしくて」

「そうなの？」

「いいえ」

ヴィエルはうなずいた。「移植待機リストに載せたってバーバラに聞いた。残念ね。最高の子なのに」

「ええ」ジョアンナはコートをベッドルームへ持っていった。

「クリームチーズ買ってきてくれた？」ヴィエルがキッチンから叫んだ。

「ここに持ってる。なにつくるの？」

「ほっぺたが落ちそうなこのディップ」キッチンナイフ片手にクックブックを見ながらヴィエルが答えた。「デビルドハム入り。それとホットチリ」壁の時計に目を向けて、「はやめに来てっていったのは、ドクター・ライトが来る前にふたりだけで話をしておきたかったからなんだ。で、彼とはどんな感じ？」

「リチャードをディッシュ・ナイトに招待した？」開いた口がふさがらなかった。「道理で、さっきまたあしたっていったとき、彼が妙な顔をしたわけだ」

「リチャードね。ふうん。じゃ、あんたたちはもう、ファーストネームで呼び合う仲ってわけ」

「わたしたちはべつに――」そのときようやく思い当たった。「ERから電話してきたのはこの件だったのね。態度がおかしかったのもこのせい」

「電話したのは、だれも死なない映画が見つからないから、意見を聞こうと思ったのよ」ヴィエルが冷蔵庫を開けてエシャロットを一束とりだした。「そしたらあんたがいなかったもんだから、それでつい、彼にいったのよ。あたしたち何人かでスナック食べながら映画を観る集まりがあるんだけど、よかったら来ませんか、って」

「あたしたち何人か！　よくもそんなこと。で、彼がやってきて、あなたとわたししかいないのを見たらどう思われると思ってるの？　あなたがお膳立てしたんだって気づかれないとでも？　それともわたしにデビルドハム・ディップを押しつけて、裏口からこっそり脱け出すつもり？　こんなことするなんて信じられない」

「タイプじゃないの？」

「そういう問題じゃないでしょ。ろくに知りもしないのよ。二日前からいっしょに働きはじめたばっかりなんだから」

ヴィエルはエシャロットの束を顔の前で左右に振った。「マーシー・ジェネラルの看護師たちが彼に手を出したら、あんたがよく知るチャンスなんかゼロよ。彼は独身かって、きょうだれに聞かれたと思う？　ティッシュ・ヴァンダーベック。よく知らないからってぼやぼや待ってたりする女じゃないよ。ちゃんと見張ってないと、あんたなんか、ハーヴィみたいな男とくっつけられちゃうのがオチ」

「ハーヴィ？　ハーヴィってだれよ」

「フェアヒル霊安室の運転手。遺体のひきとりに来るたびにデートに誘われる」

「いい男？」

「エンバーミング話をしてくれる。フェアヒルでいちばん人気があるのが一酸化炭素中毒死だって知ってた？　ふつうの死体は灰色だけど、一酸化炭素中毒だときれいなローズピンクになるからなんだって。こないだの火曜日、そういうお宝情報をこっそり教えてくれて、そのあとスシを食べにいこうって誘うんだよ」

こないだの火曜日。グレッグ・メノッティが死んだ日だ。彼の遺体もそのハーヴィがひきとったんだろうか。「グレッグ・メノッティの健康保険番号に五十八が入ってたかどうかわかった？」

「グレッグ・メノッティ？」ヴィエルははじめて聞く名前だというようにくりかえしてから、「ああ、そうだ。うん、調べた。五十八はどこにもなかった。ぜんぶチェックしたけどね。自宅と会社の住所、自宅と会社と携帯の番号、健康保険番号――」

「社会保障番号は？」

「それも。免許証番号は救急隊の報告書に載ってた。それも調べたし、ガールフレンドの住所と電話番号も同様。五十八はどれにもなし」かがみこんで、食器棚の下のほうからまな板をとりだす。「前にもいったけど、いまわの際の人間は、なんの意味もないことを口にするもんなのよ。〝ルシール〟っていいつづけてた男がいて、奥さんの名前だろうとみんな思ってたんだけど、あとで犬の名前だって判明した」

「だったらちゃんと意味があったわけじゃない」

「そのケースはそうだけど、でもぜんぜん意味がないやつもたくさんある。先週の頭部外傷患者は〝らくだ〟っていいつづけてた。どう考えても、奥さんとか飼い猫とかの名前じゃないでしょ」

「なんだったの？」

「たずねるチャンスがなかった」とヴィエルはそっけなくいった。「でも、たぶんなんの意味もなかったんじゃないかと思う。あんたの心筋梗塞患者みたいな人は、酸素の供給が足りなくなって見当識を喪失し、意味の通じることなんかいわなくなる」

たしかにそのとおりだ。作家のトム・ドゥーリーは、死の間際、いまから空港へ行って飛行機の座席を予約してきてくれと友人に頼んだ。プリマバレリーナのアンナ・パヴロワは、白鳥のコスチュームを用意するように医者に命じた。

「ドクター・ライトの話にもどるけど」とヴィエル。「なにも結婚しろっていってるわけじゃないのよ。優先選択権(オプション)を買って唾をつけとくだけ。ハリウッドじゃみんなしじゅうそうやってるでしょ」まな板の上にエシャロットを一列に並べながら、「脚本のオプションを買っても、かならずしもそれを映画にするとはかぎらない。でもあとになってやっぱり映画化しようと思ったときに備えて、それまでのあいだ横から他人にさらわれないようにしとくわけ」

「ドクター・ライトは脚本じゃない」

「直喩(シミリー)よ」

ジョアンナは首を振ってみせた。「それをいうなら隠喩(メタファー)。直喩っていうのは、〝のような〟とか〝みたいな〟とかを使って明示的にたとえること。そういう言葉を使わずに、どこか似たところのあるべつのものに直接たとえるのが隠喩。ハイスクールの英語の先生から、まるまる一年かけてそのちがいを叩き込まれたわ」ジョアンナははっと口をつぐみ、まな板を見つめた。

「その先生、もっと重要なことをあんたに教えとくべきだったわね。たとえばミスター・ライトが、ドクター・ライトでもいいけど、彼がやってきたときになすべきことは――」

ドアベルが鳴った。

「来た！」とヴィエルがいったけれど、ジョアンナは聞いていなかった。ついさっき、エシャロットを刻むヴィエルをながめていた一瞬、グレッグ・メノッティがなにをいっていたのか、五十八はなにを意味していたのかがわかったという気がしたのだ。なんの前触れもなく、とつぜんに。

自分かヴィエルか、どちらかが口にした言葉がその感覚のひきがねを引いたにちがいない。話していたのはドクター・ライトのことと、それから――

「どうぞ入って」とヴィエルがリビングルームからいった。「ジョアンナはキッチンよ。包丁なんか持っててごめんなさい。ディップつくってる最中だったから」

脚本のオプションがどうとか。いや、それじゃない。記憶のへり、ぎりぎり手の届かない場所に、じらすようにひっかかっている。

「ほうら、特別ゲストのご到着」ヴィエルがリチャードを連れてキッチンにやってきた。

「紹介の必要はないと思うけど」

「遅くなってごめん」といいながら、リチャードがコークの六缶パックをヴィエルにさしだした。「帰り際にマンドレイクにつかまっちゃって。ああ、そうだ、ジョアンナ。アシスタントの看護師の手配がつきそうだよ。ティッシュ・ヴァンダーベック。三階で勤務してる」

リチャードのうしろに立って、ヴィエルが口だけを動かした。〝いったでしょ。だめだといいなさい〟

「きみの知り合いだと聞いたけど」とリチャード。

「ええ、知ってる。彼女なら最高よ。マンドレイクはなんの用だったの？」

「もしぼくがパートナーを――」

「そこまで！」とヴィエルが包丁をかざしていった。「今夜はディッシュ・ナイト。仕事や病院がらみの話は禁止」

「そりゃ失礼」とリチャード。「ルールがあるなんて知らなかったもんだから。でもこれって、『ファイト・クラブ』みたいなやつじゃないよね？」

「ちがうわよ」とジョアンナは笑って答えた。

リチャードのうしろでヴィエルがOKのサインを出し、また口だけを動かして、〝ミスター・ライトね〟

「クラブでもなんでもないの。ある日ヴィエルとしゃべってたら、ふたりとも映画の話をするのが好きだってわかって」

「患者や医者のことであれこれ愚痴をいったり、開いてるためしのないカフェテリアに文句をつけたりするんじゃなくてね」とヴィエル。

「やっぱりそうだよね」とリチャード。「あのカフェテリア、ぼくが行くといつも閉まってるんだけど」

ヴィエルが警告するように人さし指を立てた。「ルールその一」

「だから、週に一度、ふたりでいっしょに二本立てで映画を観ることにしたの」

「プラス食べもの」といって、ヴィエルが冷蔵庫からホットドッグのパッケージをとりだした。「ルールその二、メニューは映画館の売店で売ってる食べものだけ——ポップコーン、ジュージュービー——」

「デビルドハムのディップ」とジョアンナ。

ヴィエルがこっちを見て、「ルールその三、参加者は二本立てが終了するまでつきあわなければならない」

「ただし、映画に注意を払う必要はなし」とジョアンナがつづける。「映画のあいだじゅうしゃべりつづけて、いま観てる映画とか映画一般とかについて下品なコメントをしてもかまわない」

ヴィエルがうなずいた。「『ダンス・ウィズ・ウルブズ』なんか、そのすべてにあてはまる映画ね」

「ルールその四、シルヴェスター・スタローンの出てくる映画とウディ・アレン映画は禁止。『タイタニック』禁止。ここは禁タイタニック地帯なの」

「でもどうしてディッシュ・ナイトなんだい？　ルールその一はゴシップ禁止っていう意味なのかと思ったよ（dishには噂話の意味がある）」

「そのとおりよ」とヴィエル。「でも、ディッシュ・ナイトって呼んでる理由は——」

「一九三〇年代の映画館の話をうちの祖母から聞いたせいなの」とジョアンナがあわてて口をはさんだ。「当時の映画興行には、週に一度、ディッシュ・ナイトっていうサービスデーがあって、くじ引きで当たった客にお皿セットやなんかを無料プレゼントしてたの。この催しもオールドファッションドな映画の夜だから、それにちなんでディッシュ・ナイトと呼ぶことにしたわけ。ヴィエル、今夜の映画はどこ?」

「ここ」とヴィエルがビデオをさしだして、「それにもうひとつ、あたしたちふたりが美女コンビだから。ま、少なくともジョアンナはそう。ねえ、ふたりで先に映画観てて。ディップの仕上げが残ってるから」ヴィエルがふたりをリビングルームに追い立てた。

これ以上見え透いたやりかたはないくらいね、とジョアンナは慨嘆した。

「ごめんなさい。愚かな友人の失礼をお詫びします。それに、研究室ではとんちんかんなこといっちゃって。あなたが来るってこと、ヴィエルがいい忘れたの」

リチャードはにっこりして、「だろうと思ったよ」

ジョアンナはキッチンのほうをうかがってから、「ミスター・マンドレイクはなんの用だったの?」

「ぼくが新しいパートナーを迎えたのを聞いたと」

「古きよきゴシップ・ジェネラルは健在ね」ジョアンナはやれやれと首を振った。「そのパートナーがわたしだって知ってた?」

「たぶん知らないと思うよ。だって――」

「ルールその一」とヴィエルがキッチンから怒鳴る。

「どっち先に観たいの?」とジョアンナは叫びかえした。『相続人が多すぎる』か――」

もう片方のビデオに目をやって、『わんわん物語』?」

「だれも死なないやつっていったじゃない」とヴィエルの声。

「それもルール?」とリチャード。

「いいえ」ジョアンナはテレビをつけた。カーニバル・クルーズ・ラインのCMが流れていた。ひと組のカップルが客船のデッキに立ち、手すりから身を乗り出している。「マンドレイクはなんて?」

リチャードはにやっと笑った。「スキャンをチェックしてたら彼が入ってきて――そういえば、アミーリア・タナカのエンドルフィン・レセプター部位は、たしかに活動レベルが低くなってたよ――新しいパートナーができたと聞いたが、まだ最終決定を下していないことを祈っている、というのも、推薦したい優秀な人間が何人かいるから、と」

「そうでしょうとも」といいながらジョアンナは『相続人が多すぎる』をビデオデッキに押し込み、予告篇を早送りして、オープニングクレジットの頭でポーズを押した。

「ぼくが選んだパートナーが〝狭量〟かつ〝保守的な、NDEのいわゆる科学的解釈に傾斜した人物〟ではなく、〝合理性を超えた可能性をも受け入れる広い心を持つ人物〟であることを祈ってるともいってたな」

ジョアンナは笑った。

「その笑い声からすると、仕事の話じゃなさそうね」といいながら、ヴィエルが缶コーラを二本持ってやってきた。一本ずつふたりに手わたしてから、「映画はどうしたの？」

「べつに。あなたを待ってたのよ」

「いいからはじめてて。すぐ合流するから。すわってすわって」

ふたりはカウチに腰を下ろした。ジョアンナはリモコンをとってビデオのポーズを解除した。動きはじめた画面では、ひとりの老人が横たわるベッドのまわりに親族らしき人々が集まっている。看護師がベッドの横に立ち、老人の脈をとっている。〝おまえたちに集まってもらったのは、わしが死にかけているからだ〟

「ねえ、ヴィエル」とジョアンナはキッチンのほうに声をかけた。「これって死者ゼロ映画じゃなかったの？」

「そのはずよ」ヴィエルが包丁とトウガラシの缶を持ったまま顔を出した。「ちがう？」

ジョアンナは画面を指さした。老人が胸をかきむしりながら、あえぎ声で、〝薬を！〟

「やれやれ」ヴィエルがカウチをまわりこんでテレビに近づいた。「ブロックバスターの店員はコメディだっていったのに」

「コメディだよ」とリチャード。「予告篇は見たことがある。この老人が、遺言状の隠し場所をいわずに死んで、相続人全員がそれを他の連中よりはやく見つけ出そうと駆けずりまわるんだ」

画面の老人は息をぜいぜいはあはあさせながら、〝おまえたちに……いっておくことが…

……〟といいかけてのどをつまらせる。看護師まで含めて全員が身を乗り出す。〝……遺言状は……〟

「こんなことにはぜったいなんない」とヴィエルが指摘した。「もうとっくに911に電話して、この連中全員があたしのERのど真ん中でこの場面を演じることになるわけよ」

「ああ、そうか、ER勤務なんだっけ」とリチャードがヴィエルのほうをふりかえった。

「きょうの事件の話は聞いたよ」

「事件って？」ジョアンナは鋭くたずねた。

「ルールその一に違反してるわよ」とヴィエル。「仕事の話は禁止」

ジョアンナはリチャードのほうを向いて、「どんな話を聞いたの？」

「ローグっていう新しいドラッグでハイになった女がやってきて、剃刀を振りまわしたとか」

「か・み・そ・り」とジョアンナ。「ヴィエル、いいかげんに――」

「さてさて、ディップを仕上げようっと」ヴィエルは包丁をひらひらさせて、「はいはい、おふたりさんは映画観ててちょうだい。すぐもどるから」とキッチンに姿を消した。

「ちょっと失礼」ジョアンナはそう断ってから、ヴィエルのあとを追ってキッチンに行った。

「なんで黙ってたのよ」

「ディッシュ・ナイトでしょ」ディップにふりかけたホットチリをかきまぜながらヴィエルが答えた。「それに、なんでもなかったんだってば。だれも怪我しなかったし」

「ヴィエル——」

「はいはい、わかってます。ERから転属しなきゃね。ねえ、ナイフいると思う？　それともクラッカーですくうだけでいい？」

「ナイフはいらないんじゃないの」ジョアンナはあきらめてそういった。ヴィエルがクラッカーの皿をジョアンナに手わたし、自分はディップの皿をとって、ふたりいっしょにリビングルームにもどった。

「どうなった？」ヴィエルがコーヒーテーブルにディップを置いてたずねた。

「なにも。ポーズかけてたから」リチャードがリモコンをとってテレビに向けた。

〝集まって……もらったのは……〟と枕の山にもたれて横たわる老人があえぎながらいう。〝……もう長くはない……〟ハゲタカの群れのようににじり寄る親類縁者たち。〝新しい遺言状を書いて……しまってある……隠し場所……は……〟老人は両腕をぐったり投げ出し、体を枕の上に安らかに横たえて目を閉じた。親族たちが目を見交わす。

〝逝ったの？〟と女のひとりがわざとらしく鼻をすすりながら、レースのハンカチで目もとを拭った。

「映画的臨終」とヴィエルが鼻で笑い、クラッカーでディップをすくおうとした。クラッカーがぱりっと割れた。

「映画的臨終？」とリチャードが聞き返し、クラッカーを一枚とってディップをすくった。そのクラッカーもぱりっと割れた。

「まるでリアリティがないってこと」とジョアンナ。「映画的駐車とおんなじ。ほら、主人公はいつも、レストランとか警察署とかの真ん前に駐車スペースを見つけるでしょ」

「あとは映画的照明とか」ヴィエルは割れたクラッカーのかけらをディップの皿から拾い出した。

「わかった。真夜中、洞窟の真ん中にいてもちゃんとものが見えることだろ」

「こういうタイプの場面用に、新しいカテゴリーを追加すべきね」とジョアンナは画面に手を振った。親族たちは老人の遺体をはさんで激しく言い争っている。「つまり、映画の登場人物はどうしていつも、〝その秘密とは――げほっ、あぐぐぐ！〟というのかってこと。でなきゃ、〝真犯人は――ズドン！〟とかね。どうしても伝えなきゃいけないだいじな情報があるんだったら、真っ先にそれをいうもんでしょ。〝遺言状はオークの木に隠した〟じゃなくて、〝オークの木だ！　遺言状は！　そこにある！〟と。もし死にかけてるのがわたしだったら、肝心なことをいう前に〝……あぐぐぐ！〟にならないように、そっちを先にいう」

「それが素人の浅知恵ってやつよ。そんなふうにはいかないんだって。そもそも、死ぬ間際にそんな話をする人間はいない。秘密だの手がかりだのを残して死ぬのは映画の中だけ。ERに勤めて六年になるけど、遺言状とか犯人とかのことを言い残して死んだ患者はひとりもいない。殺人事件の被害者も含めての話よ」

「じゃあ、どんな言葉を言い残すんだい？」リチャードが興味をひかれたようにたずねた。

「多いのは卑猥な言葉ね、残念ながら。それに、〝脇腹が痛い〟とか〝息ができない〟とか〝体をひっくりかえしてくれ〟とか」

ジョアンナはうなずいた。「それはウォルト・ホイットマンが看護師にいった臨終の言葉。それにロバート・ケネディは、〝持ち上げないでくれ〟」

「患者にNDEの話を聞くだけじゃまだ足りないっていうみたいに、ジョアンナはひまな時間を使って有名人の臨終の言葉をコレクションしてるのよ」とヴィエルが解説した。

「臨終の言葉と臨死体験談とのあいだに共通点があるかどうか知りたいだけよ」

「あるの？」とリチャード。

「ときにはね。トマス・エジソンの臨終の言葉は、〝あっちはきれいだ〟だった。でもそのとき彼は窓辺にすわってたから、外の景色のことをいってただけかもしれない。あるいはそうじゃないかもしれない。ジョン・ウェインは、〝いまの光を見たか？〟といった。でも、ヴィエルのいうとおりよ。ほとんどの場合、〝頭が痛い〟みたいなせりふが最期の言葉になる。あとは〝気分がよくない〟とか〝眠れない〟とか〝寒い〟とか」

そのとき、アミーリア・タナカが毛布をくださいといっていたのを思い出した。

「ねえ、〝ああ、だめ、ああ、だめ、ああ、だめ〟っていう人はいる？」

ヴィエルがうなずいて、「おおぜいいるよ。それに、水をくれっていう人もすごく多い」

コーラをぐいっと飲んで、「水をくれ、もね」

「グラント将軍は水をくれといった。キュリー夫人もそう。あとレーニンも」

「それは妙だな」とリチャード。「レーニンなら臨終の床でも、〝立て、万国の労働者！〟とかいいそうなもんじゃないか」

ヴィエルは首を振った。「死ぬ間際の人間の心は、永遠の真理なんか関係ないのよ。もっと手近な問題しか考えてない」

「〝肩につかまってろ。もがくな〟」とジョアンナはつぶやくようにいった。

「それはだれの？」とリチャード。

「W・S・ギルバート。ほら、ギルバート＆サリバンの。『ペンザンスの海賊』とかのオペレッタで有名なコンビの劇作家のほう。ギルバートは溺れかけていた少女を助けて死んだの。自分で死にかたを選べるなら、あんなふうにして死にたいとずっと思ってる」

「溺死？　だめよ、溺死なんて。あれは最悪の死にかたなんだから。信じて」

「ギルバートは溺死したんじゃない。心臓発作。だからそうじゃなくて、わたしがいってるのは、他人の命を救って死にたいってこと」

「あたしは眠りながら死ぬのがいいな。大動脈瘤。自分ちのベッドで。あなたはどう、ドクター・ライト？」

「ぼくはそもそも死にたくないね」とリチャードがいい、全員が笑った。

「残念ながら、その選択肢はありえない」かたいディップに挑戦してまた一枚クラッカーを割り、ヴィエルがためいきをついた。「あたしたちはみんないつか死ぬんだし、死にかたは選べない。受け入れるしかないのよ。きょうの午後、ERに来た患者は糖尿病末期の老人で、両足切断、盲目、腎不全で、全身がぼろぼろだった。彼の臨終の言葉は、想像がつくとおり、〝ほっといてくれ〟だった」

「ダイアナ妃とおなじね」とジョアンナ。

「息子たちを頼むとかいったんじゃなかったっけ」とリチャード。

「ジョアンナ説のほうがありそう。〝愛してるとローラに伝えてくれ〟は、『タイタニック』みたいなお涙頂戴映画だけ。ERに来る患者がだれかに伝言を残すことなんかめったにない。自分の身に起きていることに対処するので手いっぱいなのよ。もっともジョアンナなら、愛する人へのメッセージを残して死んだ著名人の例をいくつも知ってると思うけど。でしょ？」

ジョアンナは聞いていなかった。さっきヴィエルがしゃべっている最中に、またあの感覚があった。五十八の意味がわかったという、じらすような感覚。

「でしょ、ジョアンナ？」

「あ、うん、ええ。チャイコフスキー、ヴィクトリア女王、P・T・バーナム。アン・ブロンテは、〝勇気を出して、シャーロット、勇気を出して〟といった。ねえ、このディップ、ディップになってない。やっぱりナイフがいる」ジョアンナはそれを口実にキッチンへ脱出した。

あの感覚のひきがねを引いたのは、いったいなんの話だろう？　ダイアナ妃？　糖尿病？　いや、以前の会話を思い出させるようななにかにちがいない。ジョアンナは引き出しからテーブルナイフをとりだし、それを持ったまましばしそこに佇んで、頭の中でさっきの場面を再現しようとした。映画業界のオプションの話をしていて、それから……。

「ナイフ見つからないの？」ヴィエルがリビングルームから声をかけてきた。「皿洗い機のすぐ横の、いちばん上の引き出し」

「わかってる。すぐ行くから」五十八がタイトルに入ってる映画なんてあるだろうか。曲名とか？　ヴィエルがいったのは、〝愛してるとローラに伝えてくれ〟……。

「ジョアンナ」とまたヴィエルの声。「映画が終わっちゃうぞ！」

ばかばかしい。グレッグ・メノッティはなにかを伝えようとなんてしていない。看護師が血圧の数値を読み上げたのをおうむ返しに口にしただけ。それになにか意味があると思ってしまったのは、記憶の中の五十八のせい。今夜の会話がきっかけになってここまで思い出しかけている五十八のせいだ。映画のせりふか、これまでの人生で出会った数字。お祖母ちゃんちの住所とか、ハイスクールのロッカー番号とか。

ハイスクール。それだ。ハイスクールと関係がある……。

「ジョアンナ！」

「はやくナイフを持ってきてくれないと、ぼくらの臨終の言葉は、〝ジョアンナ、ぼくらは飢え……あぐぐぐ！〟だよ」

ハイスクール時代のなにか。そして——。だめだ。ここまで出かかっていたのがなんだったにしろ、もう消えてしまった。ジョアンナはナイフをリビングルームに持っていってリチャードに手わたした。

「さっきのは不正解。いったでしょ、重要な言葉を最初に。こんな感じね、〝飢え死にだぼくらはあぐぐぐ！〟」

三人はデビルドハムのディップをナイフでクラッカーに塗りつけた。

「いちばんの対策は、臨終の言葉を前もって決めて、暗記しとくことかもね。いつでもいえるように」とジョアンナはいった。

「たとえばどんな？」とリチャード。

「わかんないけど。名言とか金言とか」

「〝一銭の節約は一銭のもうけ〟みたいな？」とヴィエル。「それだったら、〝脇腹が痛い〟のほうがまし」

「じゃあ、〝とうとう来たか、このすばらしきものが〟は？」とジョアンナ。「ヘンリー・ジェイムズが死の直前にいった言葉」

「いや、待って。わかったぞ。これだよ」リチャードが芝居がかったしぐさで両手を広げた。

「〝この天と地のあいだにはな、ホレーシオ、哲学など思いもよらぬことがあるのだ〟」

10

「水を！　水を！」

――焼死したヒンデンブルク船長、キャプテン・レーマンの最期の言葉

「あんたに好意を持ってるのは確実」翌朝、仕事の合間に電話してきたヴィエルがいった。

「ディッシュ・ナイトに彼を呼んだこと、いまは感謝してるでしょ？」

「ヴィエル、いまは手が――」

「ハンサムで頭がよくておもしろい。でもそれは、競争も激しくなるってことだから、ちゃんと追いかけなきゃだめだって。それと、まず最初にやるべきことは、ティッシュを雇うのをやめさせること」

「もう手遅れよ。けさ、リチャードは彼女を採用したから」

「で、それを止めなかったの？」ヴィエルは金切り声をあげた。「動くものならなんにでもちょっかい出す女なのに。あんた、なに考えてたのよ！」

あとひとりだけ応募してきたカレン・ゲーベルとちがって、ティッシュはミスター・マンドレイクのスパイじゃないってこと。それに、ティッシュの目的がリチャードである以上、ミスター・マンドレイクにべらべら情報を洩らしてリチャードの機嫌を損ねるようなリスクはおかさないだろう。それにティッシュは、看護師としては非常に優秀だ。

「あの女を雇うのを手をこまねいて見てたなんて信じられない！」

「ほかに用事があって電話してきたんじゃないの、ヴィエル？　用がないんなら、仕事にもどりたいんだけど。応募者の背景チェックも済んでないし、これからまだ面接があるし、メイジーは朝からずっと会いにこいって呼んでるし」それに、ゆうべ〝五十八〟の意味がわかったというあの感覚のひきがねを引いたのがなんだったか、それを思い出さなければ。

「電話して聞こうと思ったことの答えはもうわかった」とヴィエル。「いまは忙しくて手が離せないわけね」

「なに？　臨死体験者が出たの？　だれかERに搬送されてきた？」

「ええ。ミセス・ウーラムって人。もう上に運ばれてる。ベルを鳴らしたけど、返事がなかったから。内線で呼び出しかけたりしたら、きっとミスター・マンドレイクが——」

「〝——羊の群れを襲う狼のように〟」といいかけて口をつぐんだ。またあの感覚だ。グレッグ・メノッティがなにを話していたのか、わたしにはわかっている。引用のつづきはなんだっけ？　紫と金色に輝くなんとかかんとか（バイロンの詩『セナケリブの破壊』より）。

「ジョアンナ？」とヴィエルの声。「聞いてるの？」

「うん。ごめん。名前なんだって？」

「ミセス・ウーラム。それにね、彼女はただの臨死体験者じゃない。突然死者（サドン・デサー）なんだ」

「突然死者？」

「心臓がとつぜん細動して鼓動をやめちゃうくせがあるの。さいわい、エピを打って電気ショックを与えてやるだけで、たいていまた動き出すんだけど、彼女、この一年で八回も心停止してるのよ。つまり大ベテラン」

「わたし、一度も会ったことがない」

「彼女がこの前マーシー・ジェネラルに運ばれてきたのはあなたが来る前。ふだんはポーターズに搬送されるから。でも、彼女の担当医がつい最近、健康保険団体（HMO）を移ったんで、それでここに運ばれてきたわけ。心停止したときは、一回の例外をのぞいて、いつも臨死体験してるんだって」

　何度もＮＤＥの経験があるなら、それぞれを比較対照できる。面接対象としては理想的だ。

「いまはどこに？」

「ＣＩＣＵ。運ばれていったのは十分ぐらい前」

　状態が安定して、面会が許可されるには、あと十五分はかかるだろう。腕時計に目をやった。あと十分でミスター・ケルソがやってくる。彼の面接と、そのすぐあとのミズ・コフィの面接が終わるまでは身動きがとれない。そのころにはミスター・マンドレイクがミセス・ウーラムを説得して、光の天使と人生回顧を見たと信じさせているだろうが、いかんともしがたい。

「できるだけはやく会いにいくようにする」とヴィエルに約束した。「ポケットベルのことはごめん。でもミスター・マンドレイクがひっきりなしにページしてくるもんだから。火急の相談事があるっていうんだけど。例のプロジェクトに加わったのがばれたのかも」

「どっちみち、ばれるのは時間の問題だって。でももしかしたら羊の群れに襲いかかるのに忙しくて、ミセス・ウーラムの件はまだ突き止めてないかもね」といって、ヴィエルが電話を切った。

アッシリア人は羊の群れに襲いかかる狼のようにやってきた。〝その軍団は、紫と黄金に輝いていた〟がその次の行だ。でも、いったいどこから出てきたんだろう? それに、グレッグ・メノッティのつぶやいた〝五十八〟はおろか、なにかだいじなことと関係があるとも思えない。

考えているひまはなかった。いまのうちにリチャードの研究室に行って、ロナルド・ケルソのファイルをチェックしておかなければ。アミーリア・タナカとちがって、彼は時間どおりにやってくるかもしれない。

ケルソは時間に正確で、身なりもきちんとしていた。スラックス、シャツ、ネクタイ。「ハリウッド・ビデオで働いてるけど」自分自身のことを少し話してくださいという求めに応じて、ケルソはいった。「コンピュータ・プログラマになろうと思って勉強してる。メトロ・テクニカル・カレッジに通ってるんだ」

「このプロジェクトになぜ応募したのか教えてもらえるかしら？」

「死を知りたいから」

「死を知りたい？」かすかに青ざめた顔でリチャードが聞き返した。

「このプロジェクトが臨死体験に関するものだとどこで知ったの？」

「チャットルームの知り合いが教えてくれた」

「だれ？」とリチャード。

「知らない。ハンドル名はオシリス」意気込んだように身を乗り出して、「この社会の人間は死を理解していない。死について話すことさえ避けようとする。死なんか存在しない、それが自分の身に降りかかってくることなんかないというふりをしているだけなんだ。死について話そうとすると、狂人を見るような目で見られる。『少年は虹を渡る』って映画観たことある？」

「ええ」とジョアンナ。

「あれがぼくのオールタイムベストなんだ。たぶん百回は観てる、とくに彼が首を吊るシーン」

「だからあなたは、このプロジェクトに参加すれば……」

「死をじかに体験するチャンスができると思ったんだ。正面から死と向き合って、死がほんとはどんなものかを突き止められるって」

「被験者のリストはまだ最終決定じゃないの」といってジョアンナは戸口のほうへ送り出し

た。「決まったら連絡しますから」

「信じられない」ジョアンナがドアを閉めたあと、リチャードがいった。「またか！　完璧にノーマルに見えたのに！」

「じっさいノーマルかもしれないわよ。『少年は虹を渡る』はほんとにいい映画だし、彼がいったことはひとつもまちがってない。この社会の人間はたしかに死について話をしたがらない。死なんか存在しないし、それが自分の身に降りかかることもないというふりをしている」

「彼をプロジェクトに受け入れるべきだと本気でいってるんじゃないだろうね？」

「そりゃそうよ。プロジェクトのテーマにちょっと入れ込みすぎてるし、首吊りシーンについてのコメントも多少気にかかる。それにわたしたち、人が死ぬ映画についてはルールがあるでしょ」とリチャードに笑顔を向けた。

「笑いごとじゃないよ。リストの志願者はあと何人残ってる？　三人？」

「四人。ミズ・コフィが次よ。十時に来る予定」

「データ・システム・マネージャーか」リチャードは気をとりなおしたように、「いいぞ。彼女、MBAを持ってて、コロテックに勤めてる」

そんなのなんの保証にもならないわよ。と思いつつも、内心ではリチャードに同感だった。MBAの持ち主はふつう『少年は虹を渡る』タイプじゃないし、じっさいにやってきたミズ・コフィは百パーセント有望そうに見えた。おしゃれな黒いスーツ、ヘアスタイルも化粧もエレガントそのもので、キャリアウーマンの見本のよう。自分自身について少し話してくださいと水を向けると、キャリアウーマン御用達のシステム手帳を開き、折り畳んだクリーム色の上質紙を一枚とりだした。

「応募書類はお手元にあるでしょうが、念のために履歴書も用意してまいりました」にこやかにほほえんで、それをリチャードに手わたした。

「どうしてこのプロジェクトに応募を？」とジョアンナはたずねた。

「履歴書をごらんいただければおわかりのように——」といいながら、もう一枚べつの畳んだ紙をとりだし、またにっこりして、「念のためにもう一枚予備を用意してあります。わたくしの仕事では、こういう細かいことがとても重要なので」ジョアンナは履歴書のコピーを受けとった。「履歴書の《福祉活動》の欄に書いてあるように」とその箇所を指さして、「わたくしはこれまでさまざまなコミュニティ活動をしてきました。昨年は、大学病院の睡眠研究にも参加しています」リチャードにあたたかな笑顔を向け、「ドクター・ライトからこのプロジェクトについてうかがって、興味深い研究だと思ったんです」

「これまでに臨死体験をしたことはありますか？」とジョアンナはたずねた。

「死にかけて、トンネルや光を見ることですか？　いいえ」

「体外離脱体験は？」

「自分の肉体から現実に抜け出したと想像する？」ミズ・コフィは懐疑的な表情になり、

「いいえ」

「モーリス・マンドレイクの著書はご存じですか？」とたずねながら、ジョアンナはミズ・コフィのようすを注意深く観察したが、エレガントにセットされた頭を振るときも、彼女の表情にはそれを知っている気配はみじんもなかった。

リチャードがそわそわしたようすで、ジョアンナの視線をとらえようとしている。見るからに、だいじょうぶだと確信しているらしい。それに、ミズ・コフィの背景に疑わしいところはひとつもなかった。「このプロジェクトに参加をお願いした場合、ご都合がいいのはいつでしょう？」とジョアンナはたずねた。

「水曜の午前中と木曜の午後です。でも、わたくしにとっていちばん都合がいいのは月曜です。わたくしのサイキック・パワーは、月の女神が支配する曜日にいちばん強くなりますから。調和的共鳴波動の力ですわ」

「では、後日ご連絡さしあげます」とジョアンナはいった。

ミズ・コフィはふたりそれぞれに名刺を手わたした。「自宅と勤務先の電話番号、それに携帯電話の番号はそこに。メールで連絡していただいてもけっこうです」

「せっかくだからテレパシーで連絡するよ、まったく！」リチャードは彼女の背後でドアが閉まるなり憤懣（ふんまん）をぶちまけた。「みんな頭がおかしいのか？」

そうじゃないことを祈りたい。ジョアンナはミセス・トラウトハイムのファイルを開いた。研究プロジェクトに参加するためにはるばるディア・トレイルから通ってくる理由をたずねること、とメモしながら、合理的な理由があることを祈った。コロラド州の田舎のほうは、

UFOアブダクティやキャトル・ミューティレーション陰謀理論信者の率がよその地方より高い傾向がある。

「あら、でもはるばる通ってきたりはしないのよ」とミセス・トラウトハイムは答えた。「こっちの歯医者に通いづめで歯を治さなきゃいけないんだけど、この季節の天候は、それはもうひどいものだから、治療がぜんぶ終わるまで息子の家にやっかいになることにしたの。でもほら、わかるでしょ、子供とはいってもよその家ですからね。なにか研究にでも参加すれば、いい息抜きになるんじゃないかと思って。しじゅう嫁と顔をつきあわせてるのはおたがいに気づまりだし、それになにもしないでぼうっとしているのは苦手なたちだから」

たしかにそうらしい。面接のいちばん最初に、「話のあいだ編み物をしててもかまわないかしら？」とたずね、かまいませんよと答えると、半分編みかけのオレンジと黄色と緑のショールをとりだし、しわだらけの手で編みはじめたのである。

ジョアンナはディア・トレイルと牧場生活についてたずねた。ミセス・トラウトハイムの答えは飾りけがなくて好感の持てるもので、牧場のようすを説明してほしいと頼んだときは、土地の情景や家畜の姿をディテール豊かにありありと語り、ジョアンナはすっかり感心した。プロジェクトに参加すれば、優秀な観察者になるだろう。気さくで気持ちのいい態度と開けっぴろげな表情にも魅了された。

「臨死体験をしたことはないとドクター・ライトにおっしゃってますけど」とメモを見ながらたずねた。「知り合いでどなたかそういう人をご存じですか？」

「いいえ」ミセス・トラウトハイムは編み糸をかぎ針に巻きつけ、ショールのへりに通しながら答えた。「うちの伯母が亡くなる前の日に、妹が――つまり、うちの母のことだけど――丈の長い白のドレス姿でベッドの足元に立ってるのを見たっていってたわね。母が死んでから何年もたってたけど、でも伯母は母の姿をはっきり見た、それで自分を迎えにきたんだとわかったっていってましたよ。その次の日、伯母は亡くなったの」

「そのことをどう思いました？」

「どうかしらねえ」考え込むように編み糸を引き出しながら、「医者の話だと、あのときの伯母は薬漬けだったみたいだし。それにうちの母親が丈の長いドレスだなんてねえ。裾を引きずるようなスカートは昔から嫌ってたから。人間はときどき、自分が見たいと思ってるものを見るもんですよ」

でも、きっとあなたはちがいますね。そう思いながら、ジョアンナはいつが都合がいいかをたずねた。

ミセス・トラウトハイムが編みかけのショールを手提げ袋にしまって部屋を出ていったあと、ジョアンナはいった。

「これまででいちばん有望な被験者ね。カンザスに住んでる親戚を思い出しちゃった。タフで親切で実際的。なにがあっても生き延びるタイプだし、たぶんそうやって生き延びてきたんだと思う。このプロジェクトには理想的な人材よ。観察能力にはとくに感心した」

「どう見ても色覚異常だってことと以外はね。見たかい、あのショール？」リチャードはぶるっと身震いした。

「さては一度もカンザスに行ったことがないわね。あの程度はまだ序の口よ」

「ご意見はうけたまわるよ」

ジョアンナはにっこりして、「わたしのご意見では、彼女はすばらしい被験者になる」

「被験者ってことに限定すれば、ぼくも異存ないよ」

わたしもよ、とジョアンナは思った。ようやくOKが出せる志願者がいてくれて、正直ほっとしていた。予定表に目を向けた。次はミスター・セイジ。その次がミスター・ピアソルだが、そちらは一時半の予定だ。ミスター・セイジの面接が長引かなければ、ミセス・ウーラムに会いにいける。ちゃんとした面接の時間はないにしても、一言あいさつして承諾書にサインをもらい、きょうの午後にでもあらためて話を聞く約束をとりつけることはできる。ミスター・セイジがしゃべりだしたらとまらないタイプでなければ。

そうではなかった。それどころか、ミスター・セイジは一言でも言葉を引き出すのに苦労するタイプだった。なにをたずねても最小限の単語を並べて短い答えを返してくるので、NDEでなにを見たかを話す段になったとき、この人はどのぐらいしゃべってくれるんだろうと不安になってくる。とはいえ、サイキックではないし、死に過剰な興味を持っているわけでもない。それに、このプロジェクトになぜ応募したのかという質問に関しては、いままででベストの返答があった。

「女房にいわれたもんで」

「臨死体験についてのご意見は？」とジョアンナはたずねた。

「さあ。あんまり考えたことがないんで」

よし、と心の中でうなずいて、ジョアンナは都合のいい日時についてたずねた。

「無口にもほどがある」ミスター・セイジが帰ったあと、リチャードがぼやいた。

「だいじょうぶよ。ものごとを説明する能力には個人差があるから」立ち上がって、「リチャード、わたし、いまからちょっと――」といいかけたとき、ポケットベルが鳴った。

ベルを無視したことで、きょうはすでに一度、ヴィエルと悶着を起こしている。少なくとも、相手がだれかぐらいは確認したほうがいい。オペレーターに電話すると、メイジーの番号を告げられた。

「緊急事態だからすぐに電話してほしいと。今回だけは、そうしてくれるとわたしもありがたいんだけど。朝から何度もかけてきて、内線でジョアンナを呼んでくれとずっとせっつかれてるのよ」

「わかったわ」とジョアンナは笑いながら答え、メイジーの病室に電話をかけた。

「いますぐ来てくれなきゃだめよ！」とメイジーの興奮した声。「ミズ・サタリーがヒンデンブルクのクルーの名前を見つけたの。それを教えるからすぐに来て」

「いまは無理よ、メイジー。先約があって――」

「でもあたし、家に帰っちゃうんだよ。いますぐ来ないと間に合わない！　もう行っちゃうんだから！」

ほんとうに切羽詰まった口調だった。

「わかった、すぐ行く。でも二分しかいられないわよ」といったものの、二分でメイジーから脱出できるはずもない。ミセス・ウーラムに会うのは午後まで待つしかないだろう。

「メイジーにさよならをいってくる」とリチャードにいった。「退院するらしいから」

「ミスター・ピアソルの面接は？」

「彼が来てもわたしがもどってなかったら、これで呼んで」とポケットベルを振ってみせ、それから五階まで階段を駆け下り、連絡通路に向かったが、木挽台と黄色いテープで道がふさがれていた。

「タイルの貼り替え工事だってさ」と反対方向に歩いていた検査技師がいった。「西棟に行くの？　だったらエレベーターで七階まで上がるか、三階の連絡通路まで下りるかどっちかだね」

エレベーターのほうに引き返しかけたところで、こちらに向かってくるミスター・マンドレイクの姿が目に入った。が、逃げ場はどこにもない。身を隠せる階段も、開いた戸口もなかった。それにどのみち、もう姿を見られている。

「こんにちは、ミスター・マンドレイク」追いつめられたウサギのような気持ちを表に出さないように努力しながらいった。

「これはこれは。じつに喜ばしい奇遇だ。朝からずっと連絡をとろうとしていたんだが」

「いまは都合が悪いんです」ジョアンナはこれ見よがしに腕時計に目をやって、「約束があるので」

「NDE患者と?」急に好奇心をあらわにしてマンドレイクがたずねた。

「いいえ」ミセス・ウーラムに――あるいはメイジーに――会いにいく途中でつかまったんじゃなくて不幸中のさいわいだったと胸をなでおろした。「打ち合わせです。もう遅刻してるの」

「用件はほんの一、二分でかたづく」行く手に立ちはだかったマンドレイクは、根を生やしたように動かない。「きみと話したいことが二件ある。一件は、ミセス・ダヴェンポートのことだ。彼女のNDEのつづきをまだ聞きとっていないそうじゃないか。彼女は帰還してくるときの出来事をくわしく思い出したのだよ。光の天使が――」

「――帰還せよという電報を彼女にわたした。知ってるわ。その話はもう聞きました」

「いやいや、もっとたくさん思い出している。電報の話はほんのとば口でしかない。あなたは使者となるだろうと天使は彼女に告げ、輝く片手を上げて……」ミスター・マンドレイクは自分の片手で薙(な)ぎ払うようなしぐさを実演し、「……生と死の謎すべてが解き明かされるだろうといった。そして彼女は《すべて》を理解したのだよ。ミセス・ダヴェンポートは、自分に与えられたこの知識をぜひともきみと分かち合いたいと心から願っている」

　そうでしょうとも、とジョアンナは思った。

「彼女が学んだことを聞けば、《向こう側》からの知らせを携えて帰還したことに一片の疑いを抱く余地もなくなるだろう」

「ミスター・マンドレイク――」

「話し合いたいもう一件は、きみが承知しているかどうかわからないが、この病院に新しくやってきた研究者のことだ。彼は、われわれの臨死研究の信頼性を損ねようとする意図を持っている。名前はドクター・ライト。薬剤の投与によって、研究室でNAEを再現できると主張しているのだ。もちろんそんなことは不可能だよ。NAEは霊的な現実であって、ドラッグの幻覚ではないのだからね。しかし、人間はだまされやすい。彼の主張を信じ込んでしまうかもしれない。とくに、テクノロジーとサイエンスの衣裳で飾り立てた場合には」

「すみませんが、ほんとに時間がなくて」ジョアンナはエレベーターのほうに歩き出したが、ミスター・マンドレイクはいっしょについてくる。

「われわれの研究分野に対する、このいわゆるリサーチの影響について、わたしはたいへん憂慮している。その点について彼と話し合おうとしたのだが、まったく非協力的な態度でね。彼には研究パートナーがいる――すくなくともわたしはそう理解しているんだが、その人物がもっと協力的であることを願っている。そこできみの出番だ」

「わたしの出番？」エレベーターホールにたどりつき、ボタンを押した。

「問題のパートナーがだれなのか、まだ判明していない。それをきみに突き止めてほしいのだ」

エレベーターが到着した。扉が開くのを待ちながら、「それならもう知ってるわ」

「知っている？」ミスター・マンドレイクは驚いた顔で聞き返した。「だれなんだね、新しいパートナーは？」

エレベーターの中に入り、《閉》のボタンを押して、扉が閉まりはじめるまで待ってから、ジョアンナはいった。

「わたし」

ドアが閉まる前に、ミスター・マンドレイクの顔に浮かんだ表情をひとめ見たかったが、それでは逃げ切れなかっただろう。そんなことで無駄にしている時間はない。七階でエレベーターを降り、連絡通路をわたって西棟に向かう。真実を明かしてしまったことで、この先ずっと彼に悩まされつづけることになる。でもどのみち、マンドレイクのスパイ網が問題のパートナーの正体を突き止めるのは時間の問題だし、もし黙っていたら、意図的にだましたとあとで難癖をつけられるのがオチだ。まあもちろん、今度はだまされやすい人間だと非難されるだろうけれど。だまされやすい。わたしが！

CICUを抜け、職員用エレベーターで小児科に下りた。メイジーはベッドの端に腰かけていた。蝶のかたちのポケットがついたピンクのジャンパー姿。本人はすごく嫌いな服にちがいないと思いながら、「呼んだ？」と声をかけ、そのときメイジーの母親もいることに気がついた。メイジーの服やスリッパをそそくさと病院でくれるポリ袋に詰め込んでいる。

「この子の状態がインデロンで好転したとマロウ先生がすごく喜んでくれて、それで退院を一日はやめてくれたのよ」と明るい声でいった。クローゼットのドアを開け、メイジーのバービー柄のダッフルバッグをとりだす。

ジョアンナはメイジーのほうに目を向けたが、無関心を装っているようだ。

「それに、学校にもどることを考えはじめてもいいだろうって」ミセス・ネリスはダッフルバッグを椅子の上に置いて、「しばらくふたりでおしゃべりしててちょうだい。退院の前に、実験中のACE阻害剤投与のことで、マロウ先生と話をしてこなきゃいけないから」

母親が病室を出たとたん、メイジーが口を開いた。

「ああ、もう、間に合わないかと思っちゃったよ」といいながら、ジャンパーのポケットから畳んだ紙をとりだし、こちらにさしだした。ジョアンナは紙を開いた。《ヨーゼフ・ライプレヒト。1968年》と書いてある。

「ミズ・サタリーの話だと、作者があの本を書くときドイツへ行って、そのライプレヒトって人にインタビューしたんだって。一九六八年に。使える？　彼のNDEは？」

無理だろう。ヒンデンブルクの墜落は一九三七年。三十年以上時間がたっている。それほど昔の出来事は、記憶の中で歪み、細かい点が忘れられたりつけ加えられたりするものだし、記憶の空白は作話で埋められる。事実上まったく役に立たない。だが、メイジーをがっかりさせたくなかった。「もちろんよ」といいかけたとき、メイジーが息をつめて答えを待っているのに気がついた。テストの結果が出るのを待つように。

「残念だけど、使えないと思う」とジョアンナはいった。「NDEの面接調査は、その経験の直後じゃなきゃいけないの。でないと忘れちゃうから」

「それに、話を作ったりとか」

「そのとおりよ。残念だけど」

「いいんだ」メイジーは失望したようすもなく答えた。それどころか、にこにこしている。ジョアンナも笑みを返した。「じゃ、家に帰るのね？　うれしい？」

「うん。本はミズ・サタリーが持ってってくれたし」と、意味ありげな表情でダッフルバッグのほうを見た。

「よかった。じゃあ、ルシタニア号のほうはどう？」

「もう興味ない。沈むまでそんなに長くかからなかったし。サーカスに行ったことある？」

メイジーがとつぜん話題を変えるのにはいつまでたっても慣れない。

「ええ。子供のころにね」

「おもしろかった？　道化師はいた？」

「どっちもイエス」ミセス・ネリスでさえ、この話題なら歓迎するだろうと思いながらうなずく。「赤い鼻にだぶだぶズボンの道化師がいたのを覚えてる。大きな水玉模様のハンカチをポケットからひっぱりだして鼻を拭くんだけど、そのハンカチが大きな赤いハンカチに結んであって、その先には青いハンカチがついてて、緑の、黄色いの、って次から次へどんどんハンカチが出てくるの。道化師はポケットからつながったハンカチをどんどんどんどんひっぱって、端っこを探すのよ」

「それってすごくおかしそう。ヴィクトリー・ガーデンって知ってる？」

「ヴィクトリー・ガーデン？」また話の筋道が見えなくなった。「どうかしら。どんなものかは知ってるけど。第二次大戦中、陸軍の兵隊が食べる作物を家庭菜園で育てたのよ。それに海軍もね」と、ミスター・ウォジャコフスキーのことを思い出してつけ加える。「戦争に勝つための協力だから、戦勝祈念菜園（ヴィクトリー・ガーデン）と呼ばれたわけ。それのこと？」

「だと思う。ハートフォードに――ってコネチカット州なんだけど――サーカスがあって、そのテントが火事になって、みんな焼け死んだんだよ」

　こうなることぐらい予想しておくべきだった。

「死者は百六十八人。本があったら写真を見せてあげるんだけど。今度来たときに見せるね」

　また病院に来るってどうしてわかるの？　お母さんはすごくよくなったっていってたじゃない？　といいたくなる気持ちを押さえつけ、「どうして火事になったの？」とたずねた。

　メイジーは薄べったい肩をすくめた。「だれも知らない。とにかくそうなったの」

　とにかくそうなった。煙草の火の不始末か、火花か、とにかくそれがおがくずなり帆布なりに燃え移り、そしてただそれだけのことで、百六十八人が死んだ。たぶんその大半が子供だったんだろう。サーカスだということを考えれば。メイジーの話だということを考えれば。

「子供がおおぜい死んだんだよ」と、ジョアンナの心を読んだようにメイジーがいった。

「死ぬとき痛いと思う？　つまり、焼け死ぬとき」

「どうかしら」ほんとうは自分がどんな質問に答えているのかを痛いほど意識する。「たぶん、ちょっとのあいだだけじゃないかしら。ほとんどは煙の吸引で死んだはずよ。いちばんつらいのは恐怖だと思う」

「あたしもそう。心臓が止まったとき、痛かったのは一瞬だけだったもん。それに、こわくもなかった」メイジーは真剣な顔でジョアンナを見つめた。「NDEはそのためのものだと思う？ こわがらずに済むようにするため？」

「ドクター・ライトといっしょに、それを突き止めようとしてるのよ」

「そのあとどうなるんだと思う？ NDEのあと」やがてこの質問が来ることは覚悟していた。ウーラの話が出たそのときからずっと。ジョアンナは病室の戸口に目を向け、メイジーの母親が車椅子と楽しい考えといっしょに魔法のようにあらわれてくれることを願った。

「知りたいの」メイジーがいった。「ほんとのことを」

「ほんとのことをいうと、わたしにはわからない。たぶん、なんにもないと思う。心臓が止まって、体が脳に酸素を送るのをやめたら、脳細胞が死にはじめる。脳細胞が死んだら、もうなにも考えられなくなる。眠りに落ちたり、電気のスイッチを消したりするみたいに」

「ええ、そんな感じね」このやりとりでメイジーが熱をこめていった。

「C－3POの電源を落とすみたいに」とメイジーが動揺したり怖がったりしているとしても、少女はまったくそれを表に出していなかった。

「暗いかなあ」

「いいえ。暗いも明るいもない。なんにもない」

「自分が死んだこともわからない」

「そうね。自分が死んだこともわからない」そしてなぜか、ジョアンナはラボアジエのことを思い出した。

「どうして〝たぶん〟なの？」とメイジーがたずねた。「たぶんなんにもないっていったでしょ」

「たしかなことはだれにもわからないからよ。死んだ人が甦ってきて、死がどんなものかをわたしたちに教えてくれることはけっしてないから」

「ミスター・マンドレイクは知ってるっていうけど」メイジーはしかめ面をして、「前に心停止したとき、あの人が会いに来て、死んだあとどうなるかちゃんとわかってるっていった」

「彼にはわかってないわ」

メイジーは重々しくうなずいた。「先に死んだ知り合いみんなが出迎えてくれて、それからいっしょに天国へ行くんだって。それって、それがほんとならいいとあの人が思ってることだと思う。ほんとならいいと思ってるからって、それがほんとになるわけじゃない。ティンカーベルの話みたいにはいかないんだよ」

「ええ、そうね。でも、ほんとならいいと思ってるから、それがほんとにならないわけでもないのよ」

「じゃあ、天国はあるかもしれないんだ」

「かもしれない。だれにもわからない」

「死んじゃった人以外には。そして死んだ人は教えられない」

そう、死者は生者になにも語ることができない。リチャードとわたしがどんなに努力しても。

「だからみんな自分ひとりでほんとのことをたしかめなきゃいけない。だれもいっしょには行ってくれない。ちがう？」

そうよ。メイジー、あなたといっしょに行ってあげたいと思うけど。あなたがたったひとりで行かなきゃならないなんて考えたくない。でも、人間はみんなひとりで死ぬしかない。

ミスター・マンドレイクがなんといおうと。

「そうよ」とジョアンナはいった。

「でも、災害のときはべつ。おおぜいの人がみんないっしょに死ぬから。ハートフォードのサーカス火事みたいに。動物の檻が、ほら、ライオンとか虎とかの檻、それがいっぱいあって通り道をふさいでたから、みんな押し合いへし合いで、それで押しつぶされて死んじゃったの。それより先に煙を……」眉間にしわを寄せて、言葉を探している。

「吸引」とジョアンナはいった。

「ぜんぶかたづいたわ」メイジーの母親が明るい声でいいながら、車椅子を押して入ってきた。「看護師さんが退院の書類を持ってきてくれたら、それでもう帰れるわよ」メイジーに手を貸して、車椅子にすわらせた。

「わたしも行かないと」ジョアンナはいった。「さよなら、メイジー。元気でね」

研究室に向かって歩き出した。バーバラがナース・ステーションで書類仕事をしていた。廊下をふりかえり、メイジーと母親がまだ病室にいるのをたしかめてから、バーバラに声をかけた。

「お母さんの話だとメイジーの具合はよくなったそうだけど。そうなの？」

「〝よくなった〟という言葉の意味しだいね。基本的な病状は変わってない。でも心機能はわずかに向上してるし、インデロンの投与で心拍は安定してきてるみたい。もっとも、いつまでそれが保(も)つかはわからないけど。副作用がかなりひどいの――腎不全に肝不全。でも、ええ、今度だけはメイジーのお母さんもほんとのことをいってる。メイジーはよくなってるわ」

「いいニュースね」ジョアンナはほっとした。「ねえ、このフロアでミスター・マンドレイクの姿は見てないでしょ？」

「見てない」

「それもいいニュース」ジョアンナはナース・ステーションのカウンターを両手でぽんとたたき、「またあとで」

「ああ、よかった。まだいたのね」といいながら、病室から出てきたメイジーの母親がナース・ステーションのほうにやってきた。「メイジーに長々とつきあってやってくださってることに一言お礼がいいたくて。あの子、お客さんが訪ねてくるのは大好きだけど、病気だの……なんだの、気が滅入るような話ばかりする人がほんとに多くて、いつもメイジーの気持ちが落ち込んじゃうのよ。でも、あなたと話をするのは大好き。ふたりでなにをそんなに話すことがあるのかわたしにはよくわからないけど、あなたが来てくれたあと、あの子はいつもすごく元気になるの」

11

「イエス様……イエス様……イエス様……」
――火に焼かれるジャンヌ・ダルクの最期の言葉

ジョアンナは午後三時を過ぎるまでミセス・ウーラムに会いにいけなかった。ミスター・ピアソルは遅刻してきたし、彼の面接は上々の結果だったものの、その最中、ミセス・ヘイトンから電話が入って中断を余儀なくされた。どうやら手芸展の会場から電話してきているらしく、通話のあいだも、どこかになにかを吊そうとしているらしいアシュリーとかフェリシアとかいう名前の人物に、ひっきりなしに指示を叫んでいた。

「今週は無理」とミセス・ヘイトンは電話に向かっていった。「でも来週なら――ちょっと待って、いまカレンダーを見るから――なんとかだいじょうぶかも――だめ、そっちの端が高すぎるわ」

そのあいだじゅう、ミスター・ピアソルは辛抱強く待ってくれていた。ミセス・ヘイトンにあとでかけなおしてくれというのが礼儀だとはわかっているけれど、そんなことをしたら二度と連絡がつかないような気がした。

「来週の月曜だと、何時がご都合がいいでしょう？」ジョアンナはミスター・ピアソルにもうしわけなさそうな笑みを向けながらたずねた。

「月曜ね、ちょっと待って——もっとひだをつけて——ええっと、午後はだめ、どうしようもない。午前中はどうかしら？　十時にＡＡＵＷの会合があるけれど。十一時四十五分でもよろしい？」

「はい」十一時にミセス・トラウトハイムのセッションが入っているが、歯医者の予約を計算に入れても、ミセス・ヘイトンよりははるかに変更がききやすい。「十一時四十五分でけっこうです」

「十一時四十五分、と。あ、待ってちょうだい、いま見ていたのは月曜日じゃなくて水曜日の予定だった。やっぱり月曜はだめ」

「では、火曜日は？」

それから十分間、ジョアンナはミセス・ヘイトンが唱える会合予定のお経と合間合間にはさまるフェリシアへの指示に我慢強く耳を傾け、最後にようやく、金曜日の図書館理事会とヨガ教室のあいだにセッションの予定を押し込んでもらうことで決着した。

「でもその日は、たしかほかになにか予定があった気がしてしかたないんだけど」

ミセス・ヘイトンがそれを思い出さないうちにとジョアンナはすばやく電話を切り、ミスター・ピアソルへの質問を再開したが、彼は臨死体験はおろか外科手術の経験もなかった。

「盲腸の手術もしてないよ。それに扁桃腺も。うちの家族で手術をしたことのある人間はひとりもいない。親父は七十四だが、いままでいっぺんも病気になったことがないんだ」

ミスター・ピアソルはミスター・マンドレイクに会ったことも、彼の本を読んだこともなく、スピリチュアリズムを信じますかとたずねたときは、ちょっとむっとした顔になって、

「これは医学研究なんだろう？」と聞き返した。

「ええ」と答えて、ジョアンナは面接を切り上げた。

もっとも、まだスケジュールを組む仕事が残っていたし、ミスター・マンドレイクと出くわしたことをリチャードに話しておかなければならなかった。

「あなたが自分の研究の正体を暴こうとしてるんだと思ってるのよ」

「まさにそのとおりだよ」とリチャード。「きみがぼくといっしょに仕事をすることについてはなんと？」

「それを聞く前に逃げ出したの。たぶん、なんとか説得してやめさせようとするでしょうね。わたしをつかまえられたらだけど」それから、「ちょっと重症患者病棟（HCU）に行ってくる。臨死体験者の面接。ミスター・マンドレイクが電話してきたら、メイジーに会いにいったと伝えて」

「メイジーは退院したんじゃなかった？」

「したわ」

ジョアンナはそういって研究室を出た。しかし、ＨＣＵに行ってみると、ミセス・ウーラ

ムはすでに一般病棟に移ったと聞かされた。

ようやく彼女の病室に着いたとき、腕時計の時刻は四時十六分だった。ミセス・ウーラムがこの病院に来てからすでに七時間。それだけの時間があれば、ミスター・マンドレイクは、面接対象としての彼女の価値をゼロにするばかりか、すっかり洗脳して、もうひとりのミセス・ダヴェンポートに変えてしまっていることだろう。面会謝絶だった場合にはそのかぎりではないが、それではジョアンナ自身も彼女に会うことができない。

しかし、ええ、ミセス・ウーラムには面会できるわよとルアン看護師はいった。状態はいいの。経過をみるために二日間入院してもらうだけ。

「ミスター・マンドレイクは面会にきた?」

「来たけど、ミセス・ウーラムが放り出した」

「放り出した?」

ルアンはにんまり笑って、「タフなおばあちゃんなのよ。どうぞ入って」

ジョアンナは開いたままのドアをそっとノックし、「ミセス・ウーラム?」とおずおず声をかけた。

「どうぞ」とおだやかな声がした。ジョアンナの目の前にいるのは、メイジーとたいして変わらないほど小柄で、いかにもかよわそうな感じの老婦人だった。頭の白髪はタンポポの綿毛とおなじぐらい細くはかなく見えるし、ミセス・ウーラム自身、ふっとひと吹きしただけでどこかに飛んでいってしまいそうだ。てこでも動かないミスター・マンドレイクはもちろん、だれかを病室の外に放り出すことなどとてもできそうにない。一群のモニター機器につながるケーブルを体のあちこちに接続されたまま、ベッドの上で身を起こして白いカバーの本を読んでいたが、ジョアンナに気づくとすぐにそれをナイトスタンドの引き出しにしまった。

「ジョアンナ・ランダーです。わたしは――」

「ヴィエルの友だちね。話は聞いてますよ」ミセス・ウーラムはにっこり笑った。「ヴィエルは最高の看護師。彼女の友だちなら、だれでもわたしの友だち」また頰にえくぼをつくる。すばらしくやさしげな笑みだった。「臨死体験の研究をなさってるそうね」

「はい」ジョアンナはポケットから情報開示承諾書をとりだして内容を説明し、どうぞごらんになってくださいといった。

「いつもおなじ体験というわけではないのよ」ミセス・ウーラムはペンを持つ手を承諾書の上で止めていった。「それに、肉体を抜け出して宙に浮かんだことも、天使を見たこともない。だから、もしそういうのを探してるんだったら――」

「なにかを探してるわけじゃないんです。ただ、経験なさったことをうかがいたいだけで」

「よかった」ミセス・ウーラムは筆圧のない字で承諾書にサインした。「モーリス・マンドレイクは、前回わたしがここに来たとき、どうしてもトンネルや光の天使を見たことにしたがっていたのよ。度しがたい男。あなた、あの男といっしょに研究をしてるわけじゃないんでしょ？」

「ちがいます。彼がなんといったか知りませんけど」

「よかった。あの男がなんといったか知ってる？」とミセス・ウーラムは怒りもあらわな口調で、「臨死体験は死者からのメッセージですって」

「そうは思わないんですか？」

「あたりまえですよ。死者が生者に送ってくるようなメッセージじゃないもの」

ああ、やめて。「死者はどんな種類のメッセージを送ってくるんでしょう？」

「愛と赦しのメッセージ。わたしたちには自分を赦せないことが多すぎますからね。心だけが聞くことのできるメッセージですよ」承諾書とペンをこちらにさしだして、「さあ、どんなことを聞きたいの？　たしかにトンネルは見ましたよ。マンドレイクさんには黙っていたけれど」

「どんなトンネルでしたか？」

「暗すぎてはっきりとは見えなかったけど、鉄道のトンネルよりはせまかった。トンネルの中にいたのは二度。いちばん最初のときと、前の前のとき」

「おなじトンネルですか？」

「いいえ。ひとつはもっとせまくて、床がでこぼこでしたよ。つまずいて倒れないように、壁に手をついて支えなきゃならなかった」

「それ以外のときはどうでした？」とたずねながら、ミセス・ウーラムが八十歳近い年齢の心臓病患者でなければよかったのにと思った。彼女ならプロジェクトにうってつけの被験者になるだろう。

「暗い場所にいたわ。トンネルじゃなくて。戸外の、暗くて、開けた……」ミセス・ウーラムはジョアンナの肩越しに遠くを見て、「どの方角を向いても、見わたすかぎり何マイルも、なにもなかった……」

「トンネルのとき以外は、毎回その暗い場所にいたんですか？」

「ええ。いえ、ちがう、一度だけ庭園にいたことがあるわ」

そういえば、どうしてヴィクトリー・ガーデンのことを知りたいと思ったのか、メイジーに聞くのを忘れていた――ジョアンナはふとそんなことを思った。

「とても美しい庭で、わたしは白い椅子にすわっていたの」とミセス・ウーラムが夢見るような口調でいった。

庭園を見るのは、臨死体験では珍しくない。「どんな庭だったか説明していただけますか？」

「ぶどうの蔓があったわ」ミセス・ウーラムは病室の壁を見まわして、「それと木」

「どんな木です？」

「棕櫚（しゅろ）の木」

ぶどう園に棕櫚の木。これまたスタンダードな宗教的イメージだ。

「その庭について、ほかになにか覚えていますか？」

「いいえ。そこにすわっていたことだけ。なにかを待ちながら」

「なにを？」

「覚えてないわ」と白髪を揺らしてかぶりを振り、「はじめて心臓が止まったときのことだもの。もう二年近く前になる。あまりよく思い出せないのよ」

「では、今度のはどうです？」

「美しい階段の下に立って、その階段を見上げていた」

「その階段について説明していただけますか？」

「そうねえ、ちょうどこんな感じだったわ」といいながら、ナイトスタンドに手をのばして引き出しから本をとりだした。それが聖書だと気づいて、ジョアンナは暗い気持ちになった。ミセス・ウーラムは薄いページをぱらぱらめくり、カラー口絵のページを開いてみせた。大きな金色の階段の挿画で、一段一段にそれぞれ天使が立ち、階段のてっぺんを照らす光の中に、両腕を広げた人物のシルエットが見てとれる。

こんなうまい話があるわけないと気づくべきだった。「その階段はこれとそっくりだったんですか？」

「ええ。ただし、わたしが見た階段は螺旋(らせん)を描くようにして上っていたし、階段のてっぺんの光はダイヤモンドみたいにきらきらしてましたけどね」

それとサファイアやルビーの輝きのように、ジョアンナは心の中でいった。

「でも、天使はいませんでしたよ、ミスター・マンドレイクがなんといおうと。わたしが見たのは天国だと、しつこく説得しようとしていたけれど」

「でも、天国だとは思わない？」

「どうかしら。どれもぜんぶ天国なのかもしれないけれど――トンネルも、庭も、暗くて開けた場所もね」また聖書を手にとり、べつのページを開く。「ヨハネによる福音書、十四章二節、〝わたしの父の家には住む所がたくさんある。もしなければ、あなたがたのために場所を用意しに行くと言ったであろうか〟」

「お話し中もうしわけないけど」とルアンがいった。「下に行く時間ですよ」とミセス・ウーラムに向かってうなずく。

「心臓カテーテル？」とミセス・ウーラムが聖書を閉じた。

「そういうこと」そのとき、ルアンのポケットベルが鳴った。「失礼」といってポケットからとりだしたベル端末の画面をにらみ、「すぐもどるわ」といってルアンは病室を出ていった。

「NDEで見たものはなにかべつのものかもしれないとおっしゃいましたね」とジョアンナは質問にもどった。「どういう意味ですか？　なにかもしれないと思うんです？」

「わからない。ときには……」ミセス・ウーラムの声が小さくなってとぎれた。「でも、それがなんだとしても、イエス様がいっしょにいてくださることはわかってますよ」また聖書を開いて、「イザヤ書四十三章二節、〝水の中を通るときも、わたしはあなたと共にいる。大河の中を通っても、あなたは押し流されない。火の中を歩いても、焼かれず、炎はあなたに燃えつかない〟」

ルアン看護師が疲れた顔でもどってきた。

「またお話をうかがいにきたいんですけど」とジョアンナはミセス・ウーラムにいった。

「よろしいですか？」

「ええ、わたしがまだここにいたらですけどね」と目をしばたたき、「HMOが入院保障期間をどんどん短くするものだから。わたしのほうもあなたとお話がしたいのよ。こういう体験をあなたがいったいなんだと考えているのか、死についてどう考えているのかを知りたいから」

知れば知るほどわからなくなると考えています。心の中でそう返事をして、また階段を上がった。これからまだ二時間分以上のテープ起こしが控えていると思うとげんなりする。セッションのスケジュールが詰まっていることを考えるとあしたまで放っておくわけにはいかないし、すでに予定より一週間遅れている。オフィスにもどり、文章化の済んでいないテープをしまってある靴箱から一本テープを出し、コンピュータの電源を入れた。

「ああ、よかった。もどってたんだね」リチャードがオフィスの戸口から顔だけ出していった。「ミスター・セイジの第一回セッションの予定が変更になって、きょうの午後にやることになったんだ。そんなに時間はかからないと思う。ティッシュがもう準備をはじめてる」

リチャードの予測はまちがっていた。面接には永遠の時間がかかった。といっても、ミスター・セイジに語るべきことがたくさんあったというわけではない。彼になにか一言でもしゃべらせるのは大仕事だったのである。

「暗かったといいましたね」とジョアンナは十五分間の質問のあと、あらためてたずねた。

「なにか見えましたか？」

「いつ？」

「暗闇の中にいたときです」

「いや。いっただろ、暗かったんだ」

「最初から最後までずっと暗かったんですか？」

「いや」

ジョアンナは彼が先をつづけるのを待ち、しばらく沈黙が流れた。とうとうあきらめて、もう一度たずねた。

「暗闇のあと、どうなったんです？」

「どうなったって？」

「ずっと暗かったわけではないと……」

「ああ」

「光が見えたときもある？」

「ああ」

「その光について説明していただけますか？」

ミスター・セイジは肩をすくめた。「光だよ」

NDEのあいだ、どんな感じがしたかとたずねたときも、引き出せた成果は似たようなものだった。

「感じ？」彼は、生まれてはじめて聞く言葉だというようにくりかえした。「しあわせだとか、悲しいとか、不安とか。わくわく、おだやか、あたたかい、寒い？」

ミスター・セイジはまた肩をすくめた。

「気分はよかった、それとも悪かった？」

「いつ？」

「暗闇の中にいたとき」とジョアンナは歯を食いしばってたずねた。

「よかったか悪かったかって、なにが？」

……などなど。面接はこの調子でえんえん一時間以上つづいた。

「やれやれ」ミスター・セイジが無言で研究室を去ったあと、リチャードがいった。「人間がものごとを説明する力には差があるといったのは冗談じゃなかったんだね」

「まあとにかく、暗かったことと、それから光が見えたことははっきりしたわ」ジョアンナは首を振りながら答えた。

研究室にいるのはふたりだけだった。面接の途中まではティッシュが同席していたが、やがてリチャードに向かって、「《リオ・グランデ》のハッピー・アワーに友だち何人かといっしょに行ってます。興味があったらぜひ」といい、「おふたりとも」と最後に思い出したようにつけ加えてから出ていった。

「なにを感じていたか、ぜんぜん情報が引き出せなくてごめんなさい。まあ、あの人がなにか感じることがあるならだけど。とにかく、否定的な感覚はなかったみたいね。心配とか不安とかについてたずねても反応がなかったから」

「なんに対してもまるで反応がないじゃないか」といいながらリチャードがコンピュータに歩み寄り、「でも少なくとも、比較対照できるスキャン画像はもうワンセット増えたわけだ」キーボードから数字を打ち込んで、「彼のエンドルフィン・レベルをアミーリア・タナカのとくらべてみるよ」

リオ・グランデのハッピー・アワーはおあずけか、と思ったが、まあそれでいい。こんな内容とはいえ、ミスター・セイジの談話をタイプしなければならないし、まだテープ起こしの済んでいない録音は山と残っている。ジョアンナはオフィスにもどった。

留守番電話のランプが点滅していた。ミスター・マンドレイクじゃありませんようにと祈りながら再生ボタンを押す。「モーリス・マンドレイクだ」と機械がいった。「きみがドクター・ライトのパートナーだとわかって心から喜んでいることを伝えようと思ってね。きみならきっと、彼にいい影響を与えられるだろう。戦略を相談したいのだが、いつがいいかね？」

残りのメッセージは、ミセス・ヘイトンからと、アン・コリンズから。アンはミスター・ウォジャコフスキーのセッションでアシスタントをつとめた看護師で、どちらも電話がほしいという伝言だった。またひとわたり電話しなきゃいけないのかとうんざりしつつも、ジョアンナは両方にかけた。両者ともに不在。留守番電話にメッセージを残してから、コンピュータの前にすわり、ミスター・セイジの談話を打ち込みはじめた。

五分しかかからなかった。レコーダーから録音テープをとりだし、べつのテープと交換した。「ええと……」間。「……暗かった」また間があって、「……たぶん……」ミセス・ダヴェンポートだ。「そこは……」長い長い間。「……なんていうか……」長い長い長い間のあと、質問のような尻上がりの抑揚で、「トンネル？」

まだるっこしくてとても聞いていられない。テープを早まわしにしても、ミセス・ダヴェンポートがしゃべるよりはやくタイプできるだろう。そうか、そうすればいいんだ。そう思ってレコーダーに手をのばした。巻きもどしの手間が必要になるかもしれないが、それでもこれを等速で再生するよりはずっとまし。

うまくいかなかった。早送りボタンを押しても、キュルキュルとかん高いノイズが響くだけ。早送りボタンと再生ボタンを同時に押してみた。カチッと音がして早送りボタンのほうが解除され、いきなりものすごい騒音が鳴り出した。「そのうるさいアラームを切れ」と男の声。

突然の沈黙。さっきとおなじ声が、「除細動用意」

グレッグ・メノッティが心停止したときだ。録音ボタンが押しっ放しになっていたんだろう。ジョアンナは巻きもどしボタンを押した。

「彼女は遠すぎる」とグレッグ・メノッティが遠い絶望的な声でいい、ジョアンナは巻きもどしボタンから指を離して耳をそばだてた。「遠すぎて間に合わない」

再生がつづくあいだ、ジョアンナは未処理テープの靴箱をとって中のテープの山をひっくりかえし、日付を調べた。二月二十五日、十二月九日。

「もうこっちに向かってる。二、三分で着くから」と、テープからヴィエルの声。それから心臓医が、「血圧は？」

一月二十三日、三月——これだ。

「八十の六十です」と看護師がいい、ジョアンナは巻きもどしボタンを押してしばらく待ってから再生を押した。

「五十八」とグレッグ・メノッティがいい、ジョアンナはそこでテープを止めた。レコーダーからテープをとりだし、べつのテープをセットして、中ほどまで早送りにする。

「きれいでした」とアミーリア・タナカの声。行き過ぎだ。少し巻きもどしてから再生し、また巻きもどし、再生ボタンを押す。

「目を覚ましたのかい？」とリチャードの声。ジョアンナはレコーダーに耳を近づけた。

「ああ、だめ」とアミーリアがいった。「ああ、だめ、ああ、だめ、ああ、だめ」

ジョアンナはそれをさらに二回再生してから、イジェクトボタンを押して、さっきのテープと入れ換えた。しかし、どんなふうに聞こえるのかは、再生する前からわかっていた。アミーリアの声がなぜこんなに苦しげだったのかもわかっていた。前に聞いたことがあったからだ。「遠すぎて来られない」とグレッグはいい、その声にはアミーリアのそれとおなじ恐怖、おなじ絶望があった。

巻きもどしボタンを押してから再生したが、もう確信していた。きょう、まったくおなじ口調をすでに二度聞いている。最初は聖書の朗読。〝水の中を通るときも、わたしはあなたと共にいる。大河の中を通っても、あなたは押し流されない。火の中を歩いても、焼かれず、炎はあなたに燃えつかない〟

もしあのときミセス・ウーラムの声を録音していたら、この三つはまったくおなじように聞こえただろう。そしてもうひとつ、おなじ響きだった声がある。耳にこびりつくメイジーのあの言葉——「痛いと思う?」

12

「まったく、あいつら、この距離では象に命中させることもで――」

――南北戦争の将軍、ジョン・セジウィックの最期の言葉。

スポットシルヴェニア郡庁舎の戦いにて

翌朝、ミスター・ウォジャコフスキーは定刻きっかりにやってきた。

「海軍で叩き込まれることのひとつさね、時間を守るってのは」と彼はリチャードに語り、生まれついてののろまだった掌砲兵曹、見かけ倒し（ジーゴー）ローリンズの話をはじめた。「硫黄島（イーウォ）で死んだよ。曳光弾の直撃を片目に食らってな」と陽気に語り終え、きびきびした足どりで更衣室に向かった。

リチャードはミスター・ウォジャコフスキーの前回セッションのスキャンを画面に呼び出した。まだ時間がなくて、こちらのエンドルフィン・レベルはチェックしていない。この二日間は、アミーリア・タナカの過去二回のセッションで記録したスキャンを分析し、エンドルフィン活性を調べるのにかかりきりだった。思ったとおり、ジテタミンの投与量は変わっていないにもかかわらず、いちばん最近のセッションでは、活動レベルが目に見えて低くなり、関係するレセプター部位の数も減っている。セッションをくりかえすたびに、被験者のジテタミンに対する抵抗力がついてくるということはありうるだろうか？

画面を分割し、ミスター・ウォジャコフスキーの二回分のスキャンをとなり同士に並べて、二回めでエンドルフィン活性が減少しているかどうかをたしかめてみた。しかし、変化があるとすれば、むしろ増大している。両者を重ね合わせて、レセプター部位を見つめた。

「おはようございます」といいながらティッシュが入ってきた。「ゆうべハッピー・アワーには来なかったんですね」

「来る途中、ドクター・ランダーを見なかった？」ティッシュが首を振ったので、「じゃあ呼んでくるよ」といって研究室を出た。

ジョアンナはちょうどオフィスから出てくるところだった。

「ごめんなさい」と息をはずませて、「ミセス・ヘイトンの面接時間を決めようと思ってずっと電話してるんだけど、いつかけても留守。ハウスキーパーの女性としか話ができないの。ミセス・ヘイトンのかわりに、いっそ彼女に面接に来てくれと頼もうかと真剣に思ってるくらい。あ、そういえば、志願者募集の新しい告知を出してきたわ。文面も連絡先の電話番号も変えたから、ミセス・ベンディクスとその一党にもばれないと思う」

リチャードはジョアンナをともなって研究室に引き返した。ミスター・ウォジャコフスキーは検査台に横たわり、ティッシュが点滴の用意をするのをながめていた。

「こんちゃ、ドク」とリチャードに声をかけ、それからジョアンナに向かって、「今度はあの音がなんなのか、しっかり聞いてくるよ。先生のために」

「できるの？」ジョアンナが興味を引かれた口調でたずねた。

「わからねえ」といってウィンクし、「なにごとも、やってみるまではわからない。オリー・ジョーゲンスンがよくそういってたもんさ。ヨークタウンの補給将校で、いつも規則を出し抜く方法を考えついた。あるとき大佐が――」

「よし、準備オーケイだ」リチャードはいった。「ティッシュ、ミスター・ウォジャコフスキーにヘッドフォンとアイマスクをつけてあげて」目が合うと、ジョアンナがにんまり笑った。

アイマスクで目を隠し、ホワイトノイズで物音を聞こえなくすると、ミスター・ウォジャコフスキーは格段に扱いやすくなる。次のセッションのときは、いちばん最初にヘッドフォンとアイマスクをつけるよう、ティッシュに耳打ちしておこう。

「はじめるよ」リチャードはティッシュにまず鎮静剤の、ついでジテタミンの点滴開始を指示してから、スキャンを見るためモニター画面の前にもどった。

ミスター・ウォジャコフスキーはほとんど瞬間的にNDE状態に移行した。側頭葉と海馬にオレンジと赤のフレアが広がり、前頭前野にもランダムな発火が見える。リチャードはエンドルフィン・レセプター部位に注意を向けた。活動に減少の気配はない。前回セッションで活性化していたサイトはすべてオレンジか赤で、いくつか新たにオレンジ色になっている部位もある。

ミスター・ウォジャコフスキーのセッションは三分間つづいた。

「例の音がなんだか突き止めたぜ、先生」バイタルの測定が終わってティッシュが電極をはずすなり、彼はジョアンナのほうを向いていった。

「ほんとに？」

「やるっていっただろ。そういやあ、むかし一度——」

「最初から話して」とジョアンナが口をはさみ、ミスター・ウォジャコフスキーが起き上がるのに手を貸した。

「オーケイ、目を閉じて横になってると、だしぬけに音がするんだ。トンネルの中でじいっと耳をそばだてて、いまの音はなんかに似てるととっくり考えた。しばらくしてやっと思い当たったよ。翼を撃たれたときの音だ。珊瑚海海戦で。その話はしたっけか。祥鳳を追ってたところに、零戦が一機やってきて——」

「トンネルの中で聞いた音は、飛行機の翼を銃撃されたときのような音だった。そういうことね。その音について説明してもらえるかしら」思い出話を止めようとジョアンナがあわてて口をはさんだが、時すでに遅し。すでに話ははじまっていた。

「副操縦士と銃手はふたりともその攻撃で即死。左の翼はずたぼろだ。なんとかヨークタウンに帰投しようとしたが、燃料が足りねえ。それに、やっと探しあてたヨークタウンのまわりには零戦がうようよしてて、おまけに船尾のほうから火の手が上がってるじゃないか。とはいえこっちは、零戦の群れを相手に闘いを挑むどころか、帰る燃料もないときた。どうやって着艦したもんかと頭をひねってたとき、どかん！」しわの寄った手を打ち合わせて、「ヨークタウンがど真ん中に一発食らった。それを見て、着艦の心配はやめたよ。どのみち二分もすりゃあ、帰る先の空母がなくなっちまうんだから。土手っ腹からもくもく煙を噴き出して、もう傾きはじめていた。だからできるだけ遠くへ離れて、不時着水した。翌朝、やっとの思いでマレクラ島の岸辺に泳ぎ着いて、島民に話を聞いたら、ヨークタウンは夜のうちに沈んだとジャップが話していたという」

「ヨークタウンはミッドウェイで沈んだんじゃなかったの？」とジョアンナ。

「そのとおり。このときは沈まなかった。どうにかこうにか真珠湾まで帰り着いて、修理ドックに入ったんだよ。だが、そのときのおれは、それを知らなかった。まあしかし、たいしたもんだよ。ぼろ船みたいにオイルを洩らしながらよたよた帰り着き、乾ドックに入るなり——」

うわっ、やめてくれ。またべつの話がはじまるぞ。リチャードは心の中で悲鳴をあげ、ジョアンナに目配せして、次の質問をするよう合図を送ろうとしたが、彼女の視線はじっとミスター・ウォジャコフスキーに注がれている。

「第一声が〝修理にどのぐらいかかる？〟港長が、〝六カ月か、もしかしたら八カ月〟と答えると、艦長はいった。〝三日やる〟ミスター・ウォジャコフスキーはうれしそうにひざを叩いた。〝三日だと！〟」

「じっさいに三日で修理が済んだの？」

「済んだとも。隔壁を直し、新しいボイラーを溶接して、ミッドウェイに送り出した。三日フラットで墓場から甦らせた。いやまったく、ヨークタウンがあらわれて連中の空母を三隻沈めたときは、ジャップども、まるで幽霊を見たような顔をしてたな」

ミスター・ウォジャコフスキーはまたぽんとひざを打った。

「だが、そのときのおれは、そんなことはひとつも知らなかった。てっきり沈められたもんだと思ってたし、おれ自身もおしまいだと思った。ジャップはもうマレクラ島まで進駐していた。島民を説き伏せてヴァニカロまでこっそり運んでもらったが、そのへんの島はどこもかしこも日本海軍が上陸している。だから刳り舟（ダグアウト・カヌー）一艘とココヤシの実を盗んで、ポートモレスビーに出発した。ジャップにつかまるぐらいなら、海で死ぬほうがなんぼかましだと思ってな。まあじっさいそうやって死ぬところだったよ。食べものも水も尽きて、サメどもが舟のまわりをぐるぐるまわりはじめ、いよいよこれでおしまいかと思ったそのときだ。水平線になにかが見えた」

ミスター・ウォジャコフスキーは身を乗り出し、ジョアンナの向こうを指さした。

「船だ。最初はありもしないものを見てるのかと思ったが、そいつがだんだん大きくなってくるじゃないか。近づいたのを見て、艦橋構造物（アイランド）がついてるのがわかった。マストやらアンテナやらが生えてるのが見えたんだ。アイランドがついてる船は空母しかない。もし日本の空母なら、尻に帆かけて逃げなきゃならん。必死に目をこらして、旗の模様が旭日かどうかをたしかめようとしたが、ちょうど太陽が艦橋のうしろになってて、逆光でよく見えない。まっすぐこっちに向かってくることしかわからねえんだ。だがそのとき、船体番号が見えた。CV－5。そのときはじめて、ヨークタウンが墓場から甦ったんだとわかった。どんな相手もこの空母を沈めることはできねえと、そのときわかったよ」

「でも、ミッドウェイ海戦で沈んだんでしょ？」

ミスター・ウォジャコフスキーはジョアンナをきっとにらみつけた。

「三隻の敵空母を沈め、戦争に勝つまで沈まなかった」

「ごめんなさい。そんなつもりでいったんじゃ――」

「いいってことさ。どんな船もいつかは沈む。だが、その日はちがった。その日だけは。その日の彼女は、いつまでも永遠に浮かびつづけるように見えた。生まれてこのかた、あんなに美しい光景を見たことはない」

しみだらけの顔を輝かせ、老人はふたりの背後を遠く見つめた。

「ヨークタウンは沈んだと思っていた。二度とあの勇姿を見ることはないと思っていた。おれの人生も終わりだと思っていた。ところがどうだ、力強く水を切り、旗を風にはためかせ、彼女がこっちに進んでくる。白い服に身を包んだ水夫たち全員が飛行甲板の手すりから身を乗り出し、帽を振りながら、さあ乗れとおれに向かって叫んでいる。人生で最上の日だったとも！」

ジョアンナに満面の笑顔を向け、それからリチャードのほうを見て、

「いやまったく、おれの人生で最高の日だったよ！」

それから十分かけてジョアンナがようやくミスター・ウォジャコフスキーの話を本来の軌道にもどし、トンネルというのがじっさいには通路だったこと、その突き当たりにドアがあり、彼がそれを開けると、まばゆい光と、白い服を着た人々が見えたという話を引き出した。

「そっちから光があふれてくるもんで、しばらくはほかになんも見えなかった」

NDEのあいだどんなふうに感じたかとジョアンナが質問すると、

「感じた？　べつになんにも感じなかった気がするなあ。見るのに忙しくて感じるひまがなかった。珊瑚海ではじめてジャップの弾に当たったときみたいなもんだ。小便ちびるほど怖いはずなのに、ぜんぜん怖くなかったんだ。マック・マクタヴィッシュが横に立ってて、それで——」

ジョアンナのあらゆる面接技術をもってしても、新しい話をやめさせるには十分かかり、けっきょく質問の答えは得られなかった。

「ごめんなさい」ようやくミスター・ウォジャコフスキーが帰ったあと、ジョアンナが詫びた。「彼がまたべつの話をはじめるリスクはおかしたくなかったの」

「彼の臨死体験談が、ヨークタウンに救助された話みたいに臨場感たっぷりじゃないのは残念だな」

「でもじっさい、ずいぶんたくさん話してくれたわよ。零戦に攻撃されたのを思い出したという事実は、ある種の恐怖を感じていた証拠かもしれない。本人は否定してるけど」

「でも、人生で最上の一日も思い出してるよ。彼、前回より光が明るかったといったよね。アミーリア・タナカは、NDE時の光とか明るさの変化についてなにかいってる？」

「覚えてない。記録を調べてみる」といって、ジョアンナはいますぐオフィスにもどろうとするように立ち上がった。

「いや、いまじゃなくていいんだ。ちょっと思いついただけだから。今回、ミスター・ウォジャコフスキーのエンドルフィン・レベルは前回より上昇していた。もしかしたらそれが光の強さに反映してるんじゃないかと思って」

「〝ぴかぴか光る白いものに光が反射しつづけて〟」とジョアンナが自分のメモを読み上げた。

「わたしが気になったのはそこじゃないわ。驚いたのは、彼がドアを開けたこと」

「ドアを開けた？」それのどこが意外なんだろうと思いながら聞き返した。

「ええ、臨死体験者が自分の意志でなにか行動した話を聞いたのはこれがはじめて。いままでに面接調査してきた範囲では、受動的なビジョンばかりだった。なにかを見たり、経験したり、他の人物からなにかを与えられたり。でも、ミスター・ウォジャコフスキーは自分でドアを開けたばかりか、はっきりした目的をもって例の物音に耳をそばだてている」戸口のほうへ歩きながら、「明るさの件を調べてくるわ」

ジョアンナは一時間もしないうちにもどってきて、アミーリアの説明に明るさのちがいについての言及はなかったと報告した。「だから電話してたずねてみたんだけど、一回めのセッションのほうが光はずっと明るかったといってた。彼女が説明したあたたかさと愛の感覚についても聞いてみたら、三回のセッションすべてについておなじ感覚があったけど、一回めがいちばん強かったって。もちろん、最初のセッションからはもう十日たってるし、最後のセッションも二日前のことだから、彼女の記憶が信頼できないかもしれないことは考えに入れておかなきゃいけないけど」

だがその話はスキャン結果と一致する。二回めより一回めのほうがエンドルフィン活性レベルがはるかに高く、神経伝達物質の分析もそれを裏付けていた。β（ベータ）エンドルフィンもα（アルファ）エンドルフィンも一回めのほうが高い。それだけでなく、一回めにはＮＰＫ（ニューロペプチド）があり、二回めにはない。

いまさっきのミスター・ウォジャコフスキーのスキャン結果と比較してみた。ＮＰＫとβエンドルフィンの双方があり、アミーリアのどの回のセッションとくらべても量が多い。ミセス・トラウトハイムのセッションの準備をしているジョアンナに、過去に年間のＮＤＥ面接調査記録から、明るい光とあたたかさの感覚についてチェックしてもらえないかたずねてみた。

ジョアンナはいわれる前からその作業をはじめてくれていた。「たしかに相関があるみたい。面接記録からだと、はっきり見極めるのはむずかしいんだけど。とくに〝明るい〟っていうのは主観的な言葉だから。でも、〝愛と平和に包まれた感じ〟とか〝圧倒的な安心感に身をゆだねるような〟とか語る臨死体験者は、同時にとても明るい光を報告してる。光だけしか見えなかったという人もいるわ。まぶしすぎてほかのものがなにも見えなかったみたいに」

「〝ほかになんも見えなかった〟」とリチャードはミスター・ウォジャコフスキーの言葉を引用した。

しかしミセス・トラウトハイムはなにもいわなかった。それに、ティッシュがジテタミン投与をはじめる直前にジョアンナが口にした「うちでいちばん優秀な観察者」という形容に反して、彼女は大きな失望をもたらした。

感受性豊かで言葉を飾らない人物だというジョアンナの評が見込みちがいだったわけではない。ミセス・トラウトハイムは文句ひとつ言わず服を着替えて検査台に横たわり、ちゃんと目を隠していなかったアイマスクの位置を直し、そして自分が経験したことを明快な言葉で語ってくれた。

問題は、語るべき経験がなかったこと。ミセス・トラウトハイムはNDE状態にまったく入らなかった。五分間のノンREM睡眠のあと、スキャン・パターンがとつぜん覚醒状態のそれに移行した。「どうした？」とリチャードはティッシュにたずねた。「ミセス・トラウトハイムはだいじょうぶ？」

ジョアンナがはっとしたようにミセス・トラウトハイムに目を向けたが、「バイタルは正常」とティッシュがいった。

目を覚ましてるぞ、といいかけたが、それよりはやくミセス・トラウトハイムが口を開いて、「そろそろはじまるのかしら？」

ジョアンナがくわしく話を聞いた結果、ミセス・トラウトハイムは一瞬うとうとして〝はっと目が覚めた〟と思ったら、ティッシュが手首を握って脈をとっていたという。

「ごめんなさいね。今度はちゃんと目を覚ましてるようにするわ」

「眠りに落ちた瞬間を覚えてますか？」とジョアンナがたずねた。

「いいえ。そこに横になってたら、すごく静かで暗くて……」いっしょうけんめい思い出そうとしているような顔になり、「どうなったのかわからない。ふだんはこんなふうにうとうとしたりしないんだけど」

「静かさや暗さの度合いに変化はありましたか？」ジョアンナが質問を重ねた。「目が覚めたのはなにかきっかけがあったんですか？　物音とか？」

しかし、なんの役にも立たなかった。ミセス・トラウトハイムはすでに覚えていることすべてを語り終えていた。

「喜んでもう一回やらせてもらいますよ。今度はちゃんと起きてるって約束するわ」

いますぐまた潜っていただくわけにはいかないんですよとリチャードは説明した。

「これで失格ということじゃないんでしょうね」とミセス・トラウトハイムは心配そうにたずねた。

「とんでもない。薬の適切な投与量を決めるのが最初はむずかしいんです。今週のうちにまた予定を組みましょう。あさっては来られますか？」

それで、スキャンとデータを調べ、どこに問題があったのかを突き止める時間ができる。

たぶん、ミセス・トラウトハイムがＮＤＥ状態に入るには、ほかの人より量の多いジテタミン投与が必要だというだけのことだろう。それにしても残念だ。エンドルフィン・レセプター部位を比較するスキャン結果がもうワンセット手に入るはずだったのに。

「思いつきなんだけど」ミセス・トラウトハイムが帰ったあと、ジョアンナがいった。「彼女、おととい口腔外科手術を受けてるでしょ。そのときの麻酔の影響でジテタミンの効果が阻害されてるってことはない？」

「そんなはずはないよ」といったものの、ジョアンナに頼んで、どんな麻酔処置を受けたか聞いてもらったところ、持続時間の短いノボカインと亜酸化窒素だと判明した。どちらも二、三時間で体内から消えてしまうものだが、それでもとにかくリチャードは彼女の神経伝達物質分析結果を調べ、それからミスター・ウォジャコフスキーとミスター・オレアドンのデータを呼び出した。

そのあとは、このデータに出てくるエンドルフィンの変化を分析して過ごした。どちらの場合も、βエンドルフィンが分泌されている。

αエンドルフィンは、ミスター・ウォジャコフスキーのほうにはあるが、ミスター・オレアドンのほうにはない。午後五時、置き忘れたスカーフをとりにやってきたティッシュから、〝みんなといっしょに〟ディナーを食べにコンラッズへ行くからいっしょにどうですかと誘われたが、アミーリアのセッションの前に分析を終わらせたかったので、行けないと断った。

「仕事ばかりで遊びを忘れ（オール・ワーク・アンド・ノー・プレイ）」といってから、ティッシュは画面に顔を近づけて、「だいたいこれでなにがわかるんですかぁ？」

いい質問だ。ミスター・オレアドンの分析結果にもNPKはなく、ミスター・セイジの結果をチェックしてみると、やはりNPKはなかった。それにαエンドルフィンもない。しかし、ジモルフィンは存在していた。それに、高レベルのβエンドルフィン。これがキーにちがいない。

手がかりを求めてリサーチしてみた。過去の実験データによると、βエンドルフィンはあたたかさと幸福感、光と浮遊感を生み出すことがわかっている。アミーリアの三回めのセッション――例の「ああ、だめ」の直後のやつ――のスキャンを呼び出し、βエンドルフィンのレセプター部位をチェックした。思ったとおり、活性レベルが低い。その部位の大半は赤ではなく黄色で、二カ所は黄緑。それに加えて、恐怖を生み出す神経伝達物質であるコルチゾールのレセプター部位が明るくなっている。

こうしたエンドルフィンを生成するために、ミセス・トラウトハイムにはジテタミンの投与量を増やす必要があるんだろうか。彼女の分析結果を見たが、覚醒時もノンREM睡眠時も、エンドルフィン・レベルは通常の範囲内にあり、ノンREM睡眠に入ったときのスキャンは、アミーリア・タナカやミスター・ウォジャコフスキーのそれとそっくりだ。

翌朝やってきたジョアンナになにが問題だったかわかったかと聞かれ、リチャードは答えた。「手がかりゼロ」

「わたしのほうは、ミセス・ヘイトンとまだ連絡がつかないの」とジョアンナが進行状況を報告した。「女性のためのネットワーキング・セミナーか女性投資クラブか、どっちかに出て。それと、ミスター・ピアソルのほうもちょっと問題があって。あしたは来られないし、木曜もだめだっていうから、きょう、アミーリアのセッションのあとに予定を入れたんだけど」

「いいとも」もしミスター・ピアソルのNDEがおなじβエンドルフィン・レベルを示せば

「遅くなってすみません」といいながらティッシュが入ってきた。「ゆうべは真夜中過ぎまでハッピー・アワーにいたのに。とうとうあらわれませんでしたね、ドクター・ライト」

「まあね」と生返事をしてから、ジョアンナに向かってたずねた。「きみの面接対象の中で、体外離脱体験を説明するときに〝浮かぶ〟という言葉をだれか使ってる?」

「ほとんど全員よ」とジョアンナ。「あるいは〝漂う〟」

「体外離脱と目が眩むほど明るい光とのあいだに相関があるかどうかわかる?」

「いいえ。調べてみる」

「こんにちは、ドクター・ライト」と入ってきたアミーリアがあいさつした。バックパックを床に下ろし、「遅くなってすみません。またまた」

ティッシュが畳んだガウンをさしだして、「ティッシュよ。きょうはわたしが準備を担当するわ」

アミーリアはそれを無視して、「例の生化学の試験、Bプラスだったんですよ、ドクター

・ライト！　それに、酵素分析ではA」
「そりゃよかった。さあ、着替えてきてくれ。そしたらショウの幕を開けようじゃないか」

といって、端末の前にすわり、準備を待つあいだ、またスキャンを見つめた。着替えを終えて検査台に横たわったアミーリアの体にティッシュが電極をつけ、点滴をセットする。リチャードは検査台に歩み寄り、アミーリアにたずねた。

「準備はいいかい？」

アミーリアはうなずいて、「でも、先に毛布をもらえます？　終わるといつもすごく寒いから」

「前の二回は、二回ともおなじぐらいの寒さだった？」とジョアンナがたずねた。「それとも寒さに差があった？」

アミーリアはちょっと考えるような顔になり、「二回めのほうが寒かったかな」

体温が低かったことより、エンドルフィン・レベルが低かったことを示しているのかもしれない。ティッシュに点滴をはじめるよう指示してから、コンソールにもどってアミーリアのNDEをモニター画面で見守った。今回は活動の度合いも部位の数もいままでより増大している。ということは、変動は、抵抗力が増したせいではない。

検査台のほうに目を向けると、セッションがはじまったばかりのときは不安そうな表情だったジョアンナもすっかりくつろいだ顔になり、アミーリアの顔には、前二回とおなじモナリザの微笑が浮かんでいた。

四分後、リチャードはジテタミンの点滴投与を止めた。今度は覚醒するときにも怯えたつぶやきはなく、アミーリアは思ったとおり、光は前より明るくて「輝きがあふれ出すみたいな感じ」だったといって両手を動かし、光線をまねてみせた。まちがいなくエンドルフィンの効果だ。

「あたたかくて安全な感じがした？」とたずねた瞬間、テーブルの下で足首を蹴飛ばされた。

「NDEのあいだ、どんな感じがしたかを説明して」とジョアンナが表情を変えずにいった。

「ドクター・ライトがいったみたいに、あたたかくて安全な感じがしました」とアミーリアがこちらに笑みを向ける。なるほど、答えを誘導したとあとでジョアンナに叱られそうだな。そう思ってリチャードは反省したが、しかしアミーリアは自分が見たものを語るあいだ、さらに何度かあたたかさと光に言及し、ジョアンナがいつものポーカーフェイスで、なにか怖いことを経験したかどうか質問したときは、きっぱりノーと答えた。

アミーリア・タナカが見たのは細長くて暗い「廊下みたいな」部屋で、突き当たりに開いた戸口があり、その向こうに人間が立っていたという。

「その中に見覚えがある顔はあった？」とジョアンナが質問すると、長い間を置いてからアミーリアは首を振った。「白い服を着てました」

「それからどうなったの？」

アミーリアは毛布を肩にぎゅっと巻きつけて、「ただ立ってただけ」

ジョアンナも、それ以上はたいした情報が引き出せなかった。その廊下に入ったとき物音がしたことと（どんな音なのかは説明できなかった）、その直前に一瞬だけ、宙に浮かんでいるような感じがしたことくらい。

まちがいなくβエンドルフィンだ、とリチャードは確信した。神経伝達物質の分析結果と血液検査の結果を調べる必要があるが、しかしもしその両方でアミーリアの前二回のセッションよりβエンドルフィンが高い数値を示していた場合には、すべての臨死体験コア要素がエンドルフィンによって生成されるものだという可能性が出てくる。だとすれば、NDEはけっきょくノイズとリンデンが予想したとおりのもの――死のトラウマ的情動から脳をシールドするための防護機構――であって、サバイバル・メカニズムではなかったということになる。

もしエンドルフィン値がつねに予想と一致し、もしエンドルフィン値の上昇に比例して被験者がもっと多くのコア要素を体験するのならば。どちらの仮定についても、証明するにはもっとデータが必要になる。つまり、できるだけはやくアミーリアにまた潜ってもらう必要があるわけだが、彼女のセッションの予定を組むのはミセス・ヘイトンの面接予定を組むのとおなじぐらい困難であることが判明した。

「来週、解剖学のだいじな試験があって」アミーリアが申し訳なさそうな笑みをリチャードに向けた。「再来週じゃだめですか？」

「なんとかそれよりはやくできないかな」

「わかりました、ドクター・ライト」とアミーリアはにっこりして、「でも、これだけはいっときますけど、先生の頼みだからＯＫするんですよ。そうじゃなかったらぜったい断ってます。それに、もし単位を落としたら責任とってくださいね」

セッションの日時がやっと決まったときには、もうミスター・ピアソルが到着していた。きのうのきょうなので、もしかしたらミスター・ピアソルもＮＤＥ状態に入れないのではないかとちょっと心配したが、それは杞憂に終わった。あっさりＮＤＥに入っただけでなく、すばらしい結果を残した。彼のスキャンはアミーリア・タナカのそれに匹敵するほど標準モデルに近く、その後の面接では、体外離脱を含め、コア要素のうち五つを報告した。

「そこに横になって、はじまるのを待っていた」と彼はジョアンナに向かっていった。「もちろんなにも見えなかったよ。目を閉じてたし、アイマスクもつけてたから。ところがあるときとつぜん見えるようになった。検査台の上にいて、なにもかもはっきり見えた。血圧を測ってる看護婦、小型のテープレコーダーをぼくの口の前で持っている先生、それにコンピュータの前のドクター・ライト。画面には色とりどりのパターンが映ってて、その色が変わりつづけていた。黄色からオレンジへ、青から緑へ」

「検査台の上にいたということですが、もっと具体的にいうと？」

「天井のすぐそばに浮かんでいた。窓やキャビネットのてっぺんが見えたよ」

しかし、ジョアンナが薬戸棚の上に置いたものは見えなかったわけだ。ミスター・ピアソルが体外離脱体験で見たといったものは、どれもこれも、いまも見えているものか、この部屋にやってきたときに見た可能性があるものばかりだ。

ジョアンナの先見の明にリチャードはあらためて感心した。彼女の協力がなければどうなっていたかと思うとぞっとする。〝あの世の実在を科学者が証明〟と《スター》の大見出し。それに太鼓判を捺すミスター・マンドレイクのコラムと、ドクター・フォックスおよびムーン・サイキックのミズ・コフィの談話。そしてマーシー・ジェネラルからは二度とふたたび研究助成金が下りることはない。信用ゼロ。

ジョアンナはただそこにいるだけでこのプロジェクトに信用を与えてくれる。カーディガンを羽織り、ワイヤフレームの眼鏡をかけて椅子にすわるジョアンナ・ランダーこそ、奇人と狂人だらけのこの分野に残された正気と理性の砦だ。《スター》を百年購読しつづけても、《向こう側》は実在すると彼女が断言する記事を目にする心配はない。それに、ただ思慮分別があるというだけでなく、卓越した知性があり、面接官としても驚くほど優秀だ。なにか特別なことをしているようには見えないのに、リチャードが逆立ちしてもかなわない量の情報を引き出してくる……。

「それからどうしました？」とジョアンナがたずねている。

「音がして、気がつくと暗い場所にいた」とミスター・ピアソルが答える。

「その音について説明していただけますか？」

「その……ゴロゴロというか……トラックが走り過ぎるときみたいな……ガタガタかな」

でなきゃ、銃弾がワイルドキャットの主翼を撃ち抜くような音か。みんながみんな説明に苦労するこの音とは、いったいどんなものなんだろう。まったく聞いたこともないような音なのか。

「それから、トンネルの端まで来ると、行く手をふさぐゲートがあって。通り抜けたかったんだが、抜けられなかった」とミスター・ピアソルはいったが、その声に不安の響きはまったくなく、ジョアンナが光について説明してくださいといったときは、「いままで見たどんな光よりも明るくて、平和であたたかで安全な気持ちになった」といった。

しかし、リチャードがスキャンをチェックしてみると、βエンドルフィン・レセプター部位のうち活性化しているのは半分以下で、それもごく低レベルであることを示す緑と青ばかりだったし、βエンドルフィンとNPKはかすかに痕跡がうかがえる程度の量しかなかった。しかし、αエンドルフィンは高レベルで、エンドルフィン抑制作用を持つガンマアミノ酪酸（GABA）も高レベルだった。

アミーリアの最新のスキャン分析結果を呼び出した。

βエンドルフィンもNPKもなし。

αエンドルフィンは低レベル。

そしてコルチゾール値はチャートから振り切れていた。

13

「妙だな」

――ドク・ホリデイの臨終の言葉

コントロールされた実験の被験者に対してジョアンナが抱いていた幻想は、以後の二週間でもろくも崩れ去った。ミスター・セイジをしゃべらせることも、ミスター・ウォジャコフスキーを黙らせることもできず、そしてミセス・トラウトハイムは、リチャードが投与量をあれこれ変えて試しているにもかかわらず、いまだにNDE状態に入れないでいる。

「なにが悪いのかわからない」三度めの挑戦も失敗に終わったあと、リチャードがうんざりしたようにいった。「目を覚ますのはたしかだから、鎮静剤のほうに問題があるのかもしれないと思って前回は投与量を増やしてみたし、今回はザルパムのかわりにジプリタルを試してみたが、効果なしだ」

「ミセス・トラウトハイムが、NDEと無縁の人たちのひとりだという可能性はない？」とジョアンナはたずねた。「心停止後に蘇生した患者の四十パーセントはなにも覚えてないのよ」

「いや、そういう問題じゃない」

「どうしてわかるの？」

「ぼくらには被験者が六人しかいないからだよ。コルチゾールのレベルを調べてみる。まだ投与量が足りないのかもしれない」

しかしそれは事態を悪くしただけだった。アミーリアの次のセッションに備えて研究室に行くと、リチャードが唐突に、「NDEは夢じゃないといいはる人が多いっていったよね？」とたずねた。

「ええ。面接調査をはじめたころに驚いたのがそれ。マンドレイクがNDEは現実だと主張する大きな論拠のひとつが、彼の面接対象全員が自分の体験は現実だったといっているということなの。もちろん、主観的な経験はなんの証拠にもならないし、マンドレイク本人にも何度もそういった。どのみち、マンドレイクが相手を誘導してそういわせてるんだろうと思ってたのよ。でも、自分で面接をはじめてみると、マンドレイクのいってることは誇張じゃないのがわかった。面接したほとんど全員が、自分が経験したことは現実だった、〝夢とはちがっていた〟と自分から主張する」

「で、それについて具体的に説明させることはできた？」

「ねえ、食べるもの持ってない？」とジョアンナはたずねた。「昼休みはミセス・ヘイトンになんとか連絡をつけようとかかりきりだったから、ランチを食べ損ねちゃって」

「いいとも」リチャードがポケットに手を入れて、「ええっと、V8が一本、グラノラバー、チーズとピーナッツバター味のクラッカー……それにオレンジが一個。お好きなものをどうぞ」

「ノーよ、さっきの質問の答えは」といいながら、ジョアンナはクラッカーのセロファンを剝いた。「リアルだったとくりかえすだけ。NDEには不条理性や不連続性がないせいじゃないかと思う」

「不連続性って？」

「ほら、パジャマ姿で習ったこともない科目の期末試験を受けてたと思ったら、いきなりパリにいて、でもそこはどういうわけかデンヴァーの南のほうで、海に面してるとか。夢の中はいろんな場所や時間がごっちゃになってて、なんの脈絡もなくいきなり移行するでしょ。出来事や人物もでたらめにつながる。首尾一貫性がない」ジョアンナはV8をひと口飲んで、「臨死体験者はだれひとり、そういうことを報告していない。NDEは、時間の流れに沿って論理的に進むらしいの」

ジョアンナはクラッカーをかじった。

「それに、NDEの記憶は夢よりもはるかに長く維持されるみたい。夢の記憶はすぐに薄れちゃうでしょ。ふつうは目を覚ましてから二、三分以内。でも臨死体験者は何日も、ときには何年も覚えている。で、どうして夢のことを？」

「ミセス・トラウトハイムのコルチゾール値をテンプレートと比較してたときに、アセチルコリンのレベルがREM睡眠時のそれと一致していることに気がついたんだ。それで他の被験者のも調べたら、おなじように高いレベルを示していた」

「じゃあ、本人たちがどういおうが、NDEは夢に似ていると?」

「いや。夢の場合はそれと同時にノルエピネフリンのレベルが下がるんだけど、それはない。どう考えていいかわからなくて。エンドルフィンの変動には首尾一貫性がないし、ミスター・ウォジャコフスキーのNDEすべてについて、コルチゾール・レベルが高いのがわかった。本人はまったく恐怖を感じなかったといってるのに」

「でも彼は零戦とか戦死者とかの話をたくさんしてる」

「アミーリアの最新のセッションでもおなじ結果が出てるんだ。どうなってるのかさっぱりわからない」

それはジョアンナも同様だった。きのうのアミーリアのセッションは、いままでいちばんしあわせなものだった。どんな気持ちだったか説明してというと、アミーリアは輝くばかりの笑顔をリチャードに向けて、うれしそうに、「あたたかくて、安全で、すばらしい気持ち!」といった。

他の被験者もだれひとり、不安を感じた気配さえ見せていない。ミスター・ウォジャコフスキーが覚醒直後になにかつぶやいたときアシスタントをつとめていた看護師のアン・コリンズとはようやく連絡がついたが、「〝戦闘配置!〟といってましたよ」という答えはべつだん意外でもなく、どんな口調だったかと質問を重ねると、アンは、「興奮した、うれしそうな口調でした」と答えた。

　ということは、アミーリアの「ああ、だめ」はコルチゾールでは説明できない。それに、グレッグ・メノッティの「五十八」も。あれがどういう意味だったのかという疑問は、のどに刺さった小骨のように、いまも心の片隅にひっかかっていた。ミセス・ウーラムの病室を二度めに訪ねたあと（すぐあとに胸部X線撮影の予定が入っていたため、ごく短い時間しか会えなかった）、病院のチャペルまで行って聖書を手に入れ、詩篇58を読んでみたが、それは悪しき者の罪の話で、彼らは「水のように捨てられ、流れ去る」のだという。

　うしろめたさを感じつつ、さらに数分間、聖書のページをめくってみた結果、たいていの章は五十八節までないことを知った。五十八節が存在する場合にも、そこには、「バビロンの城門は火で焼かれ、民の労苦はむなしく消え、諸国民の辛苦は火中に帰し」みたいなことが書いてあるだけで、たいしたヒントにはならず、慰めにもならなかった。とくに、労苦がむなしく消えるところは。

　しかし、たとえ聖書の中に答えがないとしても、どこかにはある。あれがなにを意味していないるのか知っているという感覚はしつこく残り、ときおり、ミスター・セイジの果てしない沈黙にじっと耳を傾けているときや、ミスター・マンドレイクとの鉢合わせを避けてエレベーターに飛び込んだときなど、もうちょっとで思い出せそうだと感じることもあった。だれにも邪魔されずに三十分だけ集中して考えれば、きっと思い出せる気がする。

　だが、その三十分がなかった。ミセス・ヘイトンが電話してきて木曜はだめだといい、メイジーがまた病院にもどっているとヴィエルが連絡してきたと思ったら、メイジー本人からも電話があった。

「また心室細動」とメイジーはこともなげにいった。「もうまる一日ここにいるんだよ。ポケベルに返事することってあるわけ？」

ありません、とジョアンナは心の中で答えた。いつもいつもミスター・マンドレイクからの呼び出しで、被験者はどこのだれか、彼らはどんな経験をしているのかと質問してくる。

「いますぐ会う用があるの」とメイジーはいった。「前とおんなじ部屋だから」

ミスター・セイジのセッションが終わりしだい行くと返事をした。彼はトンネル（暗い）と光（明るい）と何人かの人々（たぶん）を見た。それだけの話を引き出すのに一時間半がかり。メイジーと話をするのはいい気分転換になるだろう。

「ヴィクトリー・ガーデンがなんなのかって質問した理由を聞いてないわ」メイジーの顔のひどいむくみを見てぎょっとしたのを表情に出さないように気をつけてたずねた。体液貯留だろう。悪い徴候だ。

「ああ。あれはエメット・ケリーが、っていうのはすごく悲しそうな顔してぼろぼろの服を着た道化師の人ね、写真があるけど——火山の絵がついてる大きくて赤い本。バービーのバッグに入ってる」

「ミズ・サタリーがまた本を持ってきてくれたみたいね」といいながら、ジョアンナはバッグの中を漁った。火だるまになって墜落するヒンデンブルクの写真がカバーを飾っている

『史上最悪の災害100』、世界地図のあちこちに赤い小旗が立つ『世界の惨事』、サンフランシスコ大地震のモノクロ写真を使った『大災害』。あった、これだ。『二〇世紀の災害』。毒々しい赤と黒で火山の絵が描いてある。

「これなに？」その本をベッドまで持っていってたずねた。「ポンペイ？」

「ポンペイは町の名前で、噴火したのはヴェスヴィオス山」とメイジーが訂正した。「でもこれはペレー山。たった二分ぐらいで三万人死んだんだよ」

メイジーは本を開き、写真と地図と新聞の見出しが満載されたページをめくりはじめた。トライアングル・シャツウェスト工場火災、モロー・キャッスル号沈没、ガルヴェストン暴風。

「あった」メイジーがちょっと息をぜいぜいさせながらいった。ページをめくるだけの運動で？　メイジーは見開きの写真をこちらに見せた。いちばん上にエメット・ケリー。への字に白く塗った口、ぼろぼろの帽子と巨大なパタパタ靴のまま、水を入れたバケツを手にサーカスのテントめがけて走ってくるところ。道化師のメーキャップをしていても、その顔に恐怖と絶望の表情が浮かんでいるのがわかる。しかしさいわい、メイジーはそれに気づいていないようだ。

「エメット・ケリーは子供たちみんなが火事から逃げるのに手を貸したんだよ。それで、ひとりちっちゃい女の子がいて、ケリーが助けたんだけど、テントの外へ連れ出したあとで、〝ヴィクトリー・ガーデンへ行って、お母さんが迎えにくるまで待ってるんだよ〟っていったんだって。その子がみんなの邪魔にならないように」

「ふうん。じゃあ、そのころのサーカスにはそういう特別な場所があったんじゃないかと思ったわけ？」

「ううん。そのヴィクトリーっていうのが野菜の種類かと思ってた」メイジーは本をぐるっとまわして、見開きのそちら側のページがジョアンナのほうを向くようにしてから、バンドリーダーの山高帽をかぶってバトンを振っている男を指さした。「それがバンドリーダー。火事になったとき、彼は楽隊に『星条旗よ永遠なれ』を演奏させたんだって。どんな曲か知ってる？」

「ええ」ジョアンナは何小節かハミングしてみせた。

「なんだ、それなら知ってるや。アヒル（ダック）の歌（duckには「逃げる」の意味がある）。『水かき足の友だちに親切に』って。もしサーカスを見物してるときこの曲が聞こえたら、急いで逃げ出さなきゃいけないんだよ。火事になったとかライオンが逃げたとか、そういう意味だから」

「知らなかった」

　メイジーはえらそうな顔でうなずいた。「秘密の合図みたいなもの。楽隊がそれを演奏すると、サーカスの団員はみんな非常事態だってわかって集まってくる。だれかが心停止したときみたいに。ねえ、エメット・ケリーの服はどうしてみんなぼろぼろなの？」

　浮浪者みたいに見せるためなのよと説明し、そのあと、『星条旗よ永遠なれ』のハミングからの連想でコーマ・カールのハミングのことを思い出して、ちょっと顔を見にカールの病室へ寄ってみた。

妻の話では、きょうはいい一日だったという。それはつまり、暴れて点滴の針を抜くことも、ヴェトコンの待ち伏せに遭うこともなかったという意味だが、ジョアンナの目にはずいぶん痩せたように見えた。病室を出てナース・ステーションに寄ると、ヴァーダループがコーマ・カールのつぶやきをメモしたインデックス・カードをくれた。

「最近はあんまりしゃべらないのよ」

「まだ湖でボートを漕いでる?」

「いいえ」

ジョアンナはカードに目をやった。「だめだ」と彼はいっている。「……しなきゃ(ハフ・トゥ)……男性(メイル)……パッチ……」そしてその下に、別人の筆跡で、「赤」

ジョアンナはオフィスにもどって、コンピュータで呼び出したコーマ・カールのファイルに、メモの言葉と「水」「おお、大きい」を追加し、彼の動きに関するヴァーダループのコメントを書き添えた。いままでのデータをながめていて、ハミングのときの録音を文章化していないことに気がついた。靴箱に突っ込んだまま、まだテープ起こしを済ませていない(当分はできる見込みもない)数十本のテープの中に混じっているはずだ。プロジェクトの面接記録のほうが優先度が高かったし、セッション後の面接と、セッションの予定を組むのにも——そして組み直すのにも——時間をとられている。

ミセス・ヘイトンは金曜日に来られず——今回は、どこかの美術館のレセプションだった

――アミーリアのほうも予定を変更する必要がある。またたいじな試験が迫っていて、担当教授の補講があるからそれは欠席できないし、いえ、やっぱり木曜も無理です。その日は統計学の試験なので。

「近ごろの大学はそんなにしょっちゅう試験があるのか」ジョアンナから話を聞いて、リチャードは激怒した。「中間試験はもう終わったと思ってたのに。どういうことなんだろうな。新しいボーイフレンドでもできたとか」

むしろ、いつまでたっても振り向いてくれないからあなたのことをあきらめたっていうのが正解じゃないの、とジョアンナは心の中で答えた。アミーリアは回を追うごとに馴れ馴れしく愛想たっぷりになっているのに、リチャードのほうはミセス・トラウトハイムの問題で頭がいっぱいで、まったく気づく気配もない。

「もう打つ手がない。お手上げだよ」とリチャードは欲求不満をぶちまけた。

ミセス・トラウトハイムの問題がいちばんしゃくに障るのは、志願者の数さえそろっていれば彼女のことはあっさりあきらめて、べつの被験者とすげかえられるということだ。しかしいま、ミセス・トラウトハイムと交替にピッチへ送り出せる選手はひとりもいない。ミセス・ヘイトンは、セッションはおろか予備面接の予定を組むことさえ不可能な状態だし、ミスター・ピアソルは、父親が――生まれてこのかた一度も病気をしたことがないという例の父親が――発作を起こしたのでオハイオの実家に行かなければならない、いつもどれるかはわからないと電話してきた。残るメンバーは三人だけ。沈黙のミスター・セイジと、どんどん予定が立てにくくなるアミーリア・タナカ、そしてミスター・ウォジャコフスキー。すくなくとも彼に関してはいつでもセッションの予定が組める。それにいくらでもしゃべってくれる。

「トンネルの中にいたよ」と、彼は五度めの臨死体験談を語りはじめた。研究室にはミスター・ウォジャコフスキーとジョアンナのふたりだけだった。リチャードは不在。分析結果を一刻もはやく知りたいのか、ミスター・ウォジャコフスキーの思い出話をまた聞かされたくないのか、血液サンプルを自分でラボへ届けにいってしまった。

「暗くてなにも見えなかったが、怖くはなかった。なんというか、平和な気持ちだった。なにかが起きるのはわかっているのに、それがなんなのか、いつなのかはわからないみたいな感じだ。真珠湾空襲の日みたいなもんさ」これでまたヨークタウンの話がはじまるのかとジョアンナは心の中でためいきをついた。「あの朝のことはいまもはっきり覚えている。日曜日だった——」

うなずきながら、話をもとの軌道にもどすべきだろうかと思案した。でも、いま口をはさめば、さらに話がそれて、またべつの話に突入する可能性もある。いつものミスター・ウォジャコフスキーなら、辛抱強く待っていればいつかは質問の答えにもどってきてくれる。ジョアンナはひじをついた手にあごをのせて、持久戦のかまえをとった。

「おれは上陸許可をもらってヴァージニア・ビーチでひと晩過ごし、船にもどったばかりだったが——そのときヨークタウンはノーフォークにいた——水夫のひとりがアイランドの上に――」ミスター・ウォジャコフスキーはポケットを探り、ヨークタウンのぼろぼろになった写真をひっぱりだした。「これがアイランドだ」と、船の真ん中あたりにそびえる高い塔を指さした。横棒が渡されたマストが三本と――たぶん無線かレーダーのアンテナだろう――種々様々なはしごがあちこちについている。

「ほらな、これがレーダー・マストで、こっちが艦橋」とミスター・ウォジャコフスキーがそれぞれを順番に指さす。「まあとにかく、その水夫はいまにも墜落して首の骨を折りそうな勢いで降りてきた。その右手に紙切れを一枚つかんでいた」

ミスター・ウォジャコフスキーは写真を畳み、だいじそうに財布にしまった。

「なにかあったんだとそこで気がつくところだが――そのはしごの上にあるものといやあ無線室だけなんだから――そのときのおれは、そんなこと考えもしなかった。ただそこに突っ立って、首を折らなきゃいいがとそればかり心配してたんだ。そいつがようやく無事に降りきったのを見届けると、船室に降りて民間人の服を脱いだ。そのときだよ、ＰＡからアナウンスが流れた。ジャップが真珠湾を空襲した、と。それでようやく、さっきの水夫が電報を運んでたんだと思い当たった」

ミスター・ウォジャコフスキーは自分のまぬけさに呆れたという顔でゆっくり首を振った。

「トンネルの中でも、そのときとおんなじような気分だったよ。なにかが起きるのを待ってるんだが、いつ、なにが起きるのかはわからない」

ミスター・ウォジャコフスキーはどうだいという顔でこちらを見たが、ジョアンナは聞いていなかった。はじめて会った日に年齢についてたずねたとき、彼がなんと答えたかを思い出そうとしていたのだ。真珠湾奇襲攻撃の翌日、海軍に入隊したといった。それだけはまちがいない。

「信じないやつもいたよ、PAでその発表を聞いたあとも。ウッディ・パイクマンはおれのところへやってきて、〝いまの生意気な野郎はだれだ？〟とたずねた。艦内放送のことだ。〝エンペラー・ヒロヒトさ〟とおれは答えた」

「ミスター・ウォジャコフスキー」とジョアンナは口をはさんだ。「出なきゃいけない会議があったのをいま思い出したの」立ち上がって小型レコーダーのスイッチを切り、「もしよければ――」

「いいとも、ドク。あとでまたもどってこようか？」

「ええ。いいえ。その会議にどのぐらい時間がかかるかわからないから」ジョアンナはレコーダーとメモをしまった。

「まだ話すことがたくさんあるんだがなあ」

「あとで電話します。この続きを聞くのはまたべつのときに」ときっぱりいった。

「ああ、いつでもかまわんよ、ドク」といって、ミスター・ウォジャコフスキーはぶらぶら出ていった。

ドアが閉まるなり、ジョアンナはリチャードを呼び出そうと受話器をとり、それから考え直した。告発する前に、面接記録をチェックしたほうがいい。

受話器を置いた手をそのまま放さず、記憶の糸をたどった。あのとき、入隊のいきさつについてミスター・ウォジャコフスキーは正確になんといっていただろう。だらだらとつづく思い出話は半分うわのそらでしか聞いていなかったが、真珠湾の翌日に入隊したというくだりははっきり覚えている。家族はみんな真珠湾がどこにあるかも知らなかった。例外は妹で、それは前の晩に行った映画館でニュースフィルムを見ていたから。

ジョアンナは自分のオフィスに向かった。あの日の面接はまだテープ起こしをしていない。靴箱の中をひっかきまわし、日付を頼りにそのときの録音テープを発掘し、レコーダーに突っ込んで真ん中あたりまで早送りした。「まあとにかく、ラバウルをやっつけたあと……」行き過ぎだ。巻きもどす。「そうと気づかないうちにくたばって……」また早送り。「……新聞の漫画を読んでいた」これだ。「二軒先の家に住んでた奥さんが息を切らしてやってきて、〝ジャップがいまさっき真珠湾を爆撃したわ！〟だと」

さらに先へ進める。妹、ニュースフィルム、『無頼漢』。「で、まさにその翌日、おれはダウンタウンの海軍徴募センターに出かけてって入隊した」

ジョアンナは握りこぶしを噛んで考えた。なんてことだろう、彼は話を作っている。でもどっち？　あるいは両方とも作り話？　あるいは、なにからなにまでぜんぶ作話？　しかしそんなことは問題じゃない。もし彼の体験談が一部でも捏造されたものだとしたら、ミスター・ウォジャコフスキーのＮＤＥは役に立たない。

もし彼が、ほんとうの年齢をごまかすために、真珠湾攻撃の翌日に入隊したという話をでっちあげたのでないかぎりは。はじめて会ったとき、ジョアンナは彼が八十歳近いのではないかと思った。それを隠すために話を作り、そのあと、夢中になって臨死体験談をしゃべるうちに、うっかりほんとうのことをいってしまったのかもしれない。もし年齢に関して作話したというだけなら、それ以外の話はぜんぶ真実かもしれない。

でも、どうしてそう確信できるだろう。ミスター・ウォジャコフスキーの物語ったエピソードを思い返す。ソーダ・ファウンテン、二分フラットで乗員もろとも沈没した駆逐艦ハンマン、奇蹟的に復活したヨークタウンに救出された人生最上の一日――風になびく旗と白い服と帽子を打ち振って歓迎するクルーたち。なにもかも、完璧にほんとうらしく聞こえた。でもそれをいうなら、一九四一年十二月七日に関するふたつの話もおなじことだ。

真偽を客観的に裏付ける証拠が必要だ。図書館に電話して、一九四一年十二月七日にヨークタウンがどこにいたかを聞いてみてもいいが、ミスター・ウォジャコフスキーがそこにいたと証明されるわけではない。復員軍人省か海軍に電話すれば、エドワード・ウォジャコフスキーがヨークタウンで兵役についていたかどうかもわかるだろうが、それには時間がかかるし、もしかしたらお役所的な形式主義の壁に阻まれるかもしれない。リチャードがまた彼を潜らせる前に、いますぐなにか証拠を見つけなければ。

画面に呼び出した面接記録をスクロールさせながら、すぐに真偽をたしかめられそうな部分がないか探した。急降下爆撃機――彼の名前はなんだっけ？　あった、ジョー－ジョー・パワーズだ――飛行甲板に突っ込み、爆弾を見舞って死んだ男。いや、その話は本か映画に出てくるのかもしれない。たしか、『ミッドウェイ』って映画がなかったっけ？　ブロックバスター・ビデオのアクション映画コーナーでパッケージを見た記憶がある。ということは、ミッドウェイがらみの話はぜんぶバツ。珊瑚海に不時着水した話は？　あれには具体的な事実がいっぱい出てくるから、個別に真偽をたしかめられるはずだ——日付とか出来事とか地名とか。

画面上のテキストに目を走らせ、救出のいきさつを語っている箇所を探した。これだ。被弾した飛行機で珊瑚海に不時着水し、マレクラ島まで泳ぎ着き、親切な島民の手を借りてべつの島に運んでもらい、刳り舟でポートモレスビーに向かった。一方そのころヨークタウンはほうほうのていで真珠湾に入港し、三日で修理を終えて、そのまままっすぐミッドウェイへ向かった。

地図がいる。この病院で地図を持っていそうな知り合いといえば……。メイジーだ。災害本の山の中に、世界地図が表紙になってるやつがあった。ジョアンナは調べるべき地名をメモ用紙に走り書きした。珊瑚海、マレクラ、ヴァニカロ。ヨークタウン沈没が災害に分類されているかもしれないというわずかな可能性を考えて、日付のほうもついでにメモし、それから四階へ駆け下りた。

メイジーは枕に背中をあずけて体を起こし、テレビの画面をにらみつけていた。

「『ポリアンナ』だよ（60年製作のディズニー映画。原作はエレノア・ポーターの『少女パレアナ』）」とげっそりした声でいう。「この子のやることって、どんなときも喜びを忘れちゃいけないとかまわりの人にいってまわるだけ。

ほんとに最低」

メイジーは、白のドレスに大きな青いリボンをつけたヘイリー・ミルズをリモコンで指し、それからビデオのスイッチを切った。

「あの子、このあと木から落ちちゃうのよ」と教えてやった。

「ほんとに？」メイジーは急に元気な顔になった。「ハートフォードのサーカス火事ですごい話があるんだけど、教えてあげよっか。空飛ぶワレンダ一家って、アクロバットの家族がいるんだけど、その人たちが空中のロープの上にいるとき、楽団がアヒルの歌を演奏しはじめて、それで――」

「いまはだめ」とジョアンナはさえぎった。「メイジー、太平洋の島が出てる地図を探してるの。あなたの災害本のどれかについてない？」

「うん、あるよ」メイジーはベッドを降りようとした。

「そこにいて。わたしがとってくる。どの本かわかる？」

「『史上最悪の災害』かな。クラカタウの章。アンドレア・ドリア号がカバーになってるやつ」

ジョアンナはメイジーのダッフルバッグからその本をとりだし、ベッドまで持っていった。メイジーがページをめくって探しはじめる。「クラカタウの噴火は史上最大だったんだよ。そのおかげで、世界中の夕焼けが真っ赤になったの。血の赤。これこれ」

ジョアンナはメイジーの肩越しに覗き込んだ。たしかに地図がついているが、インドとオーストラリアが黒い線で描かれ、《クラカタウ》とキャプションのついた赤い星がひとつあるだけの、水色の囲み地図だった。

「地図が表紙になってる本があったでしょ」

「うん、『世界の惨事』ね。でも、あれもあんまり役に立たないと思うんだ」メイジーはシーツを蹴り飛ばした。「『地震と火山』にもたしか地図があったけど」

「メイジー」とジョアンナが注意したときには、もうベッドを出て、山から目当ての本をひっぱりだしていた。

「ひとつの島をまるごと吹っ飛ばしたんだ、クラカタウは」といいながらページをめくる。「ものすごい音がしたの、大砲の大群の一斉射撃みたいな」さらにページをめくり、「ほうら、やっぱり。あると思った」と勝ち誇ったようにいうと、開いたままの本をベッドの上に投げ出した。「ほらね？　これがクラカタウ」

それに加えて、ハワイとソロモン諸島とマーシャル諸島が、青い広がりの上に散らばっている。

「ミッドウェイ島はどこ？」と聞きながら、ジョアンナは本に顔を近づけた。

「ここ」とメイジーが元気に指さした。「ほら、ど真ん中」

もちろんそうだ。だからこそ中途の島と名前がついたんだから。真珠湾もあった。マレクラ島は？　目を皿のようにして地図をながめ、ちっぽけな文字を読んだ。ネッカー島、ニコア島、カウラ島、それに名前も載っていない点がいくつか。マレクラ島がこの地図にないとしても、これではなんの証拠にもならない。ミッドウェイ島とハワイ島のあいだには、ちっぽけな島が何十もある。

「なにを探してるの?」肩で息をしながらメイジーがたずねた。

ジョアンナはメイジーの顔を見つめた。唇が紫色になっている。「ベッドにもどりなさい」と命令し、シーツをめくった。

「手伝いたい」

「ベッドに寝てても本は見られるでしょ」

メイジーはあきらめたようにベッドによじのぼり、枕にもたれてあおむけになった。「なにを探してるの?」とまたたずねる。

「マレクラ島っていう島」ジョアンナはふたりいっしょに見られるようにメイジーのひざの上に本を広げた。「それと珊瑚海」

「珊瑚海、珊瑚海……」とつぶやきながらメイジーが地図を見つめる。ショートの髪がむくんだ頬の上で揺れる。このまえ会ったときより顔色が悪い。目の下には紫色のしみができている。話をしていると、メイジーの病状がどんなに深刻なのか忘れてしまう。

「あった!」とメイジーが叫んだ。

「マレクラ島?」ジョアンナはメイジーの指の先に目を走らせた。

「ううん。珊瑚海」

ジョアンナの胸に失望感が広がった。珊瑚海は地図のはるか下、オーストラリアの近くだ。

ミスター・ウォジャコフスキーが現地人の丸木舟で渡れる距離じゃない。いや、たとえモーターボートだっておなじことだ。何百マイルも――いや、そうじゃないと地図の縮尺を見て訂正した――何千マイルも離れている。

話をでっちあげたんだ――ココヤシも弾詰まりを起こした機関銃も『カッツェンヤンマー・キッズ』も。でももしかしたら、なにかべつの説明があるのかもしれない。そう思って、もう一度地図を覗き込んだ。もしかしたら、マレクラに似た名前のべつの島だったのかも。マラケイとか、マレオラプとか。しかし、どちらの島もミッドウェイ島からははるかに遠く、半径数百マイルの圏内にMではじまる島はミッドウェイ島しかなかった。でも、名前の書いてない島が何十もあるとさっき思ったじゃないの。それに、第二次世界大戦からはもう六十年たつ。きっと名前をとりちがえたんだろう。ミスター・ウォジャコフスキーと話をしなければ。

ジョアンナは本を閉じて立ち上がった。「ありがとう。すごく助かった。調べものの名人ね」

「まだ行っちゃだめ。サーカスの人たちの話が済んでないんだから。みんな入場口から逃げ出そうとしたんだけど、逃げられなかったの。動物たちが暴れてたから。それでワレンダ一家が――」

「メイジー、ほんとに時間がないの」

「わかった。でもひとつだけ。空飛ぶワレンダ一家とほかのみんなは楽屋口から逃げようとしたんだけど——」

「また来るって約束するから、テントと空飛ぶワレンダ一家の話はそのときに聞かせて。いい？」ジョアンナは病室の戸口に歩き出した。

「わかった」とメイジーがいった。「ねえ、死んじゃうの？」

背すじが凍りついた。「だれが？」

「ポリアンナ。木から落ちたあとで」

「いいえ」ジョアンナはベッドの向こう側にまわってリモコンをとり、テレビをつけて、ビデオの再生ボタンを押した。「ディズニー映画なのよ」

「なんだ」メイジーががっかりした顔でいった。

「でも、背中を痛めて歩けなくなる」リモコンをメイジーにわたして、「そのせいですごく不機嫌になるのよ」

「よかった」とメイジーはいった。「珊瑚海でだれか臨死体験したの？」

「質問タイムは終了。映画を観てなさい」

きっぱりそういいわたして病室を出ると、オフィスにもどってもう一度テープを聞いた。まちがいなくマレクラ島と珊瑚海といっている。ミスター・ウォジャコフスキーに電話して、留守番電話に三時に来てほしいと伝言し、また筆記録をおさらいして、面接の必要がなくなるような決定的な矛盾を探した。だが、彼の談話記録を読み進むうちに、わたしはなにか根本的な勘違いをしてるんじゃないかという印象がどんどん強くなっていった。

ハッチとかアイランドとか飛行甲板（フライトデッキ）とかの海軍用語、カヌーではなく刳り舟（ダグアウト・カヌー）と呼んだこと、ソーダ・ファウンテンの話にモルトチョコレートやチェリー水まで出してくるような、本筋から離れたディテール。『カッツェンヤンマー・キッズ』や二軒先の奥さんや真珠湾に関するニュースフィルムまで捏造できたはずはない。そのニュースフィルムが流れたときに上映されていた映画のタイトルまで口にしたじゃないの。

でも、真珠湾攻撃の日に、ヨークタウン上と、故郷の町とに、同時に存在することは不可能だ。それに、ノーフォークの話だって、説得力のあるディテールには事欠かなかった。艦内放送システムから、「いまの生意気な野郎はだれだ？」とたずねるウッディ・パイクマンにいたるまで。リチャードの意見を聞いてみなければ。

電話が鳴った。リチャードからの連絡であることを祈りつつ受話器をとった。ミセス・ヘイトンだった。「伝言を聞きました。あいにく、火曜も木曜もだめみたい。火曜には病院理事会の会議があるし、木曜の午後は電話緊急相談センターのボランティアなのよ」

緊急に相談したいのはこっちのほうよ。「水曜日の午後はいかがですか？　二時では？　四時では？　夜でもかまいませんよ」

「ああ、だめ、夜はもっとだめ」ミセス・ヘイトンは理事会と組織委員会の会合予定を羅列しはじめた。

「では、もっとはやい時間に」とジョアンナはしつこく粘った。「できたらなんとか今週中に予定を入れたいんです。だいじなことなんですよ」しかし今週はまったく不可能。たぶん来週なら。いえ、来週は女性センターの基金調達パーティが。その次の週なら。

そしてそのころには、志願者がひとりもいなくなっているだろう。ジョアンナは面接の筆記録をプリントアウトし、それと録音テープを持って、リチャードに見せるために研究室へ向かった。

「こんちゃ、ドク」とミスター・ウォジャコフスキーがいった。戸口の脇、ジョアンナが出ていったときに立っていたのとまったくおなじ場所に立っている。

「ここでなにしてるの？」茫然とした表情を見られないように、あわてて顔をそむけ、開いた戸口のほうを向いた。

「ドクの会議が終わるまで待ってようかと思って」といいながら、ジョアンナのあとについて研究室に入ってくる。「まだ記憶が鮮明なうちに見たことを話したほうがいいっていう話を思い出したもんで、どうせ行くあてもないし、じゃあ先生がもどるまで待って、記憶が混乱しないうちに話を聞いてもらおうと」

ミスター・ウォジャコフスキーは椅子に腰を下ろすと、赤らんだ顔にやる気満々の表情を浮かべて身を乗り出し、ジョアンナが質問をはじめるのを待ちかまえている。やっぱりなにかのまちがいだ、とジョアンナはまた思った。

でも、どうやって真相をたしかめる？〝真珠湾が攻撃されたときどこにいたか、二種類のちがう話をしたのはどういうわけ？〟とか、〝ヨークタウンに乗り組んでいた証拠がなにかある？〟とか直接の質問をぶつけることはできない。こんなに熱心そうな、こんなに開けっぴろげな顔をしたミスター・ウォジャコフスキーを目の前にしていては。

「トンネルの中で平和な心持ちがしたってとこまで話したっけな。なにか起こりそうな感じがした、と。それでちょっとだけ歩いて、ドアのところまで行ってみた。そしたらいきなり明るい光だ。いやもう、ほんとに明るかった。あんなに明るい光を見たのは、愛知九九式が格納庫甲板まで突っ込んできて五番修理庫を吹っ飛ばしたとき以来だ。あの日は三発も食らったもんだ」

「それは珊瑚海海戦のとき?」と裏切り者になったような気分でたずねた。相手を罠にかけて、話につじつまの合わないところやまちがいを見つけようとスパイを尋問するナチのような気分。もし前とちがう話をして、ちがう名前の島、ちがう種類のカヌーがでてきたとしても、それがなんの証拠になる? 記憶があいまいというだけのことじゃないの。珊瑚海海戦は六十年も前の出来事だ。そして記憶の捏造は時間がたつにつれて大きくなっていく。

「水雷の一個が左舷の油槽にぶつかって」とミスター・ウォジャコフスキーが話している。「そこから油が噴き出した。真珠湾まで帰るのがもうちょっと遅れたら、あのまま失血死するところだったよ。やれやれ、ダイヤモンドヘッドが見えてきたとき、どんなにほっとしたことか――」

「ヨークタウンに乗って真珠湾までもどったの?」

「そうとも。修理にはおれも手を貸した。ボイラーの溶接だの、船殻の継ぎ当てだの、夜昼なく働きつづけた。おれは水密扉の修繕班だった。七十八時間ぶっ通しで作業して、オアフを出航したときもまだ働いていた。やっと作業が終わったときにゃ、死にそうに疲れてて、ミッドウェイまでずっと眠り通したよ」

14

「母さんからの連絡はぼくには届かなかった。もし……なにか……あったら……準備しておいてくれ。このメッセージを忘れるな。〝ロザベル、信じてくれ〟だ。この言葉を聞いたときは……フーディニがしゃべっているんだと……」

——死の床にあるハリー・フーディニが、あの世から連絡すると妻に約束して述べた言葉

「なにもかも作り話だって？」リチャードは思わず声をあげた。「ヨークタウンに乗ってたことも？」

「わからない」ジョアンナは両手をカーディガンのポケットに突っ込んでうろうろ歩きまわっている。「わかってるのは、真珠湾でヨークタウンを修理するのと同時に、数千マイル彼方の海上を漂流するのは不可能だってことだけ」

「しかし、かならずしも嘘とはかぎらないだろ。ただの記憶ちがいってことは？　もう六十

五歳なんだし、戦争は五十年も前に終わってる。何年の何月何日にどこにいたか、正確なことを忘れちゃってるのかもしれない」

「撃墜されて、副操縦士と銃手が死んだ。そんな日のことをどうして忘れられる？　あなただって、あの話はじかに聞いたでしょ。人生で最上の一日だったのよ」

「空母の修理中に真珠湾にいたといったのはたしかなのかい？　もしかしたら、自分の話じゃなくて――」

だが、ジョアンナはもう激しくかぶりを振っている。

「真珠湾が爆撃されたと聞いたとき、自分はヨークタウンに乗っていたともいったのよ。そして、郷里の実家で新聞漫画を読んでいたともいった。『カッツェンヤンマー・キッズ』をね」と皮肉っぽい口調でつけ加えて、「真珠湾攻撃のニュースを聞いたときどこにいたかを忘れたなんてありえない。ひとつの世代全体が、真珠湾の知らせを聞いたときどこでなにをしていたかを覚えてるんだから」

「でも、そんなことでなぜ嘘をつくんだろう」

「知るもんですか」ジョアンナは悲しげな口調でいった。「感心してほしかったのかもしれない。長年のあいだに戦争の話をたくさん聞きすぎて、なにもかもごっちゃになってしまったのかもしれない。あるいはもっと深刻な問題かも。アルツハイマー病とか、脳卒中とか。とにかくひとつだけわかるのは――」

「被験者には使えないってことか。くそっ」

ジョアンナがうなずいた。「筆記録とテープを最初からチェックしなおしてみたんだけど、矛盾だらけよ。ミスター・ウォジャコフスキーによれば、彼は──」と、ポケットからとりだした紙を読み上げた。「操縦士、掌砲兵曹、葬式の話だと薬剤師助手、手旗信号の旗兵、それに飛行機の整備兵曹。真珠湾攻撃前日の土曜日にかかっていたという映画も調べてみた。『無頼漢』の製作は一九四三年よ」

ジョアンナは紙をくしゃくしゃにまるめた。

「きょうまで気がつかなかったなんて、自分がいやになる。バカみたい。相手がしゃべってるのがほんとうのことなのか作り話なのかを見分けるのがわたしの専門なのに。でも、正直な話、いまでも信じられない──ボディ・ランゲージにしても、本筋と関係ない具体的なディテールにしても……」やれやれという顔で首を振った。「ほんとにごめんなさい。こういうことを見抜くために雇われたのに、完璧にだまされたわ」

「まあとにかく、最終的にはちゃんと見抜いたじゃないか」リチャードはジョアンナの顔を見た。「NDEで見たことについても嘘をついてると思う？」それから相手の表情を見て、「いや、だいじょうぶ。被験者として使えないのはわかってる。純粋に、どうなんだろうと思っただけだよ」

「わからない」ジョアンナがまた首を振った。「それに、たしかめようもないわ。客観的な事実に照らして判断することができないから。ヨークタウンについて彼が話したことの中には事実も含まれている。あなたに打ち明ける前に調べてみた。〝飛行甲板に爆弾ごと突っ込んで"それで死んだジョー・ジョー・パワーズは実在するし、ヨークタウンを三日で修理してミッドウェイに送り出したのも事実。そのおかげでミッドウェイ海戦に勝ったのよ、日本海軍はヨークタウンが沈んだものと思い込んでたから」

「でも、NDEに関しては、真偽を判定する証拠がないわけか。スキャンはあるけど、被験者がなにを見たかまでは教えてくれない」

「ほんとにごめんなさい。わたしがこのプロジェクトに参加してからやってきたことといえば、志願者リストを削ることばっかり。なのに本来の出番では、作り話に気づきもしないで――」

「気づいたじゃないか。それがいちばん重要なんだよ。それに、気がつくタイミングだってちゃんと間に合ってる。研究結果を公表する前だからね。心配ないさ。被験者はまだ五人いる。それだけいればじゅうぶん以上――」ジョアンナの表情を見て口をつぐんだ。

「もう四人しかいない」とジョアンナは悲しげにいった。「ミスター・ピアソルから連絡があったの。お父さんが亡くなって、葬式の手配や、あとあとの問題をかたづけるのに、まだしばらくオハイオに滞在しなきゃいけないって」

四人。しかもその中には、ジョアンナの力をもってしても話が引き出せないミスター・セイジが含まれる。それに、ミセス・トラウトハイムも。

「ミセス・ヘイトンは？　予備面接の予定は組めた？」

「いいえ。決めるたびに土壇場で変更になる。彼女のことはあてにしないほうがいいと思う。

わたしたちのプロジェクトは、彼女の膨大な社会活動リストの末端に位置するワンノブゼムなのよ。新しい志願者の認可手続きの進行状況は？」

「遅々とした歩みだね。過去の経験でいうとあと六週間かかる。理事会がプロジェクトの継続を否決しなければの話だけど」

「どういうこと？　六カ月分の助成金が下りたんじゃなかったの？」

「そうだったんだけどね。けさ研究センターの所長から電話があった。どうやらミセス・ブライトマンが、ぼくらのプロジェクトにはおおいに期待している、すでに超常現象を示唆する証拠が見つかったとほうぼうで触れまわっているらしい」

「ミスター・マンドレイクね」ジョアンナが歯噛みしながらいった。

「ビンゴ。だから所長は、ぼくらが正統的な科学研究をやっていると理事会を納得させるために、経過報告書を出してくれといってる」

「だったらこれまでの経過を――」

「どう説明する？　被験者の半分は狂人と奇人とサイキックだと判明したって？　実験プロセスにどこか決定的におかしいところがあって、うちでベストの被験者はいつまでたっても反応しないんですって？」リチャードは苦々しい口調でいった。「それとも、想像力豊かなミスター・ウォジャコフスキーのことを話すのかい？　いやまあ、所長が電話してきたときは、そんなこととはつゆ知らなかったんだけどね」

「時間の猶予はどのぐらいあるの？　経過報告の提出までに？」

「六週間だ。妙な偶然の一致というべきかな」

「アミーリアのスキャンがあるじゃない。それにミスター・セイジも。ミスター・ピアソルだって、ワンセットは撮れてる。お父さんが亡くなった事後処理もそんなに時間がかからないかもしれないし」

「たしかにね。父親の葬儀を終えたばかりじゃ、さぞや公明正大な観察者になるだろう」とつい皮肉をいってから、自分が恥ずかしくなった。ジョアンナのせいじゃないのに。信用ならない志願者たちを被験者として受け入れた張本人はこのぼくなのに。

「ごめん」リチャードは片手で髪の毛を梳いた。「ただちょっと……ぼくが自分で潜るべきかもしれないな」

「なにいってるの！　だめよ」

「どうして？　第一に、そうすれば新しいスキャンがワンセットと、比較対照できる体験談が手に入る。すくなくともぼくは、ミスター・セイジ程度には優秀な観察者だと思うしね」と指折り数えながら理由を列挙した。「第二に、ぼくはスパイでも狂人でもない。第三に、ぼくならきょう、いますぐにでも潜れる。認可を待つ必要はない」

「どうして許可がいらないの？」

「これはぼくのプロジェクトだから、自己実験ってことになる。たとえていえば、ルイ・パストゥールとか、ヴェルナー・フォルスマンとか――」

「ジキル博士とかね」とジョアンナ。「プロジェクトの信頼性を危険にさらすことになる。

ドクター・フォックスも自分で実験したんじゃなかった？」

「ぼくの場合、魂を発見したといきなり発表するつもりはないよ。それに、自己実験にはれっきとした長い伝統がある。ウォルター・リード、臓器移植研究者のジャン・ボレル、J・S・ホールデイン。みんな、ぼくらとまったくおなじ理由で自分を実験台にした。資格がある志願者が見つからなかったからだ」

「でも、そうしたらコンピュータはだれが監督するの？　投与量とスキャンをモニターできるようにだれかを訓練しなきゃいけない。ティッシュには無理」

「きみなら――」と口を開きかけたが、ジョアンナにさえぎられた。

「わたしはやりません。もしなにか起きたら？　その案は問題外」

「これからの六週間、ミスター・セイジから二言三言引き出しながら、助成金が打ち切りになるのを待ってるくらいなら、そうするほうがましだと思う。それとも、なにかもっといい代案がある？」

「いいえ」ジョアンナはぽつりといった。が、急に顔をあげて、「ええ。わたしが潜る」

「きみが？」

「ええ。もしわたしたちどちらかが潜るとしたら、それが論理的な選択でしょ。第一に、わたしに関しても許可を待つ必要はない。すでにプロジェクトの当事者として認可されてるから。第二に、わたしなら明るい光を見てイエス・キリストだと思い込む心配もない。第三に、ミスター・マンドレイクもわたしを転向させることはできない」リチャードがやったのとおなじように、ジョアンナも指を折りながら理由を列挙してゆく。「第四に、わたしの場合は、あなたとちがってどうしてもセッションに立ち会う必要があるわけじゃない。ただテープレコーダーをかまえて控えてるだけなんだから。自分が潜る前に録音ボタンを押しておけばいいだけだし、ティッシュかあなたに頼んでもいい」

「でも、あとはどうする？　だれが面接を――」

「第五に」とジョアンナ。「わたしは面接される必要がない。あなたがなにを知りたいのかは自分でわかってるわけだし、〝暗かった〟とか〝平和な気分だった〟とかよりはもっとうまくやれる自信がある。自分が見たもの、感じた気分をちゃんと言葉で説明できる」

「もっと具体的にね」

リチャードはその可能性をじっくり考えながらいった。たしかに魅惑的なアイデアだ。未熟な観察者から答えをほじくりだすのとちがって、ジョアンナならなにを探すべきか、どう説明すべきかをわきまえている。自分が見たものが現実と二重写しになった幻視（スーパーインポーズド・ビジョン）なのか幻覚なのかを判断し、被験者が夢じゃないといいはるのはどういう意味なのかを教えてくれるだろう。

それ以上に、彼女なら、じっさいに起きている現象と、それがもたらす感覚との対応関係を識別できる。側頭葉刺激なりエンドルフィンなりに起因する効果を知っているから、そうした感覚を引き起こすプロセスに関して貴重な情報を提供できるだろう。ジョアンナならきっと――

だが、それこそが問題だ。

「やっぱりだめだ」とリチャードはいった。「どんなことを経験するか、被験者に先入観があってはならないと自分でいったじゃないか。きみは百人以上に面接している。ありとあらゆる関連書籍に目を通している。自分の経験がそういうものによって影響されたんじゃないとどうしてわかる？」

「その可能性はある。でもその一方、そうならないようにあらかじめ用心していられるという利点だってある。閉ざされた暗い空間にいることに気づいても、それがトンネルだと自動的に思い込んだりはしないし、光を放射している人物を見つけても、それが天使だと考えたりはぜったいにしない。わたしならそれを見つめて——真剣にじっと見て——なにを見たかを話すわ。あなたに質問されるまでもなく」

リチャードは降参のしるしに両手を上げてみせた。

「負けたよ。ぼくらのどっちかが潜るとしたら、きみがベストだ。でも、ぼくらはどっちも潜らない。まだ志願者は四人残ってるし、いま努力すべき目標は、その四人をもっと効率的に活用することだ」

「あるいは、出頭させること」

「そのとおり。ミセス・ヘイトンに電話して、とにかくここに来させてくれ」

「まだ予備面接も済んでないのよ」ジョアンナは懐疑的な口調でいった。

「どうしても来られないなら、予備調査は電話で済ませればいい。どんなに彼女が必要なのか訴えるんだ。そのあいだ、ぼくのほうはミセス・トラウトハイムをなんとかする」

「ミスター・セイジは？」

「かなてこでも調達するさ」そういって笑ってみせた。

ジョアンナがミセス・ヘイトンに電話すべくオフィスにもどったあと、リチャードはミセス・トラウトハイムのデータを呼び出し、他の被験者のNDE状態直前のスキャンと比較する作業を再開した。どんなちがいがあるのかを調べるのが目的だったが、両者は同一だった。臨死体験をしない患者もいるとジョアンナはいった。どの患者だろう。

それをたずねようと、ジョアンナのオフィスへ行った。ジョアンナはコートを着込んで部屋から出てくるところだった。

「どこへ行くんだい？」

「ウィルシャー・カントリー・クラブですことよ」とジョアンナは貴婦人風の気取った口調で答えた。「電話じゃどうしてもつかまらないけど、ハウスキーパーの話だと、ミセス・ヘイトンはジュニア・ギルド春の謝恩会って催しの準備に出かけてるらしいから、なんとかそこでつかまえられないか直接行ってみることにしたの」

「春の謝恩会？　いまは真冬だぜ」

「知ってる」とジョアンナが手袋をはめながら答えた。「さっきヴィエルが電話してきたんだけど、外は雪だって。ミセス・トラウトハイムのセッションには間に合うようにもどるから」

ジョアンナはエレベーターのほうに歩き出した。

「待って」とその背中に声をかけた。「臨死体験する患者としない患者のことで質問があるんだ。なにか法則性がある？」

「信頼できる法則性はないわね」ジョアンナはエレベーターホールで立ち止まり、《下》のボタンを押した。「NDEの大半は、特定の死因――心臓発作、溺死、自動車事故、分娩時の合併症――に集中してるんだけど、でもそれはただ、そういう患者のほうが、脳卒中とか外傷性の内臓損傷とかで心停止する患者にくらべて蘇生率が高いというだけのことかもしれない」

エレベーターの扉が開いた。

「臨死体験しない患者は、ほかの原因で心停止するケースが多い？」

「ええ。でももちろん、ほんとに臨死体験しなかったのか、したけど覚えてないのかは知りようがない」

ジョアンナはエレベーターボックスに乗り込んだ。「忘れないで、REM睡眠を記録できるようになる前は、世の中には夢を見る人と見ない人がいると考えられてたのよ」

ドアが閉じた。心臓発作、溺死、自動車事故。エレベーターのドアを見つめたまま、ジョアンナの言葉を反芻した。どれも外傷性の死因だ。高レベルのエピネフリンが分泌される。それにコルチゾールも。

研究室にもどり、ミセス・トラウトハイムの血液分析結果を呼び出して、コルチゾールのレベルをチェックした。高いが、四度めのセッション時のアミーリア・タナカの数値ほどでない。このときのアミーリアは五分間近く潜っていた。エピネフリンの値はわずかに低いが、ミスター・セイジの数値ほどではないし、彼はなんの問題もなくNDE状態に入る——話をする段になると、腹が立つほどあいまいなことしかいわないにしても。

もしかしたら、レセプター部位の欠如が問題なのかもしれない。ミセス・トラウトハイムのスキャンを呼び出し、レセプター部位をチェックしはじめた。海馬の周縁部、コルチゾールのレセプター部位が多数集まっている場所は黄色。フレームを前に進め、それからまたうしろにもどして、活性化エリアをマッピングした。海馬前部は黄色からオレンジになり、それから赤になっている。一フレームだけもどして周縁部をチェックし、それからエピネフリンのレセプター部位がある——

リチャードはまじまじと画面を見つめ、《停止》をクリックしてから、三フレームもどし、それからまたさっきのフレームまで送り、もう一度見つめた。横分割をクリックし、そのフレームの横にテンプレートのNDEスキャンを呼び出し、それからアミーリア・タナカのスキャンを出した。

まちがいない。「まあこれで、エピネフリンが足りないわけじゃないのはわかったな」とつぶやく。いま目の前にあるのは、まちがいなくNDE状態の脳だ。

ミスター・オレアドンのテンプレートと重ね合わせてたしかめたが、そんなことをするまでもなく一目瞭然だ。ミセス・トラウトハイムはたしかにNDE状態に入っている。

NDE状態の活動パターンを記録しているのはたった一フレームだが、これで問題の様相が一変した。これまでは、ミセス・トラウトハイムがNDE状態に入るのを阻害している要因はなんなのか、それればかりを探し求めてきた。しかし真の問題は、彼女がNDE状態を維持できないことにある。なぜだろう？　なぜミセス・トラウトハイムはあっという間にNDE状態からはじき出されて覚醒状態に移行してしまうのか？　それに、こういうことは前にもあったんだろうか？

NDEの持続不能性の原因かもしれない異常をもとめて、NDEフレームのマッピングにとりかかった。なにもない。側頭葉の右前部、扁桃体、海馬は、おなじ赤レベルの活性を示している。前頭皮質の各所にランダムに散らばる黄色とオレンジの活性レベルもおなじ。

ジョアンナがもどってきた。風で髪が乱れ、外の寒気にさらされた頬が真っ赤になっている。ジョアンナは、小さな素焼きの鉢に入ったオレンジと黄と緑の編み物をこちらにさしだした。「春の謝恩会のおみやげ」

「なに、これ？」リチャードは鉢をぐるぐるまわしながらたずねた。

「マリーゴールド。の編み物ね。これを見たとたんあなたのことを思い出したの。オレンジとぞっとするような緑色が大好きでしょ」

「ミセス・ヘイトンには会えた？」

「ええ。おまけに予備面接も済ませた。彼女は問題なしよ。超常現象をこっそり信じてることもない。それプラス、木曜の午後に来る約束をとりつけた。ミスター・セイジの予定が入ってるのはわかってるけど、彼女の都合がつくのは、音楽愛好者連盟とチャリティ・ファッション・ショウにはさまれたその時間だけなの。だからミスター・セイジの予定を動かすほうがましだと思ったわけ。彼のほうはいまから電話する」

「ちょっと待って。見せたいものがある」

リチャードは、スタンダードのNDEスキャン画像とミセス・トラウトハイムのNDEフレームを隣同士に並べて画面に表示させた。

「じゃあ臨死体験してたの？　覚えてないと嘘をついたってこと？」

そんな可能性は考えもしなかった。

「そうじゃないよ。彼女のNDEは、せいぜい十分の一秒しかつづいてないんだ。ミセス・トラウトハイムがそれに気づいたかどうかも怪しいね。もし気づいたとしても、たぶん光が一瞬閃くぐらいだろう。でなきゃ一瞬の闇か。でもこれで問題の性格ががらっと変わる。NDE状態には入れるのに、なにかがそれを中断させてるんだ。そのなにかの正体を突き止めなきゃ」

その日と翌日の午前中は、ひたすらその作業だけにかかりきりになった。NDE前後のフレームをマッピングし、ミセス・トラウトハイムの他のセッションのスキャンを再チェックした。二度めのセッションのスキャンでも、まったく同一のパターンが見つかった。他のセッションからは発見できなかったが、RIPT画像は百分の一秒単位でしか記録できないから、NDE状態の持続時間がそれより短ければ記録されない可能性もある。NDEを記録したフレーム二コマの直後につづくフレームは、他のセッション時のフレームとそっくりおなじだった。

リチャードはそれらをマッピングした。他の被験者のそれとは一致しない。アセチルコリンが急激に減少し、ノルエピネフリン値が上昇する。どちらも覚醒するときに起きる現象だ。ミセス・トラウトハイムのいうとおりだ。彼女はいきなり目を覚ます。他の被験者の覚醒フレームと比較してみたが、レベルは同一だった。

他の神経伝達物質を調べてみた。コルチゾール値は高く、αおよびβエンドルフィンはゼロ、カルノシン、アミグリシン、θ（シータ）アスパルシンが少々。カルノシンはペプチドの一種だが、アミグリシンとかθアスパルシンとかいうのは初耳だった。神経伝達物質の専門家に相談する必要がある。八階にオフィスを持つドクター・ジャミスンに電話して面会の約束をとりつけたが、彼女と話をしても問題解決の役にはあまり立たなかった。

「アミグリシンは下垂体前部にあって、抑制物質として働くの。θアスパルシンは、エンドルフィンの一種で、主に消化に関係してるらしいわ」

消化か。最高だな。

「人工的にも合成されている」とドクター・ジャミスンが進んで有益な情報を提供してくれた。「だれかが最近、それについて論文を書いてたと思う。調べてみるわ。ほかにも機能があるかもしれないし。エンドルフィンは複数の役割を持つことが多いのよ」

もしかしたらそのひとつがNDEを抑制することかもしれない。研究室にもどる途中でそう考えたが、他のNDEをチェックしてみると、ミスター・セイジの一回とアミーリア・タナカの二回にθアスパルシンが存在していた。神経伝達物質の分析結果にも血液検査にも、NDEが安定しない理由になりそうな異常は見つからない。

つづく二日間はスキャンの再チェックに費やしたが、これという成果はなかった。その翌日、ミセス・トラウトハイムがやってきたときも、なにが問題なのか、まだ五里霧中の状態だった。

鉢に飾られたマリーゴールドの編み物を見て、ミセス・トラウトハイムはまあと嘆声をあげた。「ほんとにすてき」それからジョアンナに向かって、「編み図はお持ちじゃないわよね」

「あいにくですけど」とジョアンナ。「バザーで買ったので」

「よく見ればきっと編みかた（パターン）はわかりますよ」ミセス・トラウトハイムはコンピュータ・ディスプレイ越しに身を乗り出して、編み物の花を検分した。「シェル編みを混ぜたかぎ針編みで――」

「持って帰っていただいてもいいですよ」リチャードは鉢をとってさしだした。

「まあ、ほんとうに？」

「ええ、もちろん。好きなだけ長くお持ちください。さしあげます」

「まあ、ご親切に」ミセス・トラウトハイムは有頂天の顔になった。「ほら、ティッシュ。すごくすてきでしょ」

ティッシュもまあと嘆声をあげ、ふたりで花びらを一枚一枚ためつすがめつ観賞した。もしかしたら、問題の元凶はただの不安かもしれない。こんなふうにくつろいで話をしていれば、NDE状態を維持できるんじゃないかと思ったが、そうは問屋がおろさなかった。ミセス・トラウトハイムは完璧なNDEを一フレーム記録しただけでぱっちり目を覚ました。

「ほんとに、恥ずかしくなっちゃう、どうしてもできなくて」とミセス・トラウトハイムはいった。「どうしてだめなのかわからないわ」

ぼくにもわかりませんよ。そう思いながら、マリーゴールドの編み物の鉢を抱えていそいそと帰ってゆくミセス・トラウトハイムを見送った。彼女のNDEフレームは、ミスター・オレアドンのそれと完璧に一致していた。

ジョアンナが入ってきた。「いまミセス・ヘイトンから電話があって、やっぱり木曜には来られないって。バレエ友の会の臨時総会だそうよ」

「新しい予定は組んだ?」

「ええ。再来週の金曜日。ねえ、こないだの話をずっと考えてたんだけど、わたしが潜ったほうがいい理由をもうひとつ思いついたの。そうしたほうが、面接者としてもプラスになるのよ。臨死体験談はみんな、アミーリア・タナカみたいな優秀な観察者の場合でさえ、すごくあいまいでしょ。それはわたし自身がなにをたずねるべきか知らないせいじゃないかと思うの。それがモネの作品なのかサルバドール・ダリの作品なのかも知らない人間が、だれかに向かってその絵画について説明してくれといってるようなもんでしょ。いいえ、それ以下ね。いままで一度も絵を見たことのない人間が、他人に絵の説明を求めてるようなもの。いまのわたしは、彼らがなにを経験しているのかさっぱりわからない。夢じゃない、現実だってみんないうけど、それはどういう意味なのか。もしわたしが潜って自分でその絵を見れば、それでわかる。暗いっていうのがカールズバッド・キャヴァーンズの鍾乳洞みたいに暗いのか、それともこの病院の夜九時の駐車場みたいに暗いのかがわかる。平和っていうのが〝平穏〟なのか〝麻痺〟なのかがわかる。それに、それが重要だと気づかないばっかりに臨死体験者が言及しないでいることがあるかもしれない。そんなことは、自分で体験してみないかぎり、質問のしようがないのよ。やるべきだと思う。わたしを潜らせて」

リチャードは首を振った。「ぼくはまだミセス・トラウトハイムをあきらめたわけじゃない。それに、まだアミーリア・タナカがいるじゃないか。彼女、まだいるよね？」

ジョアンナがうなずいた。「十一時に来る予定」

「ということは、ぼちぼち準備をはじめたほうがいいな」リチャードはコンソールに注意をもどした。「今度はまた投与量を減らしてみるよ。きみが心配してるディテールの欠如は、質問のやりかたとはなんの関係もなくて、エンドルフィン・レベルに左右されているだけかもしれない。だとしたら、適切なレベルを見つければいいだけの話だし、そしたらあのミスター・セイジさえ観察の泉に変身するかも」

「で、もしそうならなかったら？　そしたらどうするの？」

「そうなったら、そうなったときに考えるよ。いまはティッシュに電話して、上がってくるようにいってくれ。アミーリアはいつ来てもおかしくない」

「時間ならたっぷりあるわよ。アミーリアはいつも遅刻するんだから。あと十五分はかかるわね」

しかしアミーリアはバックパックをかついで定刻ぴったりにあらわれた。リチャードは勝利の笑みをジョアンナに向け、「よし、じゃあ準備してくれ、アミーリア」といってコンソールのほうに歩き出した。

「ちょっとお話があるんです、ドクター・ライト、ドクター・ランダー」とアミーリアはいった。ふりかえったリチャードは、彼女がまだバックパックを肩にかけたままで、コートを脱ぐそぶりも見せていないことに気づいた。

「いいとも」

「つまりですね、うちの生化学の教授がとにかくスパルタ式で、わたし、もうどうしようもないぐらい泥沼に……」

「だから予定を変更してほしいって？　ああ、いいよ」リチャードはつとめて失望を顔に出さないようにしながら答えた。「いつだったら都合がいい？　木曜？」

アミーリアは首を振った。「生化学だけじゃないんです。ほかの授業もぜんぶ。解剖学は毎週テストだし、遺伝学の授業は――宿題が山ほど出るし。実験のほうもずっとたいへんになってきちゃって。生化学の実験は――」アミーリアは妙な表情を浮かべて口をつぐみ、それからまた口を開いた。「心理学のボーナス点はたしかに必要なんですけど、そのために単位を落としたんじゃ元も子もないでしょ。それにほかの単位もぜんぶ」アミーリアは大きく息をついた。「いちばんいいのは、わたしがこのプロジェクトから抜けて、だれかかわりの人を見つけてもらうことだと思います」

だれかかわりの人、か。そんな人間がいれば苦労はないよ。

「いや、きっとそこまでする必要はないよ」とジョアンナのほうを見ないようにしていった。「なんとかできる方法があるはずだ。きみのセッションを週に一回に減らしたらどうかな。来週は都合がつかないっていうなら、一週休みにしてもいいし」

だが、アミーリアはもう首を振っていた。

「来週だけの問題じゃないんです」といいにくそうにいう。「毎週毎週です。とにかくやらなきゃいけないことが多すぎて」

「こっちの事情を正直にいうと、被験者の数が足りないんだよ。それにきみはいちばん優秀な観察者のひとりだし。このプロジェクトにはどうしてもきみの力が必要なんだ」

一瞬、アミーリアの表情から、なんとか説得できそうな予感がした。だが次の瞬間、アミーリアはまた首を振った。「とにかく無理なんです――」

「このプロジェクトのせい？」とジョアンナが口をはさみ、リチャードは驚いて彼女の顔を見た。「セッションの最中になにかあったの？　それで辞めたくなった？」

「いいえ、もちろんちがいます」といって、アミーリアはリチャードに笑みを向けた。「このプロジェクトはすごくおもしろいし、ぜひ先生の力になりたいと思ってるんです。おふたりの力に」ジョアンナのほうをちらっと見てつけ加えた。「プロジェクトのことはぜんぜん関係ありません。ただ、単位のことが心配で。心理学の成績は——」

「わかった」リチャードはいった。「これだけは信じてほしいんだけど、きみが心理学の単位を落とすなんてことにはぜったいなってほしくない。でも、きみを失いたくないんだよ。だからどうしても、なんとか方法を考えたいと思ってる」

「まあ、ドクター・ライト」とアミーリアはいった。

「週末はどうかな」ここぞとばかりにまくしたてた。「そのほうがよければ、土曜の朝に予定を入れてもいい。日曜でもいいよ。とにかくきみの希望をいってくれれば、それに合わせる」にっこりほほえみかけて、「ほんとにそうしてくれると助かるんだけど」

アミーリアは唇を嚙み、迷っているような顔でこちらを見ている。

「夜でもいい。何時でも、好きな時間に予定を組もう」

「いいえ」決然と顔を上げてアミーリアはいった。「もう決めたんです。なにをおっしゃっても決心はかわりません。辞めさせてください」

15

「アデュー、わが友！　天国(グローリー)へ行ってくるわ！」

――イサドラ・ダンカンの最後の言葉。ロードスターに乗り込み、芝居がかったしぐさで長いスカーフを首に巻きながらこういったが、車がスタートしたとき、スカーフの端がホイールのスポークにからみ、窒息死した

ヴィエルはかんかんになった。

「どういうことよ、自分で潜るって」ディッシュ・ナイトの件を相談するためにERに下りていくと、ヴィエルはそう怒鳴りつけた。「そんな話じゃなかったでしょ。彼は志願者を送り出し、あんたはそのあとで面接を担当するはずだった」

「いろいろ複雑な事情があって……」

「どんな事情よ」

「被験者の何人かが不適格だと判明したの」ずいぶん婉曲的な表現ね、と自分でも思いなが

ら、ジョアンナはいった。「ほかにふたりも辞めちゃったし、新しい志願者は承認が下りるまでに最低でも六週間かかるから、それで――」

「それでドクター・ライトは、というかフランケンシュタイン博士は、あんたで実験することにしたわけね」

「わたしで実験？　よくいうわ。リチャードのパートナーになれと自分でさんざん焚きつけたくせに」

「パ、ー、ト、ナ、ーよ。いっしょに実験を遂行し、仕事のあとはいっしょにハッピー・アワーに出かける相手。人間モルモットになることをすすめた覚えはないね。そんな危険なことをさせるなんて、彼のこと見損なった」

「危険じゃないって。被験者がおなじセッションを受けることにはなんともいってなかったじゃないの」

「だって、自分から志願した人でしょ」

「わたしも自分から志願したの。わたしがいいだしたことで、リチャードがそうしろといったわけじゃない。それに実験手続きは百パーセント安全」

「百パーセント安全なんてこの世に存在しません」

「リチャードはこれまで二十回のセッションを実施してるけど、ちょっとでも有害な副作用は一度も出てないの」

「へえ？　じゃあどうして志願者がどんどんいなくなるのよ」

「被験者が辞める事情は、このプロジェクトとはまったく無関係。それに、ジテタミンを使った研究実験はほかに何十もあるけど、副作用は報告されてない」

「ええそうね、みんな毎日なんの副作用もなくアスピリンをのみつづけて、歯をぴかぴかにして、ペニシリンを投与して、そしてある日とつぜんアナフィラキシー・ショックとか心停止とかでERにかつぎこまれる。どんなものにだって副作用はあるんだよ」

「でも――」

ヴィエルがそれをさえぎり、「それにもし副作用が存在しないとしても、あんたは臨死体験をまねる薬を投与されるんでしょ？」

「ええ――」

「その薬がすごくいい仕事をして、自分は死にかけてるんだと脳に思い込ませて、体のほうが気をきかせちゃったら？」

「そういう仕組みじゃないのよ」

「なんでわかるの？　臨死体験は肉体の機能停止(シャットダウン)メカニズムだって説もあるって教えてくれたじゃない」

「わたしたちの実験では、その説を実証するような結果は出てない。それどころか、真実はその反対かもしれない。つまり、NDEはサバイバル・メカニズムだってこと。わたしたちはそれを突き止めようとしている。とにかく、今度のことでなんでそんなに大騒ぎするのよ」

「臨死体験者に面接したり、ディッシュ・ナイトで死について議論したりすることと、それを自分で実践するのとは、まるっきり話がちがうからよ。毎日毎日人が死ぬのを見てるこのあたしがいうんだからまちがいない。最上のサバイバル・メカニズムは、死から可能なかぎり遠く離れていることよ」

「わたしは死を〝実践〟するわけじゃないの。本物の臨死体験をするわけでもない。そのシミュレーションを体験するだけ」

「でも、本物の臨死体験とまったくおなじ脳スキャン結果が出るわけでしょ。もしなにかまずいことが起きたら？　トンネルの先の光が、こっちに向かって走ってくる列車のライトだったら？」

ジョアンナは笑い出した。

「むしろ、光の天使がいて、ミスター・マンドレイクは正しい、《向こう側》は実在するといいだすほうが心配だわ」それからまじめな口調になって、「心配ないって。だいじょうぶよ。それに、人づてにして聞いていなかったものがやっとこの目で見られるんだから」ジョアンナはヴィエルの体を抱きしめた。「もどらなきゃ。十一時にセッションの予定なの」

「あんたが実験台の？」

「いいえ、ミセス・トラウトハイムよ」自分が被験者となるセッションが午後に予定されていることは黙っていた。またヴィエルが大騒ぎするだけだ。「ERに寄ったのは、ディッシュ・ナイトの相談のため。どんな映画を借りてほしいのかと思って」

『コーマ』」とヴィエルが即答した。「手術台の上でまちがいなんか起きるわけないと信じ込んでいた愚かな娘がファースト・シーンで死んじゃう映画」

ジョアンナはそれを無視して、「木曜でいい？　それとも機知あふれる会話の達人ハーヴィとデートとか」

「冗談やめて。彼、けさもやってきて、エンバーミングの細部をくわしく説明してくれちゃったのよ。うん、木曜でOK——ちょっと待った」といって、うろたえた顔でやってきた看護助手のほうを向き、「どうしたの、ニーナ？」

「外傷2号の男の態度が妙なんです。ローグをやってるんじゃないかと」

「すぐ行く」といって、ヴィエルがこちらに向き直った。

「ローグ？」とジョアンナはたずねた。「たしか前にも——」

「PCP変種の最新バージョンです」とニーナがいった。「ほんとに恐ろしくて。精神病的な幻覚プラス暴力衝動の誘発」

「すぐ行くといったよ、ニーナ」とヴィエルが冷たい声でいった。

「はい。LAではじまったの」とニーナがおしゃべりをつづける。「あっちでは、ERのスタッフが襲われる事例の発生数が二十五パーセントも上昇したんですって。それが今度はこっちに飛び火。先週なんか、スウィーディシュ医療センターの看護師が——」

「ニーナ！」ヴィエルが凶暴な声で怒鳴りつけた。「わたしはすぐ行くといった」

「はい、先輩」ニーナは縮み上がった顔でフロントのほうに歩いていった。

声の届かない距離まで離れるのを待ってから、ジョアンナは口を開いた。

「ERのスタッフが襲われる率が二十五パーセントも上昇してるっていうのに、危険なことをするなとわたしに説教してるわけ？」

「わかった」ヴィエルは両手を上げた。「休戦。でもあんた、やっぱりどうかしてると思う」

「おたがいさまよ」それから、ヴィエルの懐疑的な表情を見て、「わたしはだいじょうぶ。心配することなんかなんにもない」

しかし、午後になって、検査台の上に横たわり、黒いボール紙で隠された頭上のライトを見上げてティッシュの点滴準備を待つあいだ、ジョアンナは不安の鈍痛を感じた。患者はいつもこういう不安を感じるんだ。患者用ガウンを着せられ、眼鏡をはずしているせいだろう。それに、あおむけにぺったり寝そべり、看護師がなにかするのを待っているというこの状況のせいもある。

それに、ただの看護師じゃない。更衣室から出てきたジョアンナに、ティッシュは「いったいドクター・ライトをどう説得して自分で潜ることにしたのよ」と食ってかかってきた。

ヴィエルの突拍子もない反応から考えて、ティッシュもいきなりありとあらゆる反対意見を並べ立てるのかと思ったし、じじつそのとおりだったけれど、ジョアンナが予期したような類の反対ではなかった。

「どうしてあなたならOKで、あたしはだめなわけ？」まるでジョアンナがリチャードをハッピー・アワーに誘い、ティッシュをだしぬいて首尾よくOKをもらったことに憤慨しているような口振りだった。ジョアンナは、あおむけで眼鏡がない状態としてはベストをつくしてその理由を説明したが、ティッシュは、「ああ、そうよね、忘れてました。あたしはただのつまらない看護師で、あなたはドクター様だもんね」と捨てぜりふを吐き、ジョアンナの胸に電極をつけはじめた。

セッションでわたしが意識をなくしているあいだリチャードとふたりきりになれるんだから、ティッシュはこのチャンスを歓迎してもよさそうなものなのに。不安になるとしたらむしろこっちのほうでしょ。ティッシュのことだ、リチャードに色目を使うのに忙しくて、わたしのことなんか忘れてしまうかもしれない。もしかしたら、ライバルを永遠に葬り去るいいチャンスだと思って、プラグを抜くかもしれない。

もっとも、抜くべきプラグなんかどこにもない。ふたりが連れ立ってコンラッズへ食事に出かけ、わたしがこのままここに放り出されたとしても、ジテタミンの効果が切れれば自然と目が覚める。あるいは、ミセス・トラウトハイムのように、NDEからはじき出されるか。

それがもうひとつの心配。もしわたしも、ミセス・トラウトハイムのように、NDE状態に入れないと判明したら？　けさ十一時のセッションでは、投与量を再調整したリチャードの努力の甲斐もなく、ミセス・トラウトハイムはいままで以上に短い時間でNDE状態から覚醒してしまった。

「もうどうしたらいいかわからないよ」セッション終了後、ミセス・トラウトハイムのスキャンを見ながらリチャードはいったものだ。「きみのいうとおりかもしれないな。きっと彼女はNDEと縁のない四十パーセントのひとりなんだ」

わたしもそのひとりだとしたら？　もしそうだったらどうしよう。

「力を抜いて」ティッシュがぴしゃりといった。ジョアンナのひざを持ち上げ、ふくらはぎの下にクッションを入れる。「板みたいにコチコチになってるわよ」左の腕にクッションをあてがい、それから検査台の向こう側にまわって右の腕にもあてた。

意識的にリラックスしようとした。ゆっくり息を吸ってからゆっくりと吐き出し、手足から力を抜こうとした。リラックス。体を楽に。黒い紙で隠した天井の照明を見上げる。なんの警告もなく、ティッシュがいきなりジョアンナの上腕にゴムチューブを巻き、ぎゅっと結び目をつくった。ぐいと頭をまわして、ティッシュがなにをしているのかたしかめようとした。

「力を抜いて！」とティッシュが命令し、血管を探してひじの内側を叩きはじめる。

まあとにかく、もしNDEに入れなかったとしても、被験者をどんなふうに扱うべきかについてはたくさん学ぶことができたわけだ。次にどうなるのか、あらかじめちゃんとすべてを説明しておく必要がある。〝これから点滴の針を刺します。ちくっとしますよ〟とか、いちいちていねいに説明したほうがいい。

ティッシュはなにもいわなかった。ジョアンナの腕を脱脂綿で拭き、針を突き刺し、点滴チューブをつなぐあいだ、一言も発しなかった。やがてティッシュが視界から姿を消し、ジョアンナの目をアイマスクがふさぎ、なにか冷たいものがひたいにのせられた。

「なにしてるの?」と思わず質問が口をついた。

「頭皮に電極をつけてるの」とティッシュが不機嫌な口調で答えた。「いちばん始末に負えない患者は医者だっていうけど、ほんとね。力を抜いて!」

ミスター・セイジとミセス・トラウトハイムの次のセッションでは、あらゆる手順をその場で逐一説明しようと心に誓った。それに、なにがどうなってるのかもわからないまま、声や足音やなにかにじっと耳を傾けていることしかできない状態の被験者を、検査台の上に長く放置するべきじゃない。ティッシュとリチャードはハッピー・アワーに行っちゃったんじゃないかと考える。いいえ、だったらドアが閉まる音が聞こえるはず。それとも、気づかないうちにティッシュがヘッドフォンをつけたんだろうか?

「用意はいい?」とつぜん左の耳元でリチャードの声がして、ジョアンナは彼の腕を求めてやみくもに手をのばした。「ほんとにやる気かい?」とリチャードが心配そうにいう。彼の声に混じる不安の響きのおかげで、ジョアンナの心の不安はいっぺんに消えてしまった。

「もちろんよ」と答えて、彼がいそうな方向に笑みを向けた。「ベルの音かブザーの音かの謎に決着をつける覚悟」

「よし。たいしたことは経験できないかもしれないけどね。適切な投与量を見極めるのに、何回か試行錯誤が必要なこともあるから」

「わかってる」

た手を放した。

「ええ」ときっぱり答えた。「さあ、幕を開けて」といって、リチャードの腕をつかんでい

「よし」とリチャードがいい、そしてだれかが――リチャード？　ティッシュ？――ヘッドフォンを耳にかぶせた。ジョアンナは体の力を抜いてホワイトノイズの沈黙と暗闇に身をゆだね、鎮静剤が効いてくるのを待った。大きく深呼吸する。吸って。吐いて。吸って。吐いて。だめだ。そう思ったとき、音がした。

ティッシュがヘッドフォンをちゃんとセットしなかったんだ。「リチャード」と声をかけようとしたとき、研究室の中じゃないことに気がついた。せまい空間の中にいる。両側に壁があるのを感じる。棺桶だ。一瞬そう思ったが、それにしては幅が広すぎるし、それに二本の足で立っている。自分の体を見下ろしてみたが、なにも見えない。完璧な暗闇。片手を上げて顔の前で動かしてみたが、やはりなにも見えず、手の動きも感じない。

ばかね。見えないのはアイマスクのせいよ。はずそうとしたが、マスクはしていなかった。眼鏡をかけている。ひたいにさわってみた。頭皮の電極も、ヘッドフォンもない。腕にさわる。点滴の針もなし。

ＮＤＥなんだ、とようやく気がついた。ＮＤＥのトンネルの中。でも、それもちがう。これはトンネルじゃない。通路だ。もっと具体的にいうと？　そう自問して、周囲の闇を見まわした。

幅がせまい。どうしてわかるのかは自分でもわからない。両側に壁があり、前後に壁がなく、頭上に低い天井があるというだけのことかもしれない。目の焦点を合わせようとするみたいに見えない天井を見上げてみたけれど、暗闇の支配は揺るがない。なのにどうしてトンネルの天井じゃないとわかるの？

床を見下ろしたが、やはり見えないので、おそるおそる足でとんとんしてみる。床は——これが床だとすれば——かたくてすべすべしている。タイルか木の板を張ってあるような感じ。ただし、足音はしない。

たぶん、はだしのせいだ。ポール・マッカートニーは、例のビートルズのアルバム・ジャケット写真でひとりだけはだしだった。だからもう死んでいるとわかったのよ。でも、はだしの足で床を踏んでいるときのような感触を肌に感じない。足がないからかもしれない。それとも耳が聞こえないのかも。面接した臨死体験者たちは、光の天使が「言葉ではなく思考で」語りかけてきたといった。NDEは視覚だけなのかもしれない。

でも、ここに来たとき音がしたのは覚えてる。小首を傾げ、その音を思い出そうとした。大きな音だった。来た直後にはっきり聞こえた。それとも来る途中？　いや、研究室にいたと思ったら、次の瞬間、唐突にここにいた。

そう考えたとき、だしぬけに、〝ここ〟がどこなのか知っているという気がした。どこかなじみのある場所。いや、そうじゃない、言葉がちがう。どこなのかがわかる場所。たとえこの通路が漆黒の闇に包まれていても。

場所だ。現実の場所。ここがどこなのか知っている。そのとき、前方の通路に光があふれ出してきた。そちらを向く。光が通路を満たした。目が眩むほど明るく、これでどこにいるのかわかると思ったけれど、光がまぶしすぎた。車のヘッドライトをまともに覗き込んでいるようなもので、なにも見えない。

ヘッドライト。「トンネルの先の光が、こっちに向かって走ってくる列車のライトだったら？」とヴィエルはいった。反射的に足元を見やり、線路を探したが、光は四方八方からやってくる。下からの光も頭上からの光もおなじぐらい強く、その輝きが明るすぎて、痛みから逃れるために目を閉じなければならなかった。

面接した臨死体験者たちが目を細くしたのも無理はない。これはまるで、真夜中にだれかがいきなりライトをつけたとか、懐中電灯の光をまっすぐ顔に向けられたとか——しかしそのどちらでもない。光は金色だった。

面接した臨死体験者もやはりおなじことをいい——「金色の光でした」——白じゃなかったんですかと聞き返すと、いらだたしげに、「いえ、白くて、金色だったんです」と答えた。彼らの言葉の意味がいまやっとわかった。光はたしかに白いが、蛍光灯の緑がかった白でも、アーク灯のぎらつく青白色でもない。ろうそくの炎のように金色がかっている。ただし、ろうそくよりもずっと明るい。

片手を上げて目をおおった。光はいたるところに満ちあふれているけれど、それでも通路の先からやってくる。そこにある扉をだれかが開けたんだ。光は外から——扉の向こうから射し込んでくる。

まばゆい光に目を細め、通路の先へと歩き出した。歩いているうちに光の強さがいくらか和らいできた気がする。いや、そうじゃない。まぶしさは変わらないけれど、いまはもうちょっとで、その光を背にした人影が見分けられそうだ。白い服を着た人影。

ミスター・マンドレイクの光の天使？　だが、距離が近づいても、その人影はいっこうにはっきりしてこない。そもそもほんとうに人影なのか、それともただの光のいたずらなのか、それさえ怪しくなってくる。

目をすがめて見定めようとしたとき、研究室にもどっていた。「やった」といったのに声は聞こえず、きっとまだノンREM睡眠状態にあるんだと思い、そして眠り込んだ。

遠い彼方からリチャードが呼ぶ声で目を覚ました。グレッグ・メノッティが「遠すぎる」といったのはこういうことだったのか。わたしはきっとまだ、NDEの場所の近くにいる。

「ジョアンナ？」と今度はもっと近くでリチャードの声がして、ジョアンナは目を開けた。リチャードがこちらにかがみこんでいる。ヴィエルのいうとおりね、この人、ほんとにキュートだ。そう思ってまた眠りに落ちた。

「覚醒してます」とティッシュの声。「録音止めますか？」ティッシュがレコーダーをかまえているのが見えた。うわっ、まずい。わたし、彼がキュートだって声に出していっちゃったかも。

「わたし、なにかいった？」とジョアンナはたずねた。

リチャードがにやにやしながらいった。「いっても信じないよ」

まさか。やめて。「なんていったの？」

「〝暗かった〟っていったのよ」とティッシュが進んで情報を提供してくれた。「臨死体験者みんなとおなじように」

「ほんとに暗かったのよ」ジョアンナは体を起こそうとした。「洞窟の中みたいに真っ暗。でも、洞窟でもトンネルでもなかった。連絡通路だった」

「起きなくていい」リチャードがいった。「それに、鎮静剤の効果が切れるまで、無理にしゃべろうとしなくていいよ」

ジョアンナは起こしかけていた上半身をまた検査台に横たえた。

「いいえ、忘れてしまう前に話しておきたい。録音してる？」とティッシュにたずねた。

「ええ」と答えて、ティッシュがレコーダーをリチャードに手わたした。リチャードがそれをジョアンナの口元に近づける。

「研究室にいたと思ったら、次の瞬間にはトンネルの中にいたの」

「中間はなにもなし？　肉体を離れるとか、宙に浮かぶとかの感覚はなかったのかい？」

「被験者を誘導してる」とリチャードに注意して、「いいえ。気がつくと通路にいた、それだけ」

「さっきから通路、通路といってるけど、どういう意味だい？　地下通路？」

「また誘導。いいえ、地下通路じゃない。それに、古代ギリシャの兵士エルが死後の世界に導くときに通ったような通路でもない。通廊とか廊下みたいな感じで、突き当たりに扉があるの」

　ジョアンナはその通路のこと、光のこと、ぼんやりと見えた人影のことを説明した。

　ティッシュがジョアンナの脈をとり、カルテに記入した。

「現実の場所の現実の出来事みたいだった。夢でも、現実と二重写しになった幻視でもない。ダマスクスへの途上にあった聖パウロとか、ルルドの洞窟のベルナデットみたいに、目のくらむ光やマリア様を見てるのに、現実の自分はどこにいるかをちゃんと意識してて、現実の光景の上に幻が重なって見えたわけじゃない。この研究室でこの検査台に横たわっているという意識はぜんぜんなかった」ティッシュが血圧測定用のカフをジョアンナの腕に巻いた。

「ほんとにそこにいるような気がしたし、そこは現実の場所だと思った」

「どんな感じの場所かわかる？」

「いいえ。でも、どこなのか知ってるという気がしたの」

「どこだかわかった？」

「ええ。いえ。どこだかわかるという感じがしたんだけど、でも――」ジョアンナはもどかしい思いで首を振った。これまでの面接相手がみんな最後は弱々しく首を振ったのも無理はない。

　ティッシュがまた脈をとり、それから頭皮の電極をはがしはじめた。

「知ってる場所だった。でも――」

「でも同時に、はじめて来る場所だということもわかっていた？　それは既視感（デジャヴュ）だよ。新しい経験なのに、前にも経験したことがあるという気がする」

「いいえ」つかの間のその感覚を思い出そうとしながらいった。あの場所は見覚えがある気がした。いや、見覚えじゃない。それでも、どこなのか知っているという気がした。「かもしれない。デジャヴュだったのかも」と、疑わしげな口調でいった。

「だとすれば側頭葉の関与を強く示唆してるね」リチャードが興奮を隠しきれない口調でいった。「デジャヴュは側頭葉に起因することが確認されてるんだ」

ティッシュが点滴をはずし、装備をかたづけた。「ほかになにか用は？」

「いや、べつに……」とリチャードがうわのそらで生返事をした。「側頭葉の関与か……体外離脱体験はなかったんだね？」

「誘導」とジョアンナ。「なかった。この研究室にいて、それからトンネルにいた。中間はなんにもなし」

「平和な――」といいかけてリチャードは口をつぐみ、「きみが経験したのはどんな気持ちだった？」といいなおした。

「光を浴びても、あたたかいとか安全とか愛されてるとかは感じなかった。ただ……落ち着いた気分だった。平和といってもいいでしょうけど、でもむしろただ……落ち着いた感じ。怖くはなかった」

「おもしろい。現実遊離感は？　いま起きていることから切り離されているような、あるいは起きていることが非現実で夢のように感じることは？」

「夢じゃなかった」とジョアンナはきっぱりいった。

「用がないならこれで失礼します」とティッシュがいい、ふたりはまだ彼女がそこにいたことに驚いてそちらをふりかえった。「あしたの予定は？」

「まだわからないんだ。たぶん来てもらうことになると思う。電話するよ、ティッシュ。ありがとう」リチャードは興奮した顔をまたこちらに向けて、「夢とどんなふうにちがう？」

「あれは……夢は見てるときはリアルだと思うけど、目を覚ましたあとはそうじゃなかったことに気がつくでしょ。さっきのNDEは、いまでもまだリアルに感じる。わたしの面接対象のほとんど全員が口にしたことよ、自分たちが経験したのは現実だった、って。どういうことかいままでわからなかったけど、彼らのいうとおりだった。夢の記憶みたいな感じはしない。現実に起きたことの記憶みたいなの」

「もっと具体的にいうと？」とリチャードがたずね、ジョアンナはにっこりした。

「つまり――ごくふつうに、あたりまえのやりかたで動くことができたの。宙に浮かんだり、トンネルの中をびゅんびゅん進んだりはしなかった。臨死体験者の中にはそう証言する人もいるけど。それに、夢特有の不連続性や不自然さもなかったわ。現実に起きてることだと感じていた」

「そして、光の中にだれかがいるの感じた、と」

「ええ。だれかが見えるような気がしたけど、でも光がまぶしすぎて」

「だれかがいるという感覚も側頭葉の効果だ。光と平和な気持ちはエンドルフィン由来だと思っていたけど、もしかしたら、側頭葉が引き起こしているのかもしれない……きみのスキャンを調べてみるよ」

ジョアンナはうなずき、検査台から下りようとした。

「待って」とリチャードがそれを止めて、「まだ終わってないよ。まだ答えていない重大な問題がひとつある」

「重大な問題？　わたしが見たのが現実だったかってこと？　天国だったか？　それとも《向こう側》への入口だったか？」

「ちがうよ。重大な問題っていうのは」リチャードはにやっと笑い、「音がしたっていっただろ。ね？　その音はベルのような音だった、それともブザーのような音だった？」

「あれは……」といいかけたところで、途方に暮れて口をつぐんだ。「わからない。たしかに聞いたのに。あれはトンネルの中で……」

「大きな音、それともかすかな音？」

大きな音だった、とジョアンナは思った。ずいぶんはっきり聞いた。でも、いま思い出そうとすると、頭の中にまるで再現できないばかりか、どんな種類の音だったのかもわからなくなっている。ベル？　ブザー？　それともミスター・スタインホーストが形容した、缶詰がぎっしり並んだ棚がまるごと落ちてくるようなすさまじい衝突音？

「記憶が薄れた？」とリチャードがたずねる。

考えてみた。きっとそうにちがいない、だって思い出せないんだから。しかし、NDEのそれ以外の部分は、その最中には水晶のようにクリアだったし、音がしたからそちらを向いて正体を知ろうとしたこともはっきり覚えている。だから、NDEの最中でさえ、その音がなんなのかわかっていなかったわけだ。

「ジョアンナ?」とリチャードが催促する。

「いいえ、忘れちゃったわけじゃないと思う。思い出せないだけ。ううん、それもちがう。ごめんなさい」とうちひしがれて降参した。「これじゃミスター・セイジと変わらないわね」

「冗談だろ。きみはすごいよ。最初からきみを潜らせて、ほかの被験者のことなんか忘れてしまえばよかった。きみ以外の全被験者の話を合わせたより情報量が多い。しかもこれが第一回だ。できるだけはやくまた潜ってほしい。つまり、ジテタミンが体から抜けしだいってことだね。だいたい十二時間かかる。あしたの午後はどう?」

「もちろん。待ちきれないぐらい」

そのとおりだった。一刻もはやくあそこにもどって、あの音がなんだったのか、あの場所がどこなのかを突き止めたい。危険なことや怖いことはなにひとつなかった。だったらどうして、リチャードが「あしたの午後はどう?」とたずねたとき、とつぜんぞっとするような恐怖を感じたんだろう。

アミーリア・タナカもそれを感じたんだろうか。だから辞めた?

16

「たとえ死の陰の谷を歩むとも、二足す二は六にはならない」

——死の床にあるトルストイが、ロシア正教会への復帰を促されていった言葉

「ジテタミンの残留効果だよ」自分が感じた恐れについて打ち明けると、リチャードはいった。

「もしくは、今度また潜ったらよくないことが起きるっていう警告ね」と、ディッシュ・ナイトにやってきたヴィエルはいった。

「よくないことなんか起きないって」ジョアンナは箱からポップコーンの袋を出しながらいった。「わたしを見て。ぴんぴんしてるでしょ。トンネルと光を見ても、この体はそのきっかけを真に受けて、死のプロセスを開始したりしなかった。なんの問題もなくこの世に連れ帰ってくれたのよ。なにも起きなかった」

「じゃ、ほんとにトンネルや光を見たわけ?」ヴィエルが興味津々の顔でたずねた。「マン

ドレイクはいた?」

「ばか」ジョアンナは吹き出した。「いいえ、ミスター・マンドレイクも光の天使もいなかった」通路と、戸口の向こうから射してくる光のことを説明した。「体外離脱も人生回顧もなかったわ、少なくとも今回はね」冷蔵庫を開けて、「なに飲む? あるのはコークとジンジャーエールと……ジンジャーエール」

「コーク。どういう意味よ、〝今回は〟って? まさかまた潜る気じゃないでしょうね」

「もちろん潜るわよ」ジョアンナは冷蔵庫からコーク缶を二本とりだした。

「でも、ぞっとするような恐怖感は? その扉の向こうになにか恐ろしいことが待ってるっていう警告だったら?」

「扉を見たとき、そんな感じはしなかった」ヴィエルにコークを一本わたして、「NDEの最中は恐怖感なんかぜんぜんなかった。それを感じたのは一時間近くあとになってからよ」

「ドクター・ライトにまた潜ってほしいといわれたとき」

「うん。でもほんの数秒間だったし、セッションの時間を決めるときは感じなかった。リチャードがコルチゾール値の変化を見せてくれた。たしかに数値が上昇してたし、覚醒状態にもどったあとも、コルチゾールは体内に残ってる場合が多いの。悪夢から醒めても恐怖感が消えないのはコルチゾールのせい」

「でも、コルチゾール値の上昇が、あんたが見たもののせいだったら? トンネルには見覚えがあったといったじゃない。もし万一、どこなのかわかったからこそ恐怖を感じたんだったとしたら？　その扉の向こうになにがあるのか知ってるせいだったら？」

電子レンジがピッと鳴った。ベルに救われたと思いながら、ポップコーンの袋を開けて、ボウルを探してそれに中身を空けた。

「もし万一——」

「ルールその一」といって、ジョアンナはポップコーンを入れたボウルをリビングルームに持っていった。「映画はなに持ってきたの？」

『フラットライナーズ』。臨死体験をおもちゃにした医学生の一団が悲劇的な結果を招く話。天使を見るだろうと思ってたのに、彼らが見たのは恐ろしい——」

「知ってる。よくもそんな——」

「ジュリア・ロバーツが出てるんだよ」とヴィエルが無邪気な顔で答えた。「ドクター・ライトはジュリア・ロバーツのファンだっていうから。それとも死亡禁止はまだ有効？」

ジョアンナはその質問を無視して、「リチャードは来ないわ。ドクター・ジャミスンと会うんだって」

ヴィエルが目を細くした。「ドクター・ジャミスン？　男性、女性？」

「女性。神経伝達物質が専門」

「ふうん。で、どうしても夜会うしかないわけ。場所は？　ハッピー・アワー？　まったくもう、最初はティッシュで今度はこれか。はやくオプション買わないと、ドクター・ライトはドクター売り切れになっちゃうぞ」

「はいはい、お母さん」ジョアンナはもう一本のビデオを手にとった。こっちはなんだろう。『アルタード・ステーツ』とか？

「『ペリカン文書』よ」ヴィエルがビデオをひったくり、デッキに突っ込んだ。「これもジュリア・ロバーツ。ドクター・ライトが来ないなら来ないと先にいってほしかったなあ。まあ、デンゼル・ワシントンが出てるのがせめてもの慰めだけど」ヴィエルが再生ボタンを押した。

まあ、『フラットライナーズ』じゃないのがせめてもの慰めだ。

「観たことある？」ヴィエルがカウチに腰を下ろした。「警告のしるしに注意を払わなかったおかげでのっぴきならない状況に追い込まれた若い女性の話」

「恐怖を感じたのは一度だけ、それもせいぜい十秒ぐらいなのよ。それっきりなんともないし」

そして、それからあともなんともなかった。翌日の午後、検査台に横たわり、ティッシュが電極をつけはじめたときも、リチャードが「用意はいいかい？」といったときも。感じていたのは、はやく行きたいという願いだけ。今度こそあの音の正体を突き止め、扉の向こうになにがあるのかたしかめる決意だった。それに、あの場所がどこで、どうして見覚えがある気がするのかも突き止めてみせる。いや、見覚えがあるっていうのとはちがう。あれは既視感じゃなく――

音がして、あの通路にもどっていた。おなじ場所だ、真っ暗なのにそう思った。そして光が見えた。やはり目が眩むほど明るいが、四方八方に放射されるのではなく、例の扉の下と横に、細い金色の帯をつくっている。

　前回よりも扉ははるか遠くにあり、通路は不自然なほど長く見えた。いや、もしかしたら、扉がほんの一インチぐらいしか開いてないせいかもしれない。そこから洩れる光は扉の一、二メートル先までしか届いていないが、通路の壁と床に落ちるその光のおかげで、それより手前の闇の中でも、ものの輪郭を見分けることができた。通路の両側には、ホテルのようにドアが並んでいる。

　いや、ホテルじゃない。ホテル以外で、長い廊下の両側にドアが並んでいる場所って？　マーシー・ジェネラル？　いや、病院でもない。病室のドアはだいたいいつも開けっ放しだ。ここのドアはみんな閉じているし、この通路は病院の廊下より幅がせまい。

　それに、病院なら何度も行ったことがある。この場所は一度も来たことがない場所だ。長くてせまい廊下の両側にドアが並んでいて、自分では一度も行ったことがないのに、それがどこなのかわかる場所は？　ヴェルサイユ？　いいえ、あそこには鏡がある……そうじゃなかったっけ？　お屋敷(マンション)？

「〝わたしの父の家には住む所(マンション)がたくさんある〟」とミセス・ウーラムは聖書を引用したけれど、あれは天上のすみかのことだ。宮殿(パレス)？　近い気もするが、宮殿なら、木の床がむきだしじゃなくて、絨緞(じゅうたん)が敷いてあるものなんじゃ？　ここの床は、扉の下から洩れる光の小さなプールに照らされた部分しか見えない。ワニスをかけた長くて細い板が敷いてある。一枚一枚の板がやけに長い。この通路とおなじだ。不自然なほど長い通路。しかし、いざ扉に向かって歩き出してみると、思ったほど長くないのがわかった。

この床のせいだ。そう気がついて、扉までの中間地点あたりで立ち止まった。この床のなにかが、廊下をじっさい以上に長く見せている。あるいは、床が扉と接する接しかたのせいか。床と扉のぶつかる場所にじっと目を凝らしたが、そうするうちに光が揺らぎ出したように見えた。暗くなり、明るくなり、また暗くなる。点滅。いや、動いている。

ちがう、光が動いてるんじゃない。光の前のなにかが動いている。扉のうしろにだれかが、それともなにかがいて、歩きながらときどき光をさえぎっている。「なにか恐ろしいものだったら？」とヴィエルはいった。うろうろと歩く虎。

NDEで虎に言及した例はひとつもないと自分にいい聞かせる。歩きまわっているのは人間だ。それに、つぶやくような声が聞こえた気がする。光の線を見すえ、耳をじっとそばだてて、ゆっくりと前進を再開する。

「なにがあったの？」と女の声がして、光のかたちが変わった。声の主の女性が扉に一歩近づいたかのように。

ジョアンナはさらに扉に近づいた。

「きっとなんでもないよ」と男の声。

ふたりの歩みに合わせて、ジョアンナと光とのあいだにまた影ができる。

「寒くてたまらない」と女の声。

「毛布をとってくるよ」とリチャードがいい、やがて肩が毛布におおわれた。

「ちがう、わたしじゃない」そういってから、研究室にもどっているのに気がついた。目を開けた。アイマスクもヘッドフォンももうはずされていた。ティッシュがジョアンナの体の上に白いコットン毛布を広げているところだった。リチャードの顔が真上にあらわれた。「今度もおなじものを見た？」

「誘導しないで。レコーダーはどこ？」

「ここだよ」とリチャードがいって、録音ボタンを押した。「今回はなにを見た？」

「前とおなじ場所だった。廊下で、両側にドアが並んでて、突き当たりにも扉がひとつ」じっさいよりも長く見えたことと、聞こえてきた声のことを話した。「女が〝なにがあったの？〟といって、男が、〝きっとなんでもないよ〟と答えて、それから女が——最初のとおなじ女性だと思うけど——〝寒くてたまらない〟といった」

「その女性の言葉だったのはまちがいない？　ＮＤＥの五分後、まだノンＲＥＭ睡眠中に、きみは〝寒くてたまらない〟といったんだよ」

「だから毛布を持ってきた」とティッシュが口をはさんだ。

「いいえ、まちがいなくその女性の言葉。それをわたしがあとでくりかえしたんだわ。自分でそんなことをいう理由がないもの。わたしは寒くなかった」

「でも震えてるじゃない」とティッシュ。

「いいえ、震えてなんか——」といいかけて、歯ががちがち鳴っているのに気づいた。アミーリアも寒がっていたことを思い出す。

「NDEの最中は寒くなかった？」とリチャード。

「ええ。通路にいたときは寒さなんか感じなかった」

「女の人が寒いといったんでしょ」とティッシュ。

「でも、彼女は外にいたのよ」

「扉の向こうが見えた？」

「いいえ、わたしは……」といいかけて口をつぐんだ。あの人たちが外にいるとどうしてわかったんだろう。あの扉は、外に通じるドアのようには見えなかったし、影以外はなにも見ていない。「どうして外にいると思ったのかわからない。ただそう感じたの」

「通路の中は寒くなかったといったね。あたたかかった？」

「いいえ。気温のことはなにも気づかなかった。それに、光を見たときも、あたたかさとか愛とか、臨死体験者がよく口にするようなことはなにも感じなかった。扉の向こうになにがあるんだろうと不安だったけど、それをべつにすればなにもない」

「自分で自分を観察しているような現実遊離感は？」

「いいえ」ときっぱり答える。「わたしはそこにいて、廊下と扉の下の光と声を経験していた。ビジョンにはすごく説得力があった。完全にリアルに感じた」

「声は聞いたけど、人の姿は見なかったんだね？」

「扉の下からのぞく足の影をべつにすれば」

リチャードは忙しくメモをとっている。

「オーケイ、トンネル、光、声と。体外離脱体験は？」

「いいえ」

「音は？　今度も聞こえた？」

「例の音ね」げっそりした声で答えた。「じっくり聞いて、正体を突き止めようと意欲満々だったんだけど、向こうに着いたときはすっかり忘れてた。この廊下のことをどこで知ったのか、それを思い出そうと必死だったから」

「またデジャヴュ？」

「デジャヴュじゃない。じっさいにはそうじゃないのに、ここには前にも来たことがあるとか、前にもおなじことをしたことがあるとか、そんな気がするのがデジャヴュでしょ。それとはちがうの。むしろわたしが感じたのは……」しばし口ごもった。「……前に一度も来たことがない場所なのはわかってるけど、でも……それがどこなのかわかる」

「どこなのかわかる？」とティッシュが好奇心にかられたようにいった。「どこだったの？」

「わからない」いらだたしい思いで答えた。「あのときはもうちょっとで思い出せそうな感じが……」その記憶をつかもうとするように片手をのばした。そういえば、臨死体験者のひとりも、いつだったか、こんなしぐさをしていた。そのときの面接記録を探して、彼女がなんといっていたのか調べてみなければ。

「その感じはまだつづいてる？」とリチャード。

「いいえ」

「音、トンネル、光、声、既知感」とリチャードが指折り数え、「帰還の命令は?」

「いいえ。だれも帰れなんていわなかった。わたしがいることも知らなかった」

「それでも、コア要素のうちの五つだ」とリチャードがうれしそうにいった。「投与量をうまく調整すれば、十個ぜんぶ記録できるかもしれない。それと、その既知感はじつにおもしろいね」

ジョアンナの歯がまたがたがた鳴り出した。「あとは着替えてからでもいい? 死にそうに凍えてるの。もう測定は終わった、ティッシュ?」

ティッシュがうなずくのを見て、ジョアンナは検査台を下り、体に毛布をぎゅっと巻きつけて、素足のまま更衣室に歩いていった。中に入ってドアを閉め、ブラウスに手をのばす。そのとき、ドアの鏡に映る自分の姿が目に入り、わかるという感覚にまた襲われた。知ってる。

あれがどこなのか、わたしは知ってる。

その感覚は一瞬しかつづかなかった。鏡に顔を向けるあいだに消えてしまい、あとはただ鏡の中の自分を見つめながら、いったいなにがひきがねを引いたのだろうと考えた。毛布、それともドア?

着替えを済ませると、真っ先にそのことをリチャードに話した。

「鏡そのものって可能性はあるかな?」とリチャードがドアの鏡を見ながらいった。「ND

Eで鏡は見た？　鏡じゃなくても、なにか自分が映るようなものとか」

「誘導」とたしなめてから、「いいえ」

「でも、さっきとおなじデジャヴュだった？」

「デジャヴュじゃないわ。一度も来たことのない場所だけど、どこなのかわかるの。ほら、たとえば一度もパリに行ったことがなくても、エッフェル塔を見ればパリだとわかるでしょ。そんな感じ。ただし、いまのわたしにはそれがどこだかわからないんだけど」と気弱な口調でつけ加えた。

「その感じはまだある？」

「いいえ。一瞬閃いただけ」

「おもしろい。その感じがまた甦ったらおしえてくれ」

「もしくは、あれがどこなのか突き止めたらね」といってオフィスにもどり、ジョアンナはその日の午後と夜を、頭の中であれこれ考えてその場所を特定する努力に費やした。毛布と板張りの床に関係がある。それと宮殿。いや、宮殿（パレス）そのものじゃないけど、パレスという言葉が入ったなにか。パレスホテル？　いや、ホテルじゃない。パレス座？

　成果はゼロ。失せもの探しの法則だ。必死になって探せば探すほど出てこなくて、忘れたころにひょっこり見つかる。翌朝、マーシー・ジェネラルに出勤する車の中で自分にそういい聞かせ、もう考えないことにしようと決心した。そうすれば、どうしてもつかまえられない記憶が、自分からひょっこり浮かび上がってくるかもしれない。

その決意にしたがって、過去の面接記録のテープ起こしと、ミセス・トラウトハイムの面接に集中したが、彼女は今回も、NDEの記憶を持たないまま瞬間的に覚醒した。

「この前のときとおんなじ。闇の中で横になって眠らないようにしてたんだけど、やっぱり眠ってしまったみたいね。ほんとにごめんなさい。寝ちゃわないように、わざわざ昼寝してから来たんだけどねえ」

「闇の中で横になっていたときですけど」とジョアンナはいった。「どこかの時点で闇が変化しましたか？　もっと暗くなったとか、感じが変わったとか？」

「いいえ」

「眠ってしまったとおっしゃいましたけど、眠っている記憶はありましたか？」

「いいえ。横になっていただけ。それからはっと目が覚めた」

「なにかで目が覚めたんですか？　動きとか、物音とか？」

「いいえ」

「きみはよくやったよ」ミセス・トラウトハイムが帰ったあと、リチャードがいった。「でも無駄だ。彼女はなにも覚えてない」

それはわたしもおなじ。ミセス・トラウトハイムの面接記録をタイプしながらジョアンナは思った。トンネルのことを考えないという努力は、通路の場所を特定する努力とおなじぐらいむなしい失敗に終わった。

〝床〟と〝毛布〟で面接データに検索をかけてみたが、ヒットはゼロ件。〝寒くてたまらない〟もゼロ。〝寒い〟で検索すると、今度はかなりの数がヒットした。ほとんどはトンネルの中や帰還途中に抱いたあいまいな感覚についての言及で、そのうちふたりについてはジョアンナ自身のメモが残っている。〝面接中、対象は、この部屋は寒くないかと何度も質問〟と〝対象は寒そうにしており、ローブを着込み、それから両手を袖の中に入れた〟

どれも非常に興味深いが、トンネルの場所を示唆するヒントはなく、翌日リチャードからまた潜ってほしいといわれたとき、最初に頭に浮かんだ考えは、〝もう一回見たら、きっとわかるかも〟だった。その次に浮かんだのは、〝でもまず最初にあの音の正体を突き止めよう。今度こそ、なにがあっても〟。そしてティッシュが電極をつけ、点滴をセットし、アイマスクの位置を直すあいだも、ずっとそれを自分にいい聞かせていた。

「あの音」とヘッドフォンを装着されながら口の中でつぶやいた。「最初はあの音の正体、次が廊下」

音がして、あの通路にいた。扉の下から洩れる光の線は、やはり奇妙に遠く見えるけれど、前回よりは扉に近い位置にいるにちがいない。その証拠に、扉の向こうの声が前よりはっきり聞こえる。

音！　あの音に聞き耳を立てるつもりだったのに、また忘れていた。さっとふりかえり、暗いトンネルの反対側を見た。あの音は——なに？　なにかを聞いたことははっきり覚えている。でも、なんだった？　いらいらしながら、「ベル、それともブザー？」と声に出して自問し、その声がトンネルの中でびっくりするほど大きく響く。扉と光のほうをふりかえる。

ジョアンナの声に驚いて向こうの話し声がやんでいるのを半分予期していたけれど、彼らはまだ話をつづけている。

「きっとなんでもないさ」と男がいい、ジョアンナはびくっとした。わたしのことをいってるんだろうか？

「だれか人をやって調べたほうがいいかな」とべつの男の声。来たときに聞いたのは彼らの声かも、と思ったが、そうじゃないことはわかっていた。前回も途中まで声は聞こえなかったし、最初のときは声などまったく聞こえなかった。例の音がやんだあと、通路は完全に沈黙していた。

それにあれは、声じゃなくて音だった。どんな音かというと……。まったく思い出せない。でも、こっちのほうから聞こえたのはまちがいない。そう思って、通路を引き返しはじめた。たぶん、反対の端から――

そして研究室にもどっていた。ああ、だめ。はじき出されてしまった。ミセス・トラウトハイムみたいに。

「ごめんなさい」といったけれど、ティッシュはそれを無視して、大失敗などなかったような顔で、ジョアンナのヘッドフォンをはずし、電極をはずしつづけている。

「目を覚ました？」とコンソールの前のリチャードがティッシュにたずねた。彼のほうもいつもと変わらない口調だ。

「投与量を変えたの？」手をついて体を起こそうと、検査台のへりを手探りしながらたずねた。

「どうして？」リチャードの顔が頭の上にあらわれた。「いままでとようすがちがった？」

「いいえ。でも引き返そうとしたら――」

「待って」リチャードがポケットの中を探り、ジョアンナの小型レコーダーをとりだした。

「最初からだ」

ジョアンナは理解できずに彼の顔を見上げた。「わたし、はじき出されなかった？」

「はじき出された？　いや。今回はNDEがなかったのかい？」

「いいえ。あの通路にいた」リチャードが顔の前にさしだしたレコーダーに向かって、「それから、例の音がしたほうを見ようと、くるっとうしろを向いた。今度はかならず正体を突き止めるつもりだったから、通路を反対方向に歩き出した。そして――」

「突き止めたのかい？」リチャードが口をはさむ。「正体がわかった？」

「いいえ。すごくへんな感じ。聞いたのはわかってるのに、頭の中で再現しようとすると、それができない」

「これまで一度も聞いたことがない妙な音だから？」

「ちがう、そうじゃないの。真夜中に目を覚まして、なにか物音で起こされたのはわかってるのに、それはもう聞こえない、物音がしたときは眠っていたからちゃんと聞いていたわけでもない。だから窓ガラスを枝がひっかいた音だったか、猫がテーブルの上のものを落とした音だったのかわからない。たとえていうとそんな感じ」

「じゃあその音は、ＮＤＥ状態に入る前に聞いたなにかだと？」

その可能性を考えてみた。「よくわからない。もしかしたらそうかも」なおも考えながら、リチャードを見つめた。「いま思い出したんだけど、ＥＲで面接していた患者が心停止して、看護師がアラームを鳴らしたとき、もしかしたらそれがＮＤＥで聞こえる音なのかもしれないと思ったことがある。心停止アラームって、ベルの音とブザーの音の中間みたいな感じでしょ」

「ここに心停止アラームなんかないわよ」とティッシュがいった。彼女がそこにいることをすっかり忘れていたかのように、リチャードが驚いた顔でティッシュを見た。「もしあったとしても、どっちみち聞こえません。だってほら、ヘッドフォンをしてたんだから」

「ティッシュのいうとおりね。外界の物音っていうことはありえない。あれは……」

「きみが面接した臨死体験者も、だれひとり、それがどんな音か説明できなかったんだろ」

「ある程度以上の自信とか、首尾一貫性をもって説明できた人はひとりもいない。いまとなっては、いらいらしながらしつこく質問したのがもうしわけない気がする」

「きみの報告が終わりしだい、一次聴覚野を調べてみるよ」

「わたしの臨死体験談はそこまでよ」とジョアンナはいった。「くるっとうしろを向いて、あの音がしたほうを見た。それから通路を引き返しはじめたら、研究室にもどっていた。だから、ＮＤＥからはじき出されたのかとたずねたのよ」

リチャードはよほど驚いたのか、録音機を持つ手を下ろしてしまっている。「トンネルの中にいた時間はどのぐらいだった？」

「わからない。とにかく、きびすを返して、二、三歩進むのにかかる程度の時間」

リチャードはもうコンソールの前に行って、スキャンを呼び出していた。「通常時間で？」とたずね、ジョアンナのぽかんとした表情を見て、「時間がひきのばされている感覚はなかった？　それともスローダウンしているとか、スピードアップしているとか？」

「いいえ。どうして？」

「きみのNDE状態は、最初の二回のセッションでは、二分ちょっとつづいた」と画面に呼び出した数字の列を見ながらいう。「でも今回は五分近い」こちらをふりかえって、「NDEがどのぐらい継続したか、臨死体験者にたずねたことはある？」

「いいえ。そんな質問、考えつかなかった」臨死体験はリチャードのいう通常時間で進行するものだと思い込んでいた。トンネルを猛スピードで進んだと語る臨死体験者もいたから、時間が加速したような感覚があったかどうかをたしかめるために、〝猛スピード〟とはどういうことですかと質問したことはある。しかし、どのぐらい長く光を見つめていたんですかとか、人生回顧にはどのぐらいの時間がかかったんですかとか、そういう質問をしようと思ったことは一度もなかった。NDEの持続時間は、彼らが説明した行動の長さに一致すると単純に思い込んでいた。主観的な時間経過を彼らが臨床的に死んでいた時間と比較することは思いつかなかった。

「NDEの終わりはどうだい？」とリチャードが質問した。「トンネルを引き返しているあいだ、時間の遅延はあった？」

「トンネルを引き返したわけじゃない。引き返そうとしたところで、とつぜん研究室にもどってたの。いままで二回の帰還とはちがっていた。もっとずっと……唐突だった」うまく説明する言葉がないかと考えながらそう答えたが、リチャードは時間の遅れの問題を蒸し返した。

「いままでの二回も、時間遅延は経験してないんだね？」

「ええ」ミセス・ウーラムに、いままでのNDEで持続時間に差があったかどうかたずねてみなければ。それにメイジーにも。メイジーは霧を見ただけだといった。だから彼女のNDEはほんの数秒しかつづかなかったのだろうと勝手に思っていた。いまはそれが気になる。

「これを見て」とリチャードがコンピュータ画面を見ながらいった。「アミーリア・タナカのNDE状態持続時間は、最長と最短で四分も幅がある」

ティッシュがリチャードの横に立ち、興味津々の顔で画面を覗いた。「夢の中の時間みたいなものかも。目覚ましが鳴ってから目が覚めるまでの二、三秒のあいだに、まるまる一日分の夢を見たりとかするじゃないですか。こないだの朝、そういう夢を見たんですよ。リオ・グランデのハッピー・アワーに行ってから、ブレッケンリッジでスキーする夢。でもそれは、ラジオのアナウンサーが、〝午前六時です〟というのと、〝予報によると、きょうのロッキー山脈地方はいつもより雪が多いようです〟というのとのあいだの二秒間の出来事だった」

しかしリチャードは聞いていなかった。キーボードを打つのに没頭している。「もう着替えていいかしら」とジョアンナはたずねたが、それも耳に入っていないようだ。「着替えてくるわ」といって検査台を下り、更衣室に向かった。

着替えて出てきたときも、リチャードはまだ一心不乱に画面を見つめていた。ティッシュがコートに袖を通しながら、「じゃ、失礼します」とうんざりした声でいった。「といっても、彼の耳に届くわけじゃないけど。もし彼とコミュニケーションが成立したら、あしたの午後二時にまた来るといっといて。もっとはやく来たほうがよければ電話してくれって」ティッシュは残念そうな視線をリチャードに送り、「すくなくともわたしはもうあきらめた。彼、あなたがいることも知らないのよ」コートを着終えてから、「この人生には——」

哲学など思いもよらぬことがあるのだ、ホレーシオ。とジョアンナは心の中でつづきをいった。

「——仕事以外にもいろんなことがあるのにね」ティッシュは手袋をはめ、「今夜のハッピー・アワーはリマルディーズにいるわ。そこのドクター仕事中毒を見放す気があればだけど」

「ありがとう」と答えてにっこりした。「でも、まだ記憶がフレッシュなうちに自分のNDEを記録しとかなきゃ」

ティッシュは肩をすくめた。「死んだあとも、仕事以外にいろんなことがあってほしいもんだわ」コートのジッパーを上げて、「でなきゃあたしは死んでやらない。ばいばい、ドクター・ライト」と陽気に声をかけて部屋を出ていった。

リチャードは顔を上げもしなかった。「ミスター・セイジのNDEには二分十五秒の幅がある。NDEの実時間と主観時間のあいだには直接の相関があると思っていたけど、もしそうじゃないとすると……」

もしそうじゃないとすると、脳死は四分から六分で起きるわけじゃないのかもしれない。もしかしたらもっと短い。あるいはもっと長い。

「過去の面接記録で、時間遅延に関する言及を調べてもらえる?」

「ええ」と答えたものの、たぶんひとつもないはずだ。時間がスローダウンしたりスピードアップしたりすれば、〝夢じゃない、現実だった〟とはいわないだろう。

たしかにあれは現実だった。NDE報告を記録するためにオフィスに向かいながら思った。現実の時間、現実の場所で起きているように思えた。その現実の場所がどこなのかについては、あいかわらず五里霧中だけれど。

それをいうなら、あの音の正体も五里霧中。おかげで、今回のNDEを最初から最後まで記録しても、ほんの数分しかかからなかった。打ち込む内容といえば、聞いた声と、その言葉と、うしろを向いて歩き出したこと――

NDEを終わらせたのはそれだろうか。過去の面接記録を呼び出し、臨死体験の最後の部分だけを重点的にチェックした。帰還について〝唐突〟とか〝突然〟とかの言葉で語る臨死体験者はおおぜいいた。「自分の体にひきもどされていくみたいな感じでした」とミズ・アンクラムは語り、ミスター・サモーラはNDEの終わりを「だれかに襟首をつかまれて放り投げられたよう」と形容している。

ふたりともトンネルが帰り道になったとはいっていないものの、ミズ・アーウィンが「キリストが〝あなたの時はまだ満ちてない〟といって、気がつくとわたしはまたトンネルの中にいました」と語っているように、トンネルにもどったという患者がほかにも十人ほどいる。「精霊が光を指さして、〝汝、死を選ぶや？〟といい、それからトンネルを指さして、〝あるいは生を選ぶや？　正しく選ぶがよい〟といいました」それにしても、精霊だの聖人だの死んだ血縁者だのはどうしてみんな、もったいぶった疑似宗教的な、旧約聖書とオビ＝ワン・ケノービの中間みたいな口調でしゃべるんだろう。

リチャードに見せるために参照箇所のリストをつくりながら、やっぱりハッピー・アワーに行くんだったと後悔した。最低でもナチョスかなにか食べるものがあったはずだ。セッションのおかげで、きょうは昼食も食べ損ねている。デスクの引き出しを開けて、キャンディバーかりんごでもまぎれこんでないかと漁ってみたが、見つかったのは封を開けたガムのパック一個だけ。一枚とって銀紙をはがしてみたが、よほど古かったらしく、とたんにぼろぼろ崩れてしまった。

研究室を出る前にリチャードの白衣のポケットからなにか略奪してくればよかった。きっと本人は気づきもしなかっただろう。そう思ったとき、またあの感覚が襲ってきた。あのトンネルがどこにあるのか、もうちょっとで、あとほんのちょっとでわかりそうな感じ。全身の動きを止め、その感じに神経を集中したが、もう消えていた。いったいなにがひきがねを引いたんだろう。リチャードの白衣のポケットから食べものをくすねること？　それともガム？　まだ行ったことがない有名な場所で、板張りの床と毛布と古いガムがあるところ？

　空腹感のせいだ。飢えた人間はよく蜃気楼を見るんじゃなかったっけ？　でもリチャードはまたあの感じがしたら教えてくれといっていた。そこでジョアンナは研究室にもどり、報告した。

「べつにくすねる必要はないんだよ。いつでもあげるのに」といいながら、リチャードはチートスひと箱と梨一個と牛乳一本をポケットからとりだした。

「ポイントは食べものじゃないのよ」ジョアンナはミルクの蓋をあけて、「あなたがあんまり仕事に集中してるから、なにをとられても気がつかないだろうってこと」

「いまもその感じは残ってる？」

「いいえ」

「やっぱり側頭葉じゃないかな」リチャードはコンソールの前に行った。「きみのスキャンを調べてたんだけど。例の音のことをもう一回教えてくれ。たしかに聞いたんだけど、なんだか正体がわからないんだよね」

　ジョアンナは梨をかじりながらうなずいた。

「もしかしたら、そんなことは起きてないからなんじゃないかと思うんだ。これを見て」と、スキャン画像の青いエリアを指さした。「聴覚野はまったく活動していない。脳の中で現実の聴覚刺激があるもんだと思い込んでいたけど、そうじゃなくて、側頭葉刺激かもしれない」

「つまり、どういうこと？」

「つまり、例の音の正体がわからないのは、じっさいにそれを聞いてないからだってこと。なにかを聞いたという感覚だけを経験していて、音自体はそれに付随していない」

でもわたしはたしかに聞いた。

「側頭葉刺激なら、どうして音の説明が人によってあんなにばらばらなのかも説明がつく。患者は音を聞いたという感じだけを受けとるから、自分が最後に聞いた音からなにかひとつをでっちあげてしまうんだ」

心停止アラームの鳴り響く音とか、フラットラインになった心臓モニターのハム音とか。

「他のコア要素のいくつかもそれで説明できるかもしれない。NDEはエンドルフィン由来だと思っていたけど、もしかしたら……」リチャードはキーボードを叩きはじめた。「光、声、時間遅延、それにデジャヴュさえ、やっぱり側頭葉刺激の産物なんだよ」

「デジャヴュなんかじゃない」といったけれど、リチャードはもうスキャンに没頭していたから、ジョアンナはチートスを食べて、ミセス・ウーラムのところへNDEの持続時間と帰還時のようすを質問しにいった。

「そこに立って、あの階段を見上げていたの」ニットの白いベッドジャケットを羽織ったミセス・ウーラムは、前よりもさらにはかなげに見えた。「それから、救急車の中にいた」

「そのときなにかしてませんでした？」ジョアンナはたずねた。「トンネルを歩いてもどったりとか？　ただ立っていただけ？」

「ええ。声が聞こえて、もどらなきゃいけないいんだとわかって、そしたらもどっていたの」

「声はなんと？」

「正確にいうと声じゃないの。内なる感覚ね。もどらなきゃいけない、まだわたしの時じゃないっていう」ミセス・ウーラムはくすっと笑った。「おかしいと思うでしょ、もうこんなおばあさんなんだから、いい潮時じゃないかって。でもねえ、人間なんてわからないものよ。このまえポーターズに入院していたとき同室だった娘さん。とてもお若くて、二十歳になるやならずだったけど、虫垂炎で入院していて。虫垂切除なんて、なんでもない手術でしょ。わたしの娘時分にだってやってたくらいだから。ところが手術の翌日、その娘さんが亡くなったの。自分が逝くべき時がいつやってくるかなんて、だれにもわからないのよ」

ミセス・ウーラムは開いたまま置いてあった聖書のページをめくりはじめた。目指す箇所を見つけて朗読する。

「〝彼は思いがけないときに来るからである〟（『ルカによる福音書』十二章四十節より）」

「それはキリストのことだと思ってましたけど。死のことじゃなくて」

「ええ、そうですよ。でも、死が訪れるとき、イエス様もいっしょに訪れてくださる。イエス様はそのために地上に遣わされたのですからね。死ぬために。わたしたちがひとりぼっちで死を経験せずに済むように。死がどんなに恐ろしいものであろうと、わたしたちがそれに直面するのを助けてくださる」

「死は恐ろしいものだと思いますか？」とジョアンナはたずね、またあの恐怖感に襲われた。

「もちろんですよ。ミスター・マンドレイクが、恐れることなどなにもない、天使と楽しい再会と光がすべてだといっているのは知ってますけどね」ミセス・ウーラムは白髪頭を不興げに振った。「きのうもここにやってきて、どうしたと思う？　ありとあらゆるたわごとを並べ立てていったのよ。〝あなたは光に包まれるんです。恐れることなどひとつもありません〟って。わたしにいわせれば」とミセス・ウーラムは快活にいった。「この世と自分の体と愛する人々すべてを残して行ってしまうことが恐ろしくないわけがないでしょう。たとえ天国へ行くのだとしても」

それに、天国があるとどうしてわかる？　扉の向こうに、虎とかもっと恐ろしいものが待っていないとどうしてわかる？　そう考えて、アミーリア・タナカの声を思い出した。認識と恐怖に満ちた「ああ、だめ、ああ、だめ、ああ、だめ」を。

「もちろん、わたしだって怖いわ。イエス様ご自身も怖がっていた。ゲッセマネの園では、〝この杯をわたしから過ぎ去らせてください〟といい、十字架にかけられたときは、〝エリ、エリ、レマ・サバクタニ〟といった。〝わが神、わが神、なぜわたしをお見捨てになったのですか？〟という意味よ」

ミセス・ウーラムはまた聖書を開き、ページをめくった。手の皮膚は金縁のページとおなじぐらい薄く見える。「詩篇の中でさえ、〝死の陰の谷を行くときも、わたしは死を恐れない〟とは書いてありませんよ」ミセス・ウーラムは、ほんとうに谷を歩いているかのように、もっと低い、いくらか沈んだ声になって、「〝死の陰の谷を行くときも、わたしは災いを恐れない〟です」

閉じた聖書を痩せこけた胸の前で楯のように両手で持った。「イエス様がわたしといっしょにいてくださるからです。〝わたしは世の終わりまで、いつもあなたがたと共にいる〟とイエス様はおっしゃいました」

ミセス・ウーラムはジョアンナに向かってほほえんだ。「でも、説教を聞きにきたわけじゃないわね。わたしのNDEについて質問にいらっしゃった。ほかになにを知りたいの？」

「いまうかがった以外のときのNDEについてなんですけど、帰ってくるときはやっぱりそれとおなじでした？」

「一回だけ、ちがっていたことがありましたよ。そのときわたしはトンネルの中にいて、そうしたらとつぜん、電話の横の床の上にもどっていたの」

「床の上に？」

「ええ。まだ救急車も着いてなかったから」

「移行は一瞬だった？」

「ええ」とうなずいて、ミセス・ウーラムはまた聖書を開いた。〝最後のラッパが鳴るとともに、たちまち、一瞬のうちに〟みたいな一節を朗読するのかと思ったが、かわりに彼女は両手で聖書を持ち上げ、勢いよくぱたんと閉じた。「こんな感じ」

「本をぱっと閉じるみたいに唐突だったといってた」ジョアンナは翌日、ミスター・セイジの到着を待つあいだ、リチャードにそう説明した。「それにミセス・ダヴェンポートも、帰還が突然だったといってる」

「ミセス・ダヴェンポート？」リチャードが疑わしげな口調で聞き返した。

「わかってるわかってる。彼女はなんでもミスター・マンドレイクがいわせたいことをいう。でも、彼は帰還に興味がないし、彼女の臨死体験談には〝突然〟という言葉が何度も出てくるのよ。そして、このふたりのケースは両方とも、医療行為なしで、心臓が自発的に鼓動を再開している」

「きみが面接したほかの臨死体験者はどうなんだい？　蘇生方法と帰還のしかたには相関がある？」

「ミスター・セイジのセッションが終わりしだい調べてみる」

「時間遅延についてたずねてみてくれ。あと、帰ってくるときのようすも」とリチャードがいい、ジョアンナは半ば義務的にその要請に応じたが、案の定、たいした成果はなかった。

時間遅延問題に関して二十分間むなしい努力をつづけたあと、とうとうあきらめてたずねた。

「どんなふうに目を覚ましたか説明していただけますか？　ぱっと目が覚めたのか、それともゆっくり目覚めたのか？」

「さあ」とミスター・セイジはいった。「ただ目が覚めたんだ」

「目覚まし時計が鳴って目が覚めるような感じでしたか？」と質問を変えると、リチャードが眉を上げてこちらを見た。

誘導尋問なのはわかってる。誘導抜きでこの人物から答えを引き出す希望はすっぱり捨てたのよ。

「目覚まし時計が鳴って起きたような感じでしたか」と質問をくりかえし、「それとも土曜の朝、ゆっくりのんびり目を覚ますときのような感じでしたか？」

「土曜は出勤だ」とミスター・セイジはいった。

突然の帰還について調べるため、オフィスにもどったときはほっとした。もっとも、突然の帰還と自発的な蘇生のあいだに明確な相関は見つからなかった。「アブラハムが〝もどれ！〟と命令し、そしたらバーン！ ていう感じで、手術台の上にもどってたんだ」とミスター・サメシマは語ったが、彼の医療記録を調べてみると、電気ショックが四回も試みられていた。反対に、自動車事故で心臓が止まったあと、ひとりでに自発呼吸をはじめたミズ・カンツは、「雲のような空間に長いあいだ漂ってました」と述懐している。

午後四時、ジョアンナはとりあえず手元に集めた分のデータをまとめた。プリントアウトを待つあいだ、留守番電話の伝言を聞いた。ドクター・ライトとの仲に進展はあったかとヴィエルからの質問。ミスター・ウォジャコフスキーは行かなくていいか知りたがっている。ミセス・ヘイトンは、春季懇親会の臨時会議があるので予定を変更してほしい。それからミスター・マンドレイク。その伝言は早送りで飛ばした。グァーダループ。「時間ができたら連絡して」

コーマ・カールにまだ興味があるかどうかたしかめたいのだろう。そういえば、もう何日も会いにいってない。

リストを届けに研究室へ寄ってから（リチャードはスキャンからちょっと顔を上げただけだった）、グァーダループのところへ行った。彼女はカールの病室で、バイタルの数値をコンピュータに入力していた。ジョアンナはベッドのほうを見やった。ベッドは四十五度の角度にしてあり、枕の山に埋もれて上体を起こしたカールは、いまにも足元へ滑り落ちそうに見えた。透明のプラスチック製酸素マスクが鼻と口をおおっている。

「容態はどう？」なるべくふつうの口調を心がけて、グァーダループにたずねた。

「あんまりよくない」とグァーダループがささやき声で答えた。「この二日間、いくらか鬱血が起きてて」

「肺炎？」とささやき声でたずねる。

「それはまだ」グァーダループが点滴のようすを見にいった。前に来たときより点滴袋が二個増えている。

「奥さんは？」

「食事に出てる」グァーダループは点滴スタンドの数字を打ち込みながら答えた。「まる一日なんにも食べてなくて、ようやく時間ができてカフェテリアへ行ったら、閉まってたそうよ。正直な話、あんなカフェテリア、いっそないほうがましじゃない？」

斜めに傾いたベッドにじっと横たわるカールを見つめた。わたしたちの声は聞こえてるんだろうか。奥さんが出かけてわたしがここにいることを知っているのか、それともミセス・ウーラムみたいに、このうえなく美しい庭園にいるんだろうか。それとも、両側にドアが並んだ通路に？

「彼、なにかいった？」とグァーダループにたずねた。

「きょうはなにも。きのう、パムの当直のとき、二言三言しゃべったそうだけど、パムの話だと、マスクのせいで言葉が聞きとりにくかったって」グァーダループがポケットからメモ用紙を一枚とりだし、こちらにさしだした。

カールがうめき声をあげ、なにかつぶやいた。ジョアンナはベッドに近寄った。「なあに、カール？」といいながら、力のない手を握る。

そのときカールの指が動き、ジョアンナは驚きのあまり、思わず手を放しそうになった。声が聞こえたんだ。わたしとコミュニケートしようとしている。一瞬そう思ったが、すぐにまちがいに気がついた。「震えてる」と、グァーダループに報告する。

「この二日はずっとそんな調子なの。体温は平熱なんだけど」

ジョアンナは壁の通気孔に歩み寄り、そこに手をあてて、温風が出てきているかどうかたしかめた。一応、かすかにあたたかい空気が吹き出している。「サーモスタットはあるの？」

「いいえ」とグァーダループが答え、戸口に歩きながら、「そうね。たしかに寒いわ、この部屋。もう一枚、毛布をとってくる」

ジョアンナはベッドの脇の椅子に腰かけ、グァーダルループにわたされたメモ用紙を読んだ。ほんの数語しか書かれていない。〝水〟と〝寒い（コールド）？　暗号（コード）？〟、そしてまた〝おお、大きい（グランド）〟。

カールが泣くような声をあげ、弱々しく足を蹴った。なにかを振り払おうとしている？　それともよじのぼっている？　聞きとれない言葉をつぶやき、顔のマスクが曇った。ジョアンナはカールの顔に耳を近づけた。「彼女」とカールがつぶやく。「急げ」カールの頭が枕から持ち上がった。「……なきゃ（ハフ・トゥ）ならん」

「なにをしなければいけないの、カール？」ジョアンナはもう一度彼の手をとった。「なにをしなければいけないの？」

しかし彼はもう枕の山にぐったりと体をあずけ、震えている。ジョアンナは無抵抗の体の上にベッドスプレッドをひっぱりあげ、グァーダルループと毛布はどうしたんだろうと考え、それから両手でカールの手を包んだままそこに立ちつくした。なきゃならん。水。おお、大きい。

とつぜん、病室のようすが変化した。沈黙。はっとしてカールを見た。呼吸が止まったんじゃないかと思ったが、そうではなかった。胸が浅く上下しているし、酸素マスクもおなじリズムでかすかに白くなっている。

でも、たしかになにかが変わった。なんだろう。モニター装置類はどれも稼働しつづけているし、もしカールのバイタルに変化があったら、アラームが鳴るはずだ。部屋の中を見まわした。コンピュータ、点滴スタンド、ヒーター。通気孔に手をあててみた。空気の流れが止まっている。

ヒーターが止まったんだ。そう考えたとき、だしぬけに閃いた。わたしが聞いたのは音じゃなかった。音ではなく、音が消えたあとの沈黙。トンネルの中で聞こえたのはそれだ。だからどんな音なのか説明できなかった。音じゃなかったから。なにかが止まったあとの沈黙。そう考えたとき、もうちょっとで、あとほんのちょっとでわかりそうな気がした。

「さあ、カール、すてきなほかほかの毛布が来たわよ」といいながらグヮーダルループが四角く畳んだ青い毛布を広げはじめた。「電子レンジであたためておいてあげたから」手を止めて、ジョアンナの顔と握りしめたこぶしを見つめ、「どうかした？」

もうちょっとでわかりそうだったのに、またどこかに消えてしまった。どうかしたどころじゃないわよ。

「ちょっと思い出そうとしてたことがあって」といいながらこぶしの力を抜く。

グヮーダルループがカールの体に毛布をかけ、肩の下に敷き込むのを見守った。毛布とヒーターに関係のあるなにか。いや、ヒーターじゃない。たしかに毛布は関係があるし、あの女の人は「寒くてたまらない」といったけれど。なにかべつのものだ。ハイスクールと、それにリチャードの白衣のポケットを漁ることと関係があり、わたしがじっさいには一度も行ったことのない場所。のどもとまで答えが出かかっている場所。

あれがどこなのかわかる。わたしは知っている。そう思ったとき、あの恐怖感がもどってきた。これまでよりも強く。

17

「夢の中で、白い翼の天使が笑みを浮かべてこちらへやってきた」

――死後に公表された、ポール・ゴーギャンの最後のメモ

「おもしろい」ヒーターの話を聞いて、リチャードはそういった。「その感覚をもう一回説明して」

「つまり……」と適切な言葉を探した。「……NDEに出てくるあの廊下がどこなのか知ってるという確信ね」

「フラッシュバックじゃないんだろ？　気がつくとまたあそこにいたというわけじゃなく？」

「ちがう。それに、ええ、デジャヴュでもないわ」と次の質問を先取りして答えた。「行ったことがない場所なのはわかってる」

「未視感（ジャメヴュ）ってことは？　何度も行ってる場所なのに見知らぬところに来たような気がするってやつ。それも側頭葉現象なんだけど」

「いいえ」と辛抱強く答えた。「行ったことはないけれど、どこなのかはわかる場所。どこだか知ってるのに、それが思い出せないのよ。たとえば――」眼鏡を鼻の上に押し上げ、うまいたとえを考えた。「たとえば、前にヴィエルと映画を観にいったとき、女の人がポップコーンを買ってるところに出くわしたの。どこかで彼女を見た覚えがあると思ったけど、だれだったのか思い出せない。でもそこになんとなく否定的な感情がくっついていたから、声をかけて本人にたずねたりはしたくなかった。映画を観てるあいだじゅう、どこで会ったのかをずっと考えてたの。病院のスタッフか、アパートの近所に住んでる人か、面接したことのある相手か、と。つまりそういう感覚ね」これでわかってもらえたことを祈りつつ、リチャードの顔を見た。

「で、だれだったんだい？」

「ミスター・マンドレイクの一党」ジョアンナはそこでにっこりして、「映画の四分の三まで来たところで、メグ・ライアンが手相を観てもらう場面があって、それでやっと思い出したの。〝わかった、これだったんだ。彼女はミスター・マンドレイクの友だちだ〟って。だからエンドクレジットが出る前に、ヴィエルとふたりでこっそり映画館を抜け出したの」

リチャードは考え込むような顔になった。「で、ヒーターが止まったことが、その手相見とおなじように、なにかのひきがねを引いた、と？」

「ええ。ただし、こっちのほうはけっきょく思い出せなかったんだけど。これで三回めなのよ、答えがすぐそこにあるっていう気がしたのは――」また宙をつかむようなしぐさをしかけているのに気がついて自制した。「でも、つかまえきれない」

「その感覚が起きるとき、吐き気を感じたりする？」

「いいえ」

「妙な味とかにおいは？」

「いいえ」

「部分的イメージは？」

「部分的イメージって？」

「ほら、だれかの名前を思い出そうとしてるとき、たしかTではじまる名前だったと思い出すみたいな」

リチャードがいいたいことはわかった。メグ・ライアンが占い師にてのひらをさしだしているとき、ジョアンナはとつぜん、廊下の向こうからミスター・マンドレイクに呼ばれたことを思い出したのだった。

「いいえ」

リチャードは勢いよくうなずいた。「だと思ったよ。きみが経験してるのは、認知予感とか認識感とか呼ばれるやつだ。知識を持っているという本能的な感覚と、その知識の中身がなんなのかを語ることができない不能性とがいっしょになったもの。側頭葉刺激の効果だよ。それが大脳辺縁系の認識シグナルのスイッチを入れるんだけど、中身は欠落している」

「例の音みたいに」

「そのとおり。賭けてもいいけど、あの音も、トンネルがどこなのか知っているという感覚も、両方とも側頭葉刺激の産物だね」

「でもわたしは——」

リチャードがうなずいて、「知っているという強い感覚がある。それを経験している人間は、自分はたしかに神や宇宙の本質を理解しているというんだけど、じゃあくわしく説明してといわれると説明できないんだ。側頭葉てんかんのありふれた症状だよ」

「臨死体験者にもありふれた症状ね。二十パーセント以上が、この宇宙の本質について、特別の知識や洞察を与えられたと信じている」

「でも、言葉で表現することはできない。そうだろ？」

「ええ」と答えながら、ミセス・ケリーを思い出した。「天使が〝この光を見よ〟といったの」とミセス・ケリーは語った。「そしてそのとき、わたしは宇宙の意味を理解した」

ジョアンナはそのとき、レコーダーをまわしたまま、鉛筆をかまえて待っていた。しびれを切らし、「で、それは？」とたずね、ミセス・ケリーのぽかんとした顔を見て、「宇宙の意味というのは？」と聞き直した。

「それを経験していない人間には理解できないわ」とミセス・ケリーは横柄にいった。「目の見えない人に光を説明しろというようなものよ」しかし彼女の顔に浮かぶ怯えたような狼狽の表情はいまもまざまざと思い出すことができる。ミセス・ケリーは宇宙の意味について、手がかりひとつ持っていなかったのだ。

「でも、臨死体験者が持っていると感じる知識は形而上的なものよ。わたしの感覚は、宗教とも宇宙の本質ともいっさい関係がない」

「ああ、でも科学的な素養のある臨死体験者の場合は、その知識は宇宙意識とかみたいな突拍子もないものじゃなくて、もっと現世的なものになるんじゃないかな」

「トンネルの場所を知っていると思うような」

「そういうこと。そして、ランダムかつ恣意的に、毛布とかヒーターとか、そのへんのいろんなものに意味を付与する。これまたよくある現象だよ。きみが認知だと解釈している感覚は、現実には過剰な側頭葉刺激でしかない」

「ちがうわ。わたしにはわかってるもの。ただそれが……」

「まさしくそれだ。それがなんなのかを教えられない。なぜなら現実の知識じゃなくてひとつの感情だから。実体のない感覚だから」

リチャードの説はたしかに筋が通っている。何度も何度も思い出しそうになるのにいつまでたっても答えに近づかないのも、きっかけとなる刺激がばらばらなのもそれで説明がつく。毛布、止まったヒーター、リチャードの白衣、妙な感じに見える床……。それに、ハイスクールとも関係がある。それを忘れないように。

「でも、すごくリアルな……」

「それは、脳が現実になにかを理解するときとおなじ神経伝達物質が介在してるせいだよ。またなにかのきっかけでその感覚が甦ったら、それに関するすべてをメモしておくといい。

その場の状況、それに付随する徴候――」

「でも、今度はそれがなんなのかをわたしがちゃんと突き止めたら？」

リチャードはにっこりして、「その場合は、側頭葉刺激じゃなかったということになる。でも、賭けてもいいけどそうはならないね。側頭葉刺激だとすれば、こんなに多種多様なエンドルフィンが存在していることも説明できるし、臨死体験のコア要素はほとんどすべて側頭葉刺激の症状だ――音、声、光、言葉にできない感覚、あたたかさ……」

でもあたたかくなんかなかった、とジョアンナは心の中で頑固にいいはった。寒かったのよ。それに、あれがどこなのかわたしは知っている。今度またあの感覚が甦ったら、きっと突き止めてみせる。

しかし、それが甦ることはなかった。原因を教えられたことで病が癒えたとでもいうように。まあべつにそれでもかまわなかった。それからの三日間は、なにかを思い出すどころか、息をつくひまもないほど忙しかった。心停止後に蘇生する患者の大波がとつぜん押し寄せたのだ。六週間前に面接したミセス・ジェイコブスンが心停止で運ばれてきたし、別々に喘息発作を起こした患者がふたり。

ジョアンナは彼らの臨死体験談を聞きとった。トンネル（暗い）、光（明るい）、音（説明不能）。彼らの見解が唯一一致したのは、NDEが現実の出来事のように思えたということだった。「おれはあそこにいたんだ」ミスター・ダービーは怒鳴るようにしていった。「あれは現実だった。おれにはわかる」

面接の合間を縫ってミセス・ヘイトンに電話をくれと伝言し、認知予感もしくは説明不能性と過剰理解の例を求めて面接記録を読み直した。使命を果たすべく地上にもどったと語る臨死体験者はおおぜいいるが、その使命がなんなのかを明快な言葉で説明できた者はひとりもいない。「使命だよ」とミスター・エドワーズは激した口調で語り、ジョアンナのメモには〝この話題になると激しく動揺〟としたためられている。

過剰理解の事例はもっと数が少ない。ミズ・ホッジズは、「いま花や鳥を目にすると、以前よりはるかに大きな意味が感じとれるんです」と話しているけれど、死の淵から甦ったことですべてが新鮮に見えるというだけのことかもしれない。それに、宇宙の意味がもうちょっとでわかるという感覚を口にした臨死体験者はひとりもいなかった。ジョアンナの見るかぎり、彼ら全員が、すでにその知識を手にしたと思っている。ぎりぎり手の届かないところにその知識があると感じた例はゼロだ。

〝とらえどころがない〟(elusive)で検索をかけてみたが、ヒットなし。〝舌の先〟で再検索している最中にＩＣＵから連絡があり、心臓発作の患者ふたりが搬送されてきたというのであわてて駆けつけ、ふたりめの患者の面接が終わらないうちに、アナフィラキシー・ショックの患者が来たとヴィエルからポケットベルで呼ばれた。

すぐさまその患者に会いにいったが、それでも間に合わなかった。「トンネルに直行したんだよ」ジョアンナが病室に入るなり、その患者はいった。「どうして体を抜け出して天井の近くに浮かばなかったんだろう。そっちが先だと思ってたのに」

おっとっと。「ミスター・マンドレイクが面会に来ませんでしたか、ミスター・ファンダーバーク？」

「いま帰ったところだよ」とミスター・ファンダーバークはいった。「みんな体を抜け出してふわふわ漂い、医者が救命処置をやってるのを上から見下ろすんだといってた」

「体外離脱体験をする人もいるし、しない人もいるんです。臨死体験は人それぞれですから」

「ミスター・マンドレイクの話だと、だれでもみんな経験するのは、体外離脱、トンネル、光」と指折り数えながら、「血縁者、天使、人生回顧、帰還の命令だって」

あきらめたほうがましかも。そう思いながらもレコーダーをとりだし、録音ボタンを押して質問をはじめた。

「あなたが経験したことを説明していただけますか、ミスター・ファンダーバーク」

予想どおり、彼はトンネル、光、親戚、天使、人生回顧、帰還命令を経験していた。

「まわりに見えたものは、見覚えがあるような気がしましたか？」

「いや。そのはずなのかい？」ミスター・ファンダーバークはなにかをだましとられたような顔で聞き返した。「ミスター・マンドレイクはそれについてはなにもいってなかったけど」

「帰還のことを話してください」

「その前に人生回顧だ」

「いいわ、じゃあ人生回顧について話してください」

しかし彼の話は、そのときの状況についても回顧の内容自体についてもひどくあいまいだった。「回顧だよ」とミスター・ファンダーバークはいった。「自分の人生の。それから天使が帰れと命令して、ぼくは帰ってきた」

「帰還のときのようすを説明していただけますか？」

「帰ってきたんだ」

ジョアンナの心の中でミスター・セイジの株が上昇した。「臨死体験中、なにか聞こえた記憶は？」

「いや。トンネルに入るときに音がするはずだとミスター・マンドレイクはいってたけど、ぼくはそれもなかったな」このコースにはデザートがついてるはずだ、メニューにそう書いてあるじゃないかと文句をつける客とそっくりの口調だった。

ほかの面接はもっとうまくいったが、帰還時の状況や例の音に関してくわしい情報を提供してくれるものはなかった。

ミズ・アイザクスンは、音についてまったく説明しなかった。

「音だったというのはたしかですか？」

「どういう意味？」

「音ではなくて、それまでずっと聞こえていた音が途絶えたあとの沈黙だった可能性はありませんか？」

誘導になるのは重々承知しているが、知りたいことをたずねるほかの方法を思いつかなかったし、どのみちこの入れ知恵もミズ・アイザクスンにはなんの効果もなかった。

「ううん、まちがいなく音だった。最初にトンネルに入ったときに聞こえたの。叩くような音。っていうか、むせび泣くような音。よく覚えてないわ、母さんに会えてすごくうれしかったから」彼女の目に涙があふれた。「母さんはすごく元気でしあわせそうだった。最後に会ったときのようすとはぜんぜんちがってた。亡くなる間際はすごく痩せちゃって、肌も黄色くなってたから」

　古典的なパターン。臨死体験者はつねに、再会した血縁者が死の床にあったときよりずっと健康に見えたと証言する。かつて失っていた体重や手足や機能は回復している。

「母さんは光の中に立って、わたしに向かって両腕をのばしてたわ」

「光について説明していただけますか？」

「きれいだった」といいながら顔を上げ、両手を広げる。「きらきら輝いてた」

「トンネルについて説明していただけますか？」

「ずいぶん暗かった」とためらいがちな口調でいう。「廊下を思い出したっていうか」

「思い出したといいましたけど、ということは見覚えがあった？」

「ううん」とミズ・アイザクスンは即答した。

　ま、しょうがないか。ジョアンナは心の中でそうつぶやき、メモに目を走らせて、聞き忘れていることがないか確認した。

「どこなのか知らないけど」とミズ・アイザクスンが言葉を探すような口調でゆっくりといった。「ずっと遠いところだっていう気がした」

そのとおりだ。ジョアンナはあの通路を思い出した。あれは遠く離れたところにある。グレッグ・メノッティが、遠すぎてガールフレンドは来られないといったのはそういう意味だった。

そういえば、リチャードには嘘をついたことになる。あの感覚を抱いたのは三回だといったけれど、ほんとうは四回だ。グレッグの「五十八」というつぶやきのことを忘れていた。彼が「五十八」といったときも、彼がなんのことをいっているのかもうちょっとでわかるというおなじ感覚があった。それにあれは側頭葉刺激過多ではありえない。あのときはまだ潜ったこともなかった。リチャードと出会ってさえいなかった。

「ありがとうございました」とミズ・アイザクスンに礼をいい、録音を止めた。ノートと承諾書をポケットにしまい、病室を出た。そしてミスター・マンドレイクとばったり出くわした。

「ドクター・ランダー」ミスター・マンドレイクは、驚きと、患者の面接で先を越された悔しさをあらわにした表情でいった。「ミズ・アイザクスンに会ってきたのかね？」

「ええ。いま終わったところです」といって、すばやく廊下を歩き出した。

「待ちたまえ」とミスター・マンドレイクが行く手に立ちはだかった。「いくつか相談したいと思っていたことがあるのだよ」

わたしが潜ってることがバレたんじゃありませんようにと祈りながら、廊下の奥のエレベーターホールに焦がれるような視線を投げた。しかしジョアンナは、備品カートとミズ・アイザクスンの病室の開いたドアとのあいだに閉じ込められている。

「きみとドクター・ライトの研究プロジェクトの進行状況に興味があってね」

そうでしょうとも。とくに、スパイが全員いなくなったいまは。

「正直いって、きみがドクター・ライトといっしょに仕事をすると聞いたときは残念に思ったよ。共同作業に興味があると知っていたら、わたしの助手になってほしいと頼んでいたところだ。しかし、きみは自分ひとりで仕事をするのが好きだという印象がずっとあったものだからね」

エレベーターの到着を知らせるチンという鈍い音がかすかに響いた。だれか知り合いが降りてきますようにと祈りながらエレベーターホールに目をやった。こうなったらだれでもいい。

ミスター・ウォジャコフスキーでもいい。

「それがまさか、これほどうさんくさいプロジェクトを選ぶとは！　超自然的（メタフィジカル）な経験を物理的（フィジカル）な手段で再現しようとするとは！」

エレベーターの扉が開き、大きな菊の鉢植えをかかえた恰幅（かっぷく）のいい男が降りてきた。

「ああした実験なるものが再現できたのは、ちょっとした光と浮遊感だけだ。どの実験をとってみても、だれひとりとして天使や故人の霊を見てはいない。ミセス・ダヴェンポートには会ったかね？」

亡くなったの？　一瞬そう考えてはっとしたが、勘違いに気づいて心の中で苦笑した。トンネルの向こう側に立ってるミセス・ダヴェンポートに出くわしたら傑作だ。

ミスター・マンドレイクは答えを待っているらしい。「ミセス・ダヴェンポートはまだこの病院に？」とジョアンナはたずねた。「自宅にもどられたのでは」

ミスター・マンドレイクは首を振った。「いくつか、医師にも原因がわからない症状が出て、検査のために病院に残っている。その結果、何度か面接して話を聞くことができたのだが、そのたびに新たな記憶が甦ってきている」

そうでしょうとも、と思いながら頭を壁にもたせかけた。

「面接はできるかぎりはやく実施すべきだというきみの持論は承知しているが、わたしの経験では、患者の記憶は時間を経ることで逆に向上する。ついきのうになって、ミセス・ダヴェンポートは、光の天使が片手を上げて〝見よ〟といったことを思い出した。そしてそのとき彼女は、死が死ではなく、たんなる通路にすぎないことを理解したのだ」

「通路？」ジョアンナは思わず聞き返し、そのとたんに後悔したが、ミスター・マンドレイクは気づかなかったようだ。

「《向こう側》への通路だよ。その事実が崇高なる啓示としてミセス・ダヴェンポートに知らされたのだ。そして彼女が来世の美を見つめるあいだに、過去と未来の秘密が解き明かされ、彼女は宇宙の秘密を理解した」

「その秘密がなんなのかいってました？」

「言葉だけではそれを表現することはできないそうだ」ミスター・マンドレイクはいらだった表情になり、「ドクター・ライトはそうした啓示を研究室で再現できるかね？　むろん、できはしない。こうした啓示を与えられるのは神だけだよ」

もしくは側頭葉、とジョアンナは心の中でいった。リチャードのいうとおりだ。なにもかもみんな側頭葉由来の症状。

「〝この天と地のあいだにはな、ホレーシオ、哲学など思いもよらぬことがあるのだ〟」とミスター・マンドレイクが抑揚たっぷりにいい、ジョアンナはこのせりふこそ退場のきっかけだと飛びついた。

「面会予定の患者がいますので、西６に行ってきます」というなり、ミスター・マンドレイクの横をすりぬけて足早にエレベーターホールへ向かった。エレベーターが到着すると八階を押し、一階分上昇したところで五階を押した。これで少しは時間を稼げるだろうと思いながら五階で降りた。それに、かわいそうなミズ・アイザクスンからしばらくはミスター・マンドレイクを遠ざけておけるかもしれない。階段に向かって歩き出したところで、うしろから声がした。

「こんちゃ、ドク」

自業自得。願いごとをするときはくれぐれも慎重に。

「いったいここでなにをしてるの、ミスター・ウォジャコフスキー？」なんとか笑顔をつくりながらたずねた。

「友だちが転んで腰骨にひびを入れちまってな」とミスター・ウォジャコフスキーは快活に答えた。「陶芸の教室へ行く途中、いきなりすってんころりんだ。珊瑚海で水中爆雷にやられたときのことを思い出したよ。バド・ループといっしょに格納庫甲板でワイルドキャットの発電機を修理してたときだ。プロペラの羽根が一枚ふっとんでバドの頭の半分が持っていかれた。ずばっ！」自分のひたいに切りつけるようなしぐさをして、「こんな具合に真っ二つ。ついさっきまでガムをくちゃくちゃやりながらしゃべってたのに――あいつはいつもガムを噛んでた。ブラックジャック・ガムだ、近ごろはとんと見ねえが――次の瞬間、頭の半分が消えてた。自分じゃなにがぶつかったのかもわからずじまい」ミスター・ウォジャコフスキーは首を振り、「まあしかし、くたばりかたとしちゃあ悪かない。あっちにいる友だちよりはましだよ」と親指で背後の廊下のほうを指し、「癌、鬱血性心不全、それで今度は腰骨ときた。そのぐらいならおれはジャップの爆弾を選ぶね。しかし死にかたは選べねえ。だろ？」

「ええ、そうね」

「まあとにかく、ここでばったり会えてよかったよ」とミスター・ウォジャコフスキーがにこやかにいった。「あんたをつかまえて次の予定がどうなったか聞こうと思ってたんだ」

「ええ、ミスター・ウォジャコフスキー。ただその――」

「というのも、ちょっと問題があってな。アスペン・ガーデンズの友だちに、そいつといっしょに聴覚研究プロジェクトに応募すると約束したんだ。あんたたちのに申し込む前の話で、そのことをころっと忘れてたんだよ。つまり、同時にふたつの研究に登録してることになる。先生んとこのほうがそりゃあずっとおもしろいし、じっさいの話、おれはそう耳が遠いってわけでもないんだよ。かたっぽがちょいと耳鳴りするだけで。こいつは珊瑚海以来の持病でね、二号昇降機のすぐ前に爆弾が命中したとき――」

「でも登録したのはそっちのほうが先なんでしょ」話が途切れるのを待ってはいられないと決心して、そう口をはさんだ。「だったらやっぱり、聴覚研究のほうを優先しないと」

「先生たちをがっかりさせたくないんだ」

「だいじょうぶよ」

「いちばんやっちゃいかんことだ、友だちの信頼を裏切るってのは。この話はしたっけな、ほら、ラッツィ・フォーグルがアート・ブラザウカスに食堂の当直をかわってやると約束した話。アートがマウイにいる現地人の娘っこに会いにいけるように」

「ええ」と答えたが、効果はなかった。その話を最初から最後までぜんぶ聞かされたうえに、ジョー‐ジョー・パワーズにまつわるまたべつの話を聞いてから、ようやく解放してもらえた。

まっすぐオフィスに行ってコンピュータの前にすわり、言葉にできない啓示と森羅万象を網羅する知識の実例を探し、セッションの時間になるとリストを持って研究室に向かった。

リチャードはコンピュータの前でスキャンを見つめていた。「どこに行ってたんだい？」

と画面から目を離さずにたずねる。

「ミスター・マンドレイクと哲学談議」リチャードにテープ起こしの済んだ面接記録のプリントアウトをわたし、更衣室に行って患者用ガウンに着替えた。鏡に映る自分の姿を見て、グレッグ・メノッティの件をまだリチャードに話していないことを思い出し、部屋を出るなり口を開いた。「リチャード、例の感覚のことだけど――」

「おはよう、みなさん」ティッシュが紙を振りながら入ってくると、「上からのお達しよ」と、その紙をリチャードに手わたした。

「なに？」

「ドアの下に入れてあったんです」

「〝全職員の皆様〟」とリチャードは紙を読み上げた。「〝ERにおいて最近頻発しているドラッグ関連事例に鑑み――〟」と、そこで顔を上げて、「事例って？」

「発砲が二件とナイフ振りまわしが一件」とジョアンナは答えた。

「プラス、点滴スタンド振りまわし事例が一件」ティッシュが電極のコードをモニターに接続しながらいった。

「〝――ドラッグ関連事例に鑑み〟」とリチャードが朗読を再開した。「〝職員のみなさんは、全員、以下の予防措置に従ってください。一、周囲の状況に気を配る〟」

「うわあ、それって、ラリったギャングがセミオートマティックを振りまわしてるときとか、すっごく役に立ちそう」とティッシュ。

「〝二、急な動きを避ける。三、利用可能な避難路をあらかじめ確認する〟」

「四、ERでは勤務しない」とジョアンナ。

「冗談じゃないのよ」ティッシュが点滴の準備をしながらいった。「理事会は警備員をもうひとり増やすことにしたらしいけど、あと十人は雇わないと。準備できたわよ、ジョアンナ」ジョアンナが検査台に横たわると、腕と脚にティッシュがクッションをあてた。

「〝四、患者を拘束または武装解除しようとしない。五――〟」そこまで読んでからリチャードがメモをまるめてくずかごに放り込んだ。

「ジェニ・ライアンズに聞いたんだけど、彼女、オーロラ記念病院に転属願いを出したって」ジョアンナの腕に巻いた駆血帯を結びながらティッシュがいった。「少なくともあっちには金属探知機があるからって」ジョアンナの上膊部を指で叩き、血管を探している。

なんとかしてヴィエルをERから出さなきゃ。ティッシュが電極とヘッドフォンをセットするのを待ちながら、ジョアンナはかたく心に誓った。

なにか起きる前に転属願いを出せと説得しよう。そう思っているうちにトンネルの中にいたけれど、いままでにくらべると例の扉からずっと遠く、今回は扉が開いていた。通路の半分あたりまで金色の光がこぼれている。

前とはちがって光の中に影や動きは見えず、声も聞こえない。その場にじっと佇み、話し声がしないかと耳をそばだてる。あ。しまった、またやっちゃった。例の音の正体を突き止めるのをすっかり忘れていた。

でもあれは音じゃないし、音の休止でもない。側頭葉がもたらした、音を聞いたという感覚でしかない。じっさいには音なんか聞こえてない。

しかし、こうしてトンネルの中に立っていると、たしかに音がしたという確信がある。どんな音かというと――なんだろう？　咆哮。いや、なにかが落ちる音。暗い通路の反対側をふりかえりたい衝動を強く感じる。そうすれば音の正体を突き止める助けになるとでもいうように。音がしたほうに向かって通路を引き返したい。

だめよ。自分にそういい聞かせ、体がぴくりとも動かないよう筋肉に力を込めた。頭を動かすだけでも、研究室にもどされてしまうかもしれない。だめ。あの扉の向こうになにがあるかをたしかめるまでは。そして、扉に向かって歩き出した。

近づくにつれて、通路の壁や板張りの床を照らす光の明るさが増すような気がした。床はあいかわらず、この廊下が不自然に長いという印象を与える。壁は白く、両側に並ぶドアも白。廊下の突き当たりに近づくにつれて、ドアに数字が書かれているのが見えてきた。

そのうちのひとつがもし五十八だったら？　そんな思いが頭をよぎり、体の両脇でこぶしを握りしめて歩きつづける。ドアには金色の文字と数字で、C8、C10、C12……と書いてある。光は明るくなりつづける。いずれは我慢できないほどまぶしくなるんじゃないかと覚悟していたが、そうはならず、開いた戸口に近づくにしたがって、その向こうの人影が見分けられるようになった。白いローブを着た姿。金色の光を放射している。

天使たち。

18

「この旅のことが怖くてなりません」

――死の間際に書かれたメアリー・トッド・リンカーンの手紙より

天使だなんて！　ミスター・マンドレイクが狂喜しそう。

最初に頭に浮かんだ考えはそれだったが、ジョアンナはすぐに訂正した。ちがう、天使じゃない。人間だ。

背後から射す光が彼らのシルエットを金色に包み込み、彼らの着ている白いローブから光が放射されているように見える。いや、ローブじゃない。裾が床に触れるほど丈の長い白のワンピース。古風なドレスだ。

故人となった親族たち？　でも彼らは、戸口のまわりに集まって《向こう側》へと歓迎してくれているわけではない。そぞろ歩いたり、二、三人で集まったりしながら、低い声で話をしている。ジョアンナは戸口に近づき、いったいなにを話しているのか聞き耳を立てた。

「なにがあったの？」ハイネックのロングドレスを着た若い女がたずねた。長い髪が腰のあたりまで届いている。

　とうの昔に亡くなったご先祖様？　そう思いながら、ジョアンナは若い女性の向こうにいる話し相手の男性に目を凝らした。男が口を開いたが、声が低くて聞きとれない。かわりに、男を包む光に目をすがめた。白いジャケット姿で、感じのいい顔立ちだ。見覚えのない顔。女の顔にも見覚えはない。ふたりとも、はじめて見る顔だ。

　若い女がまたなにかいい、男は腰から上で一礼してから、並んで立っているべつの男女ひと組のほうに歩いていった。そちらの女性も白いドレス姿だが、髪は頭のてっぺんで結い上げている。両手も白く、話し相手の紳士の腕にからめた片手が光を反射してきらっと輝く。紳士のほうはきれいに整えた白いひげをたくわえ、女性のヘアスタイルともども、古い写真アルバムから抜け出したような雰囲気だ。しかしどちらの顔も見たことがない。もし彼らが故人となった親族だとしても、きっとわたしの親族じゃない。

　腰まである長い髪の女がひげの男に話しかけた。ジョアンナはもう一歩前に出て、戸口のすぐ手前で耳をそばだてた。「きっとなんでもないよ」とひげの男がいう。

　ジョアンナは背後の通路に不安な視線を投げた。いまのせりふは前回のセッションで聞いたのとおなじだ。そのあとさっきの女が「寒くてたまらない」といい、NDEはそこで終わった。通路が帰り道になっている――トンネルを引き返すことで臨死体験が終わる――という仮説を検証するつもりなら、NDE状態がひとりでに終わってしまう前に引き返す必要がある。でも、ここにとどまって彼らの話をもっと聞きたかった。ここがどこなのかを知る手がかりになるはずだ。

片足を上げ、いつでもきびすを返して駆け出せる姿勢のまま、どうしたものかと逡巡した。まるでシンデレラみたい。時計の針が真夜中を指し、後ろ髪を引かれる思いで舞踏会の会場から去ってゆく……。それから、白のロングドレス姿の女性たちにまた目をやって、きっとそれだと思い当たった。これは舞踏会なんだ。ひげの紳士の腕にからめた女性の手が白いのは白手袋をしているからだし、光を反射して輝いたのはブレスレットの宝石。それに、若いほうの男は白のディナー・ジャケットを着ている。ジョアンナは片手をひさしにして光をさえぎり、白いひげの紳士の服装を見定めようとした。

「寒くてたまらない」と若い女性がいい、ジョアンナは彼女に無念の一瞥を投げてから、くるっとうしろを向いて通路を走り出した。

そして、研究室にたどりついた。

「帰還のようすを聞かせてくれ」ティッシュがモニター機器の確認を終えて電極と点滴をはずすなり、リチャードがいった。「今回きみは――」といいかけて口をつぐみ、「帰還のときのことを話してくれ」

ジョアンナは自分がなにをしたかを説明した。「でもどうして？　スキャンのようすがいままでとちがってたの？」

「まるきりちがってたよ」とリチャードが満足そうにいって、それで話が終わったとでもいうようにコンピュータ端末のほうに歩き出した。

「待って。NDE報告がまだ終わってない」とジョアンナ。「今回はもうひとつ新しいコア要素を見たの。天使」

「天使？」とティッシュが口をはさんだ。「ほんとにぃ？」

「いいえ。でも、白ずくめの人たちを見た。ミスター・マンドレイクなら、〝雪のごとき白装束〟とかいいそうなやつ」

「翼は生えてた？」とティッシュ。

「いいえ。天使じゃなかった。人間だった。丈の長い白のローブを着て、そのまわりは光があふれていた。臨死体験者たちは、天使を見たと思い込んでるせいで、伝統的な白いローブや光輪を頭の中ででっちあげるんだと思ってた。日曜学校で習う天使にはそれがつきものだから。でも、もしかしたら話が反対なのかもしれない。つまり、白いローブや周囲を包む光のせいで、自分が見たものが天使だと思い込んでしまうのかも」

「話しかけられた？」とティッシュ。

「いいえ。わたしがそこにいることにも気づいてないみたいだった」ジョアンナは、女が口にした言葉をリチャードに伝えた。

「向こうが話す言葉は聞こえたんだね」

「ええ。それに、臨死体験者の一部が報告しているようなテレパシーじゃなかった。彼らは声に出して話してて、聞きとれた言葉もあれば聞きとれなかった言葉もある。けっこう距離があったから」

「もしかしたら、中身を欠いているせいかもしれないね。例の物音や、わかるという感覚みたいに」

いいえ、そうじゃない。その日の午後、自分の体験をコンピュータに入力しながら、ジョアンナは思った。だって、彼らがなにを話していたのかはわからないけれど、あのトンネルがどこなのかはわかるんだから。まちがいない。

通路の両側に数字のついたドアが並び、突き当たりにも扉があって、その先では白い服を着た人々がそぞろ歩いている。パーティ？　結婚式？　そう考えれば、白の洪水に説明がつく。でもどうして、口々に「なにがあった？」と質問しているのか。花婿が花嫁を捨てて出奔したとか？　それに、男もみんな白ずくめなのはどうして？　白ずくめの男女が集まって寒い寒いと文句をいっているのを最後に見たのは？

病院の防災訓練だ。病院には白い服を着た人間があふれているし、ほとんどの患者が臨死体験する場所でもある。NDEの圧倒的多数はERで起きる。医師や看護師たちに囲まれ、心停止アラームが鳴り響き、レジデントが意識のない患者を上から覗き込んで、その瞳に光を反射させながら、「なにがあった？」とたずねる。完璧に筋が通っている。

ただし、ERのスタッフは白衣を着ていない。緑や青やピンクの手術着を着ているし、外傷室にC8とかC10とかC12とかの番号はついていない。C。Cってなんの略だろう。

作話（コンファビュレーション）。考えるだけ無駄。くだくだ考えるより、目先の仕事に集中するほうがいい。

そして、それは思ったより簡単だった。NDEの大波は数日つづき、ジョアンナは義務的にその全員と面接したが、たいして役に立つ情報は得られなかった。説明不能性が彼らのNDEの全要素に伝染したかのように、彼らはそろって自分たちが経験したことを言葉で説明できなかった。彼らがそこにいた時間の長さも、帰還のときのようすも、（天使を含めて）そこで目にしたものも。

「天使みたいに見えたんだ」光の中に立っているところを見たものについて説明を求めると、ミスター・トリスはいらだたしげにそう答え、「もっと具体的にいうと？」とたずねると、「あんた、天使を見たことがないのか？」と聞き返された。

だれか知的な相手と話をしなきゃ。そう思ってERに行ってみたが、向こうは修羅場の最中だった。

「教会バスとセミトレーラーの正面衝突」ヴィエルが短くいって、救急隊員が運んできた担架のほうに駆け出した。「あとで電話する」

「こっちはもういい」とレジデントがいった。「DOAだ」

到着時死亡（デッド・オン・アライバル）。どこに到着したんだろう？　ぼんやりそんなことを思いながら、ミセス・ウーラムの病室に足を向けた。また会いにきますと約束していたし、例の庭園や階段でだれか人間を見たことがあるかどうか聞きたかった。

病室にミセス・ウーラムの姿はなかった。検査のために留守にしているのでないことも明白だった。ベッドはきちんとメイクされ、畳んだ毛布が置いてあり、その上にはきれいにクリーニングして畳んだ患者用ガウン。保険の入院保障期間が切れて退院したんだろう。がっかりしながらナース・ステーションにいって、「ミセス・ウーラムは病室を移ったの？　それとも退院？」と、知らない顔の看護師にたずねた。

看護師はびくっとしたように顔を上げ、ジョアンナの職員ＩＤを見て安堵の表情を浮かべた。その瞬間、看護師の返事がわかった。「ミセス・ウーラムはけさがた亡くなりました」

薄い胸に聖書を楯のように握りしめていた姿を思い出し、怖い思いをせずに済んだことを祈った。

「とても静かなご臨終でした。聖書を読みながら息をひきとったんです」と看護師がいった。

「死に顔も安らかで」

よかった。あの美しい庭にいるのならいいけど。ジョアンナは病室の戸口に引き返してそこに佇み、ベッドに横たわるミセス・ウーラムの姿を思い浮かべた。枕に広がる白髪、かよわい手から落ちて開いた聖書……。

なにもかも真実ならいいのに。光も天使も輝くキリストの姿も。ミセス・ウーラムのために、すべてが真実であればいい。そう祈りながら研究室に足を向けたが、リチャードはミセス・トラウトハイムのスキャンを調べるのに没頭していたし、こっちにはまだテープ起こしの済んでいない録音テープの山と、まだ面接が済んでいない臨死体験者がふたり残っている。オフィスに寄って新しいテープをとってから、ミズ・ピーキシュの病室へ面会に行った。

ミズ・ピーキシュはミスター・セイジとおなじぐらいコミュニケーション困難な相手だったが、いまはむしろそれがありがたかった。彼女から返事を引き出すことに意識を集中しているあいだは、どこか暗い場所にひとりぼっちでいるミセス・ウーラムのことを考えないでいられる。いいえ、ひとりぼっちじゃない、と自分で訂正した。ミセス・ウーラムは、キリストがいっしょにいてくれると信じていた。

「それから、わたしの人生を見たの」とミズ・ピーキシュはいった。

「もっと具体的にいうと？」

ミズ・ピーキシュはいっしょうけんめい思い出そうとするような顔になった。「むかしあった出来事」

「たとえばどんな出来事だったのか、いくつか話していただけますか？」

ミズ・ピーキシュは首を振った。「あっという間だったから」

光を説明する段になってもおなじようにあいまいで、例の音については当て推量さえしようとしなかった。その点に関しては、ミズ・グラントのほうがまだましだった。

「音楽みたいな音だったわ」と、ミズ・グラントはその音に耳を傾けるように細い顔を上げて答えた。「天上の音楽」

ミズ・グラントは、肺癌治療のための幹細胞移植手術中に心停止した。頭髪は抜け落ち、末期癌患者特有の、強制収容所の虐げられた囚人のような顔つきだった。臨死体験について進んで話そうとしてくれたことだけでも驚きだったが、ジョアンナが承諾書をさしだすと——これが最後の一枚。オフィスに寄って新しいのをとってこなければ——喜んでサインしてくれた。

「とても美しい場所でした」と、なにも質問しないうちに話しはじめた。「わたしのまわりに光があふれていて、恐怖はまったく感じなかった。平和な気分だけ」

どうやら彼女は、ミスター・マンドレイクが天国の実在する証拠だと主張する、ポジティヴなNDEの古典的なタイプを経験したらしい。ジョアンナはわれ知らずほっとした。

「どこかの戸口に立ってて、その向こうにきれいな場所が見えたんです。なにもかも白と金色で、きらきら光ってて。そこへ行きたかったんだけど行けなかったの。〝あなたがこちらに入ることは許されない〟と声がして」

これまた古典的なパターンだ。ある境界線を越えようとしたが、それはできないと禁止されたとか、門や戸口などの障壁に阻まれたとか語る臨死体験者はすくなくない。ジョアンナが面接した臨死体験者の第一号だったミセス・ジャーヴィスは、「その橋が生者の土地と死者の土地を分かつものだとわかったの」といい、ミスター・オリヴェッティは、「その門をくぐったら、二度ともどれないのがわかった」といった。

「そして気がつくとここにもどってて」と、ミズ・グラントは病院のベッドを身振りで示した。「まわりにお医者さんや看護師さんがたくさんいたの」

「音楽が聞こえたとおっしゃいましたが」とジョアンナはたずねた。「もっと具体的にいうと？　歌声でしたか？　それともインストゥルメンタル？」

「声じゃなかったわ。音楽だけ。それはそれは美しい音楽」

「それが聞こえたのはいつですか？」

「ずっと聞こえてました、最後の最後まで。まわり全体をそれが包んでいたの。光とか、平和な感じとおなじように」

「ありがとうございました。もうじゅうぶんです」といって、ジョアンナはノートを閉じ、レコーダーに手をのばした。

「ほかのかたはどんなものを見たのかしら？」とミズ・グラントがたずねた。

ジョアンナは顔を上げた。この人もミスター・ファンダーバークの同類なんだろうか。臨死体験で見られるものはぜんぶ見たいと思っている？「ふつうは――」

「みんなああいう場所を見るの？　白と金色で光がいっぱいの場所を？」やけに興奮した口調。どんな薬を投与されているのかたしかめたほうがよさそうだと思いながら、ジョアンナは点滴袋に目をやった。

「どうなの？」ミズ・グラントが食い下がる。

「ええ、美しい場所を見たという人もいます」と慎重に答えた。

「もしもどってこなかったら、次はどうなるの？」いや、彼女の口調にあるのは興奮の響きじゃない。恐怖だ。看護師を呼んだほうがいいかもしれない。「そのあとなにか悪いことが起きたといってる人はいた？」

「なにか怖いものを見たんですか？」とジョアンナは聞き返した。

「いいえ」とミズ・グラントは答え、それからジョアンナの質問で安心したというように、「いいえ。なにもかも美しかった。光も音楽も平和な気持ちも。向こうにいるあいだ、怖いなんてちっとも思わなかった。おだやかで平和な気持ちだけ」

そしてあとになって恐怖が訪れる。「死を恐れないでいられるはずがないのよ」とミセス・ウーラムはいった。

ジョアンナは病室を辞してオフィスに向かった。本館に通じる三階連絡通路の防火扉を押し開ける。外は暗く、通路の大きな窓のガラスは暗闇を映している。いま何時なんだろう。腕時計に目をやる。もう六時半。なのにまだテープ起こしが済んでいないＮＤＥの山が残っている。

ガラス張りの連絡通路は凍りつくような寒さだった。カーディガンをかき寄せ、通路を歩き出す。

足を止めた。この連絡通路のなにかがあのトンネルを思い出させる。なんだろう。ヒーターが止まった音じゃないのはたしかだ。ここは最初からヒーターなんか入ってないし、どのみち、通路の先にある病院の発電設備からいまも低いハム音が響いている。

それにこの感覚は、いままでの〝わかる〟感とはちがう。ああいう圧倒的な強さではなく、むしろだれかを見て、べつのだれかを連想するような感じ。この通路があの廊下に似てるんだ。でも、どんなふうに？　この連絡通路はあの廊下より幅が広いし、天井も高い。それにあの廊下の両側は、窓ではなくドアが並んでいる。

床だ。だしぬけにそう確信した。でも、あの廊下の床と似たところはひとつもない。この連絡通路の床はピンクと黄を散らした冴えないグレイのタイル張り。

そのタイルをじっと見つめながら、記憶の糸をたぐった。この連絡通路そのものじゃない。そうじゃなくて、この病院の中にある通路のどれかだ。でも、板張りの通路なんかひとつもない。二階の連絡通路はカーペット敷きだし、東棟とつながっているやつはことおなじタイル張り。板張りの床が残っているほど古いのはスローパー会館ビルぐらいだが、地下の連絡通路はコンクリート製だ。

それでもやっぱり、この病院の通路のどれかにちがいない。急ぎ足で連絡通路を抜けて本館にわたり、扉を押し開け、エレベーターホールにつづく廊下を歩いた。ちょうどエレベーターのドアが開いたところで、中は無人だった。二階のボタンを押してから、壁にもたれて目を閉じ、どの連絡通路だったのかを思い出そうと、それぞれの床を頭に思い浮かべた。三階の連絡通路はベージュ色のタイルで、両端の廊下より十センチほど低くなっている。二階の連絡通路のカーペットはブルー、いやブルーグリーンだ——

こんなことしてる場合じゃない。まっすぐ研究室に行かなければ。そう思って目を開けた。この認識感をまた感じたらすぐに研究室に来てRIPTスキャンを受けてほしい、そのときの脳状態を記録したいからとリチャードはいっていた。六階のボタンを押そうと手を上げたが、いつのまにかその手が下がっていた。階数表示ランプの《2》が点灯し、エレベーターを降りたジョアンナは足早に廊下に向かって歩き出した。二階連絡通路にたどり着き、深紫のすり切れたカーペットを見た瞬間、ここじゃないとわかった。

ええ、それに自分ではブルーグリーンだと思ってたわけね、と思いながら引き返した。そし、西棟との連絡通路へ足を向けていた。ないとどうしてわかる？　それでもまたエレベーターに乗り込んだときは三階のボタンを押れに、どの連絡通路なのかどうしても突き止めたいというこの衝動が側頭葉刺激の結果じゃ

病院のこの一画は、くすんだ赤紫のカーペットに床を張り替えたばかりで、色分けした線が長い廊下の端から端までのびて、外来外科、泌尿器科、レントゲン室への道順を示している。ある日、コーマ・カールの病室へ近道していたとき、「その黄色いれんが道をたどっていけば着きますから」と看護師が患者に説明しているのを聞いたことがある。ジョアンナは赤い線をたどって――たしかに便利！――外来外科まで行き、床のリフォームが連絡通路にまで及んでいないことを祈りながら左に曲がった。

カーペットは前のままだが、ペンキは塗り替えられていた。連絡通路に通じる半分開いたままの扉は、黄色の立入禁止テープだけでなく、オレンジ色の通行止めコーン二個でふさがれている。そのあいだをすり抜けて扉の向こうを覗いてみたが、連絡通路は端から端までポリエチレンの養生シートでおおわれていた。「そっちは通れませんよ」と通りがかった看護助手が声をかけてきた。「わたるんなら五階まで上がらないと」

古きよきマーシー・ジェネラル。こっちからあっちには行けない。最寄りのエレベーターは外来外科のいちばん奥。かわりに、もうこれ以上、塗り立てのペンキや立入禁止テープに出会わないことを祈りつつ、階段を使った。さいわい行く手をふさがれることはなかったし、奇蹟的に、改修工事はこちらの連絡通路までは及んでいなかった。

扉を開けて中に入る。五歩も進まないうちに、この通路もちがうことがわかった。床はチェッカー盤のような白と黒の市松模様で、扉とは直角に交わっている。でもそれはあのトンネルの扉もおなじだった。あともどりしながら、連絡通路の突き当たりに目をやった。カーブしていない。カーブしているとどうして思ったんだろう。遠近感のせいで、黒と白のタイルの列が突き当たりのところでせまくなっているように見え、そのおかげで連絡通路がじっさいよりも長く見える。あのトンネルみたいに？　あのトンネルはありえないほど長く見えたけれど、あれも遠近法のいたずらなんだろうか。

しゃがみこみ、扉とタイルが交わる部分に目を凝らした。あの床板の幅が遠近法にしたがってせまくなる、そのなにかのせいで床がカーブして見えるのだろうか。いや、カーブしてるんじゃなくて――

「落とし物？」と声がした。

ジョアンナは顔を上げた。バーバラだ。「頭の中でね」と答えて立ち上がり、手についた埃を払った。「ここでなにしてるの？」

バーバラは手に持った缶入りペプシ二本とスニッカーズのバー一個を突き出して、「西棟の自販機がぜんぶ故障中で。これが夕食なの。会えてよかった。伝えたいことがあったのよ。きょうの昼間、メイジー・ネリスがまた心室細動を起こして――」

「だいじょうぶなの？」

バーバラがうなずき、止まりかけていたジョアンナの心臓がまた動きはじめた。

「心停止はほんの数秒だったし、とくに深刻なダメージはないみたい。留守番電話に伝言入れといたんだけど」

「けさ早くからずっとオフィスにもどってなくて」

「だと思った。まあ、深刻だったらポケットベルで呼び出してたでしょうけど」

　ポケットベルも切ったままだ、とジョアンナはうしろめたい気分になった。

「とにかく、メイジーはいまＣＩＣＵにいて、あなたに会いたがってる。わたしももどらなきゃ」バーバラはペプシ二本を片手で持ち直して、腕時計に目をやった。

「いっしょに行くわ」ジョアンナはバーバラのかわりに連絡通路の扉を押し開けた。「面会できる？」

「あの子が起きてればね」

「いま何時？」バーバラといっしょに廊下を歩きながら、ジョアンナは自分の腕時計に目を落とした。九時十五分前。もう二時間近く、なにもかも忘れて、病院の中を憑かれたようにほっつき歩いていたことになる。そのあいだにメイジーが——

　そのときとつぜん、もうちょっとでわかるという感覚がどっと押し寄せてきて、そのあまりの激しさに眩暈(めまい)を感じながら本能的に廊下の突き当たりの扉に目をやったけれど、そこに扉はなく、公衆電話が並んでいるだけだった。ちがう、それじゃない。いまさっき考えていたことだ。なにもかも忘れてうわのそらだったことか、ポケットベルを切ったままでいたことか——

「だいじょうぶ？」と問いかけるバーバラの心配そうな表情を見て、自分が片手でおなかを押さえて急に立ち止まっていたことに気がついた。「メイジーはほんとに心配ないのよ。そんなにおどかすつもりじゃなかったのに。あの子とすごく仲がいいのは知ってるけど。だいじょうぶ。さっきわたしが出てきたときは、ヴェスヴィオス山の話でポーラをもてなしてたぐらい。ねえ、あなたも夕食を食べ損なってるんじゃないの。ほら」バーバラがペプシの缶を片方あけて、こちらにさしだした。「わたしよりまだ血糖値が低そうな顔。あのカフェテリア、撤去して銃殺刑にすべきね」

行ってしまった。襲ってきたときとおなじぐらい唐突に。あれだけ強烈だったのだから、いますぐ研究室に行ってＲＩＰＴスキャンを受ければ、きっと画像に出るだろう。でも、きょうはもうメイジーを一度がっかりさせている。おなじ過ちをくりかえしたくはなかった。

ペプシをありがたく受けとって、ひと口すすった。

「ほんと。けさからなにも食べてないのよ」たちまち気分がよくなった。もしかしたら、血糖値が下がりすぎていただけのことかもしれない。メイジーについての心配との相乗効果で、それがさっきの感覚を引き起こしたのかも。

おまけに、心配するだけの理由はたしかにあった。

「どうしても病状が安定しないのよ」とバーバラがエレベーターの中でいった。「抗不整脈薬をどんどん強くしてて、そのせいで肝臓と腎臓に与える副作用がかなり深刻になってるんだけど、ぜんぜん効かないみたい。効いてるのはミセス・ネリスの心の中だけね。そこではなにもかも順調で、メイジーは毎日よくなってて、心停止もちょっとした不調。彼女、ほんとにそういったのよ」とバーバラはげっそりした口調でくりかえした。「ちょっとした不調（ア・リトル・ブリップ）」

ヨークタウンでは零戦の意味だったかもしれない。ジョアンナはミスター・ウォジャコフスキーを思い出した。でなきゃ魚雷とか。

CICUに行った。メイジーは眠っていた。酸素吸入のチューブを鼻につけ、胸には電極、点滴スタンドの袋は、ミズ・グラントとおなじぐらいたくさんあった。ベッドの枕元の明かりが消えた薄暗い病室に足音を忍ばせて二、三歩だけ入り、そこに佇んだまましばらくメイジーを見つめた。今回、あの恐怖感がどこからやってきたのかは考えるまでもない。死をシミュレートすることと、死をまっすぐ見つめることとはまったくちがう。

心臓が止まったときなにを見たの、メイジー？　声に出さずにそうたずねた。半分開いた扉？　その向こうで白い服を着た人々が「なにがあったの？」とか「寒くてたまらない」とかいってた？　美しい場所を見たのならいいけど。金色と白に包まれ、天上の音楽が鳴り響く場所――ミズ・グラントのような。いや、そうじゃない。ミセス・ウーラムが見たような、緑と白に包まれた美しい庭園がいい。

長いあいだ薄闇の中に立ちつくし、それからバーバラに「十一時ぐらいまでは残ってるから。なにかあったらベルを鳴らして」と声をかけてからオフィスにもどり、ベルが鳴るのを、電話が鳴るのを待ちながら、真夜中過ぎまで面接の録音内容をタイプしつづけた。

　けれど、翌朝会ったメイジーはいつものように陽気だった。「あしたになったらいつもの部屋にもどるんだ。この酸素チューブってむかつく。鼻の穴にぜんぜんおさまっててくれないし。ねえ、きのうはどこにいたの？　忘れたり作話したりしないように、ＮＤＥのすぐあとに話をしたほうがいいっていったくせに」

「なにを見たの？」

「なんにも」メイジーはうんざりしたようにいった。「霧だけだよ、前のときといっしょ。前よりちょっと霧が薄かっただけ。でもやっぱりなんにも見えなかった。ただし、なんか聞こえた」

「なに？」

　メイジーは眉間にしわを寄せ、いっしょうけんめいな顔になった。「どーん、かな」

「どーん」

「うん。噴火とか爆発とかそんなの。どーん！」とメイジーは両手を広げて叫んだ。

「気をつけて」メイジーの腕の点滴チューブを見ながら注意した。

　メイジーは無頓着にちらっとそれを見やってから、「でっかいどーんだった」

「どーん、かなっていったけど、それはどういうこと？」

「はっきり聞こえたわけじゃないってこと。その音がして、それから霧っぽい場所にいたんだけど、どんな音だったか考えてもはっきり思い出せない感じ。でも、たぶんどーんだったよ」

火山の噴火みたいな音、か。メイジーが心停止の直前にたまたま読んでいたのはヴェスヴィオス火山の話だった。それでもメイジーは、最近面接した中ではいちばん優秀な観察者だった。「そのあとどうなったの？」

「なんにも。霧だけ。それから部屋にもどってた」

「もどってきたときのことを話してくれる？　どんな感じだった？」

「はやかったよ。いまさっきまで霧の中になにがあるのかと思って見まわしてたのに、次はもうもどってた感じで、救急チームの男の人がパドルをこすり合わせて〝離れて（クリア）〟っていってた。あのタイミングでもどれて助かった。パドルは大きらい」

「電気ショックは受けなかったの？」バーバラに確認してみなければ。

「うん。だってその男の人が、〝いい子だ、自分でもどってきたな〟っていってたもん」

「霧の中を見まわしたといったけど、もっと具体的にいうと？」

「ぐるっと一回転したんだ。やって見せようか」と、メイジーははやくもシーツを押しのけている。

「だめよ、あちこち線がつながってるんだから。ほら」とジョアンナはピンクのテディベアをさしだして、「これでやってみせて」

　メイジーは従順にいうことを聞いて、熊をシーツの上で動かした。「こうやって立ってて」と、熊の顔をジョアンナのほうに向けて持ち、「ぐるっと見まわして」と、熊の顔が真うしろを向くまで回転させせた。「それからもどったの」

もどったときは、トンネルの逆方向を向いていたことになる。もしトンネルだったとすればだけれど。「もどる前にこっちの方向に歩いた？」と、ジョアンナもテディベアで実演してみせた。

「ううん。だって、そっちになにがあるのかわかんなかったから」

虎かも。「なにがあるかもしれないと思った？」

「わかんない」メイジーはそういって、枕にぐったり体を横たえた。これが退場の合図。ジョアンナは録音を止めて立ち上がった。「休む時間よ、メイジー」

「待って。まだ行っちゃだめ。霧がどんなふうだったかまだ話してないのに。それに、セントヘレンズ山のことも」

「セントヘレンズ山？　ヴェスヴィオス山の本を読んでるんじゃなかったの？」

「どっちも火山。セントヘレンズ山の噴火口に住んでた男がいたって知ってた？　噴火するからそんなとこにいちゃいけないってさんざんいわれてたのに、耳を貸さなかったんだって。とうとう噴火したあと、その人、死体も見つからなかったんだよ」

この話はヴィエルに聞かせてやらなくちゃ。「はいはい、セントヘレンズ山の話は聞かせてもらいました。さあ、もう休む時間よ。疲れさせちゃいけないってバーバラにいわれてるんだから」

「でもヴェスヴィオス山の話がまだだよ。ずっと地震がつづいてて、それがぱったりやんで、そしたらそのとき、午後一時ぐらいなんだけど、ものすごい煙が出てあたりが真っ暗になって、みんなになにが起きたのかわかんなくて、そしたらいきなり灰とかが空から降ってきて、みんなあわてて長いポーチみたいな――」

「柱廊」

「コロネードの下に逃げたんだけどぜんぜん役に立たなくて、それから――」

「つづきはまた今度」

「――それからみんな、だいじなものだけ持って街から逃げ出そうとしたの。ある女の人は金のブレスレットを持ってて、それで――」

「つづきはまたあとで聞くから。休んだあとでね。酸素カニューレをちゃんとつけなさい」

といって、ようやく戸口までたどりついた。

が、まだ出られない。「いつ来るの？」と鋭い声の質問が飛ぶ。

「午後にまた来る。約束」と答えて、オフィスに向かった。

その途中でティッシュに出くわした。「あなたのセッションを一時に変更してほしいってドクター・ライトにいったら、あなたに聞けって。歯医者の予約があるのよ」

もしくはだいじなデートの約束。「いいわよ。彼、研究室？」

「ううん、ドクター・ジャミスンに会うって出かけるところだった。でも、正午までにはもどるって。いつもあんなにうわのそらで、腹が立たない？」

うわのそら。なにか恐ろしいことが起きようとしているのに、うわのそらで気づかない。

そういう状況に関係したなにか。

「もちろんあなたは平気よね」とティッシュがうんざりしたようにいった。「だって彼とそっくりだもん。いまいったこと、少しは耳に入ってた？」

「ええ。一時でしょ」

「それともうひとつ伝言。ミセス・ヘイトンに連絡はついたかって」

ミセス・ヘイトン。「いまから連絡してみる」と答えてオフィスに行き、それから昼までは、ミセス・ヘイトンの留守番電話に実りのない伝言を残すことと、ヤマハッカの鉢植えを見つめながら、あのトンネルをどこで見たのか思い出そうとすることに時間を費やした。

うわのそらと、リチャードの白衣と、扉が床と接する接しかたに関するなにか。それに紫と黄金に輝く軍団。それとハイスクール。ハイスクールの校舎には板張りの床があった。二階の長い廊下を頭の中に思い浮かべる。ワックスをかけた板張りの床。廊下の突き当たりにはドアがあった。副校長室のドアだ。リッキー・インマンが一日の半分をそこで過ごしていた。思い出しかけていたのはそれだろうか――ハイスクール時代の記憶？　すてきな権威像の審判イメージつき？

筋は通る。ハイスクールの廊下は長くて、両側に番号のついたドアが並んでいた。白衣は化学の教師が――なんて名前だっけ？　ホバート先生だ――着ていたやつで、例の音は始業ベル（ベルの音とブザーの音の中間みたいな音だった）かもしれず、あの扉は副校長室のドアで――

でも、あれは部屋の扉じゃなかった。外に通じる扉だ。あの扉を開けて、外になにがあるのかをたしかめなければ。そうしたら、あれがどこなのかわかる。

そして一時十五分、ヘッドフォンとアイマスクをつけて横たわり、ジテタミンが効きはじめるのを待ちながら思った。扉だ。答えはあの扉の向こうにある。

そしてトンネルの中にいた。扉は閉じていた。ナイフの刃のように細い光の線が扉の下にのぞいているだけ。真っ暗なトンネルの中、片手で壁にさわりながら、手探りで進む。

光の線は細すぎて影ができず、声のつぶやきひとつ聞こえない。トンネルは完全に静まり返っている。ヒーターが止まったあとのコーマ・カールの病室のように。ちがう、ヒーターじゃない。なにかべつの、止まるまで気づかない、低くて一定の音。

「——止まった」扉の向こうから低い声が響き、ジョアンナは足を止めて聞き耳をたてた。

沈黙。長いあいだ闇の中にじっと立ちつくし、それからまた手探りで扉に向かって進みはじめる。もし鍵がかかっていたら？　だが、鍵はかかっていなかった。ノブはやすやすとまわり、扉を手前に引いたとたん、まばゆい光の洪水が襲ってくる。殴りつけられたような衝撃を感じてたたらを踏み、片手で顔をかばう。

「なにがあったの？」怯えたような女の声がいい、ジョアンナは一瞬、光のことかと思った。自分が扉を開けたのと同時に光が爆弾さながらに爆発し、その場にいる全員の目を眩ませたのでは。

「きっとなんでもないよ」と男の声がいった。目が慣れるにつれ、白いジャケットを着たその男の姿が見えてきた。腰まである長い髪の女性に向かって話している。

「とても妙な音だったわ」と彼女はいった。

音。やっぱり音はしたんだ。

白ジャケットの男がなにかいったが、その言葉も、それに対する女の返事も聞きとれない。戸口まで前進すると、たちまち人々の姿がもっとはっきり見えるようになった。髪の長い若い女性は白いドレスの上にコートを羽織り、男の白ジャケットの前にはずらりと金釦(きんボタン)がついていた。白手袋の女性は白い毛皮の丈の短いケープを着ている。

「はい、お嬢様」と男がいい、召使いなんだ、とジョアンナは思った。あの白ジャケットはお仕着せだ。

「布を裂くような音だったわ」若い女性がそういって、白いひげの男のそばに歩み寄った。

「お聞きになって?」

「いや」と男が答え、髪を結い上げた女が、「事故でもあったのかしら」といった。白手袋の片手で毛皮のケープののどもとを押さえ、いかにも寒そうにしている。外にいるせいだ。そう思ってまわりを見わたしたが、ちょうど逆光になっているせいで、彼らのうしろの白い壁しか見えない。彼らが立つ足元の床に目を落とした。廊下の床とおなじように板張りだが、ワックスはかかっていない。ポーチかなにか。それともパティオ。

「寒くてたまらない」と若い女性がコートをぎゅっと体に巻きつけた。寒いのも無理はないと、コートの合わせ目からのぞくドレスを見ながら思った。生地はこの天候にはおよそふさわしくない薄手のモスリンで、ナイトガウンのようにすとんと足元まで落ちている。

「なにがあったのか調べてみよう」ひげの男がいった。こちらはぱりっとした白いシャツに白の蝶ネクタイという夜会服姿。さっきの召使いに傲然とあごをしゃくると、召使いが小走りにやってきた。

「お呼びでしょうか？」

「なにがあった？　なぜ止まっている？」

「存じません。機械の故障かもしれません。ご心配にはおよばないと存じますが」

「ミスター・ブライアリーを捜してきたまえ」とひげの男がいった。「彼なら説明できるだろう」

「かしこまりました」召使いは光の中に姿を消した。

「ミスター・ブライアリーに聞けばどうなっているかわかるはずだ」とひげの男がふたりのレディにいった。「それまで、ご婦人がたはあたたかい中へもどっていたほうがいい」

そう、あたたかい中へもどったほうがいいとジョアンナは思い、そして研究室にもどっていた。ティッシュが血圧を測りながら、「永遠に潜ったままかと思った」と非難がましい口調でいい、ジョアンナのバイタル数値をカルテに書き込み、電極をはずし、点滴チューブを抜き、一分ごとに腕時計に目をやる。

「オーケイ」とようやくティッシュがいった。「もう起きていいわよ」

リチャードがやってきた。

「音はたしかにした」とジョアンナは口を開いた。「女の片方が聞いてる。布を裂くような音だったっていってた」

「あとはまかせていいかしら」とティッシュが点滴装置をかたづけながらいった。「もう遅刻なの」

「ああ」とリチャードがそれに答えてから、「持続時間は？　どのぐらい向こうにいた？」

「十分ぐらいだと思う」とジョアンナ。「扉の外の人たちが話してたのは。それに、ほんとに外だった。白いひげの男が、〝ご婦人がたはあたたかい中へもどっていたほうがいい〟といった。物音の話をしてて、それからひげの男が召使いになにがあったのか見てこいと命令したのよ」

「召使い？」

「さよなら」とティッシュがいった。「明日は何時に？」

「十時だ」とリチャードが答え、ティッシュは出ていった。「彼らの中に召使いがいたって？」

「ええ。お仕着せの金釦が見えたから。それに、女の白いドレスには刺繍がしてあった。ただし、ドレスじゃなくてナイトガウン。その上からコートを羽織ってて……」女がそれをかき寄せるしぐさを思い出し、ジョアンナは眉間にしわを寄せた。「ちがう、コートじゃない。毛布よ。だって――」

唐突に口をつぐみ、大きく息を吸い込んだ。

「わあ。どうしよう」ジョアンナは叫んだ。「あれがどこだかわかった」

第二部

「死が船だってことがありうると思うかい？」

——トム・ストッパードの戯曲

『ローゼンクランツとギルデンスターンは死んだ』

19

「ヴァンクーヴァー！　ヴァンクーヴァー！　とうとう来た！」

——セントヘレンズ山の火山学者デイヴ・ジョンストンからの最後の無電

「どこだかわかった？」リチャードはあっけにとられて聞き返した。わかるわけがない。側頭葉の既知感は、ただそういう感覚があるだけで、実体をともなわない。だがジョアンナは、わかったと思い込んでいるようだ。その声には押し殺した興奮の響きがある。

「なにもかもぜんぶ符合する。床も、寒さも、毛布も。ポケットベルを止めてちゃいけなかった、なにか恐ろしいことが起きたのにそのせいで気がつかなかったんだっていう感覚まで含めて。ぜんぶぴったりあてはまる」ジョアンナが晴れ晴れとした顔でこちらを見上げた。

「どこだかわかるけど、自分では一度も行ったことがない場所だっていったでしょ。そのとおりだった。やっぱりそう。どこだかわかってた」

リチャードとしては、「で、どこなんだい？」とたずねるのが怖いくらいだった。そうたずねれば、ジョアンナはとたんに当惑した表情か、怒りの表情か、あるいはその両方を浮かべるだろう。この二週間、おなじ問いをぶつけるたびにそうなった。側頭葉刺激がもたらす〝知っている〟という確信の強さはまったくたいしたものだ。なにがその感覚を引き起こすのかをちゃんと理解し、それが物理的に誘発されたものだと知っているジョアンナのような人間でさえこれなのだから。

「音は音じゃない、なにかが止まったあとの沈黙だといったでしょ。それもそのとおりだった。だからみんな目を覚ましたのよ。エンジンが止まったせいで。それで外のデッキに出て、なにがあったのかたしかめようと――」

「デッキ？」

「ええ、それにひどく寒かった。ほとんどの人は寝間着の上からコートや毛布をひっかけただけだったし。真夜中を過ぎてたから、もうみんな寝ていたのよ。でも、髪を結い上げたあの女性はべつ。あの夫婦はまだ起きてたのね。ふたりとも夜会服姿だったから」話しながらパズルのピースをひとつずつ組み上げてゆくように、ジョアンナはゆっくりといった。「だから白手袋をしていた」

「ジョアンナ――」

「三階の連絡通路は建物の床より一段低くなってるでしょ。突き当たりに段差があるせいで、上向きにカーブしてるみたいに見える。それとあなたの白衣」

「ジョアンナ、ぼくにはさっぱり意味が――」

「でも、これで完璧に意味が通じたのよ。機関助士のひとりがうしろからジャック・フィリップスに近づいて救命胴衣を盗もうとしたのに、彼は気がつかなかった。SOSを打電するのに必死で――」

「SOS？　救命胴衣？　いったいなんの話なんだ、ジョアンナ？」

「あれがなんなのかの話。なんなのかわかるといったでしょ。そのとおり、わかったのよ」

「で、なんだったんだい？」

「宮殿っていう言葉が関係してるのもわかってた。そういうあだ名で呼ばれてたからよ。浮かぶ宮殿」

「なにをなんと呼んでたって？」

「タイタニック」

　その答えに――なんであれ答えが与えられたことに――驚いたあまり、しばらくはあんぐり口をあけてジョアンナを見つめることしかできなかった。

「どこだかわかるけど、一度も行ったことがない場所だといったでしょ」

「タイタニック」

「ええ。廊下じゃなくて通路。あの扉はデッキに出るためのドア。タイタニックが氷山に衝突したあと、どの程度の被害が出たか調べるためにエンジンを止めた。乗客はなにがあったのかとデッキに出てきた。寒さが手がかりだったのよ。あの夜は氷山のせいで気温がいっぺんに十二度近くも下がった。ナイトガウンの女が〝寒くてたまらないわ〟といったときに気がついてもよかった」

タイタニックか。なのに彼女を正気の島と呼んでいたとは。ジョアンナが第二のR・ジョン・フォックスになる心配はぜったいにないと太鼓判を捺(お)したのに。

「なにもかもぴったり符合する」とジョアンナはなおも熱っぽい口調でつづける。「連絡通路にいるときに感じた、うわのそらでいるうちになにか恐ろしいことが起きるっていうあの感覚。あれはカリフォルニアン号のことだった。カリフォルニアン号はあの夜、タイタニック号が最初のSOSを送る五分前に無線を切っていた。ひと晩じゅう、わずか十五マイルの距離にいたのに、タイタニックが沈んでいくことにまるで気がつかなかったのよ」

臨死体験(NDE)の研究者は遅かれ早かれみんな頭がおかしくなるという説をディヴィスが唱えていたが、もしかしたらそのとおりなのかもしれない。もしかしたら、感染性の狂気なのかも。しかし、ジョアンナにかぎって、そんなものに感染するはずがない。マンドレイクの洗脳を見抜き、NDEが物質的なプロセスだということを知り抜いているジョアンナにかぎって。きっとなにかのまちがいだ。

「はっきり教えてくれ。きみはそこにいたといってるのか？　タイタニック号の船上に？」

「ええ」とジョアンナは力強くうなずいた。「個室区画の通路ね。どれだかわからないけど。床が板張りだから二等船室かもしれない――デッキのカーブのせいで、通路がじっさいより長く見える。一等船室の通路ならカーペットが敷いてあるはず。でも、外のデッキにいた人たちは一等の乗客みたいに見えたから、やっぱり一等かも。髪を結い上げた女性は宝石をつけてたし、白い手袋をしていた。だれだろう」ひとりごとのように、「もしかしたらミセス・アリスンかも」

「で、きみはだれだった？」リチャードは怒りにまかせていった。「レイディ・アスターか？」

「なに？」ジョアンナがぽかんとした顔で聞き返した。

「前世のきみはだれだったのかと聞いてるんだよ。不沈のモリー・ブラウン？」

「前世？」いったいなんの話なのかさっぱりわからないという口調。

「シャーリー・マクレーンか？　いや、いわなくていい。あててみせるから」と片手で制して、「きみはブライディ・マーフィだったんだ（一九五〇年代、逆行催眠をかけられた女性からあらわれた別人格。一九世紀アイルランドの女性の生まれかわりとされ、前世が実在する証拠として大きな話題を集めた）。そして彼女はアイルランドからタイタニックにやってきた」

「ブライディ・マーフィ？」ジョアンナは肩をそびやかし、まなじりを決して、「話をでっちあげてるとでも思ってるわけ？」

「なにをやってるつもりかは知らないよ。タイタニックにいたと、きみが自分でいったんじゃないか」

「いたわ」

「ほかにだれが乗ってた？　ハリー・フーディニか？　エルヴィス・プレスリー？」

ジョアンナがにらみつけてくる。「よくもそんな。まったく信じられない――」

「信じられない？　信じられないのはこっちだよ、まさかきみの口から過去世に遡行したなんて与太話を聞かされるとはね！」

「過去世――」

「〝わたしが潜るべきよ〟ときみはいった。〝わたしなら公明正大な科学的観察者になれる。簡単にだまされて、光の天使を見たと信じ込んだりしない〟って。ああ、たしかにそうさ、もっといいものを見たんだから！　マンドレイクがこの件を嗅ぎつけたらどうなると思う？　タブロイド新聞はいうまでもないね。いまから見出しが目に浮かぶよ」片手を宙に動かして、「〝臨死科学者、タイタニック号に乗船したと発表〟」

「ちょっとは人の話を聞いたら――過去世遡行だなんていってない」

「ほう？　じゃあなんだ？」と嫌味たっぷりにたずねた。「タイムマシンか？　それともエイリアンの力でテレポートさせられた？　たしかはじめて会った日、きみの口から聞いたんだったたな、全臨死体験者の十四パーセントはＵＦＯにアブダクトされたことも信じてるって。でも先にいっといてほしかったよ、きみ自身もその十四パーセントの仲間だってね」

「こんな話につきあう義理はないわ」ジョアンナは憤然と検査台を下り、患者用ガウンの背中が開かないように片手で押さえながら、ストッキングの足で更衣室へと大股に歩いていった。

リチャードはそのあとについて歩きながら、

「こんなことなら強迫的嘘つきのミスター・ウォジャコフスキーをもっとだいじにするんだったよ。少なくとも彼が乗ってた船はヨークタウンだけなんだから」

「そう」ジョアンナはリチャードの目の前でドアを叩きつけるようにして閉めた。

あっという間にまたドアを開けて出てくると、ブラウスのボタンを留めてカーディガンをひっつかんだ。

「あなたがパートナーになってくれと頼むべき相手はミスター・マンドレイクね」リチャードを押しのけるようにして歩き出し、「あなたたちふたりなら完璧なコンビになれる。どっちも自説に合わないことにはいっさい耳を貸さないんだから」

それから戸口で立ち止まり、

「念のためにいっておくけど、あれはタイムトラベルでも過去世でもない。あれはタイタニックじゃなかった。あれは――こんな話をしても無駄ね。どうせ聞く耳持たないんでしょ」乱暴にドアを開けて、「あなたが新しいパートナーを捜してるとミスター・マンドレイクに伝えておく」

タイタニックじゃなかった？

「待って――」といいかけたが、ドアはばたんと閉じていた。

リチャードはあわててドアを開けた。ジョアンナはもうエレベーターの前。

「ジョアンナ、待ってくれ！」うしろからそう叫び、ジョアンナを追って廊下を駆け出した。

チンと音をたててエレベーターが到着した。

「待ってくれ！　ジョアンナ！」

ジョアンナはこちらに目を向けようともしない。ドアが左右に開き、中に乗り込んだ。《閉》ボタンを押したらしく、たちまちドアが閉まりはじめる。

「ジョアンナ、待って！」ドアの隙間に手を入れて無理やりこじ開け、エレベーターに乗り込んだ。ドアが閉じる。「話がしたいんだ」

「そう。でもわたしは話したくない」ジョアンナが《開》ボタンに手をのばした。

リチャードはその前に立ちふさがった。エレベーターが降下しはじめた。

「どういうことなんだ、過去世じゃないっていうのは？」

「どうしてわたしに聞くのよ。わたしはブライディ・マーフィなんでしょ？」といいながら、ジョアンナが最寄り階のボタンを押そうとした。リチャードは非常停止スイッチをぐいとひねった。びっくりするほどけたたましいアラームが鳴り出し、エレベーターが急停止した。

ジョアンナは信じられないという顔でこちらを見た。

「頭がおかしいんじゃないの」アラームに負けじと声を張り上げ、「なのにわたしがいかれてると非難するなんて！」

「ごめん」と怒鳴り返した。「結論にとびついたのは謝るよ。でも、タイタニックに乗船してたなんていわれて、ほかにどうすればいい？」

「話を最後まで聞けばよかったのよ」とジョアンナが叫び、「それ、止めて」

「いっしょに研究室にもどってくれる？」

ジョアンナがにらみつけてきた。アラームは一分ごとに音が大きくなるような気がする。

「結論にとびつかないと約束する」とさらに声を張り上げて叫んだ。「頼むよ」

ジョアンナはあきらめたようにうなずき、

「とにかくそれを止めて！」と両耳を押さえて怒鳴った。

リチャードはうなずき、非常停止スイッチをもう一度ひねった。音は止まらない。《開》を押した。変化なし。非常停止スイッチをもう一度ひねり、階数ボタンをでたらめに押してみた。変化なし。非常停止スイッチを反対の方向にまわしてみたが、変化があったとしても、アラームの音がさらに大きくなっただけのような気がした。もしそんなことがありうるならだが。

ジョアンナが身を乗り出して《開》ボタンをもう一度押すと、止まっていたエレベーターがなぜか上昇しはじめた。しかしアラームの音はまだやまない。リチャードはもう一度スイッチをまわした。騒音が唐突にやみ、耳の中で残響がガンガンこだましている。

「やれやれ。いまのはベルの音だった、それともブザーの音だった？」なんとか笑ってもらおうと思って、リチャードはそうたずねた。

ジョアンナはにこりともしなかった。六階を押し、エレベーターのドアが開く。心配そうな顔をしたレスキュー隊の一団が待ちかまえているか、でなくてもなんの物音だろうとようすを見に来た人間がだれかひとりぐらいはいるだろうと半分覚悟していたが、廊下は無人だった。ジョアンナはさっさとエレベーターを降り、こちらをふりかえりもせず、肩をいからせて研究室のほうへ歩いていく。部屋にもどると、腕組みをしてこちらを向いた。

「もしかしたら永遠に閉じ込められてたかもしれなかったよね」リチャードはなんとか氷を溶かそうとした。「だれも救出に来てくれなかったりしてさ」

反応なし。

「とにかくごめん。あんなふうにかっとなったことは謝る。ぼくはただ――」

「――わたしもミスター・マンドレイクの狂人部隊に仲間入りしたと思ったわけね。どうしてそんな勘違いができるわけ？」

「そういうことがしじゅうあるからだよ。完璧に理性的な人間がいきなり光を見たと公表して、たわごとをしゃべり散らしはじめる。シーガルを見ろよ。フォックスを見ろ」

「でも、わたしのことは知ってるはずよ」

「きみがミスター・ウォジャコフスキーのことを知ってたみたいに？」

「一本」とジョアンナは静かにいった。「でも、真珠湾攻撃のときヨークタウンに乗ってたと聞かされたとき、わたしはその場で彼を追及したりしなかった。まず手元のデータを確認し、客観的な事実と照らし合わせた。あなたは、わたしがいうことを聞こうともしなかった」

「いまはちゃんと聞いてるよ」

ジョアンナはまた肩をそびやかし、「ほんとに？」

「うん」リチャードは真剣な表情でうなずき、椅子をすすめた。ジョアンナは用心深い態度で腰を下ろした。リチャードもその向かいにすわると、ひざの上で両手を組んで身を乗り出した。「どうぞ」

「いいわ」ジョアンナは眼鏡を鼻の上に押し上げた。「あれはタイタニックだった……」リチャードはわれ知らず体をこわばらせたらしく、「話を聞くんじゃなかったの？」

「聞くよ、聞くとも。うん、あれはタイタニックだった」

「でも、自分が一九一二年にいるとか、あの夜のタイタニックを見てるとか、そんなふうには感じなかった。そんなふうじゃないのよ」

「どんなふうだった？」

ジョアンナは、あの音の正体を思い出そうとしていたときとおなじ、内省的で考え込むような表情になった。

「あれはタイタニックだったけど、でもタイタニックじゃなかった。現実のタイタニックに乗船していたわけじゃないのはわかってる。わたしが見ていたのは、あの夜の出来事そのものじゃない。でも、それと同時に、あれはタイタニックだった」

「リアルに感じなかったってこと？　現実と二重写しになった幻視だった？」

「いいえ。前回までとおなじように、体験には実体があり、三次元だった。現実にその場にいるんだっていう幻覚は完璧だった。わたしは現実にあの通路にいて、デッキに立った。ただ……」ジョアンナは自分の殻の中に籠もってしまったように見えた。「ただ、その背後になにかべつのものがあるみたいな感じだった。もっと深い現実が……」それから、不思議そうな顔でこちらを見て、「でもどうしてタイタニックなんか見るのかしら」

「きみがタイタニックを見たとは思わないな。作話したんだよ。NDEの最中には、それがタイタニックだとわかっていなかった。体験を説明する段になって、あとでそう結論したんだ。そのプロセスについてはきみのほうが専門だろ。意識が……」

「ちがう。あの通路にはじめて行ったときから、どこなのかはわかってた。そういったでしょ。どこなのか知ってるけど、一度も行ったことがない場所だって。それに、もし作話だとしても、どうしてよりによってタイタニックを作話するわけ？　作話は、期待と影響の産物。NDEでタイタニックを見たなんて話、いままで一度も聞いたことがない。作話だとしたら、どうして光の天使や金色の階段を見なかったの？」

「可能性はいくつか考えられる。ちょっとこっちに来て」リチャードは立ち上がり、端末の前に行った。ジョアンナのNDEスキャンから四枚の画像をモニターに呼び出し、「これを見て」と、それぞれのスキャンの前頭皮質に散らばるオレンジと赤と黄色の点を指さした。

「前頭皮質の長期記憶に関わるエリアで、ランダムなニューロン発火が起きてる。そうした発火のひとつが、タイタニックの記憶だったのかもしれない」

「でも、たったひとつの記憶じゃないわ。何十もの記憶が組み合わさってたのよ。エンジンの停止と通路とデッキで佇む乗客と――」

「その記憶のどれかひとつをきっかけに作話が広がったのかもしれない。物音の感覚、光、きみが見た白い服の人々……。夢が、断片的なイメージの集積じゃなくて首尾一貫したストーリーを持ってるように思えるのも、それとおなじ、意味の持続性の作用だ」

ジョアンナはまだ納得しない顔だ。

「でもどうしてよりによってタイタニックのニューロンが発火するの？　ぜんぶでいくつあるのか知らないけど、何百万、何千万の記憶の中で？」

「ランダムっていうのはそういうことだよ。それに、タイタニックに関することをきみが思い出すっていうのは、統計的に見てありえないほど確率が低いわけじゃない」

ジョアンナは頭がおかしいんじゃないのという顔でこちらを見ている。

「どういうこと？」

「だって、タイタニックも災害事故のひとつだし、きみはメイジーとそういう話をして長い時間を過ごしてるじゃないか」

ジョアンナは首を振った。「でもタイタニックの話はしてない。メイジーがタイタニックの名前を口に出したことは一度もないと思う」

「でもルシタニア号の話はしてるし、彼女の災害本コレクションの中には、まちがいなくタイタニックの写真が載ってるはずだ。はじめてぼくがメイジーと出会った日、あの子はなんかの写真を探して、そのとき持ってた本を一ページ一ページめくった。半分沈没しかけているタイタニックのあの写真をきみも見てるかもしれない」

だが、ジョアンナは首を振っていた。

「メイジーが原因だとしたら、ポンペイを見るほうがよっぽどありそうだし、それにこの記憶のもとはメイジーじゃないわ」

これはおもしろくなってきた。「記憶の出どころがわかるのかい？」

ジョアンナの顔に、またあの奇妙で内省的な表情が浮かんだ。

「いいえ。でも、ミスター・ウォジャコフスキーでもメイジーでもないことはわかる。それにランダムでもない」

「どうしてわかる？」

「それは……わからない」と敗北したようにいう。「ランダムな感じがしないのよ。なにかもとがある気がする」

「かもしれないな。頻繁にアクセスされる長期記憶は、平均的な記憶とくらべてニューロンの経路が強くなり、その結果引き出しやすくなる」

「でも、タイタニックは頻繁にアクセスされる記憶じゃない。最後にタイタニックのことを考えたのは――」

「あの映画のとき？　あれがいちばんわかりやすい出どころだな。映画の最後のほうには、老女が白いドレス姿で光に包まれてタイタニックに乗っている自分の姿を見る場面まである。きみだってあの映画を――」

「観たのは五年も前。それに、好きでもなんでもない映画よ」

「好き嫌いは関係ないさ。それにタイタニックに関する情報はそこらじゅうにあふれている。TVスペシャルとか、本とか。けさ出勤してくる途中も、セリーヌ・ディオンのあのひどい歌を聞いたよ。それにタイタニック関連の記憶に最近のきみが二度はアクセスしていることを、ぼくは事実として知ってる」

「いつよ」

「きみとはじめて会った日、タイタニックといっしょに沈んだ霊媒の話をしてくれただろ。なんて名前だっけ？　ステッド？　それと、ヴィエルの家に行ったとき。ディッシュ・ナイトはタイタニック禁止地帯だときみはいった。だから、神経経路は最近のものというだけじゃなく、強化されてるかもしれない。船のエンジンが止まって、乗客がなにごとだろうとデッキに出てくるシーンを覚えてて――」

ジョアンナは首を振った。「乗客がナイトガウンや夜会服姿でデッキに立っているなんて場面、映画の『タイタニック』にはなかった」

「わかったよ、じゃあ本とか――」

「ちがう」といったものの、さっきよりは自信のなさそうな口振りだった。「本じゃないと思う」

「でなきゃ会話とか――」

「会話でもない。あの記憶はどこかべつのところから来てる」

「どこ？」

「わからない。タイタニックを見たのはシナプスのランダムな発火のせいだといったけど――」

「それと側頭葉刺激」

「でも、臨死体験者のほぼ全員が、自分は天国を見たと結論してるのよ。ランダムな発火によって中身が決まるなら、いろんな場所や経験が報告されててしかるべきじゃない？」

「そうとはかぎらないよ。大半の場合は、シナプスの発火が弱すぎて、ひとつのイメージを生み出すにはいたらないのかもしれない。あるいは、宇宙の秘密を知ったという感覚が強すぎて、他のすべてのイメージを上書きしてしまうのかも」

「じゃあ、わたしの場合はどうしてそうならないの？」

「そういう解釈に対して、きみがあらかじめ用心していたからさ。被験者に適任だと売り込むときに自分でいったとおり、きみは光り輝く人物を見ても、それが光の天使だと自動的に思い込んだりはしない」

「でもどうしてタイタニックだと思い込むの？　線路のトンネルじゃないのはどうして？このあいだもヴィエルが〝トンネルの先の光が、こっちに向かって走ってくる列車のライトだったら？〟といった。それに、わたしが住んでるのはコロラドよ。山には何十もトンネルがある。論理的に考えれば、船なんかじゃなくてそういうトンネルのどれかを連想しそうなもんじゃない」

「論理的に考えればそうかもしれないけど、シナプスの発火はランダムで――」

ジョアンナがまたしても首を振った。

「ランダムな感じはしない。タイタニックを見たのには理由がある、なにか意味があるという感じがする」やれやれ、また側頭葉刺激と認識感に逆もどりか。

「その感じだけど、言葉で説明できる？」

「タイタニックのイメージのきっかけになった記憶の出どころと関係がある。その記憶の出所を知っていると強く感じるし、もしそれを思い出しさえすれば――」

「でも思い出せない？」

「ええ、そう……」ジョアンナはなにかをつかもうとするように宙に手をのばした。「……すぐそこまで出かかってるのに――」はっとしたように口をつぐみ、手を下げた。「それもなんの意味もないと思ってるんでしょ。それも側頭葉刺激だと思っている」と挑戦的な口調でいう。

「そう考えれば、記憶の出所を思い出せない理由が説明できるからね」とリチャードはおだやかにいった。「いまもその感じはしてる？　記憶の出所を知ってるっていう感じは？」

「ええ」

「検査台に上がって」リチャードは急ぎ足で備品棚に歩み寄り、「そいつをスキャンで撮影できるかどうかたしかめてみたい」といいながら注射器をとりだした。

「着替えたほうがいい？」

「いや。それに点滴も必要ないよ。マーカーを注射するだけだから」注射器に薬剤を満たして、「セーターを脱いで袖をまくって」

ジョアンナはカーディガンを脱いで検査台に腰かけ、ボタンをはずしてからブラウスの袖をまくり上げた。

リチャードはＲＩＰＴスキャンの位置を調整した。「最初の三枚のスキャンは、きみが既知感を抱いたとき。それからこれが、タイタニックだと認知したとき。この両者は、おたがいにまったくなんの関係もないかもしれない」

「なんの関係もないってどういうこと？」

ジョアンナのひじの内側をアルコールで拭き、マーカーを注射する。

「連絡通路とか、ヒーターが止まったときとかに抱いた既知感は、もしかしたらランダムな刺激にトリガーされたただの感覚にすぎなくて、タイタニックだという認知とは無関係かもしれない」

「でも、ランダムじゃなかった」とジョアンナは頬を紅潮させた。「みんなぴったりあてはまるのよ、その白衣も、寒さも——」

「そういうものがあてはまる状況はいくらでもある」

「たとえば？」

「きみが見たのはパーティか舞踏会の客かもしれないと自分でもいってたじゃないか」

「あの女の人はナイトガウンを着てたのよ！」

「タイタニックだと気がついたあとで、あれはナイトガウンだったと結論、、したんだ。それまでは、古風なドレスだといっていた。いちばん最初は天使のローブだと思ったわけだし。あおむけに寝て」

「でも、カーブした床は？」ジョアンナが検査台に横たわり、なおも反論した。「それにあなたの白衣と――」

「しゃべらないで」リチャードはスキャン装置を開始位置に動かした。端末の前まで行ってから、「よし、はじめるよ」といってスキャンを開始する。「頭の中で五まで数えて」

モニター画面のスキャン画像に目をやり、

「今度はあのトンネルを頭に思い浮かべて。自分が見たもののことを考えるんだ」

前頭皮質のあちこちの部位が点灯し、その記憶の種々様々な出所を示した。聴覚的な記憶も視覚的な記憶も両方ある。船のエンジンが停止して乗客がなにごとだろうとデッキに出る場面について、聞いたのか読んだのかを思い出せないのはそのせいかもしれない。

あるいは、映画で見たのかも。本人は違うと主張しているが、それでもやはりあの映画が出所である可能性がいちばん高いと思っていた。とてつもない大ヒットを記録したし、どこを見ても『タイタニック』関連の情報にぶつかるという状態が一年以上つづいた。本、CD、新聞記事、TVスペシャル。その二、三年前には、沈没したタイタニックの発見をめぐっておなじような騒ぎが起きた。タイタニックについてなにも知らずにいることは不可能だし、ジョアンナには明らかに知識がある。一等船室の通路にカーペットが敷かれていたと知っていたばかりか、無線技師がジャック・フィリップスだということも知っていた。

「よし、ジョアンナ、今度は記憶の出どころに意識を集中してみて」と声をかけてから、画面の側頭葉エリアを見上げた。

思ったとおり、側頭葉は鮮やかなオレンジと赤に輝いている。さらにいくつか質問してからスキャンを止めた。

「もう起きていいよ」といって、リチャードはスキャン結果のグラフ化をはじめた。

ジョアンナが袖を下ろしながら端末のところにやってきた。

「さっきのNDEをまだ記録してないいんだった」ジョアンナはカーディガンを着て、「オフィスにいるわ」

「自分の認識感を見てみたくないかい？」リチャードはスキャン画像を呼び出した。側頭葉を指さし、「これだ。だからタイタニックを見たのがランダムじゃないって気がするんだよ」

ジョアンナは、カーディガンのポケットに両手を突っ込み、むっつりした顔で画面の活動エリアを見つめた。

「でも、この記憶の出どころを知ってるっていう感覚はすごく強くて……」とつぶやくようにいう。

「更衣室や連絡通路で抱いた感覚みたいに」

「ええ」

リチャードはオレンジと赤の側頭葉を指さした。

「きみの心は、それに対象を与えることで非合理な感覚に意味を通そうとしているだけなんだ。いまの場合は記憶の出どころだけど、でもそれは感覚だけなんだよ」

ジョアンナはいまにも反論しそうな顔になったが、

「まだ自分の臨死体験談を録音してないから」とだけいってレコーダーをとりあげた。

「書き上げたあとは――」

「わかってる。万が一にも敵の手に落ちないように」

「もしマンドレイクが知ったら――」

「ええ。鬼の首でもとったように大喜びするわね」

ジョアンナが歩き出した。戸口のところでスキャンをふりかえり、「ブライディ・マーフィになったと責められたときのほうがまだよかったみたい」と悲しげにいって部屋を出た。

20

「そのようなばかげた質問に答えるつもりはありません！」
——死の床にある女王エリザベス一世が、精霊を見たことはあるかとサー・ロバート・セシルに問われて

リチャードはまちがってる。そう思いながらジョアンナはオフィスのドアを開けた。中身の欠落した感覚なんかじゃない。あの記憶の出所は映画の『タイタニック』じゃないし、わたしの長期記憶がたまたま最初に出くわしただけのものでもない。タイタニックなのには理由がある。

ここにいたら、いつリチャードがやってきて、きみがいま考えていることはそれもまた側頭葉刺激の症状の一例だとご託宣をたれ、それを証明するスキャンを突きつけるか知れたものではない。そんなものは見たくないし、ミスター・マンドレイクがこの件を嗅ぎつけたらどうなるかという説教も聞きたくない。ＮＤＥの記録はどこかべつの場所で吹き込むことにしよう。

乱暴にドアを閉めてロックし、階段に向かって足早に歩き出した。もし開いていればカフェテリアか、でなければ看護師用ラウンジでもいい。タイタニックがランダムなシナプス発火だというご高説を聞かなくて済む場所ならどこだっていい。憤然とそう思いながら階段を下りていった。あれはランダムじゃない。タイタニックを見ることにはちゃんと理由がある。わたしにはわかる。

そして同時に、ミスター・ダービーが「おれはそこにいた。現実だった。おれにはわかる」といいはる声が脳裡に甦った。わたしの口調はあのときの彼とそっくりだった。だからリチャードと話をしたくないんでしょ、と自分に向かっていう。彼が正しいことがわかっているから。

彼は正しくない。頑固にそう思った。あの記憶が映画から来たものじゃないのはわかってる。

そうね。そしてミスター・ヴィラルディも自分はエルヴィスを見たと知っていたし、ミスター・スアレスは自分がエイリアンにアブダクトされたと知っていたし、ブライディ・マーフィは自分の前世がアイルランド人だったと知っていた。彼女を担当した精神科医は、ブライディの記憶が輪廻転生の証拠だと確信していた。もっとも、のちに、民謡と乳母から聞いたうろ覚えの物語からでっちあげられたものだと証明されたけれど。それに、催眠状態の被験者には、ありとあらゆる虚偽記憶（フォールス・メモリ）を植えつけることができるということも証明されている。これもおなじことじゃないとどうしてわかる？　タイタニックの記憶がリチャードがいったみたいに映画からじゃないとどうしてわかる?

でも、映画の中にあんなシーンはなかった。そうは思っても、その可能性がじゅうぶんにあることは知っていた。研究が進むにつれて、人間の記憶がいかにあてにならないかは証明されつづけているし、いろんな映画のいろんな場面についてヴィエルと何度も議論になった。ディッシュ・ナイトで『ダイヤルM』を観たあと、ヴィエルは、グウィネス・パルトロウがマイケル・ダグラスを射殺したんじゃなくて、肉用温度計で刺し殺したと信じ込んでいたから、そうじゃないと納得させるために、わざわざもう一度ビデオを借りてきて、結末を見せてやった。乗客がデッキに出てなにがあったのかとスチュワードにたずねるシーンが『タイタニック』の中に出てきたのに、それをすっかり忘れているだけという可能性はおおいにある。どっちが正しいにしろ、たしかめるのは簡単だ。映画を観ればいい。

でもリチャードは、いまでもすでに、あの映画の影響だと決めつけている。観なおしたりしたら、NDEの記憶はどうしようもなくそれに汚染されてしまうだろうし、今後のNDEにも影響が及ぶだろう。NDEでなにを見ようが、リチャードは映画の記憶だといいはるにちがいない。

だれかほかの人間にビデオを観てもらって、あのシーンがあるかどうかをたしかめるしかない。でもだれに? タイタニックを見たなんて打ち明けたら、ヴィエルはかんかんになるに決まってる。潜ることに対して無意識が警告してるんだと思い込むだろう。

メイジー? あの子は災害の専門家だけど、でもリチャードにもいったとおり、タイタニックを話題にするのは聞いたことがない。それにあの映画を観せることをメイジーの母親が許可してくれるとも考えにくい。〝ネガティヴなテーマ〟をべつにしても、ヌード・シーンが一カ所とルノーの後部座席での濡れ場が一カ所ある。

ティッシュは？　だめ。ちゃんと口を閉じてくれているとは信用できない。リチャードのいうとおり、ミスター・マンドレイクがこれを知ったら有頂天になる。ということは、ゴシップ・ジェネラルの関係者は全員失格。

やっぱりヴィエルに頼むしかなさそうだ。あんまりたくさん質問しないでくれることを祈ろう。

ジョアンナはG階に下り、遺体安置室を突っ切ってERに向かった。

例によって、いかにもドラッグ浸りな感じだったり危なそうだったりする人間でごった返してはいるものの、いまのところローグ中毒の暴漢らしき人物は見当たらない。新採用の警備員は戸口の脇の椅子に腰かけてひまそうにしている。ヴィエルの顔を見つけると、ジョアンナは人混みを縫うようにしてそちらに向かった。ヴィエルはストレッチャーにのった患者をふたりの病棟助手に引き継いでいるところだった。

「西4まで運んで。行きかたはわかる？」

病棟助手たちはあいまいにうなずいた。ヴィエルは複雑な道順を指示し、患者の腹の上にカルテを置いて、それからジョアンナをふりかえった。

「遅すぎたね。二度も心停止した患者がいたのに。ひと足違い」

「死んだの？」

「ううん、ぴんぴんしてる。ま、死んでたとしたら自然選択ってことになったね。クリスマス・ライトをかたづけようとして、自分で自分を電気処刑したの」

「クリスマス・ライト？　二月なのに？」

「雪が降らなかったのは今日がはじめてだったからって」

「クリスマス・ライトって絶縁されてるんじゃないの？」

「されてる。電源ケーブルめがけてまっすぐはしごで突っ込まないかぎりは。それも金属製のはしごでね」ヴィエルがにっこりして、「CICUにいる——ちょっと焦げてるけど、話はできるよ。でも、急いだほうがいいね。ついさっきモーリス・マンドレイクがあんたを捜しにやってきて、電飾男の担当医と話してるのを見かけたから」

「ミスター・マンドレイクがわたしを捜してた？」きょうはとことんついてないらしい。

「うん。もしあんたの姿を見たら、これからオフィスへ行くと伝えてほしいってさ。でもそれはクリスマス電飾男より前の話だけど、もしマンドレイクがほんとにあんたのオフィスへ行ったんなら、CICUへは先を越せるかもね」

そういってヴィエルが歩き出した。ジョアンナはそのあとについて歩きながら、

「だれか心停止してないか見にきたわけじゃないのよ。ヴィエル、映画の『タイタニック』なんだけど。乗客がデッキに立って、なにが起きたんだろうと話してる場面があったかどうか覚えてない？」

「あの映画であたしが覚えてるのは、凍りつくように冷たい水の中をあのふたりが二時間うろつきまわって低体温症にならなかったことだけ。あの温度の水の中で、じっさいはどのぐらい保つか知ってる？　約五分」

「うんうん、それはわかってる。ねえ、思い出してみてよ。何人かデッキに立って、なにが起きたんだろうといってる場面」

「氷山が船腹をこすって、デッキに出た乗客が雪合戦を――」

「そうじゃないって」ジョアンナはじれったい思いで口をはさんだ。「氷山に衝突したとわかる前。みんなただデッキに立ってるだけ。何人かは寝間着のまま。エンジンが停止してそれで目が覚めて、どうしたんだろうとようすを見にデッキへ出てくる。そういうシーンがあったかどうか覚えてない？」

ヴィエルは首を振った。「あいにく」

「ひとつ頼みがあるの。レンタルビデオで借りて、そういうシーンがあったかどうかチェックしてくれない？」

「自分で借りたほうがはやいんじゃないの。どんなシーンを探してるのかわかってるんだから。なんならディッシュ・ナイトでいっしょに観たっていいよ。あのばかばかしい『世界は(キング・)おれのもの(オブ・ザ・ワールド)』シーンさえ早送りしてくれたら」

「それはだめ。ねえ、レンタル料とガソリン代はわたしがもつから。そのシーンがあるかどうかだけ確認してほしいのよ」ジョアンナはカーディガンのポケットを探った。

「だったらディッシュ・ナイトのビデオ代を出して」ヴィエルはうさんくさげに目を細くして、「いったいどういうことよ？　あんたのプロジェクトと関係があるんでしょ。頼むから、被験者のだれかがタイタニックに行ったなんていわないでよ」

「しっ」ジョアンナはあわててあたりを見まわした。他人の耳があるところでヴィエルに頼みごとなんかするんじゃなかった。

「そうなんでしょ」とヴィエルが声を低くして、「あんたんとこのNDE被験者がトンネルを抜けてタイタニックを見た」

「もちろんちがうわよ。リチャードと議論になっただけ」まあ、真っ赤な嘘というわけじゃない。心の中でそう弁解した。リチャードとこの件で議論してるのはたしかだし、うちの被験者のだれかがタイタニックを見たわけじゃない。見たのはわたしなんだから。それに、あれはタイタニックじゃないんだし。

「リチャードと議論、ね。ふうん」ヴィエルの態度が急に変化した。「ま、あんたたちふたりも、RIPTスキャンとエンドルフィン・レベル以外のことで議論ができたわけだ。なにが悲しくて『タイタニック』の話なのかは知らないけど」

ジョアンナはなんとか笑みを浮かべ、だれかに聞かれてないか周囲を見まわしたくなる衝動を抑えつけた。

「どうせ議論を戦わせるなら、もっとましな映画がいくらでもあるのに。だいたい、『タイタニック』は大嫌いじゃなかったの？　あたしがディッシュ・ナイト用に借りようとしたら、いきなりぷんぷん怒り出して、航海士のだれだかは自殺なんか——」

「マードック航海士」

そう、あの映画に怒り狂ったのはほんとうだ。歴史的事実に関するまちがいが多すぎる。マードック航海士が乗客のひとりを射殺したあと自殺したという証拠なんかどこにもないことをべつにしても、あの映画はライトラー航海士を臆病者扱いしている。現実の彼は、士官区画の屋根の上で折り畳み式の救命ボートを広げ、ひっくりかえった折り畳み式ボートBをひと晩じゅう海に浮かばせておいた英雄だったのに。

この記憶が映画から来てるはずはない、とあらためて思った。あの映画を観る前から、タイタニックについて知っていたのだから。「タイタニックのことはだれでも知ってる」とリチャードはいったけれど、だれでも知ってるのは基本的な事実だけ。タイタニックが氷山に衝突して沈没したこと、救命ボートが足りなかったこと、船が沈むまでのあいだバンドが『主よ、みもとに近づかん』を演奏していたこと。マードックのことや折り畳み式Bのことはそれとはちがう。

「ビデオ借りて彼を呼んで、あたしの特製デビルドハム・ディップをふるまえばいいのに」

「あの映画に関する記憶力の問題なのよ」とあいまいに言い抜けようとした。「だから、あなたがビデオを借りて、さっきいったようなシーンがあったかどうかをたしかめてくれるとありがたいんだけど。ぜんぶ観なくたっていいのよ。氷山のすぐあとのところだけ」

「ふたりの恋路の助けになるならなんなりと。どんなシーンを探せって？」

「乗客がデッキに出て、なにがあったんだろうと話し合ってるシーン。どうしてエンジンが止まったのかとスチュワードに質問したりとか。夜会服姿の客もいれば、ベッドから起きてきた寝間着姿の客もいる。怯えたり叫んだりはしてないし、ボートデッキに昇ろうとかもしてなくて、ただ立ってるだけ」

「了解。そんな場面が出てきた記憶はないけどね」

わたしもないわ。「今晩観てもらえる?」

「だめ。あしただね」

「どうして?」

「今夜はくだんない会議があんのよ」ヴィエルは無造作にいった。

「なんの会議?」

「知らない。ERの安全管理がどうとか。上は例の通知だけじゃ足りないと思ってるらしくて、講習会を開くことにしたわけ。〝周囲の状況に気を配れ。急な動きは避けるべし〟とか。講習会の最中にうたた寝しても、はっと目を覚ましちゃだめなのかね」

「冗談にするようなことじゃないでしょ。ERは危険です。転属願いを出さなきゃだめ」

「無理だね」とヴィエルはのんきな口調でいった。「友だちのためにビデオ観るので忙しくって、そんなヒマないもん」

「まじめな話。ずっとここにいたら、いつか殺されかねない。わたしにいわせれば――」

「はい、お母さま。さて、と。なにを探すんだっけ。乗客がパジャマ姿で廊下に立って、なんでエンジンが止まったのかとしゃべってる？」

「通路じゃなくて外のデッキ。結果はいつごろわかりそう？」

「あしたの晩ここを出て、ブロックバスターに寄って、最初の二時間は——レオとケイトが手すりのところでいちゃつきながら、〝この船に乗れてほんとに幸運だった〟とかいってる場面は——早送りですっ飛ばすとして……八時とか？」

あしたの午後八時か。もっとはやければいいのにと思いながら、「わかりしだい電話して」

「被験者のだれかがタイタニックを見たんじゃないのはたしか？」とヴィエルが心配そうにたずねた。

「たしかよ。クリスマス電飾男はどこにいるっていったっけ？」

「ＣＩＣＵ」

「ＣＩＣＵ」と復唱して、それ以上質問される前にＥＲを出た。この件に答えが出るまで、クリスマス電飾男に面接するつもりはなかった。居場所をたずねたのは、タイタニックの話題から逃げるため——だったけれど、もし彼のＮＤＥ談を録音するなら、いますぐやる必要がある。作話が混じる前に録音を——

まだ自分のＮＤＥを録音してないんだった。それを思い出して愕然とした。あの場面が映画の記憶ではないと証明したい一心で、そもそもどこへ行く途中だったのかも忘れていた。それに、記憶の出所はどこか、それがなにを意味するのかという推論も、自分のＮＤＥをきちんと文書化しておかなければまったく無意味になる。

いますぐやらなきゃ。これ以上時間がたつ前に。とりあえずカフェテリアに行ってみようと小走りに廊下を歩いていたとき、途中でＣＩＣＵのルシールに呼び止められた。

「モーリス・マンドレイクと会った？　捜してたわよ」

「彼とはどこで？」とジョアンナは聞き返した。

「上のＣＩＣＵ。患者の面接に来てたの」

そうでしょうとも。これで電飾男とはさようならだ。でも、マンドレイクが上で面接しているなら、カフェテリアは安全だ。ルシールに礼をいってから先を急いだ。カフェテリアは閉まっていた。

そうでしょうとも。ロックされた両開きの扉を腹立ちまぎれにがちゃがちゃやってから、フォーマイカのテーブルに積み上げられた赤いプラスチック椅子をガラス越しにながめながら、ほかの行き先を検討した。オフィスは論外だし、医師用ラウンジもだめ。タイタニック話をだれかに聞かれる危険はおかせない。外来外科の一般ラウンジはふつうこの時刻には無人だけど、そこへ行くためには廊下三つと連絡通路ふたつを経由する必要があり、ミスター・マンドレイクと出くわす危険性が高くなる。

ひとけがなくて、ミスター・マンドレイクが捜しにきそうもない場所。ということは……どこだろう？　車の中だ。カーディガンのポケットに手を入れてキーを探ったが、入っていたのはオフィスの鍵だけ。車のキーはデスクの引き出しの中。車のドアはロックしてあるし、フードの上に腰を下ろすには寒すぎる。

階段だ。リチャードとはじめて会った日にすわった、通行止めの階段室。ペンキの塗り替え作業はとっくに終わって、いまはもうふつうに使われているだろう。それでも、あそこならわりとひとめにつかないし、ミスター・マンドレイクの捜索範囲からもはずれている。おまけに駐車場よりあたたかい。

職員用エレベーターに乗り、三階のボタンを押した。それに、踊り場の真ん中にすわっていれば、上の扉も下の扉も同時に見張れるから、だれか来る気配がしたらすぐに録音を中止すればいいだけ。立ち聞きされる心配はない。

エレベーターの扉が開いた。用心深く身を乗り出して、左右の安全を確認する。廊下は無人だった。エレベーターを降りて廊下を歩き、連絡通路をわたってから角を曲がり、内科を抜ける。

「……そのときアルヴィン伯父さんが〝おいで〟といったの」近くの病室の半分開いた戸口から女の声がした。「それからわたしに向かって手をさしのべると、〝死を恐れることはないのだよ〟って」

うわ、やめて。ジョアンナは戸口の手前で凍りついたように足を止めた。ミセス・ダヴェンポートはもうとっくに退院したと思っていたのに。どこの医療保険（HMO）に入ってるんだろう、こんなに長く入院していられるなんて。それ以上に重要な問題は、彼女が話している相手がだれなのかだ。ミスター・マンドレイク？　いまにも病室からふいに出てくる？

だが、その相手は女性の声で――看護師？　不幸にもミセス・ダヴェンポートとおなじ病室を割り当てられた患者？――息せき切ったように、「それからどうなったんです？」とたずねた。

「伯父の手から光が放たれて、それがダイヤとサファイアとルビーを合わせたように輝いたの」

ミセス・ダヴェンポートは感極まった口調。願わくは、戸口ではなく聞き手を見つめていますように。そう祈りつつ、足音を忍ばせてすばやく戸口の前を横切り、《職員専用》と書かれた扉に向かった。

「そしてわたしの手をとり、それはそれは美しい庭園へと導いてくれた」とミセス・ダヴェンポートは話している。「それでわたしは、自分が見ているものが夢でも幻覚でもない、現実なんだとわかったの。わたしは現実に《向こう側》を見ていたんです。そしてそのとき、アルヴィンがなんていったと思います？」

答えの発表を待たず、階段室の扉を開けて中に飛び込んだ。前回来たときとようすはまったく変わっていなかった。《立入禁止》の黄色いテープがまだ手すりと手すりのあいだに張りわたされたままで、水色の階段はまだぴかぴか光って、ペンキ塗り立てに見える。

が、もうとっくの昔に乾いている。注意深く指でさわってみて、そう結論した。しかし、それは問題にならない。みんなまだこの階段が通行止めのままだと思っているだろうし、ということはこの空間をひとり占めにできる。踊り場の左側の、防火扉を見張れる位置に陣どり、レコーダーをとりだして録音ボタンを押した。

「二月二十五日、被験者ジョアンナ・ランダー、第四回セッション」そう吹き込んでから口をつぐみ、水色の階段を見つめながら折り畳み式ボートのことを考えた。

映画を観る前から、あのボートのことは知っていた。ライトラーとマードックのことも知っていた。それに、ロレイン・アリスンのことも。映画を観たあと、かんかんになって、「どうしてタイタニックで死んだ実在の人物のことを映画にしないのよ。ジョン・ジェイコブ・アスターとかロレイン・アリスンとか」と怒鳴りちらしたのを覚えている。「ロレイン・アリスンってだれよ」とたずねるヴィエルに答えて、「六歳の女の子。一等で死んだ子供は彼女ひとりだけだし、ジャックとローズのだらだらした話よりよっぽどドラマチックな話なのに！」といった。

あの映画以前にロレイン・アリスンのことを知っていたんだから、『タイタニック』やメイジーの災害本の記憶だということはありえない。もっと昔の記憶だ。子供のころに読んだ本？　いや、本で読んだことじゃない。本が関係しているような気はするけれど。だれかが読んで聞かせてくれたか、話して聞かせてくれたこと。

そしてそれが、鉄道トンネルや病院の連絡通路じゃなくてタイタニックを見る理由に関係している……。

こんなことをいくら考えていても埒(らち)が明かない。臨死体験談を録音しなければ。自分が見聞きしたものをありのままに陳述すること。レコーダーの録音ボタンを押し、口述を再開した。

「わたしは通路にいた。そこは暗かった」

聞こえない音、扉の下の光、人々について説明した。

「ひげの紳士は丈の長いフォーマル・ジャケットに白のネクタイとベストという夜会服姿。連れの女性はひじまである白手袋と玉飾りのついたクリーム色のドレス」――って、それは映画でケイト・ウィンスレットが着てた服じゃないの。もう作話しはじめている。

録音を止め、「連れの女性は」というところまでテープを巻きもどした。

「連れの女性は、丈の長い白のガウンもしくはローブをまとい、片手から輝く光が放たれているように見えた。〝事故でもあったのかしら〟と彼女がいい、客室係がやってきて――」

ちがう、そうじゃない。客室係はナイトガウンの女性と話をしてたのよ。彼女が「すごく妙な音がしたわ」といい、客室係が「はい、お客様」と答え、それからひげの男がやってきて――というのもやっぱりちがう。だって白手袋の女性もずっとそこにいたんだから……。

レコーダーを止め、指先をひたいに押しあてて、ひげの男が立っていた位置と客室係がいった言葉を思い出そうとした。

ナイトガウンの女性は客室係と話をしたあと、ひげの男のところへ行って、「聞こえまして？」とたずねた。それからひげの男が、「なにがあったのか調べてみよう」といい、客室係を手招きした。「なにがあった？　なぜ止まっている？」という質問に、客室係は心配するようなことはなにもないと答え、それからひげの男が、「ミスター・ブライアリーを捜してきたまえ。彼なら説明できるだろう」といった。

「ミスター・ブライアリー」と声に出してつぶやいた。高校時代の英語の先生だ。

グレイのツイードのベストに蝶ネクタイのブライアリー先生が皮肉っぽく眉を上げて黒板の前に立つ姿が目に浮かび、耳にはその声が聞こえてくる。「ではミスター・インマン、『老水夫行』の中でどんなことが起きたのかみんなに説明してくれるかね？」返事なし。「ミズ・ランダー？　ミスター・ケネディ？　だれか？」それでも返事なし。「おや？」耳に片手をあてててしばらく物音に聞き入るふりをして、やがて首を振りながら、「返事があったかと思ったが、バンドが『主よ、みもとに近づかん』を演奏しているだけのようだね」

いったいどうして、いまのいままで忘れていられたんだろう。ブライアリー先生のことを忘れるなんて。授業中、しじゅうタイタニックのことに触れ、ありとあらゆるもののメタファーに使っていたのに。提出したエッセイの課題文に、《ボイラーまで浸水。女子供はボートへ》と講評を書かれたことがある。

先生はいつも、救命ボートに乗客を乗せるいきさつや消えゆく照明のエピソードを語り、バンドやカリフォルニアン号や乗客にまつわる文章を長々と朗読した。

「やっぱり自分で読んだんじゃなかった」とジョアンナは声に出していった。「ブライアリー先生の授業で聞いたんだ」

そして、先生なら答えを知っている。英語の授業中、ミスター・ブライアリーがタイタニックについてなにかを語り、そしてそれが——

「先生に会わなきゃ」とつぶやき、レコーダーをポケットに突っ込んだ。「なにをいったのか本人にたしかめなきゃ」

階段を駆け上がり、ナース・ステーションに行った。

「電話帳を貸して」と息を切らせていう。

「職業別？　個人別？」とアイリーンがたずねた。「どうしたの？　だいじょうぶ？」

「だいじょうぶよ。個人別のほうを」

アイリーンがぶあつい電話帳をカウンターに出し、ジョアンナはBのところをめくりながら、ミスター・ブライアリーのファーストネームを思い出そうとした。そもそもそれを聞いたことがあるかどうかも定かではない。ほかの先生とおなじで、ただたんにブライアリー先生だった。Bo、Br――

ブザーが鳴った。アイリーンがさっと手をのばして音を止め、「ナースコールが入っちゃった。ねえ、ほんとにだいじょうぶ？」

「だいじょうぶ」と口の中でつぶやき、Brではじまる名前の列に指を走らせる。ブラウン。ブラゼルトン。

「わかった。電話帳はカウンターの上に置いたままでいいから」といって、アイリーンは病室に向かった。

ブリーン、ブレントウッド。ブライアリー姓が何十人もいたりしなきゃいいんだけど。ブレソーアー。その心配は杞憂だった。Brierley はゼロ。Brian の次は Briceno に飛んでいる。

たぶん、生徒のいたずら電話を避けるために、番号を電話帳に載せていないんだろう。学校まで行ってじかに話をしなければ。

腕時計に目をやった。三時。終業は三時十五分だが——とにかくジョアンナがいたころはそうだった——教師ははやくとも四時までは学校に残っている。いまから急いで行けば、四時までには着けるかもしれない。電話帳を閉じ、エレベーターに向かって廊下を足早に歩きながら、ポケットに手を入れて車のキーを探った。

だから持ってないんだってば。キーはオフィス。ミスター・マンドレイクが、それにたぶんリチャードも、手ぐすね引いて待ちかまえている。だれかの車を借りよう。ナース・ステーションに駆けもどったが、アイリーンは不在、捜しにいく時間はない。ヴィエルの車を借りるしかない。またエレベーターに引き返す。

「ああ、ちょうどよかったわ、ドクター・ランダー」

聞き慣れた声にぞっとしながら目を上げると、オレンジと黄色とアイスブルーのぶち模様のローブを着たミセス・ダヴェンポートがこちらにやってくるところだった。

「会いたいと思っていたところだったのよ」

21

「明かりをつけてくれ。暗闇の中で家に帰りたくない」
――O・ヘンリー（ウィリアム・シドニー・ポーター）
臨終の言葉

これが前方不注意の報い。〝周囲の状況に気を配ること〟――ローグ中毒患者から身を守るためのあのお達しを遵守すべきだった。

「NDEの細部をもっといろいろ思い出したのよ」

ミセス・ダヴェンポートは色とりどりの体でジョアンナの行く手にどっかと立ちはだかった。このローブを着てるとまるでRIPTスキャン画像みたいに見える。

「光の天使にあの水晶を見せられたあと、アルヴィン伯父がゆらめくグレイのカーテンのところにわたしを導き、そしてそのカーテンを引いたら、手術室が見えたんです。生命を失って横たわるわたしの体と、救命処置をつづけるお医者様たちの姿、そして――」

「ミセス・ダヴェンポート」とそれをさえぎり、「すみませんが、約束が――」

「――そしてアルヴィンがいったの。〝この《向こう側》では、地上の出来事がすべてわかるのだよ〟」ミセス・ダヴェンポートはジョアンナの言葉が聞こえなかったように先をつづけた。「〝そしてわたしたちはその知識を使って、生きている者を守り導いている〟と」

「四時までに町の反対側へ行かないといけないので」とジョアンナはこれ見よがしに腕時計に目を落とした。

「〝おまえは耳を傾けるだけでいい。そうすればわたしたちが話しかけよう〟アルヴィンはそういったけれど、そのとおりだった。ついこのあいだも、わたしがなくした真珠のイアリングの場所を教えてくれたのよ」

ついでに姪からの脱出方法も教えてくれないかしら。

「お話をうかがいたいのは山々ですが、ほんとうに行かなければならないので」

「それに二日前は、真夜中に〝起きなさい〟と伯父の声がして、時計を見たら午前三時でした」

解放してくれる気がないんなら、迂回してエレベーターホールに向かうまで。ジョアンナは迂回した。ミセス・ダヴェンポートはなおもしゃべりながらついてきた。

「〝テレビをつけなさい〟といわれてつけたら、なにをやってたと思います？」

ロンコのインフォマーシャル？ ジョアンナは《下》ボタンを叩いた。

「超常体験の番組でしたのよ。故人がわたしたちとコミュニケートできるという証拠」

エレベーターのドアが開き、ジョアンナは文字どおり中に飛び込んで、ミセス・ダヴェンポートがついてこないことを祈った。

「それについけさがたのこと、アルヴィンが――」

死者との通信が成立する直前、さいわいにもエレベーターのドアが閉じた。G階のボタンを押し、ドアが開くなりERへと駆け出した。心停止者がかつぎこまれて、ヴィエルが救急救命処置の真っ最中だったりしませんように。

だれも心停止していなかったし、ヴィエルは救命中ではなかった。知らないインターンに向かって、「だれがそんな許可を出したの」と怒鳴りつけているところだった。

「ぼ……ぼくはその……だ、だれも」とインターンがつっかえつっかえいう。「メディカル・スクールでは……」

「ここはメディカル・スクールじゃない」ヴィエルがぴしゃりという。「ここはあたしのER」

「ええ、わかってます、でもあの患者は――」インターンは口をつぐみ、もしや天の助けになってくれるのではという期待の目でジョアンナのほうを見た。

「ごめん」とジョアンナはヴィエルに声をかけた。「車貸してくれない？」

「いいよ」ヴィエルは即答し、インターンに向かって、「ここで待ってなさい。一歩も動かずに。いっさいなんにも手を触れないこと」と厳命してからERをすたすた歩き出した。

「キーはロッカーの中。どうしたの？　とうとうくたばった？」

「だれが？」ヴィエルのあとについてERラウンジへと歩きながらそう聞き返し、それから車のことだと気がついた。「ううん。車の調子は上々」

　と答えたのは大失敗。ロッカーの数字ロックを合わせていたヴィエルがさっとふりかえり、いぶかしそうな表情で、「じゃあなんであたしの車がいるわけ？　タイタニック話と関係あるんじゃないだろうね？」

「オフィスまで車のキーをとりにいくのがいやなだけ。ミスター・マンドレイクが張り込み中で」といいわけして、「会いたくないのよ」

「無理もないね」ヴィエルが数字ロックに向き直った。「何時にもどってくる？」といいながらロッカーを開け、ハンドバッグに手を入れてキーをとりだし、ジョアンナのてのひらに落とした。「勤務明けは七時よ」

「車はどこ？」

「北側の二列めか三列め。どこへ行くの？」

「一時間ぐらいでもどるわ」とだけ答えて、足早に駐車場へ向かった。

　ヴィエルの車はいちばん端の四列めに駐車してあり、ようやく探しあててエングルウッド方面に向かって南へ走り出したときには三時半になっていた。学校に着くころには、もう帰ってしまっているだろう。でも、ブライアリー先生は、教師陣の中ではいつも遅くまで残っているほうだったし、もし本人がつかまらなくても、事務室で電話番号なり住所なりを聞くことはできる。それに、じっさいに行ってみれば、記憶が甦るだろう――むかし英語の授業を受けた教室に立つだけで、眠っている記憶を揺り起こせるかもしれない。授業でブライアリー先生がいったこと、もしくは朗読したことを。そう思いながらハンドルを切り、ハムデン・ストリートを西に折れた。

いまにも雪が降り出しそうな雲行きだ。ジョアンナは英語の教室に通じるドアにできるかぎり近い場所に車をとめ、そちらに歩いていった。ドアは施錠されていた。ガラスにプリントアウトの注意書きが貼ってある。《許可なき者の立入を禁ず。ご用のかたは本館事務室へおまわりください》矢印のついた案内図が事務室の場所を示しているが、それによると建物の反対側までぐるっとまわらなければならないらしい。

ジョアンナが卒業してからずいぶんあちこち増築されたようだ。いちばん端に新築の講堂を擁する長い棟を迂回し、ようやく正面玄関にたどりついた。そのとなりには《ドライクリーク・ハイスクール》の文字と、いまにも飛びかかろうとする一頭の虎。虎の縞模様は紫と黄金色だ。

紫と黄金。そう考えてだしぬけに思い出した。チアリーダーの制服姿のサラ・ディックスとリーサ・マイネックが大幅に遅刻して教室にやってきたとき、ブライアリー先生は教科書をデスクに置いておもむろにこうたずねた。「アッシリア人はどこだね？」

「アッシリア人？」リーサとサラはとまどった顔で目を見合わせた。

「きみたちの軍団だよ。〝アッシリア人は羊の群れに襲いかかる狼のようにやってきた〟」ブライアリー先生は、ふたりのミニスカートの紫と黄金のプリーツを指さして、「〝その軍団は、紫と黄金に輝いていた〟」

ほら、やっぱり高校と関係があったじゃない。ジョアンナは勝ち誇ったように思った。リチャードはまちがっていた。中身のない感覚なんかじゃない。たしかになにかを意味しているし、ブライアリー先生はそれがなんなのかを知っている。

両開きのガラス扉の片方を押し開け、金色のカーペットが敷かれたロビーに足を踏み入れた。上り下り合わせて三つの別々のフロアにつづく幅の広い板張りの階段。それに金属探知機。

制服姿の警備員がその横に立ち、ペーパーバック版の『いま、そこにある危機』を読んでいた。ジョアンナが入っていくなりその本を置いて探知機のスイッチを入れる。

「オフィスの場所を教えてもらえるかしら」

警備員は黙ってうなずき、ジョアンナのバッグを指さした。バッグを手わたしながら、ERもこういう設備を導入すべきだと思ったが、金属製のストレッチャーを探知機に通そうと四苦八苦する救急隊員の姿が目に浮かんだ。そうね、金属探知機は無理かも。でも、なにかそういうもの。

警備員がバッグについているポケットのファスナーを開け、中を確認してから返してよこした。

「わたし、ここの卒業生なんですけど、在学中に習った先生を捜してるんです。名前はミスター・ブライアリー」

警備員は探知機を通るように身振りで促してから、「その階段を上がって左」と指さし、またペーパーバックを手にとった。

ブライアリー先生の部屋？　と思いながら階段を上がったが、もちろんそうではなく、事務室のことだった。ガラス張りの広々とした空間は、ジョアンナの記憶にある窮屈で狭苦しい校長室とは似ても似つかないが、ガラスには《外部のかたの立入には通行証の携帯が必要です》という大きな注意書きがテープで貼ってある。

ジョアンナは中に入った。

「なにかご用ですか？」端末の前にすわっていた中年の女性が声をかけてきた。

「ミスター・ブライアリーに面会したいんですが」とジョアンナはいった。相手がぽかんとしているので、「こちらにお勤めの先生です」

事務の女性は席を立ち、カウンターにやってきてラミネート加工した名簿に目を走らせた。

「こちらにそういう名前の職員はおりませんが」

そんな可能性は考えもしなかった。「転勤されたかどうかご存じですか？　あるいは退職されたか？」

女性は首を振り、「こちらに来てまだ一年なので。管理事務所のほうで聞いていただければ」

「どこですか？」

「バノック・ストリート４５２２です。でも、四時で閉まってしまいますけど」

ジョアンナは事務室の壁の時計に目を向けた。四時五分前。

「ブライアリー先生が在職していたころからいらっしゃる先生はどうでしょう?」ジョアンナは必死にほかの教師の名前を思い出そうとした。「ホバート先生は? ハステッド先生?」

みんなが嫌ってた体育教師はだれだっけ? 色の名前だ。グリーン先生? ブラック先生? 「ブラック先生は?」

女性は名簿に目を落とした。「いいえ。あいにくですが」

「では、だれか英語の先生を。ブライアリー先生は三年の英語の担当でした。いまそのクラスの担当は?」

「ミズ・フォレスタルですが、今日はもう帰宅しました」

「その先生のご自宅の電話番号をうかがえますか?」

「あいにく、部外者にはお教えできないことになっています。管理事務所でおたずねください。十時からです」そういって、女性は端末の前にもどっていった。

「ありがとう」

廊下に出ると、階段のほうに引き返した。さあ、どうしよう。管理事務所はあしたの午前十時まで閉まっているし、どのみち「職員のプライバシーに関わる情報は提供できません」と、判で捺したような答えが返ってくるだけだろう。

ロビーに向かって階段を下りはじめた。警備員はトム・クランシーに没頭しているらしく、顔を上げようともしない。あしたの昼間また出なおしてきて、ミズ・フォレスタルにたずねてみるか――それも、もし事務室が通行証を出してくれればの話。さらに、ミズ・フォレスタルがブライアリー先生の住所を知っている保証はないし、知っていたとしても教えてくれるとはかぎらない――廊下を行ったり来たりして、ブライアリー先生の知り合いの教師が見つかるまで片っ端から声をかけてみるか。

階段の途中で手すりに手を置いて立ち止まり、警備員のようすをうかがった。まだ本を読んでいる。ジョアンナは足音をしのばせ、もう一度階段を上がった。事務室のガラス窓がこんなに大きいのはまちがっていると思いながら、おそるおそる前までもどってきたが、さっき話を聞いた女性はモニターに向かってキーボードからなにか入力している。ジョアンナはこれさいわいと足早に窓の前を通過し、廊下の突き当たりまで行ってから、そこの階段を駆け上がった。なんでこんなばかなことをしてるんだろう。見つかって追い出されるのがオチなのに。いや、追い出されるだけじゃ済まないかも、と、さっきの警備員の肩ホルスターを思い出す。

しかし、階段のてっぺんまで上がって息をついたときも、叫び声や怒鳴り声が響くことはなく、追ってくる足音も聞こえなかった。廊下を歩き出す。英語の教室は学校の北端、二階にあった。最初に出くわした階段で二階に上がり、なんでもいいから見覚えのあるものを求めて廊下を歩き出した。

この校舎もマーシー・ジェネラルと同様の建築方針を採用しているらしい。壁ぎわにロッカーが並ぶ廊下や連絡通路が織りなす迷路。しかも、壁のポスターの絵柄をべつにすれば、どの廊下もそっくりおなじだ。ジョアンナの在学中とくらべると、そのポスターも大きく様変わりしている。ハート形の切り抜きを貼りつけたバレンタイン・ダンスとか二年生の手作りパン即売会とかのポスターは見当たらず、レイプ・ホットラインの案内とか、拒食症や自殺に対する警告ばかり。《あなたの身近に救難信号を発している人はいませんか？》とたずねるポスターもある。

ほとんどの教室はドアがを閉ざされていた。ドアが開いている教室を見つけて中を覗いてみたが、だれもいない。廊下がいきなり直角に折れ、《あなたにも救える命があります》と断言する反・飲酒運転ポスターの前を過ぎ、四段上がり、またジグザグ。いま自分がどこにいるのかもうさっぱりわからない。道をたずねる相手もいない。どの廊下も無人だった。

入ってこられないんだから当然ねと思いながら、鍵のかかった教室のドアを試し、ドアの四角いガラス窓から中を覗きながら思った。廊下の突き当たりが階段になっていて、水色の横断幕が《あなたの悩みを相談してください》と呼びかけている。ジョアンナは心の中でコイントスをして階段を下り、音楽室らしき部屋にたどりついた。古ぼけたアップライト・ピアノを囲むようにして椅子と楽譜台が半円形に並び、チューバが一台、壁にたてかけてある。「すみません」ピアノの上に楽譜を積み上げている、頭の禿げかかった恰幅のいい男性に声をかけた。見覚えはないが、年齢からするとブライアリー先生を知っていてもおかしくないし、人なつこそうな顔だった。「ブライアリー先生を捜してるんです。以前、この学校で英語を教えていた先生なんですが、もしかして連絡先をご存じないかと思いまして、ミスター

――」

「クレンショウです。あなた、通行証は?」と、男はジョアンナのカーディガンの襟もとにとがめるような視線を向けた。

「いえ」といってから、あわてて、「わたし、ここの卒業生なんです。三年のとき、ブライアリー先生に教えていただきました。お世話になった先生なので、ぜひ――」

「部外者は通行証がないかぎり校内に入れません」なおもきびしい視線をジョアンナの胸もとに向けたまま、「規則です」

「わたしはただ――」といいかけたが、ミスター・クレンショウはすでにドアを開けていた。「ここに用はないはずです。事務室にもどって通行証の交付を受けてください。この廊下をまっすぐ行って突き当たりを右に曲がり、階段を下りて、また右」問答無用でジョアンナを戸口まで導き、「警備員を呼ぶようなことはしたくないのでね」ミスター・クレンショウは腕組みをしたまま、ジョアンナが廊下を突き当たりまで行って右に曲がるまでしっかり見届ける構えだ。

彼の言葉もひとつは正しかった。こんなところに用はない。だいたいなにを探してうろうろしているのか。ブライアリー先生はもうこの学校にいない。どうして辞めたのかもだんだんわかってきた。先生が金属探知機や通行証をどう思ったかは想像がつく。

右に曲がり、廊下を進んだが、階段はどこにもなく、突き当たりはべつの廊下と直角に交わっていた。ミスター・クレンショウは右といっていたから右に曲がった。その突き当たりは建物の外に通じるドアで、《非常出口。みだりに開けると警報が鳴ります》と書いてある。三叉路まで引き返して今度は左のほうに歩きながら、正面玄関はいつ閉まるんだろうと考えた。

この校舎は迷宮だ。このままだと永遠に脱出できないかも。第二のミスター・クレンショウが出現して、事務室にもどれと命令してくれることを祈りたい気持ちになってきた。そしたら事務室までいっしょに行ってくれと頼むのに。しかしどの教室も無人で、すべてのドアはがっちり施錠されている。

こっちの廊下も袋小路だった。突き当たりは壁がガラス張りの部屋。副校長室？　いや、あれは廊下の真ん中あたりにあったはず。図書室だ、とようやく思い当たった。もっとも掲示は《メディア・リソース・センター》になっているし、閲覧テーブルがあった場所にはコンピュータが並び、本はどこにも見当たらない。それでもやはり、ジョアンナが知っているあの図書室だ。ということは、ここは校舎の南端。英語の教室とは位置関係が正反対だ。

でも、まあとにかく見覚えのある場所ではあるし、ドアも開いている。ジョアンナはカーディガンを脱ぎ、袖を前にして腕にかけた。運がよければ、通行証のバッジはそこについてるんだと思ってもらえるかもしれない。

司書はジョアンナより年下だったが、すくなくとも胸もとに矢のような視線を向けてくることはなかった。

「もう閉めるところなんですが。なにかご用でも？」

「あるといえばあるんですけど」事務室への道を聞くだけにしたほうがましかもしれない。それと地図を一枚。「ブライアリー先生を捜してるんです。以前ここで三年生の英語を担当していた」

「ああ、ブライアリー先生。うちの主人が習った先生ね。うちのもここの卒業生なの。大嫌いだったらしいけど」

「いまどちらにいらっしゃるかご存じですか？」

「いいえ、全然。あたしが勤めはじめたときはもういなかったし。亡くなったとだれかに聞いたような気もする」

亡くなった。なぜかそんなことは思いつきもしなかった。死を研究するのが仕事だというのに、おかしな話だ。

「ほんとですか？」

「ちょっと待って」司書は書架のほうに歩み寄った。「ねえマイラ、ブライアリー先生は亡くなったっていわなかったっけ？　英語の先生の？」

書架の向こうから、本の山を胸に抱いた銀髪の老婦人があらわれた。「ブライアリー先生？　いいえ。退職したのよ」

「どうすれば連絡がつくかご存じないですか？　どなたか、先生の住所を知っていそうな人とか」

しかし老婦人は首を振り、「知っていそうな人たちもみんな退職しました。三年前、この校区で早期退職者ボーナス制が実施されて、勤続二十年以上の教師はみんなそれをもらって退職したんですよ」

「では、ブライアリー先生もそのときに退職を？　三年前に？」

「いえ、もっと前。いつだったかは知りませんけど」

「そうですか、どうもありがとうございました」ジョアンナはバッグから名刺を出してマイラにさしだした。「もしブライアリー先生の連絡先を知っていそうな人を思い出したら、この番号に連絡してください」

「いるとは思えませんけどねえ」マイラは名刺を見もしないでポケットにしまった。

図書室の戸口にもどると、さっきの若い司書がもう戸締まりをしていた。ジョアンナを見て鍵をまわし、ドアを開けてくれた。

「わかった？」

ジョアンナは首を振った。

「前はデンヴァー大学(DU)の近所に住んでたわ。ブライアリー先生の家の前を通りかかったとき、うちの旦那が指さして教えてくれたことがあるの」

そのとき、ポケットベルが鳴り出した。こんなときにかぎって。胸の中で悪態をつきながらバッグに手を入れ、あわててスイッチを切った。

「ご主人がブライアリー先生の家を教えてくれたんですね？」

司書は口元をゆるめてうなずき、「卒業式の晩、友だち連中と押しかけて卵をぶつけてきたんだって」

「住所を覚えてる？」と勢い込んでたずねた。

「いいえ。通りの名前も覚えてない。展望台のある公園のとなりだった」

「どんな感じの家だったかは？」

「緑」司書は眉根にしわを寄せて考え込んだ。「それとも、緑と白だったかな。よく覚えてない。前庭にしだれ柳の木が一本立ってた。西側だったと思う」

「ほんとにありがとう」

礼をいって図書室を出ると、司書がドアをもとどおりロックした。

「ちょっと待って」ジョアンナは思い出して声をかけた。「もうひとつだけ質問。非常出口のドアって、開けるとアラームが鳴る？」

「いいえ」司書がけげんな顔で答えた。

ジョアンナは廊下をもどり、通りかかった最初の非常出口から外に出た。まだ雪が降っている。それにもちろん、ここは車をとめた場所から見ると建物の反対側だ。でも、そんなことは気にならなかった。とうとうブライアリー先生の住んでいる場所がわかった。DUの近く。展望台のある公園。通りの名前はわからないが、公園は見当がついたし、展望台はエヴァンズ・ストリートからでも見えるはずだ。

大学まで車を走らせ、北に折れた。一部もしくは全体が緑色に塗られた家で、正面にしだれ柳の木。家のペンキが塗り直されていなければ。あるいは、柳の木が枯れていなければ。

あるいは、ブライアリー先生がまだ生きていれば。「亡くなったってだれかに聞いたような気もする」と若い司書はいった。そんなことはいっていないとマイラは答えたけれど、だれかべつの人間が情報源だった可能性は残る。ジョアンナが授業を受けていたころ、ブライアリー先生はまだ中年だったけれど、それから十年以上たっている。病気のせいではやく退職したのかもしれない。退職してから病を得て亡くなったという可能性もある。

あるいはよそへ引っ越してしまったか。エヴァンズ・ストリートを右折し、東に向かってゆっくり車を走らせながら、公園を探して脇道をきょろきょろ見まわした。数年前までこのあたりはミドルクラスの住宅街だったのに、いまはアパートに建て替えられている家がずいぶん多い。ほとんどの家の庭に《貸し室あり》の看板が出ている。この変わりようだと、公園さえ消えてなくなっているかもしれない。

いや、公園はあった。天文観測ドームはいまもちゃんと公園の端に建っている。ただし、角の一軒家には《貸し家》の看板が立ち、その前には錆びたキャデラックが一台とまっていた。

公園に気がついたのが遅すぎてUターンしそこねた。次の通りまで行ってから南に折れ、柳の木を探しながら引き返した。このブロックの端のほうなのか真ん中あたりなのか、あの司書に聞いておくんだった。

柳の木のある緑の家。もしかしたら、正面にクラブアップルの木があるれんが造りの平屋かもしれない。あるいは、だれかべつの先生の家かもしれない。夫はあの先生が大嫌いだったと司書はいったけれど、それはどうにもブライアリー先生らしくない。たしかに辛辣だし、テストはむずかしいことで有名だったが、だれからも嫌われてはいなかった。生意気に口答えするせいで授業のたびにいつも最低二度は叱られていたリッキー・インマンさえ、ブライアリー先生のことが好きだった。みんなが嫌っていたのはブラウン先生だ。

ブラウン先生。そう、体育教師はブラウン先生だった。ブラック先生じゃない。事務室の女性が聞き覚えのない名前だといったのも当然だ。それに、人間の記憶がいかにあてにならないかの証拠でもある。司書の夫が指さして教えた家は、どこかの倉庫とかスターバックスとかの向かいで、二本の樅の木にはさまれているのかもしれない。

フィルモア・ストリートに入った。ブラウン先生か。もし司書に聞いた家がうまく見つからなかったら、ブラウン先生がまだ母校に在職中かどうかたしかめてみる手もある。おれはぜったいに退職しない、どうしても辞めさせたいならかついで連れ出せとつねづね広言していたぐらいだから、きっとまだ残っているはずだ。

そして、問題の家もちゃんとまだ残っていた。ブロックの真ん中あたり、大きなポーチを擁する三階建ての家。ジョアンナは縁石に寄せて車をとめた。壁は薄緑に塗装され、前庭にはたしかにしだれ柳が立っている。いまは雪に埋もれているが、白い噴水もあるらしい。

でも、ブライアリー先生がいまも住んでいるとはかぎらない。自分にそういい聞かせつつ、車を降りて歩道を歩き出した。どうやら悪い予感が当たったらしい。ポーチには自転車が一台。そして、呼び鈴にこたえて玄関に出てきたのは、ジーンズ姿の若い娘だった。タンクトップの上に薄いフランネルのシャツを羽織り、足元ははだし、髪はメイジーのような金髪のショートヘア。

ブライアリー先生はずっと独身を通していた。「世間の人々が独身者をどう思うかという問題に関するミズ・オースティンのコメントは正しい」授業で『高慢と偏見』を読んだあと、ブライアリー先生はいった。「しかし、わたし自身を含めて多くの男は、妻が不足して困っているわけではないことは保証しておこう。妻がいると、いつも本を勝手に動かしてしまって、置き場所がわからなくなるだけだよ」どのみちこの娘は、ブライアリー先生の奥さんには若すぎる。いや、相手がだれだろうと、とにかく人妻の年齢ではない。まだせいぜい十七歳ぐらいに見える。

「なにか？」娘は用心深い口調でいった。はかなげな美しさがあるけれど、いくらなんでも痩せすぎだ。タンクトップの上に鎖骨の線が鋭く浮いて見える。

「ブライアリー先生はこちらにお住まいでしょうか」だめだろうと思いながらもそうたずねた。

「ええ」と娘はいった。

「まあ……あの」驚きのあまりつい口ごもってしまう。「わたし――以前、先生にお世話になった教え子で」と説明しながらも、娘が中に通そうとするそぶりも見せないことに気がついた。セールスマンかなにかを相手にするときのように、いつでもぴしゃりとドアを閉ざそうというかまえだ。

「ジョアンナ・ランダーといいます。ブライアリー先生には高校で英語を習いました。ちょっとだけ先生とお話しさせていただきたいんですが」

「どうかしら……」娘は自信なげな口調でいった。「わたしでお役に立てるようなことでしょうか？」

「いえ。三年生のときに英語を教えていただいたんですけど、その授業のことで先生にお聞きしたい質問があって」

「質問？」

「ええ。ああ、期末試験の成績のこととかじゃなくて。それはもうあとの祭りですから」と笑ってみせたが、われながらばかみたいに聞こえる。「わたし、マーシー・ジェネラル病院に勤めてて――」

「母さんの差し金？」

「お母さん？」ジョアンナはあっけにとられた。「いいえ、さっきもいったように、ブライアリー先生の教え子なんです。先生にお目にかかろうと思って学校のほうへ行ってみたら、司書の人がお住まいを教えてくれて。この家でまちがいないですよね？ドライクリーク・ハイスクールで英語を教えてらっしゃったブライアリー先生のお宅ですよね」

「ええ。でもあいにく――」

「玄関にだれか来ているのか？」と家の奥から男の声がした。

「ええ、パット伯父さん」と娘が叫び返した。ブライアリー先生のわけがない、とジョアンナは思った。あの先生がだれかの伯父さんだなんて想像できないし、ましてや〝パット伯父さん〟だなんて。

「だれだね？」と声がたずね、今度はその声がはっきり識別できた。まちがいない、ブライアリー先生だ。パット伯父さんか。

「ケヴィンか？」とブライアリー先生。

「いいえ、パット伯父さん。ケヴィンじゃないわ」娘はジョアンナのほうに向き直り、「あいにくいまはちょっと――」

「入るようにいいなさい」

その声につづいて、ブライアリー先生が戸口にやってきた。外見は昔とまったく変わらない。髪はいまも黒々として、こめかみのあたりがいくらかごま塩混じりになっているだけ。眉も昔とおなじように冷笑的なアーチを描いている。あのころ着ていたグレイのツイードのベストをそのまま着ていても驚かないだろう。

娘がドアをさらに開けた。「パット伯父さん、こちらは――」

「以前、先生に教えていただいたジョアンナ・ランダーです」と自己紹介して片手をさしだした。「もうお忘れだと思いますけど、十二年前、三年生の英語の授業を受けました。二限の」とどうでもいいことをつけ加える。

「わたしの記憶力は優秀だよ」とブライアリー先生。「キット、お客様に失礼ではないか。ミズ・ランダーをこんな寒いところに立たせておくとは。ドアを開けてお通ししなさい」

キットがドアを大きく開き、ジョアンナはせまい玄関に足を踏み入れた。

「わたしの書斎へ」とブライアリー先生がいい、ジョアンナの想像と寸分違わぬ部屋へと導いた。壁の三方は床から天井までぎっしり本で埋まり、四つめの壁は、窓と窓のあいだに、ウェストミンスター寺院とグローブ座の版画がかけてある。マホガニーの机がひとつと暗赤色の革張りの椅子が二脚。椅子は両方とも本が山積みで、側卓にも広い窓台にも床の上にも本の山がある。

キットが椅子の片方から本の山をそそくさとかたづけて、そちらにすわるようにうながした。ジョアンナが腰を下ろすと、ブライアリー先生は向かいの椅子に腰かけた。キットはまだ用心深い顔でそのとなりに立っている。

あらためてじっくり見てみると、キットは最初に思ったほど若くないようだ。目の下にはかすかに青い隈があり、口のまわりにも悲しげな小じわが見える。キットの背後の本棚に、本の山を抱えてDUの大学ホールの前に立つ彼女の写真が飾ってある。若い男性といっしょの写真もあった。ブライアリー先生がいっていたケヴィンだろうか？　どちらの写真のキットも、いまのキットより十キロは体重が多く、ずっとしあわせそうに見える。写真を撮影した時点から現在までのあいだに、いったいなにがあったんだろう。拒食症？　ドラッグ？　それが原因でこの家に住むことになったとか？　ブライアリー先生がリハビリのカウンセラーをつとめるなんて想像できないが、それをいうなら、だれかに伯父さんと呼ばれるところだって想像できなかったわけだし、マーシー・ジェネラルに勤めているといったときにキットが見せた妙な反応のことも気になる。

「ありがとうございます」とジョアンナは話を切り出した。「いきなり押しかけてすみません、電話番号がわからなかったものですから。学校のほうに行ってみたら、もうお辞めになったと聞いて。いつ退職されたんですか？」

「五年前です」とキットがかわりに答えた。

ブライアリー先生は姪をにらみつけた。

「キット。そんなところにぼうっと突っ立っているものじゃない。お客様にはやく――」

「紅茶ね」とキットが妙に明るい口調でいった。「ミズ・ランダー、紅茶とコーヒー、どっちがいいかしら」

「あ、いえ、おかまいなく」

「紅茶だ」とブライアリー先生がきっぱりいい、「〝時には助言を――そして時には紅茶を得る〟」と引用した。

「アレクサンダー・ポープ、『髪の毛盗み』」ジョアンナは自分が覚えていたのがうれしかった。「朗読してくださったのを覚えています。それにコールリッジの『老水夫行』も。わたしのお気に入りでした。〝あちらを向いても水ばかり、なのに船板干割れてちぢむ〟」といってから間を置き、ブライアリー先生が次の二行をいうのを待った。

「コールリッジか。過大評価されたロマン派詩人だ」とつぶやくと、ブライアリー先生は唐突にキットのほうを向き、「紅茶はどうした」と切り口上でいった。

召使いに命令するような口調だ。ジョアンナは驚いて先生を見やり、それからキットのほうを見たが、娘は「すぐに持ってくるわ」とだけ答えて戸口に立った。

「熱いお茶だぞ」とブライアリー先生が厳しく念を押す。「生ぬるい紅茶は我慢できん。ちゃんと火にかけて沸かせ。あのばかげた——」

「電子レンジは禁止、でしょ」とキット。「はい、パット伯父さん」

「ぐずぐずすると日が暮れるぞ、キット。キット」ブライアリー先生は軽蔑したような口調でその名をくりかえしてからジョアンナに向き直った。「まったくどういう名前だ。絆創膏をつめた救急箱の呼び名じゃないか、人間の名前とは思えん」

いったいどうなってるんだろう。喧嘩の真っ最中に飛び込んでしまったのか。キットが中に通したがらなかったことを思い出す。キットの顔を見やったが、不機嫌な表情でも怒った表情でもなく、最初に玄関に出てきたときとおなじ用心深い表情、もしくは心配そうな表情が浮かんでいた。この場にはまるでふさわしくない反応。

「さっさと行け、キット」と憎々しげに名前を強調してブライアリー先生がくりかえした。

「教え子とゆっくり話がしたいのだ」

「ではすぐに」キットはもう一度だけ心配そうな一瞥をジョアンナに投げてから部屋を出ていった。

今度はわたしが叱られる番ってことじゃないといいけど。ジョアンナはそう思いながらブライアリー先生に向き直ったが、やさしげな笑みに迎えられた。

「さて、と。いったいどんな用件かな。高校のほうへ行かれたと――」

「はい、先生にお目にかかりたくて」

「わたしはもう、あの学校では教えていない」自分にいい聞かせるような、妙におぼつかない口調でいう。「〝魚でもなければ水鳥でもなく、中でもなければ外でもない〟」きっと懐かしいんだろう。「すっかりようすが変わって、見違えるようでした。わたしがいたクラスをご記憶かどうか。リッキー・インマンとか、キャンディ・シモンズがいた――」

「もちろん覚えているとも」と、嚙みつくような答え。

「それならさいわいです。というのも、先生が授業中におっしゃったことで――」

「紅茶はすぐできるわ」キットがトレイを持って戸口にあらわれた。はだしの足にサンダルをつっかけている。ジョアンナは小さなテーブルの上の本をかたづけ、キットがそこにトレイを置いた。「先にカップとソーサーを持ってきたの。それにお砂糖も」と見ればわかることをつけ加える。

ブライアリー先生は不興げにトレイを見やり、「わたしの目が悪いのか？　どこにも――」

「スプーンがないわね」といってキットがさっとキッチンへひっこんだ。「ナプキンも忘れちゃった」

「それにミルクもだ。まったく、紅茶ひとつまともに用意できんのか」ピッチャーとスプーンを持ってもどってきたキットに向かって、「わたしがまちがっていた。キットという名前はおまえにぴったりだよ。会食用制服（メス・キット）のキットだな（messは「ばか」「まぬけ」の意味がある）。そう思わんかね」とジョアンナにたずねる。

　ジョアンナの記憶にあるブライアリー先生とはまるで別人のようだ。たしかに皮肉屋だったし、辛辣な言葉を吐くこともあったけれど、そこに悪意はなかった。いまキットに向けたような侮辱をリッキー・インマンに向けたことは一度もなかったはずだ。

「お茶をどうぞ」ティーポットを持ってまたもどってきたキットがいった。「ミルクとお砂糖も使うんでしょ、パット伯父さん」といいながら、答えを待たずにそれを加えて、カップをさしだした。

　砂糖やミルクの量についてまたがみがみ文句をいうのではとジョアンナは気が気ではなかった。それに紅茶の温度。キットがさしだしたカップに口をつけてみると、ブライアリー先生の声高な命令にもかかわらず電子レンジを使ったらしく、紅茶は生ぬるい。しかし、ブライアリー先生は紅茶に対する関心を失ってしまったようだ。それにキットの短所や、彼女の名前についての関心も。カップをソーサーごとひざに抱えたまま椅子の背に体をあずけ、考え込むように本棚を見つめている。

「わざわざパット伯父さんを訪ねてくださってありがとうございました」訪問はこれでおしまいといわんばかりに、キットが一礼した。

「ごあいさつだけに訪ねてきたんじゃないんです」ジョアンナはブライアリー先生のほうを

向いて、「英語の授業で先生がおっしゃったことについて質問があって。先生が教えてくれた──」

「教えたことはたくさんある。副詞の定義、無韻詩における詩脚の数、類韻と頭韻のちがい──。もっと具体的にいってみたまえ」

ジョアンナはにっこりした。「タイタニックに関することです」

「タイタニック？」キットが鋭い口調で聞き返した。

「ええ。先生がなにかを朗読なさったのか、それとも先生のお話だったのかは覚えていないんですが。わたしはマーシー・ジェネラル病院に勤めていまして──」

「病院？」ティーカップがソーサーの上でがちゃんと音をたてた。

「はい。記憶に関する研究プロジェクトにとりくんでいて──」ブライアリー先生の表情を見て、自己紹介のやりかたがひどくまずかったらしいと遅まきながら気がついた。「神経内科医と共同で──」

「わたしの記憶力は優秀だ」こんな客をどうして家に上げたと叱責するように、ブライアリー先生はキットをにらみつけた。

「もちろんです。じつは、先生のその記憶力をあてにしてたんです。先生が教えてくださったか朗読してくださったことの内容を忘れてしまって、それを思い出していただきたいんです。タイタニックに関することです。わたしが覚えているのは、衝突のあと、乗客がデッキに出てきて立っている場面です。寝間着のままで、彼らはまだなにが起きたのか知りません。

エンジンが停止したせいで目を覚ましたんです」ジョアンナはソーサーを両手に持ったまま身を乗り出した。「そういうお話をなさったことを覚えてらっしゃいませんか？　あるいは、授業中にそういう内容の文章を朗読されたとか？」

「わたしが覚えているのは」とブライアリー先生は侮蔑的にいった。「ディケンズやシェイクスピアを講じる時間さえろくになかったということだ。タイタニックに関する本などもってのほか」

「本だったかどうかわからないんです。エッセイか、それとも課題か――」

「課題？　なんの課題だね？　氷山が船腹をこする擬音か？　溺れる乗客の悲鳴を一覧表にする練習問題か？　難破船が英文学の講義とどんな関係があるというのだね、きみは」

「で、でも先生は、いつも授業でタイタニックの話をしてたじゃないですか」ジョアンナは思わずどもってしまった。「バンドや、ロレイン・アリスンやカリフォルニアン号や――」

「むろんわたしとて、近年の英語の授業が、英語以外のありとあらゆるものを教えていることは承知している――縄跳び唄やらナヴァホ族の民謡やら脱構築主義者の戯言やら。海難事故もいいだろう」

「パット伯父さん」とキットがなだめるように声をかけたが、耳に届いた気配もない。

「あるいはタイタニックとトニ・モリスンが近年の英語教育における主要な主題であるかもしれん。しかし、わたしの授業で教えたのは、ワーズワースとシェイクスピアだ」

「パット伯父さ――」

「いつ退職したかとたずねたな。いつだか教えてやろう。それは、教室を埋める豚どもに英文学の真珠を投げ与えるむなしさに耐えられなくなったときだ。彼らのおぞましい文法とばかげた質問を寛恕できなくなったときだ」

怒りのあまり頰が紅潮した。教壇に立っていた最後の数年間がこんな状態だったとすれば、自宅に卵をぶつけられても不思議はない。カップとソーサーをテーブルに置いて立ち上がった。

「お邪魔してもうしわけありませんでした」とぎこちなくいう。

「お見送りします」とキットも身の置き場がなさそうな表情で立ち上がった。

「いえ、だいじょうぶ。帰り道はわかりますから」と玄関のほうに歩き出した。家を出るとき、奥からまたブライアリー先生の声がした。

「ミズ・ランダー、きみも授業中もう少し真剣に話を聞いていれば、わざわざこんな――」

玄関ドアを閉め、車に向かってがむしゃらに歩きながらも、心のそれほど怒り狂っていない片隅で、もうずいぶん時刻が遅くなり、光が薄れかけていることに気づいた。車のドアを開け、キーを探る。

「待って!」

顔を上げると、キットがポーチに立っていた。フランネルのシャツの裾をはためかせながら階段を駆け下りてくる。

「行かないで! 待って!」ジョアンナのそばまで走ってくると、「おねがい。説明させのせいなの。わたしがばかだった――」口をつぐんで息を整える。「おねがいだから伯父が――」

「連絡もしないでいきなり押しかけたわたしが悪かったのよ。伯父さんが腹を立てるのも当然」

キットは首を振った。「パット伯父さんはあなたに腹を立ててたわけじゃないの」

「だとしたら、ずいぶんうまくそのふりをしてたわね。でもいいのよ。怒る気持ちもわかるから。もと生徒がいきなり家に上がり込んで、ぶしつけな質問を――」

「そうじゃないの。伯父さんはあなたがなんの話をしてるのかわかってなかった。アルツハイマー病なんです。記憶の欠落がひどくて。それで――」

「アルツハイマー？」ジョアンナは茫然と聞き返した。

「ええ。あなたがだれなのかもわかってなかった。お医者さんだと思ったのよ――老人介護施設にやられるんじゃないかと心配してるの。だからあんなに腹を立ててたの、わたしに頼まれて検査にやってきたんだと思って」

「アルツハイマー」まだ信じかねて、もう一度くりかえした。「アルツハイマー病？」

キットはうなずいた。「怒りも病気の一部。思い出せないことを隠すために怒鳴り散らすの。あんなふうになるとは思わなくて。きょうはずっと調子がよかったから、それで……ほんとにごめんなさい」

先生に質問したいことがあるといったときキットがためらったこと、伯父の言葉を何度も途中でひきとったこと、「病院」と口にしたとたんブライアリー先生の態度が変わったこと。すべてが符合する。アルツハイマー病。

「でも、『髪の毛盗み』を引用してたのに」ひとりごとのようにそういってから、『老水夫行』のつづきを先生が暗唱しなかったことを思い出した。「どのぐらいひどいの？」

「いろいろ。単語がなかなか出てこない程度のこともあるし、かなり悪い日も」

かなり悪い。そんな言葉ではとても済まないはずだ。アルツハイマー病は、緩慢な死の一形態だ。少しずつ記憶を失い、話す能力を失い、身体機能の支配を失い、パラノイアと闇に落ちてゆく。面接した臨死体験者の中に、アルツハイマー病を患う夫と暮らしている女性がいた。面接の最中、夫はいきなり立ち上がり、怯えたような声で、「赤の他人がおれの家でなにをやってる？　何者だ？　なんの用だ？」と叫び出し、ジョアンナはあわてて説明しようとしたのだが、彼が怒鳴りつけている相手はジョアンナではなかった。四十年連れ添った妻に向かってそう叫んでいたのだった。

「それで、伯父さんと同居して、面倒をみてるの？」とジョアンナはたずねた。

キットがうなずいた。だから退職したのか、とようやく思い当たる。早期退職者ボーナスとは無関係だった。もう教えられなくなったから学校を辞めた。授業中、ブライアリー先生が、『マクベス』や『老水夫行』を何ページも何ページもすらすらと淀みなく暗唱していたのを思い出す。日付、プロット、韻律。接続詞、対句、引用。『ブライアリー英文学集成』

と、リッキー・インマンはあだ名をつけていた。その先生が、〝スプーン〟という単語を思い出せないなんて。

「さっきみたいなのが伯父のいつもの姿だとは思わないでほしいの」キットは震えながらいった。タンクトップにサンダルでは凍えるほど寒いはずだ。

「中にもどって。凍死しちゃうわよ」

「だいじょうぶ」と歯をがちがち鳴らしながら、「あきらめないでっていいたくて。とつぜんなんの前触れもなく思い出すことがあるんです。何週間も前に質問されたことにいきなり答え出すこともあるし。それだけの時間をかけて心がずっと記憶を探してて、ようやく答えが見つかったっていうみたいに。だから、ひょっとしたらまだ思い出せるかもしれないの。タイタニックに関することだっていいましたよね？」

「ええ。先生がいったことか、朗読したことで――」

キットは勢いよくうなずいた。

「伯父は大のタイタニック通なんです――だったんです。もし思い出すか、それについてなにかいったら連絡します。マーシー・ジェネラルに連絡すればいい？」

「ええ。留守番電話になってるから、伝言を残してくれればすぐにかけ直すわ――それともまずい？」

「いいえ。伯父が出たら、わたしにかわってくれといってください」キットが電話番号をいった。

「キットにかわってくださいといえばいいの？　それとも名前はキャサリン？」

「キットです。キット・ガーディナー。パット伯父さんのお気に入りだった、作家のキット（クリストファー）・マーロウにちなんだ名前。伯父がわたしの名付け親なの」

なのにそれを忘れてしまったのか。そう考えて、あらためてぞっとした。

「なにかタイタニックに関したことをいったら電話します」

「ありがとう」

「キット」ブライアリー先生が玄関にやってきた。「『フォースタス博士の悲劇』（クリストファー・マーロウの戯曲）はどこへやった？」といいながらポーチに出てくる。

「すぐ見つけるわ、パット伯父さん」キットはそう返事をして、痩せた体にフランネルのシャツをかき寄せながら、「電話する」

「ありがとう」

「本を動かすなといっただろう」とブライアリー先生。「見つからんではないか」

キットは家のほうに駆けもどっていった。ジョアンナは車に乗り込み、ポーチに駆け上がったキットがブライアリー先生の手を引いて家の中に入るのを見守った。ギアを入れ、車を出す。二ブロック走らせてからまた車を道路脇に寄せてとめ、エンジンを切った。ハンドルに両手をのせたまま、薄れゆく冬の光を見るともなしに見つめる。

先生は自分がタイタニックについてなんといったのか知らない。その記憶は消え失せてしまった。彼が死んでしまったのとおなじこと。いや、ブライアリー先生は死んでしまった。

死につつある。一度に一シラブルずつ、記憶ひとつずつ。コールリッジと、嘲りと、砂糖という単語。自分が命名した実の姪の名前。

拷問だったはずだ。自分の人生をかたちづくってきた詩や人間を忘れていくのは。そばで見ているしかないキットにとっても拷問だろう。タイタニックに関する授業を先生が思い出せないことも、いましがた目撃した悲劇の前ではとるに足りない問題でしかない。しかし、ジョアンナが両手に顔を埋めたのは、キットのためでも、ブライアリー先生のためでもなかった。冷え切った車の中にすわり、薄れゆく光の中で嘆き悲しんでいるのは、彼らの喪失ではなかった。自分自身の喪失だった。

タイタニックについてなんといったのか、ブライアリー先生が教えてくれることはない。彼は知らない。覚えていない。それが重要なのに。それが鍵なのに。

22

「お先にどうぞ。あなたには待っている子供たちがいるんだから」
——ミセス・ジョン・マリー・ブラウンに向かって発した
イーディス・エヴァンズの最期の言葉

病院にもどらなきゃ。昼間のＮＤＥをまだ記録していない。そう思いながらも、ジョアンナはとめた車の中でブライアリー先生のことを考えつづけていた。前日には思い出せなかったことを急に思い出すこともあるとキットはいった。もしかしたら、根気よく何度も質問しつづけていれば……

ばかなことを考えるのはよしなさい。彼はアルツハイマー病なのよ。神経伝達物質の供給が停止し、脳細胞は死滅しはじめ、それといっしょに記憶も死滅してゆく。あの世の不在を証明したいなら、末期のアルツハイマー病患者を見るだけでいい。自分の姪や砂糖という言葉を忘れてしまうだけでなく、すべての言葉を、しゃべること、食べること、自分がだれなのかを忘れてしまう。人間の魂は死を生き延びられないだけじゃない。アルツハイマー病に罹患すれば、生を生き延びることさえできない。授業であの日なにをいったかを知っていた〝ブライアリー先生〟は死んでしまった。グレッグ・メノッティに聞いても無駄なのとおなじように、知りたいことをいまの先生にいくらたずねても、答えは返ってこない。

でも、どうしてもその答えが知りたかった。先生が英語の授業で口にしたこと。それがタイタニックを見る理由なんだ。そして、その理由には重要な意味がある。NDEの本質と関係している。

なんといったんだろう？　デスクのへりにちょこんと腰かけ、片手に教科書を持ったブライアリー先生の姿が目に浮かぶ。だれかがなにかいい、先生は教科書をぴしゃりと閉じて、おもむろに……なんといった？　フロントガラス越しに暮れなずむ灰色の空を見つめ、必死に思い出そうとした。無関係なディテールに考えを集中することでふと記憶が甦ることもある。黒板にはなんと書いてあった？　わたしはどの席にすわっていた？

前から二列めの窓際だ。外は霧が出ていた。あんまり霧が深くて、ブライアリー先生が照明スイッチのそばの席だったリッキー・インマンに命じて、教室の電気をつけさせた。それからリッキーがなにかいい、先生はぴしゃりと教科書を閉じて、それから――。

いや、霧じゃない。雲だ。でも、霧はなにか関係がある。それとも、メイジーが見た霧から記憶を捏造してるんだろうか。それとも、べつの日の授業から？　それに、デスクのへりに腰かけたブライアリー先生が、生徒に注意を促すために教科書をぴしゃりと閉じてみせたことはいったい何度あったのか。空は灰色に曇っていた。それとも、雪が降っていた。そしてブライアリー先生がなにかいって——

無駄だ。思い出せない。じゃあいい、だれなら思い出せる？　そのとき教室にいたほかの生徒は？　リッキー・インマンはだめだ。授業なんかちっとも聞いてなかった。キャンディ・シモンズ？　いや、あの子は自分の外見しか気にしてなかった。すぐ前の席にすわっていた彼女が、教科書の前に鏡を立ててブロンドの髪を櫛で梳かし、化粧を直していたのを覚えている。

あの授業を受けていた生徒はほかにだれがいただろう。大学院に入るときの引っ越しで、卒業アルバムはどこかへやってしまった。高校の図書室に行けばあるだろうが、もし警備員を突破して首尾よく図書室にたどりつけたとしても、きょうのあのようすからすると、たとえクラスメイトの名前がわかったところで、現住所とか連絡先に関する情報を学校側が提供してくれるとは思えない。卒業後、高校時代の同級生とはほとんど没交渉だった。いまでもつきあいのある同級生といえばケリ・ジェイクスひとりだけ。それも彼女がたまたまマーシー・ジェネラルの外来外科に勤めているからというだけの理由だし、ケリは二限じゃなくて五限の英語をとっていた。とはいえ、もしかしたら二限の英語をとっていた同級生の名前を覚えているかもしれない。

家に帰ったら電話してみよう。いまから病院にもどっても無駄だ。もう五時をまわってるだろうし。腕時計に目をやった。うわっ、七時半か。いったい何時間この車の中にすわってたんだろう。ヴィエルに知れたら、低体温症の怖さを知らないのかとがみがみ説教されそうだ。コートも着ないで、こんな冷え切った――

　こんな冷え切ったヴィエルの車。どうしよう、すっかり忘れてた。ヴィエルの車を借りてたんだった。何時間も前に返す約束だったのに。

　エンジンをかけ、車を出した。ヴィエルの勤務は七時に終わる。いまごろポケットベルを鳴らして、ジョアンナはどこへ消えたのかとやきもきしているだろう。

　あわててバッグからベルをとりだし、スイッチを入れた。学校の図書室にいたときにベルが鳴ったのに、あの若い司書の話を聞くのに必死で、そのこともすっかり忘れていた。もしかしたらあれがヴィエルだったのかも。三時間以上も車を返すのが遅れたいいわけをどうひねりだそう。高校時代の英語教師が授業中に自分でいったことを思い出せないという、この世の終わりにも等しい悲劇に見舞われたせいで、車のことなんかすっかり忘れてたの？

　もしかしたら玉突き衝突の大事故が起きてヴィエルは仕事に忙殺され、わたしの居場所を探すどころじゃなかったかも。そんなことを思いながら病院の駐車場に車を入れたが、ＥＲの待合室にはいつもとおなじような顔ぶれしかいなかった。氷嚢（ひょうのう）を片目に押し当てたヒスパニック系のティーンエージャー、ぶつぶつひとりごとをつぶやいているホームレスの男、おなかをおさえた五歳ぐらいの男の子、そのとなりで嘔吐用の洗面器を持つ心配顔の母親らしき女性。まあとにかく、腕組みしたヴィエルが戸口の前でいらいら足踏みしながら待っていなかっただけでもめっけものだ。だれかの車で送ってもらってとっくに帰宅しているかもしれない。

受付デスクに歩み寄り、当直の看護師にたずねた。「ハワード看護師はまだいる？」

受付の看護師は首を振った。「会議に出てます」

なんの会議？　とたずねかけて思い出した。ＥＲの安全についての講習会だ。「どのぐらいかかりそう？」

「どうでしょうねえ。スタッフは相当頭に来てますから。こないだのローグ騒ぎ以降――」

「ローグ騒ぎ？　ギャングじゃなかったの？」

「ギャング？　いえ」看護師は一瞬とまどった顔になり、「ああ、例のネイルガンのやつ。じゃあ、こないだの件は聞いてないのね」

「知らない」

「ええと」看護師はヒスパニック男性と子連れの女性にちらっと目をやり、内緒話をするように顔を近づけて、「死ぬほど怯えた顔をした男がやってきて、ヴェトコンがどうの、プノンペンがどうのとわめきちらして、みんな、またヴェトナムジャンキーかＰＴＳＤ患者が来たと思ってたんです。そしたらそいつ、血液入りの注射器を振りまわして、みんな道連れにしてやると叫び出して。まったく、ローグって最悪。エンジェル・ダストよりずっとたちが悪い」

「それ、いつの話？」

「火曜日。とっくにヴィエルから聞いてると思ったのに」

「ふつうそう思うわね」ジョアンナはむっつり答えた。もちろんヴィエルはわざと黙っていたわけだ。なんといわれるかわかっていたから。ヴィエルを見つけしだい、そのとおりのことをいってやろう。

「ヴィエルの車を借りてたんでしょ」と看護師。「キーはここのデスクに置いといてくれればいいって」

今度という今度は、ヴィエルがうんというまでとっくりいい聞かせてやる。かたく心に誓いながら車のキーを看護師にわたしたが、心の片隅では今夜ヴィエルと会わずに済んだことに感謝していた。

研究室に上がってみた。ドアは閉ざされ、ロックされている。よかった。これでリチャードともあしたまで会わずに済む。

オフィスの留守番電話はランプをしつこく点滅させていた。ちょっとためらってから再生ボタンを押した。「十八件の伝言があります」と機械がいった。停止ボタンを押した。ポケットからレコーダーをとりだす。どうしても今夜のうちにセッションの記録を吹き込んでおかなければ。これ以上時間がたつ前に。しかし、感情的にへとへとで、その気力がなかった。あしたの朝いちばんでやろう。コート、ポーチ、車のキーを集めて、オフィスのドアをロックした。

「ああ、よかった、まだいたんだ」と声がして、リチャードが廊下の向こうから歩いてきた。「もう帰っちゃったかと思ったよ。見せたいものがあって」

またスキャンか。

「さっきポケットベルを鳴らしてたんだけど。どこに行ってたんだい？」

「ちょっと人に会う用があって。ベル鳴らしてくれたの？」

「ああ。きみに聞きたいことがあったのと、あともうひとつ。メイジーが連絡してきたのを伝えようと思って」

「メイジー？」会いにいくと約束していたのに、NDEセッションと口喧嘩とブライアリー先生のせいですっかり頭から消し飛んでいた。「だいじょうぶなの？」と不安にかられてたずねる。

「ぼくが話したときは元気そうだったよ。三時。それと四時。それと四時半。それと六時。ポンペイの住民は灰と毒ガスで窒息死したって知ってた？　それプラス、非常に印象的な音響効果つき」

「わかるわかる」ジョアンナは吹き出した。「会いにいかなきゃ」腕時計に目をやった。八時。ずいぶん遅いが、それでも一言あいさつに寄ったほうがいいだろう。ジョアンナに会うまで寝ないとがんばっているかもしれない。「あしたの朝まで待つつもりになってる――なんてことはないわよね」

「ないと思うよ。午後からずっとベルの番号にかけてるといってたから」

図書室にいるときベルを鳴らしたのはメイジーだったんだ。そう思った瞬間、うしろめたさと恐怖の波が体を通り過ぎた。バーバラといっしょに連絡通路にいたとき味わったのとおなじ感覚。タイタニックが沈没したと聞いたとき、カリフォルニアン号の船長もきっとおなじ感覚を味わったにちがいない。

「すぐに会いにこなきゃだめだと伝えてくれってさ。だいじな話があるからって」

「なんの話だか聞いた？」

「いや。ヴェスヴィオス山がらみの話じゃないかと思うけど。考古学者が犬の死体を発見したって知ってた？　落ちてくる灰に埋もれまいと、つないだ鎖を長さいっぱいまでひっぱってたんだよ」

「火山が噴火するんだから、ほったらかしにして逃げるんじゃなくて、だれかが鎖をはずしてやってもよさそうなものなのに」

「メイジーもそういってた。ずいぶん怒ってたな。それと、首輪に名札がついてなかったことも」

「名札？」

「犬の名前がわかるように、さ。その犬の名前はファイドーだって教えてやったけど。イタリアじゃ飼い犬にはファイドーって名前をつける決まりだからって」

「信じた？」

「まさか。だってメイジーだよ」

ジョアンナはうなずいた。「とにかく、顔だけでも見せてくる。忘れられたわけじゃないって安心させるために」

ジョアンナはぐったりした気分でひたいをこすった。頭痛がしてきた。たぶん、何時間もなにも食べていないせいだろう。ちょっとだけメイジーの病室に寄って、それから家に帰ろう。

「メイジーに会いにいく前に、きみに見せたいものがある」リチャードは先に立って研究室に歩いていった。「タイタニックの件だけど、きみのいうとおりだったよ。あれはランダムな記憶じゃなかった」

「ちがうの？」

「ああ」立ち止まり、ドアの鍵を開ける。「さっきまでドクター・ジャミスンに相談してたんだ。きみが出てってから、きみの主張について考えてみたんだよ。ランダム仮説では、NDEのバリエーションが少ないことを説明できないっていうやつ」ドアを開け、電気のスイッチを入れて、「それで、前頭皮質のシナプス発火をもう一回調べてみることにした」端末の前まで歩いていって、スイッチを入れる。「そしたら、おもしろいことに気がついたんだ」キーボードからコマンドを入力し、「ドクター・ランバート・オズウェルの仕事は知ってる？」

ジョアンナは首を振った。

「長期記憶について徹底的なリサーチをおこなって、L＋R（Location and Retrieval 記憶の情報検索を意味する）のパターンをマッピングしたんだ。被験者に、たとえば〝ミッドウェイ海戦の勝者は？〟みたいな単純な質問をすると、かなりシンプルな記憶検索（L＋R）のパターンが得られる」

「被験者がミスター・ウォジャコフスキーならべつだけど。その場合は、まるまるひとつ話が出てくる」

リチャードはにやっと笑って、「長篇が一冊書けるぐらいね。まあとにかく」とまたタイプし、「そのパターンはこんな感じだ」といって、一連のスキャン画像をモニターに呼び出した。

「ニューロン発火がたちまち一ヵ所に集中していくのがわかるだろ？　ミスター・ウォジャコフスキー流にいえば、精神が標的に照準を合わせるわけだ。さて、〝ミッドウェイ海戦の勝者は？〟という質問に対してどんなパターンを描くかは、人によってそれぞれみんなちがう。ある記憶について、それを保存する特定の場所があるわけじゃないっていうのがひとつ。でもそれだけじゃなくて、おなじ記憶がいくつものいろんなカテゴリーに分類される可能性があるからだよ。ちょっと考えただけでも、第二次大戦、島、太平洋、Mではじまる単語……という具合。オズウェルは三ヵ月の間隔を置いて、おなじ被験者におなじ質問をする実験をやって、そのたびにちがうL＋Rパターンを得た。しかし」とリチャードはその言葉を強調して、「彼は、このパターンを数学的に記述する式を導き出した。それを使えば、あるパターンがL＋Rなのか、それ以外のものなのか、ぼくらも判定できるんだよ」

リチャードがまたなにかタイプすると、モニター上の右側のスキャン画像がべつのスキャン画像に置き換わった。

「これはパターンがちがうし、数式もちがう。〝ヨークタウンとはなにか？〟みたいな質問の場合だ」

あるいは、〝あの日ブライアリー先生が教室でいったことはなにか？〟みたいな質問。ジョアンナは、神経の経路がちかちかまたたきながら赤から緑へ、黄色から青へと変化し、花火のように色彩が花開いてまた薄れてゆくのを見つめた。デスクのへりに腰かけて、あのとき先生はなんの話をしていたんだろう。『マクベス』？　仮定法の構文？　『老水夫行』？

「〝ヨークタウンとはなにか？〟みたいな質問をすると——相手がミスター・ウォジャコフスキーじゃなかったとして——L＋Rパターンには多種多様な取捨選択が含まれて、はるかに複雑になってくる。幅も広くなる。その情報を求めて、ありとあらゆる記憶を検索するからね。それは場所なのか？　戦役か？　映画の名前か？　競走馬か？　このパターンは、見かけ上のランダムさの度合いがはるかに高くなる」

ジョアンナは画面に目を凝らし、リチャードの言葉を必死に理解しようとした。頭痛が一分ごとにひどくなる気がする。

「スキャンのパターンはそれと似てると？」

「いや。しかし、ドクター・ジャミスンにいわれて思い出したんだけど、ドクター・オズウェルは、イメージ解釈についても一連の実験をやってる。被験者に抽象的な——」

「なにか食べるものない？」ジョアンナは唐突に口をはさんだ。

リチャードがこちらをふりかえった。

「ごめんなさい。でも夕食をとり損ねて。それに、考えてみるとお昼も食べてない。だからもしかして——」

「いいとも」リチャードはもうポケットに手を入れていた。「えーっと、マーズ・バーが一本」とポケットの中身をとりだしてひとつずつ確認する。「……カシューナッツ少々……ねえ、なんだったらどっかへまともな夕食をとりに出てもいいんだよ。この時間、カフェテリアは開いてないよね」

「あのカフェテリアが開いてる時間なんかないわ」

「タコ・ピエールに行ってもいいし」

「いいえ。メイジーに会いに行かなきゃいけないから」マーズ・バーを受けとり、「これでだいじょうぶ。それで？」

「ああ、うん、そういう実験のひとつで、オズウェルは被験者に、もののかたちや形状をわざとあいまいで抽象的にした絵をみせた」

「ロールシャッハみたいな」

「そう、ロールシャッハみたいな。被験者は〝これはなんの絵ですか？〟と質問される。ほら、オレンジもあるよ」とリチャードが一個さしだして、「たいていの場合、そのときのパターンは、記憶野の活動が増大した、自由連想的なL＋Rパターンに似ている。被験者はその絵柄を……スキットルズ……それにピーナッツバター味のチーズクラッカーがひと箱。あいにく飲み物は切らしてるから、ピーナッツバターはよくないかもね。なんなら自動販売機でコーラかなんか買ってくるけど」

「いい」ジョアンナはオレンジの皮を剝きながら答えた。「被験者はその絵柄を？」

「きみの想像どおりだよ。〝青をバックにした大きな白い楕円形のもので、背景の右のほうにはピンクのまるい染みがひとつ〟とかね。しかし、そうじゃない場合もある。被験者が、〝南極ね。氷と空があって、太陽が沈みかけている〟と答えたり。そういう場合、被験者は長期記憶を検索して、個々の要素だけではなく、自分がいま見ているすべてのかたちや色の寓意（メタファー）を説明するようなシナリオを見つけ出す」

メタファー。メタファーのなにか。ディッシュ・ナイトのとき、それがあの感覚のひきがねを引いた。ヴィエルがメタファーのことでなにかいって――ちがう、リチャードのオプションを買うことをヴィエルが直喩（シミリー）と呼んだので、そうじゃない、直喩というのは「……のようだ」とか「……みたいに」とかを使って明示的にたとえることを指す言葉で、隠喩（メタファー）は似たものを直接たとえるのだと訂正した。それを教えてくれたのがブライアリー先生だ。彼が正確になんといったのかを思い出そうとした。霧がどうとか。

「……抽象的な絵柄では、スキャンはまったくちがうパターンを見せる。もっとずっと分散的でカオス的で――」

霧。リッキー・インマンだ。彼が詩のことでブライアリー先生に質問した。「まだわかりません」とリッキーは椅子の上で体を揺らしながらたずねた。「どうして霧が仔猫の足で歩いてきたりするんですか？」

そしてブライアリー先生は黒板消しをとり、大きく左右に動かして黒板をきれいにしてから、チョークで活字体の文字をきびきびと書きつけた。チョークが黒板にぶつかるコツコツという音が耳に甦る。「メタファー（コツ）。直接もしくは暗黙の比喩（コツ）。〝これは悪夢だ〟（コツ）。それに対して直喩は（コツ）。〝死んだように静まり返った〟（コツ）。これで理解できたかね、インマンくん？」

そしてリッキーは、倒れそうなほど椅子をうしろに傾け、「まだわかりません。霧には足なんかないと思います」といった。

「前頭皮質活動の数式はまったくおなじだ。きみの心は、長期記憶を検索して、自分が経験しているすべての感覚――音、トンネル、光、白い服の人々――を説明するような統合的なイメージを探す。そして、きみがいったように、すべてがあてはまるものが見つかる。タイタニックがその統合的なイメージなんだよ」

「だからタイタニックを見た」とジョアンナはいった。「わたしの長期記憶にあるすべてのイメージの中で、それが刺激に対するベストマッチだったから」

「うん。パターンは――」

「マーシー・ジェネラルは？　それにポンペイとか」

「ポンペイ？」リチャードがぽかんとした顔で聞き返した。

「マーシー・ジェネラルはすべての刺激に符合する――長くて暗い連絡通路、白い服を着た人たち、心停止アラームの音――ポンペイだっておなじよ。人々は白いトーガを着ていた。空は降灰で真っ暗だった」とジョアンナはひとつずつ指を折った。「トンネルのような長い柱廊（コロネード）があり、火山の噴火は言葉にできないようなすごい音をたてた。そしてメイジーがその話を聞かせてくれたのは、わたしが潜る二時間前のことだった」

「長期記憶の中には適合するイメージが複数あって、そのうちで最初にアクセスされたものが選ばれるのかもしれないな。だからといって、いちばん新しい記憶だとはかぎらないよ。いっただろ、アセチルコリンのレベルが上昇してるから、記憶にアクセスして関連を探す脳機能は高まっている。あるいは、脳はある特定のエリアの記憶にしかアクセスできないのかもしれない。遮断されてたり活動を停止してたりするエリアがあるのかも」

ブライアリー先生の記憶みたいに、とジョアンナは思った。「わたしがタイタニックを見た理由はそれじゃない。記憶の出所がわかったの」

「わかったって？」とリチャードが用心深い口調でいった。

わたしがいつブライディ・マーフィに変身するかとまだ心配なんだ。「ええ。高校時代に英語を習った、ブライアリー先生が出所だった」

「高校時代の——いつわかった？」

「きょうの午後」セッションの録音中に、ひげの男がブライアリーの名に言及したことを思い出したいきさつを話した。「そのとき、先生が授業中にタイタニックの話をしたことを思い出したのよ」

リチャードはぱっと顔を輝かせた。「それこそまさに、心がすべてを単一のシナリオに統合しようと活動している証拠だよ。記憶の出所まで含めてね。きみの心は記憶を検索して統合的なイメージを見つけ出し、それを使って光を背にした人影や聴覚野刺激や——」

ジョアンナは首を振った。「それはわたしがタイタニックを見る理由じゃない。なにかほかの理由があるのよ。ブライアリー先生が授業中にいったことと関係した理由が」

「で、それは?」

「わからない」そう認めるしかなかった。「思い出せないの。でも、わたしにはわかる、あれには——」

「——なにか意味がある、と」リチャードがつづきをひきとり、あのいまいましい優越感に満ちた表情でこちらを見つめる。

ジョアンナは彼をにらみつけた。

「これもまた側頭葉刺激だと思ってるんでしょ。でも、あの通路がどこなのかわかるといったらそのとおりだったし、タイタニックの記憶の出どころが映画じゃないのはわかってるといったらやっぱりわたしのいうとおりだった。そして今度は——」

「今度は、タイタニックが刺激に適合するからという理由で選ばれた統合イメージじゃないとわかっている、と」

「そのとおり。いままではわたしが正しかったんだから——」

「そして、通路がどこなのかを突き止めたら、もうちょっとでわかるという感覚は消え失せていいはずなのに、そうはならなかった。だろ? その感覚は記憶の出所に転移し、そして今度はブライアリー先生の言葉へと転移した。もし彼の言葉を思い出すことができたら、今度はその感覚がまたべつの対象に転移するよ」

そうなんだろうか？　キットがいま電話してきて、「パット伯父さんにもう一度たずねてみたら、あのとき授業でいったのは……」と答えを教えてくれたとしたら、この感覚はなにかべつのものに移ってしまう？

「認識感がシナリオの選択をどの程度左右するかっていうのは、ぼくが突き止めたいことのひとつなんだ。それに、刺激もしくは初期刺激しだいでシナリオが変化するのか、それとも変わらないのか、そのことも知りたい」

「初期刺激？　だってたしか――」

「すべての刺激に適合する統合的な記憶といったから？　たしかにそうだけど、初期刺激が、複数の適切な統合イメージの中からひとつに決定するのかもしれない。そう考えれば、宗教的なイメージが圧倒的に多い理由も説明がつく。初期刺激が浮遊感覚だったとすれば、それに適合する記憶は非常に少ないからね。天使をべつにすればだけど」

「あとピーター・パンとか」

リチャードはそれを無視して、「きみは体外離脱を体験しなかった。きみの初期刺激は聴覚だった」

だから百年近くも前に沈んだ船を見たって？

「初期刺激が変化すれば、統合イメージも変化するのか？　きみがこのつぎ潜るときはそれを調べたい」

「潜る？」この人、わたしをまた潜らせる気だ。タイタニックへ。

「うん。できるだけはやい予定を組みたいんだけど」画面にスケジュール表を呼び出して、「ミセス・トラウトハイムの予定が一時に入ってる。きみのは三時でどうかな。それとも、ミセス・トラウトハイムと順番を入れ替えて、きみのほうを一時にしてもいいけど」

一時だ、とジョアンナは思った。三時にはもう沈没しているんだから。

「ジョアンナ？　きみはどっちがいい？　それとも午前中のほうがいいかい？　ジョアンナ？」

「一時」とジョアンナはいった。「今夜もし会えなかったら、あしたの午前中、メイジーのところへ行かなきゃいけないかもしれないから」

「そうか、もう行ったほうがいいね」リチャードは壁の時計に目をやった。八時半。「わかった、ミセス・トラウトハイムにはぼくから電話して、予定の変更を伝えておくよ。歯医者の予約が入ってなきゃいいけど。それと、時間があるときに——今夜じゃなくてあしたでいいから——面接記録をチェックして、初期刺激とその後のシナリオとのあいだに相関があるかどうか調べてくれないか」

相関なんかない。メイジーの病室に向かいながらジョアンナは思った。わたしをタイタニックに結びつけているのは初期刺激じゃない、なにかべつのものなんだから。でも、それを証明する唯一の方法は、たしかな証拠を手に入れること。つまり、ブライアリー先生がなにをいったのかを突き止めなければならない。

でもどうやって？　ブライアリー先生がアルツハイマー病に罹患していなかったとしても、

十年以上も前に授業で口にした片言隻句など覚えていなくてあたりまえだし、生徒にいたってはさらに覚えている可能性が低い。もしおなじ授業を受けていた生徒が見つかったとしても。もし彼らの名前を思い出せたとしても。ケリに電話しなきゃ、とまた思ったが、その前にメイジーに会いにいかなければならない。寝てしまってなければいいんだけど。

　メイジーは眠っていなかった。枕の山の上にあおむけに横たわり、退屈そうにしていた。母親がベッドの脇の椅子に腰かけて、黄色いカバーの本を朗読していた。

「〝まあ、そんな暗い顔しないでよ、ハイラムおじさん〟とドリーがいいました。〝最後はなにもかもきっとうまくいくわ。信じつづければいいだけよ〟」とミセス・ネリスが朗読する。「〝そのとおりだ、ドリー〟とハイラムおじさんはいいました。〝おまえはちびでやせっぽちの女の子だが、いってることは正しいぞ。わしはあきらめちゃいかん。意志があるところ、かならず――〟」

　メイジーが顔を上げた。

「来ると思った！」それから母親のほうを向いて、「ほら、来るっていったでしょ」頬を興奮したピンク色に染めてまたジョアンナのほうに向き直ると、「ジョアンナは来るって約束したもんってママにいってたの」

「そのとおり。約束したわ。こんなに遅くなってごめんなさい。ちょっと急用ができて……」

「ほら、やっぱり」とメイジーが母親にいった。「なにかあったから来られなかったのよ。

約束を忘れちゃったのよとママはいったけど」

忘れていた。なお悪いことに、ポケットベルの電源を切り、何時間も連絡がつかない状態だった。その数時間のあいだに、あなたの身になにかあったかもしれないのに。

「先生はお忙しいんだからといったんですよ」とミセス・ネリスがいった。「都合がつくときに会いにきてくださるわって。わざわざ顔を見せに寄っていただいてありがとうございます。ほかにもたくさん用事がおありなのに」

じっさい、メイジーの母親が病室にいるのでは、顔を見せる以上のことは不可能だ。「あしたの朝また来てもいいかしら、メイジー」

「うん」とメイジーは即答した。「あしたはほんとに長くいてくれるんなら」

「メイジー！」ミセス・ネリスがびっくりしたように叱りつけた。「ランダー先生はとてもお忙しいのよ。患者さんをたくさん抱えてらっしゃるし。とてもそんな――」

「メイジーが好きなだけ長くいるって約束する」とジョアンナはいった。

「よかった」とメイジー。それから意味ありげな口調で、「だって、話さなきゃいけないことがいっぱいあるんだもん」

「それはそうね」とミセス・ネリス。「マロウ先生が新しい抗不整脈薬を処方してくださって、見違えるように具合がよくなったんですよ。もうすっかり安定しているし、肺の音もよくなって。あら、それで思い出したけど、夜の呼吸エクササイズがまだだったわね、メイジーちゃん（スウィーティ・パイ）」

ミセス・ネリスは朗読していた本をベッドに置いて、流しの横のカウンターに歩み寄り、プラスチックの吸入チューブをとってきた。

「あしたの朝いちばんに来るわ」といいながら、ジョアンナは本を見た。渦巻くような緑色の字で、『伝説と教訓(レジェンズ・アンド・レッスンズ)』とタイトルが書いてある。

伝説と教訓。英語の教科書もそんなようなタイトルだった。なんとかとかんとか。デスクのへりに腰かけたブライアリー先生が教科書を持って朗読している姿が脳裡に閃く。金色の文字のタイトルが目に浮かぶ。なんとかとかんとか。『詩と楽しみ』か『冒険と寓意』か『災厄と惨事』か。いや、それはメイジーの災害本だ。

「あしたの朝何時？」とメイジーがたずねる。

「十時」ジョアンナは半分うわのそらで答えた。旅に関係したなにかだ。旅行とスケッチ(ジャーニーズ・アンド・ジャティングズ)。物語と旅(テイルズ・アンド・トラベルズ)。

「それって朝いちばんじゃないよ」

「メイジー(シュガー・プラム)、ランダー先生はとてもとてもお忙しいんだから——」

Vだ。Vではじまる単語。詩(ヴァース)。ちがう、ヴァースじゃない、でも、なにかそれに似た言葉。花瓶(ヴェイス)。声(ヴォイス)。

「マロウ先生は、ボールを八十のところまで上げるようにしなさいといってたでしょ。この線までよ。それを五回」ミセス・ネリスはプラスチックの円筒の青い線を指している。「きっとできるわ」

メイジーは従順にマウスピースをくわえて息を吹き込んだ。ジョアンナは「またあしたね、メイジー」と声をかけて病室を出ると、急ぎ足で駐車場の車に向かった。Vだ。ほかにVではじまる単語って？　ヴィクトリア朝。ヴィネット。声とヴィネット。ちがう、これもはずれ。でも、まちがいなくVではじまる単語だ。

車に乗り、駐車場から出した。たちまちフロントガラスが曇る。ヒーターのスイッチを入れ、霜とりの位置までバーを動かして、曇ったガラス越しに道路を見つめた。ヴァンテージ。ヴェスヴィオス山。ヴィジョン。ヴォイシズ・アンド・ヴィジョンズ。いや、それじゃまるでミスター・マンドレイクの著書みたいだ。

赤信号で停止し、青に変わるのを待った。あの教科書のカバーはどんな色だったっけ？　赤？　いや、青だ。青のバックに金色の文字。それとも紫。紫と黄金。また話を作ってるわよ、と自分をいましめる。紫じゃなかった。地色は青で、そこに——

うしろの車が警笛を鳴らし、はっとして顔を上げた。信号は青に変わっている。あわててアクセルを踏み、エンストさせてしまい、ギアを手探りした。うしろの車がまた警笛を鳴らす。話を作ってるだけじゃない、自分の行動に不注意になっている。イグニションをまわしてエンジンをかけ、ようやく再発進させたが、しびれを切らしたうしろの車はすぐ横をあやうくかすめ、轟音とともに追い越していった。すれ違いざま、ドライバーがこぶしを振り上げるのが見えた。装填された銃じゃなくてもっけのさいわい。

周囲の状況に気を配ること。自分にそういい聞かせ、運転に神経を集中しようとしたけれど、机のへりに腰かけたブライアリー先生の姿がたえず脳裡に甦ってそれを邪魔する。先生は教科書を手に持っている。地色は青でタイトルは金色、カバーは船の写真だ。舳先が水を蹴立て、しぶきをあげながら進んでいる。はっきり目に浮かんだ。でもそれが作話じゃないとどうしてわかる？　もしかしたら話が逆で、教科書の表紙の写真からタイタニックを作話したのかもしれない。

でも、船の種類がぜんぜんちがう。教科書に出ていたのは帆船だ。白い帆が風をはらんでいた。ブライアリー先生は、いま朗読を終えたという感じでぴしゃりと本を閉じた。もし朗読していたのが小説とか詩とかだとしたら、先生が覚えていなくても関係ない。その教科書にあたってみればすぐにわかる。その教科書さえ見つかれば。

いまもおなじ教科書を使っていることはないだろう。当時としても時代遅れの教科書だったし、ブライアリー先生がいったように、いまはまったく新しいカリキュラムが採用されている。でも、ブライアリー先生の家には指導用の教科書が残っているかもしれない。書棚から本があふれ出しているあのようすからして、不要になった本を処分したりはしていないはず。でも、置き場所はたぶん覚えていないだろう。

でも、キットなら知っているかもしれないし、本棚を漁って発見してくれるかもしれない。どんな本を見つけてほしいのかをちゃんと伝えることができれば。表紙は青のバックに帆船の写真だ。題名は……金色の文字を読もうと目を凝らし、はっと気がつくとまた青信号でとまったまま、通りの向かいのセブンイレブンを見つめていた。《マルボロ、一カートンで

$19・58》と看板が出ている。

今回は後続車がいなかったし、横断する車もなかったのはさいわいだったが、交差点の真ん中でまたエンストさせてしまった。手間のかからない自殺方法ね。心の中でそうつぶやきながらエンジンをかけて交差点をわたった。そうすれば、グレッグ・メノッティがなにをいおうとしたのか、なぜタイタニックを見るのかといつまでも考えつづけずに済む。自分の目で直接たしかめられるんだから。

それから先は、道路と信号とほかの車にだけ注意を集中するようにして車を走らせた。自宅のある通りに車を入れ、バーガーキングの前を過ぎた。《Xメン・アクションフィギュア》とひさしに書いてある。《集めよう、全部で58種類》グレッグ・メノッティが本のページ数を伝えようとしていたということはあるだろうか？　ブライアリー先生が青い教科書を開くところが目に浮かぶ。「よろしい。それでは教科書の五十八ページを開いて」

やめなさいってば。駐車スペースにとめた車から降りた。リチャードのいうとおりだ。わたしはブライディ・マーフィになりかけている。でなきゃミスター・マンドレイクに。部屋に上がって、シャワーを浴びて、ニュースを見て、右脳側頭葉を冷やしなさい。この『物語と旅』だかなんかについてのオブセッションは、側頭葉刺激の症状なんだから。

玄関のドアを開け、電気をつけた。キットに電話して、『花瓶とヴィクトリア人』を探してくれと頼んだって、問題はなにも解決しない。もしその教科書の五十八ページに、タイタニックのエンジンが停止する話が載っていたとしても、この認識感はなにかべつのものに転移するだけなんだから。

それに、電話するにはもう遅い時間だ。ブライアリー先生をびっくりさせてしまうし、キットはいまだってじゅうぶん重い荷物を背負っている。電話しなきゃいけない相手はヴィエルよ。車を貸してくれたことに礼をいい、返すのが遅れたことを詫び、木曜のディッシュ・ナイト用にどんな映画を借りてほしいかたずねる。『シックス・センス』は禁止。

ジョアンナは受話器をとり、番号をプッシュした。

「もしもし、キット？　ジョアンナ・ランダーです。伯父さん、むかし使っていた教科書をまだとってあるかしら？」

23

「この世のものはなにひとつ永遠には耐えられない」
——ポンペイの壁に書かれていた言葉

翌朝、病院に出勤すると、ケリ・ジェイクスに電話してから、まっすぐメイジーの病室に向かった。十時と約束したけれど、また脇道にそれて約束を忘れるようなことは避けたかったし、メイジーの母親が来る前に会いたかった。

それに、キットは教科書を見つけしだい連絡するといってくれたから、もしかしたらそれをとりにいく時間が必要かもしれない。連絡通路をわたって小児科への階段を上がりながらそう考えた。あるいは、二限の英語の授業をとっていた同級生のだれかに会いにいく用ができるかもしれない。ケリに電話してみたが本人はつかまらず——午前中は外来外科がいちばん忙しい時刻だ——電話のいたちごっこになるのは願い下げだったので、二限の英語のクラスメイトの名前と教科書のタイトルをたずねる伝言を頼んでおいた。メイジーの病室からオフィスにもどったときには、ケリかキットから留守電に連絡が入っているのを期待していた。

もっとも、あんなお粗末な説明だけで、キットが教科書を見つけ出してくれるとはとても思えないけれど。

しかし昨夜のキットは、ジョアンナの電話を世界でいちばんノーマルなことのように受けとめてくれた(彼女の日常生活を思えばそのとおりなのかもしれない)。頼みを聞くなり、ジョアンナが高校三年生だったのは何年のことなのか、教科書はどんな判型でどのぐらいの厚さだったかと必要な情報をたずねた。「それで、タイトルは『なんとかとかんとか』ね」とキットはいった。「Vではじまる言葉で」

「だと思うの。こんな手がかりしかなくてほんとにもうしわけないんだけど」

「冗談でしょ。わたしは他人が思い出せないものを探しあてるプロなのよ。でも、これはちょっと時間がかかるかも。パット伯父さんはものすごくたくさん本をもってるから。むかしはちゃんと整理してあったんだけど、でも――」

「こんなこと頼んでほんとにだいじょうぶ?」

「役に立てればうれしいわ」本気でいっているような口振りだった。

「電話はケヴィンか?」とうしろでブライアリー先生の声がした。「わたしもうれしいと伝えてくれ。それにおめでとうと」

「あした電話する」とキットはいった。

それが昨夜遅くのこと。あの家の蔵書量を考えればそんなにはやく見つかるとは思えない。表紙が青い本がいったい何冊あることか。もし表紙がほんとうに青だったとしても。けさのジョアンナはそれさえ自信がなくなっていた。キャンディ・〝ラプンツェル〟・シモンズがコンパクトをたてかけていた教科書は赤だったような気もしてきた。話を作ってるわよ、ときびしく自分を叱りつけて、小児科の階段を駆け上がる。朝食カートはまだ廊下にあり、痩せた黒人のスタッフが空のトレイをカートに載せている。ジョアンナはそちらに手を振ってからメイジーの病室に入った。

メイジーの朝食のスクランブルエッグとトーストとジュースは、ひざの前に出したベッドテーブルの上にまだ残っている。「おはよ、メイジー」と声をかけた。「どうしてる？」

「朝食を食べてる」とメイジーは答えたが、「食べてる」というのはどう見ても誇大表現だ。メイジーが手に持っているトーストの端っこには、ネズミが二口かじったあとのような穴があるだけで、卵とジュースは手つかずのようだ。

「なるほどね」ベッドの横に椅子をひっぱっていって腰を下ろした。「じゃあ、ポンペイの話を聞かせて」

「ええとね」メイジーはトーストを皿に置いて、「みんな噴火から走って逃げようとして、何人かはもうちょっとで助かるところだった。ふたりの小さな娘と赤ちゃんを連れたお母さんがいたんだけど、あとちょっとで門に着くところまで逃げたの。大きな青い本に載ってる」

ジョアンナは従順にクローゼットに歩み寄り、バービー柄のダッフルバッグから『災厄と惨事』をとりだした。それをさしだすとメイジーはベッドテーブルを押しのけて本をめくった。

「ほら、これ」見開きの片側は赤と黒を噴き上げる噴火口の毒々しい絵、反対側は白黒写真だった。メイジーは写真のほうに指を置いて、こちらのほうに押し出した。

よく見ると、白黒写真ではなかった。そう見えたのは、グレイの灰からつくったような一群の石膏模型が写っていたからだ。倒れた地点にそのまま横たわり、母親はいまも腕に赤ん坊を抱きしめ、ふたりの娘は母親の服のへりをつかんでいる。

「こっちは召使い」とメイジーが親子四人のそばに体を丸めて横たわる遺体を指さした。

「助け出そうとしていたの」メイジーは本をとって、「子供がおおぜい踏みつぶされたんだって」といいながらまたページをめくる。「それからこれは――」さっと顔を上げ、すばやく本を閉じると毛布の下に突っ込んだ。ベッドテーブルの位置をもとにもどした瞬間、バーバラが入ってきた。

「おはよう、おふたりさん」バーバラがやってきて、ほとんど手つかずの朝食を見て眉を上げた。「卵はきらい？　シリアルにする？」

「あんまりおなかすいてないの」

「なにか食べなきゃだめ。オートミールは？」

メイジーは顔をしかめた。「オートミールきらい。ねえ、食べるのあとにしてもいい？　ドクター・ランダーにだいじな話があるの」

「話はあなたが朝食を済ませてからよ」ジョアンナはさっと立ち上がって戸口に歩き出した。

「だめ、待って！」メイジーが叫んだ。「いま食べるから」トーストを一枚とって、またネズミがかじったぐらいのサイズをひと嚙みした。「ランダー先生と話をしながら食べてもいいでしょ？」

「ほんとに食べるならね」とバーバラがきびしくいう。それからジョアンナのほうを向いて、「卵半分、トースト一枚、ジュースぜんぶ」

ジョアンナはうなずいた。「了解」

「あとでたしかめにきますからね。食べ残しをナプキンに隠しても無駄よ」といってバーバラは出ていった。

メイジーはすぐさまベッドテーブルを押しのけ、ナイトスタンドの引き出しを開けようと身を乗り出した。

「こらこら。バーバラがいったこと聞いたでしょ」

「わかってるって。でも、とるものがあるの」メイジーは引き出しを手探りして、前にヒンデンブルクのクルーの名前をメモするのに使ったのとおなじような罫線入りの畳んだ便箋を一枚とり、ジョアンナに手わたした。

「なに？」

「あたしのNDE。ジョアンナが帰ったあと、忘れないうちに残りを書いといたの」

紙を開いてみた。〝霧は灰色で〟とメイジーはまるっこい筆記体でていねいに書きつけていた。〝夜とか電気を消した部屋とかみたいに暗かった。わたしがいたのは細長いスペースで、壁はすごく高かった〟

「忘れちゃってることもあると思うけど」とメイジー。

「食べなさい」ジョアンナはベッドテーブルをメイジーの前にもどした。メイジーはフォークをとり、気のないようすで卵をつついている。

「食べないなら帰るわよ」

メイジーはただちにスクランブルエッグをフォークですくって口に放り込んだ。メイジーがそれを咀嚼し、呑み込むのを見届けてから、ジョアンナは椅子に腰を下ろしてメモのつづきを読んだ。〝天井があったかどうかはわからない。なんとなく外みたいな気がしたけど、自信がない。なんていうか、屋内なのに屋外みたいな感じ〟

「壁は高かったの？」

メイジーはうなずいて、「どっち側もすんごく高かった」と両手を上げて実演してみせた。「もどってくるとこは、もっと思い出した。前のときとはちがってたんだ。今回はそんなに一瞬じゃなかった。それも書いてあるよ」

ジョアンナはうなずいて、「これ、もらっていい？」

「もちろん」

ジョアンナは紙をもとどおり畳んでポケットにしまった。

「でも、まだ行っちゃだめ。話すことがまだたくさんあるんだから」

「じゃあ食べなさい」とスクランブルエッグの残りを指さした。

メイジーはフォークを手にとってから、「冷めちゃってる」

「だれのせい？」

「ねえ、ポンペイの発掘で卵が見つかったの知ってた？　灰に埋まって石になってたんだよ」

「四口」とジョアンナは腕組みしていった。「それとジュース」

「オーケイ」メイジーは、これ以上小さくはかじれないだろうというぐらい小さく四回かじって、義務的にあごを動かした。

「それとジュース」

「わかってる。まずストローを出さなきゃ飲めないでしょ」

ひきのばしの女王だ。ジョアンナは椅子の背にもたれ、メイジーが袋を破ってとりだしたストローをジュースのパックにさし、上品にすするのを見守った。メイジーはようやく最後まで飲み終えて、からっぽだと証明するようにチュルチュル音をさせた。

「鎖でつながれたまま死んで、名札がついてなかったから名前がわからなかった犬の話はしたんだっけ？」とメイジーがいった。「それとおんなじような女の子もいたんだよ」

「ポンペイに？」

「ううん」メイジーは憤然と首を振った。「ハートフォードのサーカス火事。女の子は九歳だった。というか、そういうことになったみたい。だってどこのだれなのかわからなかったんだから。煙で死んだの。どっこもやけどしてなくて、その子の写真を新聞に載せたり、ラジオで尋ね人を流したりとか、いろいろやったんだけど、だれもひきとりに来なかったの」

「いつまでたっても?」最後にはだれかが身元を確認したはずだ。子供がひとりいなくなってだれも気がつかないなんてありえない。だが、メイジーはこっくりうなずいた。

「うん、そう。大きな部屋に死体をぜんぶ並べて、やってきたお母さんやお父さんが自分ちの子供をひきとったんだけど、その子だけは最後まで残った。名前もわからなかったから、番号をつけたの」

つづきを聞くのが急に怖くなった。五十八はやめて。五十八だなんていわないで。

「1565」とメイジーはいった。「それがその子の死体番号だったから。名札をつけるか、服かなんかに名前を書いておけばよかったのよ。ミスター・アスターみたいに」

「だれ?」ジョアンナははっと背すじを伸ばした。

「ジョン・ジェイコブ・アスター。タイタニックに乗ってた人。倒れてきた煙突みたいので顔がつぶれて、だれだかわかんなかったんだけど、シャツの内側のここんとこに――」とメイジーは自分の患者用ガウンのうしろに手をまわし、首のところをひっぱってみせた。「――J・J・Aってイニシャルがついてたから、それで身元がわかった」

「タイタニックのこと知ってるの、メイジー?」

「もちろん。だって、オールタイムベスト級の災害だもん。子供がおおぜい死んだんだよ」

「タイタニックの話なんか一度もしなかったじゃない」

「読んだのがずっと前で、べつの病院にいたときだから。映画も観たかったんだけど、ママがビデオを観せてくれなくて。あの映画には……」メイジーが身を乗り出し、声を潜めて、「せっ、くすが出てくるからって。でも、盲腸の手術で入院してたアシュリーって女の子に聞いたんだけど、そんなの出てこなくて裸のシーンがあるだけなんだって。すごくクールな映画だっていってた。とくに、船が逆立ちして、いろんなものが落ちてくところ。食器とか家具とかピアノとかが、がらがらどっしゃーん、って。タイタニックにはピアノが五台もあったって知ってた？」

「メイジー――」この話を持ち出したことを後悔しながらジョアンナはいった。

「ぜんぶ知ってるよ」メイジーはジョアンナの抗議も知らぬ顔でつづける。「犬もいろんな種類がいっぱいいた。ペキニーズにエアデールにポメラニアン、それとすごくかわいいフレンチ・ブルドッグ。飼い主はときどきデッキに連れ出して散歩させてやってたけど、たいていは下の犬小屋に入れとかなきゃいけなかった。ただ、一匹すごくちっちゃいフルーフルーっていう犬がいて、その犬だけは船室にいて――」

「メイジー――」と声をかけたが、聞いてもくれない。

「――氷山にぶつかったあと、名前は知らないけど乗客の人が犬小屋に行って――」

「メイジー――」

「――中の犬をみんな出してやったの」とメイジーが話をしめくくった。「でも、みんな溺れて死んじゃったけど」

「わたしの前でタイタニックの話をしちゃいけないのよ」とジョアンナはいった。「いまわたしがやってる研究で――」

「手伝ってあげようか」メイジーが身を乗り出した。「ミズ・サタリーに本を持ってきてもらえるし、ずいぶんたくさん知ってるよ。ほんとは氷山に衝突したんじゃなくて、横腹をこすっただけなんだよね。そんなにひどい切り傷でもなかった。でも水密区画が――」

なんとかしてやめさせなければ。「ポンペイでも犬の死体が見つかったってドクター・ライトに聞いたけど」

「うん」メイジーは犬の鎖と、灰の上に這い上がろうとした話をした。「ポンペイの犬はみんなファイドーって名前だってドクター・ライトはいってたけど、でもウソだと思う。だって、みんなおんなじ名前だったら、ご主人様に名前を呼ばれても自分だってわかんないじゃん」

「ドクター・ライトは冗談をいったんじゃないかしら。ファイドーがラテン語で〝忠実〟って意味だって知ってた？」

「ううん」メイジーが表情をやわらげた。「それって、見つかったあの犬にはぴったりの名前」毛布の下からまた本をとりだしてページをめくり、「その犬、この女の子を助けようとしてたんだよ」とべつの写真を見せた。鼻面の長い犬と小さな女の子の石膏像が、たがいに手足をからめるようにして壁ぎわに寄りそっている。「でも、助けられなかった。ふたりとも死んじゃった」

メイジーは本をもどした。「その犬も名札をつけてなかった」といってから、とつぜんまた本をひっつかんだ。ジョアンナは戸口のほうを見やった。メイジーが本を隠そうと毛布を持ち上げたところで手をとめ、またベッドに置いたとき、黒人スタッフが入ってきた。「ごちそうさま、ユージーン」といって、メイジーは無邪気な顔でトレイをさしだした。

「だめよ、ユージーン」とジョアンナはいった。「トレイはそのままにしといて。卵を食べることになってるから」

「ユージーンはトレイをぜんぶまとめてかたづけることになってるのよ」とメイジーが反論する。

「いいや、だいじょうぶだよ」とユージーンがトレイをもどした。「あとでとりにくるから」とジョアンナにウィンクした。

「ありがとう」ユージーンが出ていくと、ジョアンナも立ち上がった。「わたしも行かなきゃ」

「だめよ。あたしが好きなだけ長くいるっていったじゃない。まだ一枚、見せる写真があるの」

それから少なくとも二十枚の写真を見せられたあと——発掘された遺跡、古代ローマの浴場の再現、黄金の腕環、銀の鏡、赤と金を噴き上げる火山から逃げまどう白いトーガ姿の人々、灰で真っ黒になった柱廊に身を隠す人々の絵——ジョアンナはようやく放免された。今度のセッションでヴェスヴィオス山を見なかったら、リチャードの仮説はまちがいだったってことね、とオフィスに歩きながら思う。

オフィスの鍵を開けて中に入り、留守番電話をチェックした。ほとんどヒステリックな勢いでランプが点滅している。ボタンを押すと、「二十三件の伝言があります」と機械はいった。どうせぜんぶミスター・マンドレイクで、キットやケリ・ジェイクスの伝言はゼロだろう。そう思いながら再生ボタンを押した。

ミスター・マンドレイクがぜんぶではなかった。メイジーから三件、リチャードから一件、ヴィエルから四件。どれもきのうの午後、ジョアンナの居場所をたずねる伝言。「ねえ、あたしの車に乗ってったの忘れてないよね」とこれはヴィエルの最後の伝言。「もう行くけど、もどったらキーは受付の看護師にあずけといて。次のディッシュ・ナイトの映画は『60セカンズ』か『バニシング in TURBO（グランド・セフト・オート）』で決まりね」

ちょっと間があり、それからヴィエルが息をあえがせて、

「わあ、どうしよう。いまだれが入ってきたと思う？　ほら、例のネイルガン男の件でやってきたハンサムな警官覚えてる、デンゼル・ワシントン似の？　彼が来てるのよ。講習会に出るみたい。オフィサー・ライト、いま参りますわ！」

ジョアンナはくすっと笑ってそれを消去し、《次の伝言》ボタンを押した。

「もしもし、ケリ・ジェイクスよ。高校の英語の教科書の題名を覚えてるかって？　冗談でしょ。高校自体が忘却の彼方よ。なんでそんなこと知りたいの？　ほんとは卒業単位が足りてなくて、三年生をやりなおせとかいわれたんじゃないでしょうね。とにかく、答えはノー。教科書の題名は覚えてないし、二限の英語に出てた同級生で覚えてるのはリッキー・インマ

ンだけ。じつはあのころ、あいつに夢中で、三限めの前はいつもブライアリー先生の教室の前でぶらぶらしながら、彼が出てくるの待ってたから」

ケリのいうとおりだ。高校は忘却の彼方。ジョアンナは《次の伝言》を押した。

「エルスペス・ヘイトンです。ドクター・ランダー宛てに伝言します。先日決めたセッションの日時は都合が悪くなりました。その日はジュニア・リーグの会合があるの。変更したいので電話をください」

どうせつかまるわけないのにと思いながらミセス・ヘイトンの番号にかけた。話し中。いつも家にいないくせになんで話し中なんだろう。

留守電の残りはそれから三つたてつづけにミスター・マンドレイクだった。どの伝言も、「ドクター・ランダー、何度もポケットベルを鳴らしているが、いっこうに連絡がつかない」という苦情ではじまり、ミセス・ダヴェンポートが新たに思い出した驚くべきディテールの数々について話し合いたいと求めるものだった。

「かくも鮮明で信ずべきものである以上、さしものきみとて、彼女がNDE中に見聞きしたことが現実であることは疑い得ないだろう」

でもあれは現実じゃない。ディテールがリアルで鮮明であることは事実でも。あの若い女性のナイトガウンに縫いとられたレース、その顔に浮かぶ怯えた表情、通路の壁にかけられた金銀線細工の燭台ははっきり目に焼きついている。でもあれは、いくら本物らしくても本物のタイタニックじゃない。なにかべつのものだ。

「……アルヴィン伯父ばかりか、ジュリアス・シーザーとジャンヌ・ダルクの霊もミセス・ダヴェンポートを出迎え、《向こう側》に歓迎していたのだ」とミスター・マンドレイクの演説がつづいている。

ジョアンナは彼を消去し、メモする端から忘れながら残りの伝言を聞き流した。唯一の例外はミスター・ウォジャコフスキーで、表向きの用件は、例の聴覚研究プロジェクトは八週間で終わるのでそのあとならまたセッションに協力できるというものだが、じっさいにはヨークタウン沈没と、デッキに靴を並べた乗組員たちの話をまた最初からそっくりくりかえすことだった。その話はメモしなかった。ぜんぶ聞き終えるまでに何時間かかるんだろうと思いながら、それを消去して《次の伝言》ボタンを押す。

「キット・ガーディナーです。ジョアンナ・ランダーさんに伝言」とキットの声がいった。「本が見つかったみたい」

その背後でブライアリー先生の声が、「ジョアンナ？　花嫁」といい、それから彼が電話のそばから離れたらしく、あとは一部分しか聞こえなかった。「――鍵……ではなかった……」

「青に金色のレタリングで、『航海と声（ヴォエジズ・アンド・ヴォイシズ）』って書いてある。覚えがある？」

覚えはなかった。でも、タイトルは記憶にあるとおりVではじまっている。

「きっとこれだと思う。カバーは船の写真だし」それから声をひそめて、「パット伯父さんはいつもだいたい十一時から一時までお昼寝の時間なの。だから、そのあいだだったらだいじょうぶよ」

「〝花嫁はすでに広間のなか〟」とブライアリー先生の声が暗誦する。「〝その頰は深紅の薔薇〟（『老水夫行』より）。わたしの採点簿をどこへやった、キット？」

「行かないと。じゃあね」とキットがいい、機械が伝言の終わりを告げるビープ音を鳴らした。腕時計に目をやった。十一時半。バッグとキーとコートをつかみ、オフィスを出て研究室に上がった。リチャードは頰づえをついてモニターのスキャン画像を見つめている。

「ちょっと用事があって出かけてくる。一時までにはもどるわ」

リチャードはふりかえりもせずにうなずいた。研究室を出てエレベーターのほうに歩いていると、「待って！」と声がして、リチャードが小走りに追いかけてきた。立ち止まり、走ってくるリチャードを見ながら思った。この人、ほんとにキュートだ。

「ティッシュが来る前に話しておきたかったんだ。今度のセッションでもしきみがまたタイタニックを見ても、彼女の前ではそのことには触れないほうがいいと思う。たぶん見ないと思うけどね。投与量を増やすつもりだから、側頭葉刺激が変化する。とくに初期刺激は変わるから、たぶんまったくちがう検索（L+R）パターンが生まれると思う」

「でも、もし万一またわたしがタイタニックを見たときのために、セッション記録はわたしのオフィスで録音する」

「もしくは、研究室の奥のほうでね。NDEのあとできるだけはやく記録する必要があるのはわかってるから」リチャードはおどおどした顔になり、「ティッシュがミスター・マンドレイクにしゃべると思ってるわけじゃないけど――」

「噂話は船をも沈める」

「この場合は文字どおりそれだね」リチャードがにやっと笑った。「一時までにもどるって？」

「ええ」

「よし」リチャードはきびすを返しかけてふりかえり、「NDE記録をチェックする時間はあった？」

「まだ」といいながら《下》ボタンを押した。「もどりしだい手をつける。ああ、それと、ミセス・ヘイトンから伝言が入ってて、木曜日には来られないって」

「やっぱり。そんなことだろうと思ったよ。じゃあ一時に」リチャードが肩越しに手を振った。エレベーターのドアが開き、ジョアンナは中に入った。と、目の前にヴィエルが立っていた。手術着に手術キャップをかぶり、靴の上から無菌オーバーシューズを履いている。

これが裏口から脱出しない報いだ。

「ヴィエル、いったいここでなにしてるの？」とジョアンナは先制攻撃に出た。「また事件があったんじゃないでしょうね」

「事件？」

「ええ。頭のおかしいローグ中毒者が注射器を振りまわす事件。あなたがわざと黙ってたこないだの事件みたいなやつ。ヴィエル、ほんとに転属しないと――」

「はいはい、わかってます」ヴィエルはうるさそうに手を振った。「お説教はまた今度にして。休憩中で、すぐもどらなきゃいけないの。上がってきたのは、あんたに三ついうことがあるからよ。下？」と、ジョアンナのコートとバッグを見ながらたずねる。

どう見ても下へ行くところにはちがいない。「ええ」と答えてG階のボタンを押した。

「三つって？」

「ひとつ。あんたとリチャードの都合がよければ、ディッシュ・ナイトはあしたの晩に決定。ふたつ、こないだERに噂のドクター・ジャミスンが来てたんだけど――うちのインターンのひとりと共同研究してるらしいわ――彼女のことは心配ご無用。どう見ても六十歳以上だから。そして三つ、頼まれてたことがわかった」

「ドクター・ジャミスンのこと？」ジョアンナはとまどった。

「ちがう、映画のこと。エンジンが止まって乗客がデッキに出てるシーンがあるかっていってたでしょ。ないよ。船室から顔を出してる乗客に、スチュワードがボートデッキに上がってくれといってるシーンと、あとケイト・ウィンスレットの母親とあの気色悪い婚約者が大階段（グランド・ステアケース）の横でライフジャケット着て、救命ボートの順番待ってるシーンだけ」

「でも、きのうは十一時半まで会議じゃなかったの？」ジョアンナは面食らって聞き返した。会議のあとビデオを借りて観る時間はなかったはずだ。

「そのとおり。ゆうべ電話してもよかったんだけど、めちゃくちゃ遅くなったから。あと、乗客がデッキに出て氷のかけらで遊んでる場面と、エンジンが蒸気を噴き上げてその音がうるさくて声がなんにも聞こえないって場面はあるけど、なにが起きたか知らない乗客がただ立ってる場面はないって、ハイジが」

「ハイジ？」

「うん、会議の休憩時間にハイジ・シュラーゲルと話したんだ。いまは深夜勤務の准看護師なんだけど、前は三時〜十一時勤務だったから。彼女、世界一のディカプリオおたくで、むかしは『タイタニック』話でみんなをうんざりさせてた。五十回ぐらい観たってさ。あんたの質問の答えを知ってる人間がいるならハイジだと思ったんだけど、やっぱりそうだった」とにっこり笑う。頭がいいだろうと自慢げな表情。

「ビデオを借りてって頼んだのに」途中階でだれかが乗り込んでこないように祈りつつ、ジョアンナは階数表示に不安な視線を投げた。

「わかってるわよ」ヴィエルが驚いたようにいった。「でも、ゆうべはそんな時間がないのわかってたし、あんたはずいぶん急いでるみたいだったから」

もしミスター・マンドレイクに知られたら——。「だれにもいわないでっていったのに」

ヴィエルの表情が険しくなった。「ハイジにはどうして知りたいのかいってない。あんたの名前も出してない。あの子、あたしが知りたいんだと思ってるよ」

「でも、あなたがわたしと話しているところを彼女に見られたら？」

「なに？」と心底びっくりしたように、「それってまるっきりパラノイアじゃん。いっただろ、ハイジは深夜当直だし、たとえあんたとあたしがしゃべってるのを見たって、なんとも思うもんですか。だいたい彼女は、だれもかれもが毎日『タイタニック』の話をして暮らしてると思ってるんだから。あの映画について聞きたいことがあるといったとたん、『ザ・ビーチ』のレオさまがどーんなにすてきだったか」と女子高生風の黄色い声をまねして、「批評家がいかにわかってないかをえんえん聞かされたのよ。まだ質問もしないうちから。答えを教えてもらったあとは、休憩時間が終わるまでずっと、『タイタニック』の大階段は実物そっくりそのままのレプリカで、時計やドーム天井まで本物とおなじにつくってあるとか、えんえんそういう話。ほんと、あたしが質問したってことも覚えてないと思う。とにかく『タイタニック』の話ができる相手がいてうれしくてしょうがないんだから」

だといいけど。でも、その話を横で聞いていた人間が何人いたことか。なにしろここは名にしおうゴシップ・ジェネラル——

「リチャードとの賭けがどうしてそんな国家機密なのか理解できないけど、でも心配なんだったら、だれにもしゃべるなとハイジに念を押して——」

「だめ！」それだとまったくの藪蛇だ。ますます事態が悪くなる。「いえ、いいのよ、だいじょうぶだから」と、つとめてなんでもなさそうな口調を心がけた。「これから彼女に会うたび、あなたがレオさま話を聞かされるんじゃないかと心配なだけ」強いて笑みを浮かべて、「会議のあいだ、オフィサー・ライトとの仲は多少は進展したの？」

「チャンスがなくて。あんたが車を返してくれなかったら、彼に送ってくれって頼めるなあとずっと思ってたんだけどね。そういえば、きのうはあんなに急いでどこへ行ったのよ」

「あなたの計画を台なしにしちゃったわけ？　もし知ってたら――」

「あんたのせいじゃないわ。どうせ彼、休憩時間前に帰っちゃったし。どこへ行ったの？」

エレベーターがG階に着き、ドアが開いた。「それに、いまからどこへ？」

「ちょっとお使い」ERは駐車場へ行く途中にある。それまでずっといっしょに歩いてあれこれ穿鑿されるのは願い下げだ。「忘れてた、二階に寄らなきゃ」と、ジョアンナは二階のボタンを押し、ドアがはやく閉まってくれることを願いながら、「ディッシュ・ナイトはあしたでOKよ。リチャードの都合は聞いとく」

ヴィエルが閉まりかけたドアを片手で押さえた。「どうかしたの？　きのうは――」

「だいじょうぶ。忙しくて死にそうなだけ。NDEが多すぎて――」

「きのう急いでたのもそれ？　臨死体験者の面接？」とヴィエルがたずねたが、さいわいエレベーターのドア・アラームが鳴りはじめた。

「ビデオ借りるのわたしの番だっけ？」とアラーム越しに声を張り上げる。

「あんたよ」ヴィエルがしぶしぶドアから手を離した。「まだ説明を――」

ドアが閉まりはじめた。「デンゼル・ワシントンが出てるやつを探してみる。南北戦争のやつなんだっけ？」

「『グローリー』」

「『グローリー』ね。了解」そしてヴィエルの心配そうな顔の前でドアが閉じた。

24

「この問題を解くまで待ってくれ」
——アルキメデスの最期の言葉。ついてこいと命じるローマ兵士に対して

道路は前夜とおなじぐらい空いていた。ブライアリー先生の家まで十五分かからずについた。あとはキットが見つけてくれた本が当たりであることを祈るだけ。

はずれだった。はだしにスパゲティストラップのタンクトップ姿のキットが書斎に案内し、「パット伯父さんはいまベッドに入ったところ」と説明しながら問題の本を見せてくれた瞬間、それがわかった。

当たりであってしかるべきだった。青いカバー、金のタイトル文字、帆に風をはらんだクリッパーが青緑の波を蹴立てて進む写真。なにもかもジョアンナのいった条件を満たしている。でもちがう。これじゃない。

「クリッパーじゃないの」とジョアンナはその本のカバーを見ながらいった。「サー・フラ

ンシス・ドレイクが乗ってたようなやつだった。カラベル船」長期記憶のどこか奥深くからその言葉がいきなり浮かび上がってきた。「それにもっと小さかった。ごめんなさい」と詫びるように首を振る。「これ、わたしがいった条件にぴったりなのに」

「これが当たりじゃないなら、当たりじゃないってことよ」と哲学的なせりふを吐き、キットは書斎を囲む本棚の列に手を振った。「まだ探しはじめたばっかりだし。これよりもっと小さい本だったの？」と『航海と声』を指さしてたずねる。

「ううん、本のサイズはこれとおなじ。でも写真がもっと小さかった」

「色はどう？　明るいブルー、それとも暗いブルー？」

「暗かったと思う。自信ないけど。あいまいでごめんなさい。見ればわかるんだけど」

キットはうなずき、本を書架にもどした。

「もしかして、まだおなじ教科書を英語の授業で使ってるかもと思って、けさ学校にだめもとで電話してみたんだけど、なんにも教えてくれなかった。機密書類を盗み出そうとしてるのかと思うぐらい」

ジョアンナはきのうの事務室の女性を思い出してうなずいた。「そんな手間をとらせるつもりじゃなかったのに」

「あら、わたしはぜんぜんかまわないのよ」とキットは快活にいった。「ほかに考えることができて気がまぎれ——楽しいのよ、なんだか宝探しみたいで」

「とにかくほんとにありがとう」と礼をいって、玄関のほうに歩き出した。「もっと具体的なことをなにか思い出したら電話する」

「まあ、もう帰っちゃうつもりじゃないでしょ」キットがメイジーそっくりの口調でいった。

「お茶ぐらい飲んでってくれると思ったのに」

ジョアンナは腕時計に目をやった。「一時までにもどらなきゃいけないの」とあいまいな口調でいう。

「お湯を沸かすだけだからすぐよ」といいながらキットが廊下を歩いて階段の前を横切り、キッチンへと向かう。「クッキーも焼いたし――わっ、しまった！」

「どうしたの？」キットの肩越しにキッチンを覗こうとした。

「眠ってると思ったのに」キットはジョアンナの声が聞こえなかったようにつぶやくと、足早に引き返してきてすれ違い、階段を上がった。「ちょっとごめんなさい。すぐもどる」

ジョアンナはおそるおそるキッチンを覗き込んだ。テーブルの上に、クッキー屑のついたからっぽの皿が一枚。その横にスキレットがひとつとソースパンがふたつ。そして赤と白のタイル張りの床には、もっとたくさんの鍋や蓋やマフィン焼き器やクッキーシートやパイ焼き皿、それに大きなロースティング・パンが並べてある。

キットがぱたぱたと階段を下りてきた。「ごめんなさいね」とこともなげにいうと、キッチンに入ってきて鍋類をかたづけはじめた。「いまはもうぐっすり眠ってる。きっとわたしたちが書斎にいたあいだに下りてきたのね」小さいソースパン二個を重ねて大きい鍋の中に入れ、それを流しの横の食器棚にしまう。「引き出しや棚からものをとりだすのはアルツハイマー病患者のよくある行動なの」

同居している人間にとっては悪夢だろう。「手伝おうか？」

「ううん、平気」キットはダッチオーヴンの蓋をとって中から二冊の本をとりだし、それをテーブルの上に置いた。「すわってて。いま紅茶淹れるから」

上の食器棚からマグカップを二個とり、水を注いでから電子レンジに放り込み、ワンタッチのタイマーを押した。

「問題は、睡眠時間がどんどん短くなってることなのよ」といいながら、テーブルに砂糖とティーバッグを置く。「前は昼のうちに二時間眠ってたんだけど」スプーンを二本出して、「でもいまはほとんど昼寝しないし、夜もあんまり。さて、ここで問題です」キットは腰に両手をあててキッチンを見まわした。「伯父さんはクッキーをどこに隠したでしょう？」冷蔵庫、フリーザー、ゴミ箱を順番に覗いてゆく。

「ぜんぶ食べちゃったとか？」これがブライアリー先生の話だなんて信じられない。ディラン・トマスからヘンリー八世の妻たちや王政復古時代の劇にいたるまで知らぬことのない博覧強記の人だったのに。

「いつもはものを食べないの。ほとんど食欲がないみたいで」引き出しを片っ端から開け、キットはもう一度、考え込むようにキッチンを見まわした。「伯父さんの行動や発言には、いつもなにか論理があるのよ。関連性を思いつくのがたいへんなこともあるけど」

キットはきびきび歩いていって、オーヴンを開けた。

「発見」といって、いちばん上のラックの金網を引き出す。その上にクッキーがきちんと列になって並べてある。キットはクッキー皿をとって、金網のクッキーをその上に移した。

「皿洗い機じゃなくてラッキーだったわ」といいながら、クッキー皿をテーブルに載せる。

電子レンジがピッと音をたてた。キットは中からマグカップをとりだすと、片方をジョアンナに手わたしてから、自分の分を持ってテーブルの向かいに腰を下ろした。

「いつからブライアリー先――伯父さんはこんなふうに？」

「食器棚からものをとりだすこと？　アルツハイマー病のこと？　食器棚のほうは、まだ二カ月ぐらいね。アルツハイマー病と診断されたのは五年前だけど、わたしが気がつきはじめたのはさらにその二年ぐらい前かな」

ジョアンナは驚いた。キットの口振りから、ブライアリー先生がアルツハイマー病だと判明してからここに引っ越してきたんだろうと思っていたけれど、どうやらそれ以前から同居しているらしい。学校に行っていた時分から？　大学ホールの前で撮ったキットの写真のことを思い出した。DUはここからほんの二、三ブロックだ。

「記憶の欠落は、たぶんさらにその数年前からはじまってたんじゃないかな」とキットがティーバッグをカップに浸しながらいった。「症状が進行するまでしばらく時間がかかるのよ。アルツハイマー病患者は、それをごまかすのがすごくうまいし」

きのうブライアリー先生が、「コールリッジか。過大評価されたロマン派詩人だ」とつぶやいていたのを思い出す。もしかしたら、コールリッジがだれなのかさえ忘れていたのかもしれない。

「この病気のこと、どのぐらい知ってるかわからないけど」クッキーをすすめながらキットがいった。「最初の症状はほんのちょっとしたことなの。約束を忘れるとか、ものの置き場所をまちがえるとか――パット伯父さんはしじゅう成績簿を置き忘れるようになって、職員会議も二回すっぽかした――歳のせいとか、ストレスのせいとかにするようなことよ」紅茶に砂糖を入れてスプーンでかき混ぜる。

「きのう、あなたがタイタニックのことをいったのは妙な偶然ね。ほんとにおかしいってわたしが気がついたきっかけがそれだったから。そのとき、あの映画を観にいったのよ。パット伯父さんがしじゅうあの事故の話をするのを何年も聞かされてたから。あの映画は大嫌いだったけど」

「わたしも」

「よかった、じゃあ気持ちはわかってもらえるわね。とにかく、映画を観て帰ってきて、パット伯父さんにさんざん文句をいったわけ。ライトラーとかモリー・ブラウンとか、だれもかれもが臆病者みたいに描かれてるとか、史実に反したまちがいだらけだとか。ほら、マードックが乗客を射殺したり！　そしたら案の定、伯父さんはかんかんに怒っちゃって、あしたの朝、ジェイムズ・キャメロンに辛辣な苦情の手紙を書くといいだして。その晩、わたしが寝るときに覗いたら、伯父さんはタイタニック本をぜんぶひっぱりだして、正確に引用できるように下調べをしていた」

キットは紅茶をひと口すすってから先をつづけた。

「でも、翌朝になって、もう手紙は書いたのってたずねたら――」キットの声に、アミーリア・タナカやグレッグ・メノッティのそれとおなじ絶望の響きが混じった。「手紙のこともわたしたちの会話のことも、わたしが映画を観てきたことさえ覚えてなかった。ライトラーがだれなのかも知らなかったのよ」

なのにわたしはいきなり押しかけてきて、タイタニックのことに触れたばかりか、授業中に口にした一言を覚えていないかとブライアリー先生にたずねたのだ。

「キット、ほんとにごめんなさい。もしそうと知ってたら――」

「ううん、ちがう。それはいいの。どうしてわたしがきのうあんな妙な態度だったのかを説明したかっただけ。うちの母にいわれたんじゃないかとかいっちゃったでしょ。パット伯父さんの世話について母と意見が割れてて。母はいつも人をよこして、伯父さんを療養施設に入れるようにわたしを説得させようとするの。伯父さんの世話はわたしの手にあまると思ってるのね」

実の娘のこの姿を見れば、母親ならだれでもそう思うだろう。痛々しいほど浮き上がった鎖骨、目の下の隈。ブライアリー先生はほとんど寝てくれないといっていたけれど、キットもろくに寝ていないにちがいない。

「いつかはパット伯父さんをちゃんとした施設に入れなきゃいけないのはわかってるけど、でもできるだけ長くここで生活させてあげたいの。伯父さんにはとてもよくしてもらったし、それに――とにかく、だからマーシー・ジェネラルに勤めてるって聞いて、それですっかり――ねえ、マーシー・ジェネラルでなんの仕事をしてるの？」と好奇心にかられたようにたずねた。

「わたしは認知心理学者なの」それだけで済まそうかと思ったけれど、キットはいろんな意味でメイジーと似ているし、メイジーならほんとうのことを聞かされないのを嫌うはずだ。「臨死体験に関係した研究プロジェクトに携わってる。ほら、トンネルと光現象とか」

キットはうなずいた。「『トンネルの向こうの光』は読んだわ。気が楽になるからどうしても読めって従兄弟（いとこ）に押しつけられて。あんな事件の――」といいかけて口をつぐむ。頬の紅潮は、怒りか、それとも屈辱か。

伯父がアルツハイマー病だと判明すること以上に悪い事態なんてありうるだろうか。慰めのためにと称してモーリス・マンドレイクを従兄弟から押しつけられてしまうような事態。

「ミスター・マンドレイクといっしょに研究してるわけじゃないでしょうね」とキットが噛みつくようにいった。

「いいえ」

「よかった。あの本、最低だと思う。〝心配ないよ、死者はほんとに死んだわけでも、ほんとにいなくなったわけでもない。いまでも《向こう側》からメッセージを送ってこられるんだから〟なんて」

「わかる。わたしの共同研究者は、ドクター・ライトっていう神経内科医よ。臨死体験がどういうもので、死にかけた脳がなぜそれを経験するのかを突き止めようとしているの」

「死にかけた脳？　つまり、だれでもみんな臨死体験をするってこと？　ほんのちょっとの人だけかと思ってた」

「いいえ、心停止後に蘇生した患者の六十パーセントは臨死体験を報告してる。特定の死因に集中してるけど――心臓発作、大量出血、外傷」

「自動車事故とか？」

「ええ。自動車事故、刺殺、工場事故、銃撃。もちろん、蘇生しなかった人の何割が臨死体験したかはわからないけど」

「でも、楽しい経験なんでしょ、つまり臨死体験をした人にとっては？　怖い経験じゃなくて？」

デッキに佇み、「なにがあったの？」とスチュワードにたずねている若い女性の声が脳裡に甦った。あの声は恐怖に満ちていた。それにアミーリアの、「ああ、だめ、ああ、だめ、ああ、だめ」も。

「臨死体験って怖いもの？」とキットがまたたずねた。「パット伯父さんはときどき幻覚を見るの。ベッドの足元や戸口に人が立ってるのが見えるって」

戸口の人影。リチャードに伝えよう。アルツハイマー病は神経化学物質の機能不全によって起きる。もしかしたら関係があるかもしれない。

「……それに、口振りから判断すると、むかしあったことをもう一回生きてるみたいなこともある」

　L＋Rだ、とジョアンナは思った。

「臨死体験者の大部分は、あたたかくて安全で愛されてる気分を味わったといってるわ」と安心させるようにいった。「ドクター・ライトはエンドルフィン・レベルが上昇した証拠を見つけてて、それを裏付けてる」

「よかった」といってからキットは首を振った。「パット伯父さんは幻覚を見るといつも決まって気が動転したり怯えたりしちゃうのよ。忘れられないのと同時に思い出せないみたいな感じで、何度も何度もそれをくりかえすの。それに関する記憶がなくなってるのに、なんとかそれに意味を通そうとしてるみたいな」キットはしばらく両手で顔をおおった。「真っ向から対決したり否定したりしちゃいけないって本には書いてあるんだけど、幻覚に調子を合わせるのもよくないって書いてあって、それがたいへん」

「なにもかもすごくたいへんそうね」

　キットはつらそうな笑みを浮かべた。「人間の身に起きる最悪の運命は突然死だと思ってたけど、そうじゃないことははっきりしたわね」背すじをのばして、「ごめんなさい、こんな話を聞かせるつもりじゃなかったんだけど。こういうことをだれかに話せる機会ってめったにないから、話し出すともう――」キットは顔をしかめた。「たまには外に出るようにしなきゃだめね」

「あしたのディッシュ・ナイトに来て」とジョアンナは衝動的にいった。

「ディッシュ・ナイト？」

「ええ。そういう名前がついてるだけで、ちゃんとしたパーティでもなんでもないの。気楽な集まり。さっきいったドクター・ライトが来るし、あとわたしの友だちのヴィエル――きっと気に入ると思う。いっしょに集まってビデオで映画を観ながら食べたりしゃべったりするの。安全弁がわりにしてるんだけど、あなたにも安全弁の使い道がおおいにありそうだから。映画は好き？」

「ええ。でも長いこと観てない。パット伯父さんは映画で起きてることと現実をごっちゃにしちゃうから。それもアルツハイマー病患者にはよくあること。ひさしぶりに映画を観られたらうれしいけど、でも……」キットは首を振った。「ありがとう、でもやっぱり無理みたい」

「留守のあいだ伯父さんの面倒をみてくれる人がいないから？」

「ううん、わたしが買い物に出るときとかは母が来てくれる。でも――」キットは鍋をしまった食器棚に目をやった。彼女が考えていることは手にとるようにわかる。ブライアリー先生が食器棚の鍋をまたぜんぶ出してしまったら、キットの母親は彼を療養施設に入れる格好の口実と見なすだろう。

「老人介護(エルダーケア)サービスは使ったことある？　マーシー・ジェネラルには、自宅に介護者を派遣するプログラムがあるのよ。介護者はすごく優秀。知り合いがひとりそこで働いてるから、電話してみる」

「でも、そのディッシュ・ナイトってあしたなんでしょ」

「十二時間緊急プログラムがあるの。電話してくる人間にとっては、たいていそれが最後の命綱だってわかってるから。アルツハイマー病患者のケアが専門の介護者もいるし——」

だが、キットはもう首を振っていた。

「とってもいい話みたいだけど、留守のときはいつも、伯父さんになにかあったんじゃないかと心配でしょうがなくなるの。それで家に電話すると、そのせいで伯父さんが動転するかもしれないし。だから、招待してくれたのはうれしいけど、やめたほうがいいと思う」

「ポケットベルを買えばいいのに」ジョアンナは自分のをポケットからとりだしてみせた。「それか携帯電話。そうすれば、あなたがどこにいても、なにかあったらすぐ連絡がつくわ」グレッグ・メノッティの恋人のように、スーパーに寄ってるあいだ携帯を車に置き忘れたりしなければ。

「携帯電話か。それは考えなかった。ちょっと調べてみなきゃ……そのエルダーケアの人って、あしたの夜までに来てもらえるの？」

「ええ。あなたがディッシュ・ナイトに来るなら、わたしが迎えにくるわ」

「どうかしら……あした電話して返事するんでもいい？」

「もちろん」

「本が見つかったら、もっとはやく電話するかも。パット伯父さんがしばらく眠っててくれたら、下に行ってあの本の山を——」

「おや、クッキーを焼いたのか」といいながら、ブライアリー先生がキッチンに入ってきた。

「寝てたと思ったのに、パット伯父さん」

「寝ていた。しかし声が聞こえたので、ケヴィンが来ているのかと思ったんだよ。おや、いらっしゃい」とジョアンナに向かっていう。

「こんにちは、ブライアリー先生」

「紅茶はいかが、伯父さん」と、キットが新しいカップに手をのばした。

「いや、ちょっと疲れた。横になったほうがよさそうだ。ではごゆっくり」とジョアンナに声をかけて、ブライアリー先生は廊下を歩き出した。

「すぐもどるわ」と断って、キットがあわててそのあとを追う。

ふたりが階段を上がる足音と、それにつづいてブライアリー先生の声が、「それを見れば、それとわかる。まさに鏡像だ」というのが聞こえた。

そろそろ帰らなきゃ。そう思って時計を見た。十二時三十分。「うわっ、まずい」と思わずつぶやき、そそくさとコートを着た。せまい板張りの階段の下まで行って、手すりに片手をのせ、「キット」と声を張り上げた「もう行かなきゃ。ディッシュ・ナイトの件はあした電話するね」

キットが階段の上に顔をのぞかせた。「わかった。本が見つかったらこっちから電話する」

玄関ドアを開けて外に出るとき、ブライアリー先生の声がした。「ケヴィンの見送りもしないのか？」

道路状況が許すかぎりの速度で病院に向かって車を飛ばしながら考えた。ほんとうにケヴィンという人物がいるのか、それともキットがいっていた幻覚の領分だろうか。キットがブロンドの若者といっしょに写っている写真を書斎で見た。彼はアルツハイマー病患者のケアという昼夜を分かたぬ悪夢にいやけがさして（あるいは耐えきれなくなって）キットを捨てたのか。それともキットが、映画や教育や自由をあきらめたように、あっさり彼のこともあきらめてしまったのか。

それに、キットはどうしてブライアリー先生の介護人になったんだろう。ふつうに考えれば、キットの母親が介護の主役になってしかるべきだし、彼女はどうやら娘の健康状態を憂慮しているらしい。

「だったら自分でやれ」とつぶやきながら、ジョアンナは黄信号の交差点に車を突っ込ませた。

謎は残されているが、いまそれを考えているひまはない。タイヤを軋ませて病院の駐車場に入り、車を降りた。一刻もはやく研究室に行かなきゃ。時刻は一時十分前。裏道を使っている時間もない。表のエレベーターに乗り、ミスター・マンドレイクと出くわさないことを祈るしかない。

ついていた。知った顔はひとりも見ることなく六階まで上がり、コートを脱ぎながら研究室に飛び込んだ。リチャードは端末の前。ティッシュは検査台の横で、点滴スタンドに生理食塩水のバッグを吊している。「……ハッピー・アワーやってる新しい店を見つけたんですよ」としゃべっているのが聞こえた。

「遅れてごめんなさい」とジョアンナはいった。「でも、おもしろい話を聞いたの。ブライアリー先生が」リチャードがさっとこちらを向き、ティッシュのほうにあごをしゃくったが、ジョアンナはそれを無視して、「アルツハイマー病にかかってて、世話をしてる姪の話だと、ベッドのまわりや戸口に人影が立っている幻覚を見るんだそうよ」

「おもしろいね」とリチャードがいった。「もっとも、アルツハイマー病はアセチルコリンの上昇じゃなくて、その欠如から生じるんだけど。他のNDE要素も見てるって？」

「過去の出来事を生き直しているみたいだって」

「人生回顧か。もしかしたら――」

「もうはじめていいかしら」とティッシュがたずねた。「眼科の予約があって――」

歯医者の予約でしょ、と心の中で突っ込みながら更衣室に行った。患者用ガウンに着替え、検査台に上がって横たわる。ティッシュがジョアンナの腕や脚の下にフォームラバーのクッションをはさんでゆく。

「先生、トミー・リー・ジョーンズは好きですか？」とティッシュがリチャードを見ながらたずねた。

「今度の新作、死ぬほど観たくて」ジョアンナの反対側にまわり、電極をつけはじめた。

リチャードがやってきた。

「準備はいい？」うなずこうとしたが、電極のケーブルに邪魔された。「投与量を調節して、ノンREM睡眠の時間が長くなるようにしてみた。どういう結果になるか楽しみだよ」

リチャードがなにを期待しているかはわかっている。

「『ボルケーノ』のトミー・リー・ジョーンズは最高だったな」といいながら、ティッシュが点滴の針をさし、テープで固定する。「観た？」

いいえ。でもこの雲行きだと、いまから見ることになるかも。壁の時計は位置を動かしてあるが、いま横たわっている場所からでもかろうじて見える。一時五分前。やっぱり時計ははずすことにしたほうがよさそうだ。

「地下鉄のトンネルのシーンがあたしのイチ押し」ティッシュが黒いアイマスクをジョアンナの顔にかぶせ、ひたいに電極をつけはじめた。「トンネルの向こうに光が見えるんだけど、それがなんなのかわからない。それからやっと、どろどろの溶岩流がまっすぐこっちに押し寄せてくるんだって気がつくところ。それと男が溶岩に呑み込まれて――」

慈悲深くも、ティッシュがその時点でヘッドフォンをかぶせてくれた。ジョアンナはじっと横たわり、リチャードがやってきてイアピースの片方を持ち上げ、準備はいいかとたずねるのを待った。

準備って、なんに対する準備だろう。降ってくる火山灰？　トミー・リー・ジョーンズ？　ヴェスヴィオス山は午後一時に噴火した。そう思ったときにはトンネルの中にいた。

大きな音がいまやんだばかりというように、通路はしんと静まり返っている。開いた戸口から、目の眩むようなまばゆい黄金の光が射している。もしこれがヴェスヴィオス山なら、鼻と口を手でふさいでトンネルを駆けもどろう。自分にそういい聞かせながら、戸口に向かって歩き出した。だが、これはヴェスヴィオス山じゃないし、迫りくる列車でも、三階の連絡通路でもない。来た瞬間からそれはわかっていた。これはタイタニックだ。開いた戸口ごしに、白いナイトガウンの女性が白手袋の女性に熱をこめて話しかけているのが見える。

「きっと、心配するようなことはなにもありませんよ、イーディス」と白手袋の婦人がいった。

「ミスター・ブライアリーを捜してきたまえ」とひげの男がスチュワードに向かっていった。

「彼なら説明できるだろう」

「かしこまりました」とスチュワードがいった。

「われわれは船室にもどっている」

「かしこまりました」スチュワードが光のほうに歩き出した。

スチュワードの行き先に目を凝らしたが、光がまぶしすぎる。なんとかそちらを見ようと前に進み、そこで立ち止まった。敷居を越えなきゃいけない。そう考えると、またあの恐怖感が襲ってきた。

「〝あなたがこちらに入ることは許されない〟と声がして」とミズ・グラントはいい、ミスター・オリヴェッティは、「その門をくぐったら、二度ともどれないのがわかった」といった。あのデッキに出たら二度ともどれないんだとしたら？　ヴィエルのいったように、ND

Eは一種の死のプロセスで、その敷居をいま越えようとしているのだとしたら？ちがう、そうじゃない。どっちもまちがっている。それにミスター・マンドレイクも。NDEは《向こう側》へ通じる門じゃない。なにかべつのものだ。そして、それがなんなのかを突き止めなければ。だが、戸口のところまで来るとまた足が止まり、ジョアンナは床を見下ろした。その上に光がこぼれ、通路のワックスを塗った床板と、デッキの生木の床板とを隔てる線がくっきりと浮き上がっている。

ジョアンナは心臓を落ち着かせようとするように、片手を胸に当てた。「〝死ぬっていうのはすごい大冒険だろうな〟」とつぶやくと、敷居を越えてデッキに出た。

25

「さあ、これで動く砂を渡れる」（『オズの魔法使い』より）
——ライマン・フランク・ボームの最期の言葉

「ミスター・ブライアリーなら、どういうことか説明してくれるさ」とひげの男が連れの女にいった。デッキに出たジョアンナに目を向けた者はひとりもいない。こちらの姿が見えないんだろうか。

「それまで、ご婦人がたはあたたかい中にもどっていたほうがいい」

若い女性がうなずき、コートの前をかき寄せた。「寒くてたまらない」

スチュワードは光の中に姿を消してしまった。ジョアンナは彼が消えた方向を見定めようと、一団の人々のあいだを縫って歩き出した。さっきの若い女性の前を過ぎ、ツイードを着た恰幅のいい白髪の男性の横をすり抜ける。

「問題の原因はなんだって？」と恰幅のいい男が、黒のコートを着た長身の男にたずねた。

「そこでなにをしている？」ひげの男が声高に問いただした。

びくっとしてふりかえったが、彼が見ているのはジョアンナではなかった。汚れた感じのセーターにソフト帽をかぶった若者。

「ここに入ってきちゃいかん」とひげの男はきびしくいった。「立入禁止区域だ」

「すみません」と若者は神経質にあたりを見まわした。「物音がしたんで、ようすを見にきたんです」

わたしもよ。ジョアンナは胸の中でつぶやき、光に向かって歩いた。近づくにつれて、白いペンキを塗った金属壁の照明が光源だと判明した。デッキライトのひとつだ。ということは、まだごく初期の段階だ。終わりのほうになると、技術者が発電機を稼働させられなくなって、船の照明は暗くなり、赤い光だけになってしまう。

それからぜんぶ消えてしまう。でも、この光は頼もしい明るさを保っている。手でひさしをつくっても向こうが見えないぐらいまぶしい。光源の向こうのものを見ようと思ったら、反対側にまわるしかなさそうだ。

敷居で足を止めたときのように、胸に手を当ててまた足を止め、それからスチュワードが消えた方向に歩き出した。まっすぐ光に向かい、それを突っ切り、その向こうへ。

まちがいだった。身を切るような寒さだけれど、ここは外じゃない。このデッキはガラスで囲われている。白い枠の長く広い窓がデッキの端から端までのびていた。窓に歩み寄り外をながめようとしたが、ガラスが光を反射するせいで、ガラスに映った白い壁と無人のデッキしか見えない。うしろをふりかえり、通路の戸口を見やる。それは黒々と口を開けていた。

乗客は中にもどってしまったようだ。ひげの男は船室に引き返すといっていたし、女たちは寒いと愚痴をこぼしていた。それぞれの個室に引き上げたのだろう。そのあとを追おうと、通路に向かって歩きかけた。トンネルに向かって。

だめよ。まだもどりたくないでしょ。どうしてタイタニックを見るのかその理由を突き止めるまでは。関連性を解明するまでは。あのトンネルを見るのもだめ。オルフェウスの身に起きたことを考えなさい。自分を叱咤して、戸口から顔をそむけた。

「でも、もどろうと思ったとき帰り道が見つからなかったら？」と声に出してつぶやく。その声が、ガラスに囲まれたデッキにうつろにこだました。パン屑を持ってくるんだった。でなきゃ、ミセス・トラウトハイムの毛糸玉を。自分が歩いた道順をちゃんと覚えていればいいのよ。それと、あんまり長居しすぎないこと。残された時間は二時間半と少々。あるいは四分から六分。

でも、これは本物のNDEじゃない。シミュレーションだ。リチャードがジテタミンの投与を止めるまでの時間しかないし、いつそのときが来てもおかしくない。行動しなければ。

ジョアンナはデッキを歩き出した。あのスチュワードが消えたいま、長いデッキはがらんとしている。無人のデッキチェアと、白く塗った背の低い収納庫。蓋にはステンシルで《救命胴衣》と書いてある。デッキの床には、一定の間隔を置いて、シャッフルボード用のコートのラインが引いてあった。

デッキのずっと先のほうに、さっきのスチュワードの白いジャケットがちらっと見えた。

戸口から出てきて、デッキを歩いてゆく。デッキライトの光を横切るときだけ白いジャケットが一瞬ぴかっと輝き、それからまた影の中に消えてしまう。まるで光が点滅しているように見える。

追いつこうと歩調をはやめたが、スチュワードはもうべつのドアを開けていた。ジョアンナは彼が姿を消したところへと急ぎ、ドアを求めて内側の壁に視線を走らせたが、のっぺりした壁面が広がるばかりで、戸口らしきものはない。スチュワードが消えた地点を通り越してしまったのか。

いや、ここだ。白い金属製の扉。どうなるんだろうと思いながら手をのばした。開けることができるか、それとも幽霊のようにノブが手を突き抜けてしまうか。

どちらでもなかった。ジョアンナの手はしっかりハンドルをつかみ、ひっぱったが、ドアはロックされている。もう一度、両手で力いっぱいひっぱってみたが、やはり開かない。あきらめてまたデッキを歩き出す。数メートル先にまたドアがあり、そのまた数メートル先にもべつのドアがあったが、どちらもロックされていた。

デッキは船の輪郭に沿って内側にカーブし、先に進むにつれて幅がせまくなっている。さらに向こう、デッキライトのひとつの真下に扉があった。足早に歩み寄り、把手を引いてみた。

扉が動いた。中に入ろうとしたところで手を止めて、デッキのもときた方向をふりかえった。デッキがカーブしているせいで、通路の入口は見えない。もどって、帰り道のドアがまだ開いていることをたしかめようかと逡巡し、それから意を決して扉を開け、中に入った。

扉の先はロビーのような空間だった。磨かれた床にラグが敷いてあり、壁ぎわには高い背もたれのついた長椅子が並んでいる。部屋の中央に、欄干彫刻を施したまっすぐの木の階段がある。そちらに歩み寄り、ぴかぴかの手すりから身を乗り出して下を覗いた。階段はすぐ下のデッキと、さらにその下の階へとつづき、闇に消えている。

顔を上げ、階段のてっぺんに視線を向けたが、上のほうも暗く、スチュワードの姿は見えない。手すりに手をかけたまま、どっちに行こうかと迷った。とにかく下はだめだ。ここはタイタニックなんだから。ジョアンナは階段を上りはじめた。

階段のてっぺんまで上がると、もっと幅がせまくて傾斜の急なべつの階段と、べつのロビーがあった。こちらのロビーのほうが下のロビーよりずっとエレガントだ。床のラグはペルシャ絨緞だし、壁紙を張った壁には絵画がかけてある。右のほうには、ガラス細工をはめ込んだ両開きの扉。そのガラス越しに、ディナー用にセットされたテーブルが並ぶ大きな薔薇色の絨緞の部屋が見えた。

一等大食堂（ファーストクラス・ダイニング・サロン）だ。扉を開けようとしたが、施錠されている。中に客の姿は見えず、白いリネンをかけたテーブルのあいだを歩く給仕たちの姿もない。どのテーブルも花が飾ってあり、小さなローズ・シルクのシェードランプの光を浴びて、銀器とクリスタルと陶器がピンク色に輝いている。

淡いクリーム色の板を張った壁にもローズ・ランプがかけてあり、グランドピアノの上にもランプがひとつ。ピアノの材質も壁とおなじ板のようだが、こちらはもっとぴかぴかに磨き上げられている。傾いた屋根蓋が、頭上のクリスタルのシャンデリアの光を浴びて金色に輝く。ピアノの正面には、金めっきの鳥かご。この距離では、中に鳥がいるかどうかまではわからない。タイタニックに鳥は乗ってたっけ？　メイジーも鳥についてはなにもいっていなかった。

　ダイニング・サロンの窓の前を横切るようにして、せまい木の階段が上につづいている。その上にもまた階段。ジョアンナは上りつづけた。その階段の突き当たりは、舷窓のついた扉だった。外のデッキに通じる扉にちがいない。だが、そう思って舷窓を覗いても、暗闇しか見えなかった。扉を開ける。

　やはりなにも見えない。突然の寒さはここが外だと告げているけれど、顔に感じる風はない。そよ風ひとつ吹いていない。あの夜は完璧な無風だったんだと思い出す。ブライアリー先生が授業でそのことに触れた。生存者たちはみんな口をそろえて、海は静かだった、波ひとつない凪だったと語っている、と。

　片手で扉の把手をつかんだままじっと闇を見つめ、目が慣れるのを待つ。あの通路みたいに、目を慣らそうにもそもそも光がまったくないのかもしれない。だが、辛抱強く待つうちに、だんだんかたちが見えてきた。手すり、角のかたちの通風孔、そして右手のほうには、高々とそびえる巨大な物体。

　煙突だ。そう思いながら、さらに黒い空を背景に黒々と浮かび上がるそのシルエットを見上げた。いまいるのは、手すりに囲まれたせまい空間だ。最初のうち、出口のない囲いになっているのかと思ったけれど、しばらくして、四段だけの小さな鉄の階段が上のデッキにつづいているのに気がついた。

扉から手を離し、そちらに歩き出す。扉がゆっくりと閉まりはじめた。あわてて把手をつかみ、また逡巡した。この扉を閉ざしてしまいたくない。あたりを見まわしたが、扉のつっかいになるようなものは見当たらない。しかし、ロックされてしまったらと思うと、扉を閉ざしたくはなかった。

把手を反対の手に持ちかえてからその場にしゃがみこみ、靴を片方脱いだ。それを下にはさんでゆっくり扉を閉め、それから鉄の階段のほうに向かった。左右の手すりを両手でつかみ、上のデッキに上がる。ここはボートデッキにちがいない。巨大な煙突が四つ、頭上にそびえている。索具の太いケーブルや貨物クレーンが見える。でも、救命ボートは？　どこにも見えない。このデッキにあるはずなのに。

もうみんな行ってしまったんだとしたら？　そう考えて、突き刺すようなパニックにかられた。でも、そんなはずはない。折り畳み式ボートAが下ろされたのは午前二時十五分。そのとき船首はすでに海中に没し、デッキの傾きが大きすぎたために、ロープを切断して浮かべるしかなかった。でもこのデッキはまだ水平だ。

それに、救命ボートすべてが船を離れたあとも、ボートデッキにはおおぜいの人間が残っていた。シュトラウス一家、アリスン一家、それに救命ボートに乗ることを許されなかった男たち全員と、下のデッキから上がってくるのが遅すぎた三等船室の乗客たち。

それにバンド。救命ボートに乗客を乗せて海に下ろす作業がつづくあいだじゅう、彼らはずっとボートデッキでラグタイムやワルツを演奏し、それから『主よ、みもとに近づかん』を演奏した。最後の最後までデッキで演奏をつづけていた。

だから、救命ボートが行ってしまったあとということはありえない。この暗いデッキには人っ子ひとりいないのだから。だれもいないし、なんの音もしない。片足だけ靴を履き、片足ははだしで歩くジョアンナのこつこつぱたぱたといういびつな足音だけ。

デッキが唐突に途切れ、格子状のルーフがついた低い白の構造物になっていた。その横にさっきより長い鉄階段があり、屋根をくりぬいて下の屋根付きデッキにつづいている。その階段を下り、うしろをふりかえって帰るときのためにルートを確認し、それから前に向き直った。

救命ボートはそこにあった。白い金属製の吊り柱（ダヴィット）におさまり、太いロープの束で滑車から吊り下げられている。スミス船長はまだボートを下ろす命令を下していないらしく、帆布のカバーに包まれたままだった。

しかしそれでも、デッキには士官たちがいるはずだ。スミス船長は船の損害を調べるために士官二名を派遣したが、彼らがもどってくるまで自分は他の士官たちといっしょにブリッジにとどまっていたし、乗客も何人か、なにがあったのかようすを見にきていた。それに、いつもかならず当直の士官がいるし、デッキをぶらぶらしている乗客だっているはずだ。こんなふうにまったくひとけが絶えるなんてありえない。もしかしたら、これってタイタニック号じゃなくてマリー・セレスト号なのかも。

ポケットに両手を突っ込む。いや、船が無人なんじゃない。ここが寒すぎるから、みんな中にひっこんでしまったんだ。

きっとそうだろう。吐く息が白く見えるし、はだしのほうの足は凍りつきそうだ。みんな中にいる。はるか前方に、一列に並んだ窓から洩れる光が見えた。それがデッキに金色の四角形を投げている。みんなあそこにいるんだ。そちらに向かって歩き出す。軒が低い、白くて長い建物の前を通り過ぎた。ドアには《士官区画》と書いてある。

折り畳み式救命ボートが保管されていた場所だ。そう思い出し、平べったい屋根を見上げてボートを探したが、暗くて輪郭がよくわからない。

ここが士官区画だとすれば、前方の窓の光は操舵室、それにブリッジだ。そのまま歩きつづけて、デッキに落ちている光の中に立った。登りのステップがある。ブリッジは乗客の立入禁止。そう思いながらステップを上がる。

ブリッジも無人だった。巨大な木製の舵輪が、部屋の中央、窓の前に鎮座している。その向こうは、握りのついたレバーを生やしたふたつの巨大な金属ドラム。ボイラー室用と機関室用のテレグラフだ。文字が書いてある。後進。前進。全速。微速。停止。両方とも、レバーの位置は微速になっていた。

そのあいだを通って窓に歩み寄り、外を覗いたが、暗闇しか見えない。漆黒の闇。氷山が見えなかったのも無理はない。水平線も見分けられないぐらいだ。月のない暗い夜だったとブライアリー先生が話していたのを思い出す。空が真っ暗なので、水平線間際の星々まで見えたという。しかし、いまは星などひとつも見えない。ただ黒々と闇が広がるだけ。

「そんな時間はない」下のほう、横手から男の声がした。

ブリッジの横手の窓から外を見たが、だれも見えない。ステップのところまで引き返した。下のほうに男がふたり。ひとりは士官用の濃紺の制服、もうひとりは水夫の白服。

「船長はモールス灯で合図を送れといっている」と士官がいった。「こっちからだ」

声といっしょにふたりが移動し、ジョアンナはそれを追ってあわててラダーを下り、どっちに行ったのかと闇に目を凝らした。

「モールス灯ですか?」信じられないという口調で水夫が聞き返した。「なんに送るんです?」

「あれにだ」と士官の声。ふたりは手すりのそばに立っていた。士官のほうが闇を指さしている。水夫が両手で手すりをつかみ、大きく身を乗り出して首をのばしているのが見えた。

「どれ?　なんにも見えませんぜ」

「あの光だ」と士官がもう一度指さす。「あそこ」

カリフォルニアン号だ。カリフォルニアン号にモールス信号で合図を送ろうとしてるんだ。ジョアンナの目には光などなにも見えず、ただのっぺりと黒が広がるばかりだが、水夫にはそれが見えたらしく、

「この距離だと、向こうからこっちが見えますかねえ。無電で呼ぶしかないでしょう」

「無電は打っている。応答がないんだ。鍵はあるか?」

「鍵なら……」

水夫が顔をそむけたせいで、最後の言葉は聞きとれなかった。ふたりはブリッジの正面を横切ってデッキを歩いてゆく。ジョアンナもそのあとを追ったが、デッキのこのあたりは巻いたロープや鎖があちこちに置いてあるため、それを迂回して進まなければならず、やっと抜けたときにはふたりとも姿を消していた。

どっちに行ったんだろう。決めかねてぐずぐずしているうちに、ふたりがデッキの向こうからもどってきて、手すりに近づいた。水夫のほうは古風なランタンを手にしている。

水夫はそれを船首楼の手すりの上に持ち上げた。士官がマッチを擦り、ランタンの中に入れる。黄色い光がぱっと閃いた。水夫がランタンの位置を直して角度をつけると、ガラスの前に金属片を下ろして光をさえぎった。シャッターだ。金属のシャッターがぎしぎし音をたてながら上下にスライドする。「なにを送ります?」

士官は首を振った。「メイデイ。SOS。ヘルプ。通じる救難信号ならなんでもいい」

水夫がランタンのシャッターを上げ、光がまたこぼれだした。下げて、上げて、下げる。水夫がシャッターを上下させるたび、金属がガラスにこすれてぎしぎし音をたてる。上げて、下げて、上げて。

それに応答する光の明滅を求めてジョアンナは闇を見つめたが、なにも見えない。おぼろな光さえない。それに、ランタンのシャッターがきしむ音以外はなにも聞こえない。下げて、上げて、下げる。ぎしぎし、ぎしぎし。男たちのそばから離れ、波の音に耳をすましてみた。しかし、船首に打ち寄せる波の音は聞こえない。風はそよとも吹いていない。船が止まっているせい。海の上で死んだように静止している。

「応答しませんよ」と水夫がシャッターを下げながらいった。「あれ、ほんとにただの星じゃないんでしょうね」

「星じゃないことを祈るんだな」と士官はいった。「もう浸水がはじまっている」

水夫がランタンを持つ手がびくっとふるえ、光がゆらめいた。「救援は来ないんですか？」

「バルティック号が向かっているが、二百海里の彼方だ」

「フランクフルト号は？」

「応答がない」と士官がいい、水夫はモールス信号の送信を再開した。光がつき、消え、またつく。そのあいだじゅう、シャッターは爪で黒板をひっかくような音をたてている。

「なんにもなし。いつまでこれをつづけるんで？」

「応答があるまでだ」

モールス灯の送信がつづく。光、闇、ぎしぎし、ぎしぎし。

「サー？」左のほうから声がした。ひとりの士官がジョアンナの脇を抜け、男たちのそばに駆け寄って、きびきびと敬礼した。「いま下に行ってまいりました。第五、第六ボイラー室と郵便室が浸水し、水はDデッキにまで達しています」

Dデッキ。最初にいたのはCデッキだ。だから客室にC8、C10、C12と番号がついていた。でもそれから階段を三つ上がってきたし、この下のデッキはプロムナードデッキだった。あれがAデッキ？　それともこっち？　もしこれがAデッキだとすれば。あれはプロムナードBデッキで、やってきた通路があるデッキは――

ジョアンナは走り出した。モールス灯のシャッターのぎしぎし鳴る音がうしろからずっと追いかけてくる。あの扉が開いたままでありますようにと祈りながら鉄階段を駆け上がる。まだあの靴がはさまったままで残っていますように。

靴はそのままだった。拾っているひまはない。扉を開け、階段を駆け下りる。一階分。二階分。輝くシャンデリアとグランドピアノのダイニング・サロンの前を駆け抜ける。三階分。浸水していないことを祈りながら、扉を押し開けた。デッキは乾いていた。だが、カーブしているせいで、通路までは見通せない。ロックされたドアが並ぶデッキをカーブに沿って走る。あった。通路の戸口はいまも開いたまま、黒い四角形を見せている。まだ水も来ていない。はだしの足と靴の足でぎこちないリズムを刻みながら、そこに向かって全速力でダッシュした。

デッキチェアの前を過ぎ、さいわいまだ乾いているデッキの上を走ってゆく自分の姿が窓ガラスに反射する。デッキライトの前を過ぎた。通路の中へ、闇の奥へ。

そしてさらに闇。どうしたの？　パニックが心臓をわしづかみにする。どうしてもどらないの？　そう思ったとき、もうもどっていることに気がついた。まだアイマスクをつけたまま。点滴チューブがひじの内側の皮膚をひっぱり、耳にはホワイトノイズが流れている。

「ティッシュ？」と声をかけ、左手でヘッドフォンをむしりとった。

「……脈拍が急上昇」とティッシュの声。「脈拍九十五、血圧百三十の九十。待って、いま起きた」

「で？」

「よかった」とリチャードの声。検査台に近づいてくる足音。ティッシュがひたいの電極をはずすのを感じ、それからアイマスクがはずされた。目の前にリチャードの顔があった。

ジョアンナは枕の上で頭を左右に動かした。「ご期待にそえなくてもうしわけないけど、ちがうビジョンじゃなかった」といいながら、体を起こそうとした。「あれは――」

「そのまま」とリチャードが肩に手を置いた。

「でも、話さなきゃ」またあおむけになり、「あれはまちがいなく――」

「待った。録音をはじめるまでなんにもいわないで」リチャードは小型レコーダーのボタンをでたらめに押した。ぽんと蓋が開く。リチャードがテープをとりだし、裏表を確認した。なにをしてるんだろう。セッションの前にわたしが新しいテープをセットしたのはちゃんと見てるはずなのに。「ティッシュ、毛布を持ってきてくれるかな。ジョアンナが震えてる」

いいえ、震えてなんかない。そう思ったが、ティッシュに立ち聞きされないための口実だと気がついた。

「はい」と答えて、ティッシュが備品棚のほうに歩いていった。

「なにが見えた？」とリチャードが声をひそめてたずねた。

「タイタニック」

「たしかかい？　前とおなじビジョン？　通路と、ドアの先でたむろしている人たち？」

「ええ、でも今回、わたしはデッキに出た。そして――」ティッシュが毛布を持ってもどってくるのを見て口をつぐんだ。

「録音はきみのモニター作業が終わってからにしよう」とリチャードがティッシュに向かっていう。

「電極をはずすのを先に済ませて」

こちらにはそれ以上目もくれず、リチャードはコンピュータ・ディスプレイの前に行ってスキャンをチェックしはじめた。ティッシュがジョアンナの脚に毛布をかけ、肩の上まで広げた。ティッシュがいなくなったら彼はなんという気だろう。またタイタニックを見たことで、ブライディ・マーフィだと糾弾するだろうか。

でもしかたがない。あれはタイタニックだった。ティッシュが電極をはずし、脈拍と血圧をチェックするあいだ細部を忘れてしまわないように頭の中でNDEをおさらいした――階段、一等ダイニング・サロン、ボートデッキの扉――

あの扉に靴を片方はさんだままだ。思わず身を起こした。わたしの靴はまだタイタニックにある。

「ちょっと、なにやってんの」とティッシュ。

「わたし――」といいかけてから、毛布の下に出ているストッキングの足を見つめた。でも、はだしだったのに。

「まだ点滴チューブをはずしてないのよ」とティッシュにいわれて、ジョアンナはおとなしくまた横たわった。氷のように冷たいデッキをはだしで歩く感触をはっきり覚えている。靴を脱いでドアの下に突っ込んだことも――ジョアンナは笑い出した。

「なにがおかしいの？」ティッシュが点滴の針のあとに脱脂綿をテープで留めながらたずねた。

「靴が――」

「靴は更衣室。でもまだどこにも行っちゃだめ。あと一回、バイタルを記録しなきゃいけないから」ティッシュがそれを済ませて、「で、いったい靴のなにがそんなに楽しいって？」

なんでもない。履いてた靴とはちがうから。

「ねえ、教えてよ。どういうジョーク？」

教えられない。あなたには理解できないから。ドアにはさんで置いてきた靴は赤いテニス靴だった。体外離脱して手術台の上に浮かんでいる患者が窓の外のでっぱりに載っているのを見つけるのとそっくりな。

ティッシュはまだ説明を待っている。

「なんでもないの、ごめんなさい。たぶん、まだ頭がちょっと混乱してたんだと思う」とだけいってじっと横たわり、ティッシュがフォームラバーのクッションを腕と脚の下からはずすのを待った。忘れずにリチャードにこの話をしなきゃ。これも体外離脱体験にカウントされるのかしら。

　しかしリチャードはジョアンナがどんなコア要素を体験したかにも、なにを見たかにも関心を示さなかった。関心があるのは、タイタニックを見たかどうかだけ。

「今回もおなじビジョンだった？」とティッシュが帰るなりたずねた。

「いいえ」ジョアンナは体を起こして、「そっくりおなじじゃなかった」リチャードは満足げな、ほっとしたような顔になった。「それでもおなじ場所だったし、タイタニックだった」

「どうしてわかる？」

　ダイニング・ルームとボートデッキのことを話した。「タイタニックのはずよ。カリフォルニアン号にモールス灯で救難信号を送っていたから」

「ドクター・ライト？」ティッシュが戸口から声をかけてきた。いつからそこに立ってたんだろう。

「ひとつ聞き忘れてたんですけど、興味あります？」

「なんに？」

「トミー・リー・ジョーンズの新作を観にいくこと」

「ああ」と答えた口調から、いったいなんの話なのかリチャードがまったく理解していないことは明白だった。「ああいや、これからジョアンナのNDEを記録しなきゃいけないし、そのあとはスキャンの分析作業がある。たぶんかなり遅くなる」

「べつに今夜じゃなくてもいいんだけどな」といってから、ティッシュはリチャードがべつの口実を持ち出すよりはやく、「その話はまたあした」

「あした？」

「ええ。ミスター・セイジ。午前十時？」

「ああ、そうだった。うん。ミスター・セイジだ。じゃあそのときに」

「待って」とジョアンナは口をはさんだ。「ミセス・トラウトハイムは？　三時の予定じゃなかった？」

「キャンセルの電話が入ったんだ」とリチャード。

「あなたが潜ってるあいだにね」とティッシュが補足する。

「インフルエンザにかかったみたいだから、具合がよくなったら電話してくるって」とリチャード。それから、まだ戸口でぐずぐずしているティッシュに向かって、「じゃ、あした十時に」

ティッシュが去り、リチャードはジョアンナに向き直った。「信号を送ってる相手がカリフォルニアン号だっていってたのかい？」

「いいえ。でももう浸水がはじまってて、バルティック号とフランクフルト号が救援に向かってると。それにあのダイニング・ルームはどう見ても一等ダイニング・サロンだし――」

「最初から話して。はじまりはいつもとおなじ？」

「ええ。セーターを着た若者以外はね」ここは立入禁止区域だとひげの男がいい、若者がそれに答えて、物音がしたのでようすを見にきたんですと説明したいきさつを話した。

「でも、音はおなじだった？」

「ええ」

「それに通路も、扉も？　光も？」

「ええ」ジョアンナはとまどいながらうなずいた。

「それに統合イメージもおなじか」とリチャードがつぶやく。「ちょっと来て。見せたいものがある」

毛布を肩に巻いて検査台から滑り降り、リチャードのあとについてディスプレイの前に行った。画面にはもうジョアンナのさっきのスキャンが呼び出されている。

「これがいまさっきのきみのNDE」といって、リチャードがすばやくタイプした。前頭皮質をのぞく全エリアが黒に変わる。「で、これが、長期記憶の活動。早送りしてみるよ」

リチャードがまたタイプすると、スキャン画像がくるくる高速で切り替わりはじめた。あちこちに散らばる小部分がオレンジや赤にまたたき、それからまた青にもどり、花火のような複雑な模様を画面に描いてゆく。

「よし」といって画面を止め、そのとなりにべつのスキャンを出した。「こっちは火曜のNDE」おなじ早送りプロセスをくりかえしてから、「これからふたつを重ね合わせてみる」

といって実行した。

「色調が暗いのがきょうのやつで、明るいのが火曜の」

ジョアンナは画面上でまたたくさまざまな色を見つめた。青からオレンジへ、オレンジから赤へ、それからまた青緑にもどる。さまざまな場所がさまざまな速度でランダムに光っては消える。

「ぜんぜん似てない」

「そのとおり。L＋Rはまったくちがう。ということは、まったくちがう経験が統合イメージになってしかるべきなんだ。ただの一ヵ所も一致しないんだから。なのにきみは、おなじイメージを目にしたし、中心となるイメージもおなじだったという」リチャードは画面を凝視した。「もしかしたら、前頭皮質の活動はやっぱりランダムで、NDEを規定しているのは側頭葉なのかもしれないな」

リチャードはジョアンナのほうを向いた。

「さっきのNDEをできるかぎりくわしく記録してほしい。きみが見聞きしたものを、正確にそのとおり書いてくれ」またスキャンを見つめ、「おなじ患者が二回以上心停止した場合だけど、そういう人は毎回おなじ臨死体験をするのかい？」

「いいえ。ミセス・ウーラムは、庭園と階段を一回と、それ以外のときは暗くて開けた場所を見てる。そっちは何回か見てるし、トンネルは二度だっていってた」

「きみが面接した患者で、ほかに複数回の臨死体験歴がある人はいる？」

「ええ」ジョアンナは記憶をさらった。「記録を調べてみる」

「複数回臨死体験者のリストと、各回の臨死体験でなにを見たのかのリストがほしい。とくに、毎回おなじものを見てるかどうかが知りたい」また画面に目をもどして、「このスキャンのどこかに、きみがいまもタイタニックを見る理由の手がかりがあるはずなんだけど」

手がかりはある。でもスキャンの中じゃない。ブライアリー先生が授業中にいったこと――もしくは、カラベル船の写真が表紙の青い教科書から朗読したこと――の中にある。キットは教科書を見つけ出しただろうか。

まず無理だろう。あれからまだ二、三時間しかたってないし、有力な手がかりを教えたとはいいがたい。それでもとにかく留守番電話をチェックしてみた。ミスター・マンドレイクと、それにグァーダループからの伝言。「カール・アスピノールの言葉はまだメモしつづけたほうがいいのかしら?」

ええ、そうして。胸の中で返事をしながら、うしろめたい気分になった。東5にはもう二週間近くご無沙汰だ。コーマ・カールのことなんか忘れてしまったんじゃないかと思っているだろう。いますぐひとっ走り行ってこようかと思ったが、さっきのセッションからすでに一時間以上たっている。記憶が薄れる前にはやく記録してしまわないと。ああ、それに、エルダーケアに電話してキットのことを紹介する約束だ。

まずその電話を済ませてから、時間の節約のため、録音をすっ飛ばして直接コンピュータにNDE記録を入力した。プリントアウトしたものを研究室に届け(リチャードは電話中)、グァーダループと話すために階段で五階に下り、病理学棟を抜けて連絡通路に向かった。

こっちの通路にも塗装業者が入っていた。連絡通路に出る扉には黄色い《使用禁止》テープが張りわたされ、ドアハンドルに長い鉄棒がさしこんであった。あとは三階の連絡通路か。でもそれだとミセス・ダヴェンポートの病室の前を通ることになる。許容できないリスクだ。二階まで下り、連絡通路をわたり、職員用エレベーターで五階に上がり、そして塗装業者が廊下の天井のペンキを塗り直している現場に出くわした。

「こっちは通れませんよ」いちばん手前の男がペイントローラーでジョアンナの左のほうを指した。

「四階に下りて、外来の階段を使ってください」

ということは小児科を通るルートだ。メイジーの病室の前を通ることになるが、ミセス・ダヴェンポートよりはメイジーのほうがずっとましだし、もしかしたらビデオを観ていて気がつかないかも。

そうは問屋がおろさなかった。

「ジョアンナ!」戸口の前にさしかかった瞬間にメイジーがそう叫んだので、しかたなく顔を出し、「ハイ、メイジー」と声をかけると、少女は「見せたいものがあるの」と息を切らせていった。

浮腫がもどっている。腕や脚がむくみ、顔もぱんぱんになっていた。

「一分しかいられないのよ。会いにいかなきゃいけない患者がいるから」

「一分でだいじょうぶ」メイジーがシーツの下から本の山を掘り出しはじめた。「ミズ・サタリーがタイタニック本をまとめて持ってきてくれたの。ほら！」と大判の写真集をかざしてみせる。カバーはタイタニックの見慣れたイラスト。船尾が海面から突き出し、スクリューから水が滴り、煙突からはなおも煙を吐き出しながら（じっさいそうだったかどうかは疑わしい）、完全に沈没する直前の状態で静止している。船の照明はまだ明々と点っていた。

「最後の最後までバンドが演奏してたって知ってた？」とメイジー。

「ええ」メイジーの前でタイタニックのことなんか口にするんじゃなかった。『主よ、みもとに近づかん』を演奏していたのよ」

「ちっちっち。どんな曲をやってたか、ほんとのことはだれにもわからないんだよ。『主よ、みもとに近づかん』だっていう人もいるし、べつの曲だったっていう人もいる。『秋』とか。でも、ほんとのことはわからない。みんな死んじゃったから」

「先生がこれだけの本をぜんぶ持ってきてくれたの？」とジョアンナは話題を変えた。

「ちっちっち」メイジーはまたシーツの下に手を入れた。「もっとたくさんだよ。でも、ちっちゃい子用のやつとかも混じってる。タイタニックABC絵本があるって知ってた？」とうんざりしたようにいう。

「いいえ」メイジーの感性にさえ許容できないものがあると知ってほっとした。アルファベットのどの字がどれに対応してるんだろう。Iは氷山（アイスバーグ）のIで、Lはロレイン・アリスンのL？　Dは溺死（ドラウニング）のD？

「Fはなんだと思う？」メイジーが軽蔑するようにいった。「一等大食堂（ファーストクラス・ダイニング・サロン）だって。最低」

「じゃあFはなんにするのが正解なの？」答えを聞くのが怖いような気持ちでたずねた。

メイジーはちょっと傷ついた顔で、「Fはフレンチ・ブルドッグのF。ほら、前に話したやつ。プロムナードデッキでその犬とずっと遊んでた女の子がいるの知ってた？」

「メイジー――」

「タイタニックとびだす絵本まであるんだよ。そういうのはミズ・サタリーに頼んで図書室に持って帰ってもらったけど、いまあるのだけでもずいぶんくわしく出てるから、研究で必要なことがあったらいつでも調べてあげるね」とまだ息を切らせながらいう。本をとりだすのに力を使ったせい？　それともほかになにか？　体がむくんでいるだけでなく唇の色にいつもより血の気がないし、息を吸うとき、喘鳴（ぜんめい）の初期のようなざらついた音が混じる。容態が悪化してるんだ。本のページをめくるメイジーを見つめながら、ジョアンナは暗い気持ちになった。

「で、なにを調べてほしい？」とメイジーがいった。

「いまはタイタニックについていろいろ読んで、準備をしててほしいの。そしたら質問したとき、すぐ答えを探せるでしょ。それに、ちゃんと休息して、お医者さんや看護師さんのいいつけをぜんぶ守ってほしいわね」ジョアンナはベッドに散乱する本を一カ所に積みはじめた。「これ、ここにしまう？」

「クローゼットのバービーのバッグに。これ以外はぜんぶ」といって、『こどもタイタニック』という題名の背の高い本をつかんだ。

ジョアンナは残りの本をピンクのダッフルバッグにしまい、クローゼットの隅の、外から見えない場所に押し込んだ。

「さあ、患者に会いにいかなきゃ。またすぐ来るわね、相棒」といって、戸口に歩き出す。

「待って！」二歩も行かないうちに呼び止められた。「ひとつ聞きたいことがあるの」メイジーは口をつぐみ、息を整えた。その呼吸に、またかすかな喘鳴が混じっている。「ブレスレットがきつくなりすぎたらどうなる？」と、プラスチックのＩＤリストバンドを巻いたむくんだ手首をかざした。

「バーバラがそれを切って、新しいもっと大きいのをつけてくれるわよ」むくみがもっと進むのを心配してるんだろうか。リストバンドは肉に食い込むどころか、まだゆるゆるの状態だ。

「切ったあと、新しいのをつけるひまがないうちに、なにかよくないことが起きたら？　災害とか」

ポンペイの遺跡から発掘された、遺棄された黄金の腕環のことを考えてるんだろうか。災害なんて起きないわよといいかけたが、途中で思い直し、「わたしからバーバラにいっておくわ、いまのブレスレットを切るときは、先に新しいのをつけてからにするようにって。それでいい？」

「消防士たちが毎年あの子のお墓参りしてるって知ってた？」

「あの子って？」

「あの女の子」わかりきったことじゃないのという口調でメイジーが答えた。「ハートフォードのサーカス火事の。毎年花を供えてるんだって。お母さんも死んじゃったんだと思う？」

「どうかしら」母親も火事で焼け死んだのなら、その少女の遺体をだれもひきとりにこなかったことは説明がつく。でも、他の遺体はすべて身元が判明しているはずだ。母親の身元がわかったのなら、その子供の身元だってわかるはずでは？「わからない」

「消防士たちがその子をお墓に埋葬して、毎年、花を供えてるんだって。墓石やなんかもちゃんと建ててあげたの。お墓には、『リトル・ミス１５６５』って書いてあって、あと死んだ年齢とかも出てるけど、それって名前とおなじじゃないよね」

「そうね。名前じゃない」

「つまり、タイタニックに乗ってた子供たちはみんな、ともかくどこのだれなのかはわかってたわけ。ロレイン・アリスン、ベアトリス・サンドストロム、ニーナ・ハーパー、それに――ジグリッドって男の子、女の子？」

「女の子」

「それにジグリッド・アンダースン。もちろん墓石はないけど、もしあったら――」

「メイジー――」

「ビデオ入れてってくれる？」メイジーが枕に体を横たえた。

「もちろん。どれにする？『くまのプーさん』？」ジョアンナはビデオのタイトルを読み上げた。『オズの魔法使』？『ふしぎの国のアリス』？」

「『オズの魔法使』」

「いい映画よ」ジョアンナはそのビデオをデッキにセットして再生ボタンを押した。

メイジーがうなずいて、「竜巻が好き」といった。もちろん。なんだと思ってたの？

「それに、砂時計の時間がつきちゃって、あんまり時間が残ってないところもね」とメイジーはつけ加えた。

26

「あしたの朝、また会おう」
——ジョン・ジェイコブ・アスター最期の言葉。
タイタニックの救命ボートに花嫁を乗せて

コーマ・カールの病室には行き着けなかった。ようやくメイジーの病室を脱出したときには——メイジーは、竜巻を筆頭に一九五三年のテキサス州ウェーコーに関するいくつかの事実を聞かせてあげるといいはった——四時になっていたのである。

グァーダルループはもう帰宅しているだろう。まあいいか。メイジーの病状についてバーバラに話を聞くついでに、病院支給のIDリストバンドに関するあの質問がいったいどういう意味なのか突き止めることにしよう。そう思ったが、バーバラは重い白血病を患う三歳の男の子につきっきりで、なんとか点滴を開始しようと奮闘中だった。

ジョアンナはオフィスにもどってパソコンに向かい、二回以上のNDE歴がある面接対象のリストをつくりはじめた。そのたびごとにまったくちがう場面を見る人と、毎回おなじものを見る人と、きれいに二種類に分かれるような感じだった。ミスター・タブは、光が洩れている開口部と「その向こうのまばゆい人影」、階段、赤っぽい闇、強烈なあたたかさの感覚を体験し、不安定型の糖尿病患者で四回の心停止を経験しているミズ・バートンは、毎回まったくおなじビジョンを見て、「だからそれが現実だってわかったの」と語っている。

ジョアンナの見解では、毎回まったくおなじであるという事実は、それが現実であることを意味するのではなく、NDEが前もって録画された番組だという証拠に見えた。おなじ溝を何度もぐるぐるまわるレコードのように、脳がそれをくりかえしくりかえし再生しているのだ。

〝現実〟とはどういう意味なのかミズ・バートンに聞いておくんだったと後悔した。面接対象の臨死体験者全員に、そこが実在の場所のような気がしたかどうか、現実にそこへ行ったような気がしたかどうかたずねておけばよかった。

なぜなら、そんなふうに感じたから。それがただの幻覚で、どこへも行っていないと頭ではわかっているのに。現実の自分はストッキングを履いて検査台に横たわり、そのそばではティッシュが血圧を測ったりリチャードに色目を使ったりしているのだとわかっていても、それでもやはりリアルに感じた。このオフィスのヤマハッカの鉢植えや未処理の面接テープがぎっしりつまった靴箱とおなじぐらいリアルで三次元的に感じた。

ミズ・バートンの個々の記録をチェックしてみると、たしかにどれもそっくりおなじに見えた。しかし、ミスター・ラトレッジの場合は、自分ではどれもおなじだといっているものの、NDEごとにわずかな差異がある。

ミセス・ウーラムの二度の面接記録も読み直してみた。リチャードにはトンネルが二度だといったけれど、ミセス・ウーラム自身はそれがおなじトンネルだとは思っていない。二度めのトンネルは一度めのトンネルより幅がせまく、床がもっとでこぼこだったという。残りの四回で経験した「暗い、開けた場所」は、どうやらおなじ場所のようだが、ミセス・ウーラムの談話を読み直してみて、はたしてそうだろうかと考えた。暗くてなにも見えなかったといっている。メイジーの霧についてもおなじことがいえる。光がまぶしすぎてなにも見えなかったという臨死体験者がほかに数人。

七時過ぎまで仕事をつづけ、とりあえずのところまでのリストをつくってから、コートを着込み、研究室にプリントアウトを届けた。リチャードはまだ残っていて、両手にあごをのせてスキャンを見つめていた。リストを手わたすと、口の中で感謝の言葉らしきものをつぶやいた。

「あしたの夜はディッシュ・ナイトなんだけど、来られそう？」

「ああ」と答えてリチャードはスキャンに視線をもどした。

ま、熱狂的な反応とはいえないにしても、拒否はされなかったわけだ。研究室を出て廊下を歩き出した。エレベーターが来た音がしたのであわてて走り出したら、降りてきたのはミスター・マンドレイク。

「ああ、ドクター・ランダー。よかった。まだいたのか。この二日間、なんとかきみに連絡をとろうとしていたのだよ」と唇をへの字に曲げる。

「ミスター・マンドレイク、あいにくいまは都合が……」といいながらも、逃げ道がないのはわかっていた。だれがどう見てもこれから家に帰るところだから、約束があるという口実は使えない。デートとか？　いや、ミスター・マンドレイクのことだ、「話はほんの数分で済む」というだけだろう。

「話はほんの数分で済む」とミスター・マンドレイクはいった。「きみのNDEについて質問があるのだよ」

わたしが潜っていることがばれた！　どうやって突き止めたんだろう。ティッシュ？　リチャードがいっこうにデートの誘いに応じないせいでだいぶ頭に来ているようだった。ほかの看護師に愚痴をこぼしているあいだにうっかりジョアンナが被験者だとばらしてしまい、その看護師がゴシップ・ジェネラル全体に噂を広めた？　それともヴィエルとしゃべっているところをハイジに見られてしまい、ハイジがどうにかして真実を探り当て、いまやミスター・マンドレイクまでタイタニックのことを知っているとか？

「わたしのNDE？」研究室のドアを神経質にふりかえりながら、ジョアンナは聞き返した。

「きみと、ドクター・ライトのNDEだよ、もちろん。いわゆるNDEシミュレーションとやらを被験者に引き起こすことにきみたちが成功したとしての話だが。成功したのかね？」

「ええ」ばれたんじゃなかったと安堵するあまりついそう答えてしまい、その瞬間に後悔した。

「被験者は、トンネル、光、待ち受ける故人を経験した？」

ええ。ボートデッキとモールス灯と赤いテニス靴を。「ＮＤＥは人によっていろいろです」

「つまり、それらを経験してはいないということだな。思ったとおりだ。人生回顧や、宇宙の神秘の開示は？」

「いいえ」

「力の授与は？」

「力の授与？」これは新アイテムだ。

「ああ。わたしの被験者の多数は、こちら側への帰還後、超常能力の増大を示している。透視、テレパシー、死者との交信。きみたちの被験者はそうした能力を示してはいまい」

ええ、もしわたしにそんな能力があったら、いますぐリチャードにテレパシーで助けを呼ぶもの。

「その沈黙は、そうした例が存在しないことを意味していると解釈しよう。驚くにはあたらんよ。実験室でいくら脳のシミュレーションをやってみても、物理的な感覚を生み出す以上のことはできない。そしてＮＤＥはたんに物理的な現象ではなく、霊的な現象なのだからね。死の向こうにある世界、現実の先の現実をわれわれに垣間見せてくれる。そしてわたしの被験者の多数は、そうした現実と接触を保っている。ミセス・ダヴェンポートは……」

もしかしたらわたしにもテレパシー能力があるのかも。遅かれ早かれミセス・ダヴェンポートの話になるのを予知してたんだから。

「……ゆうべ曾祖母からのメッセージを受けとり、彼女にはそれが本物だとわかった。どんなメッセージだと思うね？」

「〝ロザベル、信じてくれ〟？」

ミスター・マンドレイクがこちらをにらみつけた。

「〝こちらには恐怖も後悔もない〟と彼女はいったのだよ。きみたちの被験者の中で、死者と言葉を交わしたものがいるかね？　むろんいまい。NDEのシミュレーションとやらは所詮それだけのもの、物理的なイミテーションでしかないのだから。ミセス・ダヴェンポートが受けとったメッセージの中には、多数の……」

焦がれるような視線を研究室の戸口に向けていると、まるで奇蹟のようにリチャードが姿をあらわした。スキャンのプリントアウトやファイルフォルダを両腕いっぱいに抱えている。

「ああ、ドクター・ランダー、そこにいたのか」と腰をかがめてドアをロックしながらリチャードがいった。「忘れてるんじゃないかと心配してたんだよ」

「忘れるってなにを？」

「会議だよ」

「まあ、会議！」ジョアンナは片手で口を押さえて、「ドクター・タブとの。すっかり忘れてた。ここでばったり会えて運がよかった。もう帰るところだったの。ごめんなさい、ミスター・マンドレイク。ドクター・ライトといっしょに出るはずの会議があって――」

「もう十分の遅刻だ」リチャードがわざとらしく腕時計を見て、「きみも知ってるだろう。ドクター・タブは時間にうるさいんだよ」と、ジョアンナの腕をとった。

ミスター・マンドレイクがぎゅっと唇を結んだ。「まったくもってじつに——」

「もう遅刻なんですよ。失礼」リチャードがジョアンナをせきたて階段室へ向かい、扉を抜けた。

「ありがとう」リチャードと並んで階段を駆け下りながらジョアンナはいった。「あと一分遅かったら、ミセス・ダヴェンポートの病室に拉致されるところだった。いまは死者からのメッセージを受信してるらしいわ。あそこにいるってどうしてわかったの？」

「テレパシーだよ」リチャードがにやっと笑った。「それプラス、ミスター・マンドレイクの胴間声。ドクター・タブって？」

「ミ、ミ、ミスター・タブは、わたしが二年前に面接した患者。本物のドクターの名前を出したら、ミスター・マンドレイクがその人を捜し出して探りを入れるかもしれないと思って」

「願わくは、ぼくらのポケットベルをひっきりなしに鳴らすかわりに、ドクター・タブを捜して二、三日つぶしてくれますように」ふたりは階段の下までたどりついた。「彼に出くわす確率がいちばん低いルートは？」

「こっち」ジョアンナはリチャードの先に立ち、腫瘍科病棟を抜けて職員用エレベーターに向かった。

「わたしはここから駐車場に出られる。あら、でもあなたのほうは研究室にもどるわけにはいかないわね。わたしたちが会議に出てるんだとすれば」

「いいんだよ。どっちみちきみと話がしたかったんだ。どこかでなんか食べない？」

「大賛成」ジョアンナは有頂天になった。「でも、カフェテリアは閉まってるだろうな」

閉まっていた。

「開いてることってあるの？」ロックされたガラス扉をふたりでながめながら、リチャードがいった。

「ない。次のプランは？　その白衣に食べものは入ってる？」

リチャードがポケットを捜索し、マウンテン・デュー一本とホステスのカップケーキ半分を発掘した。

「補給しなきゃだめだな。ねえ、タコ・ピエールはどう？　いや、待った」またポケットを探って、

「キーがない」

「わたしの車で行けばいい。でも、コートも着てないじゃない」

「タコ・ピエールにはホットなソースがあるし、きみの車にもヒーターはあるだろ」

「ある」

車に乗るなりミトンの手袋をリチャードにわたし、ヒーターの目盛りを最強にしたが、それでもタコ・ピエールに着いたとき、リチャードはぶるぶる震えていた。リチャードはタコスといっしょにコーヒーを二杯オーダーして、「両方の手に一個ずつだよ」と説明し、テー

ブルに行く途中でエキストラ・ホット・ソースのパックを六個とった。テーブル席には、タコスの包装やストローの袋が散乱していた。ジョアンナは席に着く前にナプキンでテーブルを拭いた。

「病院の近くにレストランを開業すべきだよ」とリチャードがいった。

「上等のレストランをね」と小声でいって、ジョアンナはリチャードにほほえみかけた。この店は最低だ。カウンターのうしろのアルバイトはタトゥーを入れたブロンドの兄ちゃんで、例のネイルガン男の顔写真とそっくり。ロマンチックなスポットとはいいがたい。それでもここはあたたかいし、店内はがらがらだ。まあこれだってデートと呼べなくはないはず。ヴィエルが大喜びするだろうなと思いながら、自分でも内心はうれしかった。揚げてから一週間はたっていそうなテイター・トロをひと口かじってから、

「まあとにかく、ここはあったかいわ」

「コーヒーは冷めてるけどね。で、マンドレイクはなんの用だったんだい？　最初のほうは聞き損ねた」

食べながらいきさつを話した。

「で、今度はミセス・ダヴェンポートが死者からのメッセージを受けとってるわけ」ジョアンナは思案顔でコークをすすり、「やっぱり暗号なのかな」

「暗号？」リチャードがそう聞き返して、冷めたコーヒーをすする。

「ええ。フーディィニが自分の死後、奥さんに送ると約束したメッセージみたいに」といって

タコスをかじった。「〝ロザベル、信じてくれ〟とフーディニは妻にいったの。でもそのメッセージは、じっさいには、〝ロザベル、答えて、話して、祈って答えて、見て、話して、答えて答えて、話して〟だった。それぞれの言葉がアルファベットの文字に対応してて、つなげると〝信じてくれ（believe）〟になる。ふたりがむかし、マインドリーディングの実演で使ってた暗号」

「メッセージの送信は成功した？」

「いいえ。メッセージをちゃんと送れる人間がもしいるとしたら、それはフーディニだったのにね」またコークを飲んで、「でも、きっと二、三日うちには、ミセス・ダヴェンポートは、フーディニその人と話をしたといいだすわ。フーディニからのメッセージは、〝こちらには恐怖も、後悔もない〟」と陰々滅々たる亡霊口調でいう。

「〝それに水中からの決死の脱出もない〟」とリチャードがおなじ亡霊口調で返した。「あの世って、どうしていつもすごく退屈そうな感じがするんだろうな」

「退屈さがいいのかも」と答えながら、ジョアンナはブリッジの向こうのうつろな暗闇と、「Dデッキまで浸水しています」と報告する士官の声を思い出していた。

「つまり、タイタニックとは正反対ってことか」リチャードがテレパシーで心を読んだようにいった。ブリトーの包装紙をくしゃくしゃにまるめ、トレイをゴミ箱に運んでもどってくると、ジョアンナのNDE記録のプリントアウトをポケットからひっぱりだして、「じつは、話したかったのはそのことなんだよ。きみは何度も何度もタイタニックだっていってるけど、どうしてそうわかるんだい？」

デートだったのもここまでか。「本物のタイタニックだと主張してるわけじゃないのよ」と辛抱強くいう。「説明したでしょ。一九一二年に沈没した歴史上の船じゃない。あれは——よくわからないけど——なんというか、心のタイタニックなのよ」

「わかってる。ぼくが聞いてるのはそういうことじゃないんだ。自分が見てるのがタイタニックだってどうしてわかった？」

「どうしてわかったか？　エンジンが停止するのが聞こえて、乗客がデッキに出てきたのを見た。カリフォルニアン号に合図を送ってるのも見た」

「異議あり」リチャードはステープラーで留めたプリントアウトをめくった。「きみが見たのは、なにかに合図を送っているところだ。カリフォルニアン号という船名はだれも口にしてない。きみがそう思っただけだ」コーヒーをすすって、「きみが目撃した人々も、氷山や衝突にはだれひとり言及していない。それどころか、スチュワードは機械の故障じゃないかといってる」

「でも、ナイトガウン姿の若い女が音を聞いてる」

リチャードが首を振った。「彼女が聞いたのは布を裂くような音だ。それだけなら、ほかにもいろんな可能性が考えられるだろ」

「たとえば？」

「ほかの船との衝突とか、爆発とか、スチュワードがいったような機械の故障とか。船名がるタイタニックだと特定できるようなものはなにか見た？ SSタイタニックと名前が入ってる備品とか？」

「RMSタイタニックよ」と訂正した。「王立郵便船だった」

「わかった、じゃあRMSタイタニックとついてるやつ」リチャードはプリントアウトをめくった。黄色いマーカーであちこちに線が引いてあるのが見える。「救命ボートを見たって書いてあるけど、そこには名前が入ってた？」

「帆布のカバーがかかってたから」どこかでタイタニックの名前を見たかどうか思い出そうとした。スチュワードの白い制服には記章がついていただろうか。それとも士官の帽子に？思い出せない。ほかに記章とかタイタニックの名前とかが入ってそうなものは？

救命具だ。そう考えて、ボートデッキで救命具を見たかどうかを思い出そうとした。いや、見ていない。でも、通路を出てすぐのデッキの内壁、デッキライトのとなりに、救命具がひとつかけてあったような気がする。そこには赤のステンシルでRMSタイタニックの文字が……。

また作話してる、と自分をいましめた。それは映画のイメージでしょ。だいたい、デッキライトのとなりにあったのなら、まぶしくて見えなかったはず。

「いいえ。タイタニックの文字がついてるものはひとつも見てない」

「だと思った。ぼくの目から見ると、あれがタイタニックだとは断言できないと思う。きみの記録を読み直してたんだけど」リチャードはプリントアウトの中ほどのページを開き、黄色いマーカーの線がびっしり引いてある箇所を読み上げた。「〝救援は来ないんですか？〟〝バルティック号が向かっているが、二百海里の彼方だ〟〝フランクフルト号は？〟」顔を上げてこちらを見ながら、「じっさいに救援にやってきたのはカルパチア（カーペイシア）号だった。それに、きみ自身もこの記録の中で書いているとおり、応答しなかったのはフランクフルト号じゃなくてカリフォルニアン号だろ」

「でも、救難信号を打電した相手が一隻だけとはかぎらない。どっちの船も遠すぎて救助に来られないといってるし。救助を要請した十数隻のうちの二隻かもしれない」

「それに、階段のこともある。いや、わかってる」と反論を止めるように両手を上げて、「記憶の出所は、映画の『タイタニック』じゃないときみはいった。でも、あの映画にまちがいなく登場してたのが、食堂の外の階段だ。おしゃれな螺旋状の階段と大きなドーム天井――」

「大階段（ザ・グランド・ステアケース）」とジョアンナはつぶやいた。そのとおりだ。一等ダイニング・サロンに下りる階段は大理石で、金線細工と錬鉄製の欄干、親柱にはブロンズ製の智天使（ケルビム）像がたいまつ型の電灯を持ち、階段のてっぺんには巨大な時計。二体のブロンズ像が時計のてっぺんに月桂冠を戴かせている。《時に戴冠する名誉と栄光》像。

わたしが通ったのはきっとべつの階段だったんだ。そう思ったが、一等ダイニング・サロンに隣接する階段がふたつもあったんだろうか？　それに、ひとけのないデッキと無人のブリッジ……。

「じゃああなたはどう思うの？　わたしが見てるのはべつの船だと？」

「その可能性はあると思う。きみの説明から判断するかぎりでは、たとえばルシタニア号でもおかしくない」

「でも、ルシタニア号は真っ昼間に沈んだのよ。それに、魚雷が命中したとき、なにがあったんだろうとデッキでのんびり話している人たちはいなかった」

「あるいは、メイジーから話を聞いたべつの船かもしれない」リチャードは動じる気配も見せなかった。「あるいは、ミスター・ウォジャコフスキーから」

「ヨークタウンは航空母艦よ。わたしが見てるのは遠洋客船。煙突が見えたもの」

「異議あり」とまた記録に目を落として、「きみは大きな黒いものがそびえているのを見ただけだ。空母の中央アイランドだって、大きな黒いものがそびえているように見えるだろうし——」テーブルのすぐそばにアルバイトの店員が立っているのに気づいて、リチャードが顔を上げた。

「閉店っす」といったまま、アルバイトはタトゥーを入れた腕を組んで、じっとそこに突っ立っている。リチャードはコーヒーカップをかたづけ、ジョアンナはコートを着た。

外は凍えるような暗闇だった。中にいるあいだに雪が降り出している。みぞれまじりの湿った雪。

「ヴィエルは低体温症で死ぬまでに何分だっていってたっけ？」リチャードが両手に息を吐きかけながらいった。

「あれは空母じゃなかった」車のエンジンをかけ、病院に走らせながらいった。「空母の甲板はたいらだし、クリスタルのシャンデリアやグランドピアノつきの食堂もない」

「そして、きみが見る船には大階段がない。だから、きみの長期記憶に保存されているいろんな船や関連したイメージの融合物(アマルガム)じゃないかと思うんだ。自分でも、マリー・セレスト号かもしれないって書いてるじゃないか」

「マリー・セレスト号は帆船だった」と反論したが、たしかにリチャードのいうとおりだ。矛盾がある。デッキにはまったくひとけがなかったし、ブリッジまで無人だった。

病院の駐車場に車を入れた。

「車はどこにとめてるの？　あ、そうか、コートをとってこなきゃいけないのね」

「うん。それにもう一回きみのスキャンも見ておきたい」

北玄関のほうに車をまわした。

「悪魔の手から救出してくれてありがとう」

「彼が研究室の外に身を潜めて待ち伏せしてないことを祈るよ」

「わたしは、ミセス・ダヴェンポートが本物のテレパシストじゃないことを祈りたいわ」

リチャードが笑って車を降り、それから窓にかがみこんで、

「タイタニックだとわかるっていったよね。その確信の感覚って、例の通路がタイタニックのものだと最初に気づいたときとおなじ感覚？」

話の行き着く先は予想がつく。うんざりした気分で、「ええ」と答えた。

リチャードがうなずいて、「じゃあ、そういうことかもしれないな。長期記憶から引き出してきた記憶じゃなくて、側頭葉が、これはタイタニックだというまやかしの感覚を生み出しているんだ」リチャードは車のルーフをぽんと叩いた。「凍死しそうだよ。おやすみ。あしたの朝、また会おう」

低体温症でくたばってしまえ。車を出しながら、心の中で毒づいた。まやかしの感覚なんかじゃない。あれはタイタニックだ。

家に着くと、電話が鳴っていた。ミスター・マンドレイクだろう。十四番めの伝言をどうぞ。そう思って、留守番電話に電話をとらせた。

「もしもし。キット・ガーディナーです――」

受話器をひったくった。

「もしもし、キット。ごめんなさい、いま帰ってきたところで」

「時間が遅いとは思ったんだけど、見つかったものがあって。いいえ、教科書じゃないんだけど」とキットは急いでつけくわえた。「パット伯父さんがタイタニックについていったことを思い出そうとしてるんだっていってたでしょ。きょう、伯父のタイタニック本の山を見つけたの。だから、あなたが思い出そうとしてることがその中に書いてあるかもしれないと思って。興味があるなら見にきてもらってもいいし、わたしが調べてもいいわ。エンジンが止まったんで、乗客が寝間着姿でデッキに出てきたとかいってたでしょう」

「ええ」とジョアンナは答えた。「ねえ、キット、それとはべつに、ひとつ調べてほしいことがあるんだけど。タイタニックの一等ボートデッキがどんなつくりだったのかを知りたいの」

「わかった、調べてみる。おやすいご用。ほかになにかある？」

「ええ」あの船がタイタニックであることを証明する手段はないかと考えた。「あの夜、カリフォルニアン号に救難信号を送るのにモールス灯を使ったかどうか知りたいの。それと、無線を送った船の名前。でも、もしたいへんそうだったら……」

「だいじょうぶ」とキットが元気よくいった。「いつまでに必要？　あしたの夜まででいい？　ディッシュ・ナイトへの招待がまだ有効ならだけど。やっぱりお邪魔させてもらおうかと思って。エルダーケア・プログラムは教えてもらったとおりだったわ。当日連絡してもすぐ来てくれるって」

「よかった。じゃあ迎えにいくわね」

「ありがとう。どんなに感謝してるか、とても言葉にできないぐらいよ」教科書を探したりタイタニックについて調べたりを引き受けてくれたのはキットなのに、まるで逆みたいな口振りだった。「何時？」

「ディッシュ・ナイトは七時スタート。六時半に迎えにいくわ」

「了解。じゃあそのとき――」

とつぜん、電話の向こうで耳をつんざくような轟音が響いた。

「わっ、たいへん！」とキット。「ごめん、ちょっと待ってて」

「だいじょうぶ？」とたずねたが、受話器からはベルが鳴るようなかん高い音が聞こえてくるだけ。それともブザーの音？　キットが９１１にかけられるように電話を切ったほうがいいだろうか。それとも、いったん電話を切って、わたしから９１１に電話するか。

「いいのよ、パット伯父さん」とキットのなだめるような声がかすかに聞こえてきた。「だいじょうぶだから」しかし、音は鳴りやまない。いったいなんの音だろう。沸騰したケトルのかん高いさえずりと心停止アラームの中間みたいに聞こえる。タイタニックの煙突が耳を聾する咆哮で蒸気を噴き上げたときもこんな音だったのかもしれない。通路で聞いた音は、蒸気機関が停止したあとの沈黙じゃなくて、その音だったのかもしれない。

「大多数はそれをまったく聞かなかった」だしぬけに受話器からブライアリー先生の声が響いた。キットが例の音の発生源に対処しているあいだに書斎にやってきて受話器をとったらしい。

「ブライアリー先生？」

「ああ。だれだね？」

「ジョアンナ・ランダーです」

「ジョアンナ・ランダー」とブライアリー先生はくりかえした。だれなのか気がついたようすはない。

「先生のかつての教え子です。ドライクリーク・ハイスクールの」

「ハイスクール」とブライアリー先生はいった。くぐもったコツンという音が響き、先生が受話器を置いたのかと思ったが、そうではなかった。数秒後、また声がした。「それは、機関の振動の突然の停止だった。ジャック・セイヤーはそれを聞いた。ライアスン夫妻、グレイシー大佐もそれを聞き、彼らはなにがあったのかようすを見に、全員でデッキへ出た」

タイタニックのエンジンが停止したときの話をしてるんだ。ジョアンナは受話器をぎゅっと握りしめた。翌日になって記憶がもどることもあるとキットがいっていた。

「だれも事情を知らぬようだった」とブライアリー先生はつづけた。「ハワード・ケイスは、船のスクリューが落ちたのだと思った。スチュワードのひとりは、機械のちょっとした不具合だといった。だれひとりそれが深刻な問題だとは思わなかった……」ジョアンナの言葉を待つように、ブライアリー先生は間を置いた。

「ブライアリー先生」痛いほどの鼓動を胸に感じながらジョアンナはいった。「あの日、授業で、タイタニックについてなんとおっしゃったんですか？」

27

「自分にこう言えたらどんなにすばらしいだろうとときどき思うことがある。〝死はもう終わった。もう二度とあの体験に直面させられることはない〟と」

——チャールズ・ドジスン（ルイス・キャロル）の死の直前の言葉

長いあいだ、受話器から聞こえてくるのはあのかん高い金属音だけだったが、やがてブライアリー先生が、「彼らはわれわれに語りかける」といい、ジョアンナは理解できずにつづきを待ちながらも、先生の思考の流れを自分が邪魔してしまったのではないかと不安だった。

「退屈な、埃をかぶった遺物。それが文学だよ」と先生はいい、それからいらだたしげに、

「そう、インマンくん。これは期末試験に出る。すべては期末に出る」といい、そして唐突に悲鳴が途切れた。

わたしが通路で聞いていたのはまちがいなくこの音だ。ジョアンナは鳴り響く沈黙に耳を

傾けながら、関係のないことを考えていた。まちがいなく、音の中断だ。

「ブライアリー先生」とジョアンナはいった。「あの日、授業でおっしゃったことを覚えてらっしゃいますか？」

「覚えているか？」ブライアリー先生はあいまいな口調で聞き返した。息遣いだけが響く長い間。それから、悲しみと絶望にあふれた口調で、「わたしはそれを一生覚えている」

質問したりできる立場じゃない、とジョアンナは思った。「すみません」とつぶやく。

「わたし――」

「だれだね？」とブライアリー先生が詰問した。「ケヴィンの友人か？」

「先生の昔の教え子です。ジョアンナ・ランダーです」

「ではこちらにすわりたまえ」と先生がいい、うしろでキットの声が、「切らないで、パット伯父さん。わたしの電話よ」

「だれなのかわからん」ブライアリー先生が不機嫌にいった。「最近は名前も名乗らぬ輩（やから）が多いな」それから、受話器が手わたされる音。

「ごめんなさい」キットの声。「どうやったのか知らないけど、パット伯父さんがキッチンの煙探知機をひっぱりだして、アラームボタンが押し込まれたままもどらなくなっちゃって。どうしても切れなかったの。六時半に来てくれるっていった？」

「ええ。キット――」

「おっと、行かなきゃ。じゃ」キットが電話を切った。

ジョアンナは受話器を見つめたまま立ちつくした。「わたしはそれを一生覚えている」とブライアリー先生はいったけれど、それは正しくない。彼はそれを覚えていられなかったし、わたしもおなじだ。だしぬけに骨の髄から疲れを感じた。

受話器を置いた。留守録のランプが点滅している。再生ボタンを押した。「伝言は一件です」と機械がいった。「ヴィエルよ。あんたがビデオ借りる番なの、覚えてるよね」

「忘れてた」と声に出して答え、「あしたの朝借りる」といって寝床についたが、翌朝出勤する途中、ブロックバスターの開店は十一時だという事実を思い知らされることになった。まったく、どこもかしこも閉店中ばっかり。ロックされたガラス扉を見つめてそう毒づき、いつだったらビデオを借りにこられるだろうと考えた。

午後しかない。ミスター・セイジのセッションは十時の予定だし、いつもだとセッション自体に三十分、そのあと話を聞き出すのに最低二時間かかる。ということは終わるのが十二時半で、それから話の内容を文書化しなければならない。まあ、そっちはたいして時間がかからないだろうけれど、複数回臨死体験のリストをつくる作業が残っているし、ミセス・ヘイトンにも連絡をつける必要がある。それと、グァーダループと話をすること。それに、キットをディッシュ・ナイトに招待したとヴィエルに話すこと。

ヴィエルが忙しくてわたしを尋問するひまがなければいいんだけどと思いつつ、病院に着くと真っ先にそれを済ませた。ヴィエルは忙しそうだった。ＥＲは満員。

「春が来たのよ！」とヴィエルがいい、さっきまでワイパーで戦っていたみぞれまじりの雨を思い出してジョアンナがぽかんとしていると、「流感シーズンの本番ってこと」と説明した。「発熱、下痢、嘔吐――はやくここから出たほうがいいよ」

「あなたもね」とジョアンナはいった。「ディッシュ・ナイトに人を呼んだことを伝えにきただけ」

「まあ。おねがいだから、その人がデンゼル捜査官だといって！」

「ちがいます。高校時代の英語の先生の姪。こないだ車借りたとき会いにいったのがその先生。ミスター・ブライアリー」会いにいった理由をどう説明したものかと思いながら、「彼、アルツハイマーなの」

「アルツハイマーか」ヴィエルが同情するように首を振った。「その人、《蘇生処置無用》の命令はとってる？　もしまたそうなりそうだったら、親族はぜったいそうしたほうがいいよ。ここにもアルツハイマー病の末期患者が来るんだけど、蘇生させるのは慈悲深い行為とは呼べないから」ヴィエルは誤解している。ブライアリー先生が心停止から蘇生して、それでジョアンナがＮＤＥの聞き取り調査に出向いたと思っているようだ。

そう思わせておくほうが得策か。でも、キットがなにかいうかもしれない。それにヴィエルはいちばんの親友だ。親友に嘘をつくのはよくない。とはいえ、ほんとうのことを打ち明けるわけにはいかない。もしタイタニックのことまで話したら――

「前に、自分で死にかたを選べるならいちばんいい死にかたはなにかって話をしてたでしょ」とヴィエルがしゃべっている。「最善はともかく、最悪はアルツハイマー病で決まりね。

自分が知っていること、愛している人すべてを忘れ、自分がだれなのかも忘れ、そしてそれが起きていることをわかっている。彼、いい先生だった？」

「ええ。キーツやシェイクスピアを何ページも何ページも暗唱した。試験はものすごくむずかしかった」

「理想の教師像ね」とヴィエルが皮肉っぽくいう。

「ほんとにそうだったのよ。乾いたユーモアのセンスの持ち主で、文学や作家や歴史のことをなんでも知ってた。すごくおもしろいことを次から次へ話してくれた。チャールズ・ラムの姉が、ある晩、食卓のテーブルナイフをとって母親を刺し殺したって知ってた？」

「あたしよりずいぶんまじめに英語の授業を聞いてたみたいだね」

それでも足りなかった。タイタニックについて先生がなんといったのか思い出せないのだから。

「なんでも知ってた。だから会いにいったのよ」といって、具体的な内容にまで突っ込まれないことを祈った。「アルツハイマー病だなんて知らなくて。先生の家で姪の女性と知り合って、それでディッシュ・ナイトに呼んだのよ。二十四時間つきっきりで世話してて、ろくに外出もしないっていうから。家を空けるのは食料品の買い出しに行くときだけで、それにお客もぜんぜん来なくて――」

「ギルバートとサリバンが、またひとり溺れかけている人を救出に赴いたってわけね」

「わたしはべつに――わかった、まあいいわ、そうかもしれない。でも彼女はいい子だし、きっと気に入るわよ」

「あたしの車を強奪して何時間も行方不明になってたのは、じゃあそれが理由？」ヴィエルが疑り深い口調でいった。「英語の先生に質問するため？　チャールズ・ラムの姉のことで？」

「いいえ」とジョアンナはいった。「今夜借りてほしいビデオはなんかある？　『グローリー』以外で？」

「『ジョー・ブラックをよろしく』は？　死神に惚れたばかりにあやうく命を落としそうになる女の話」

「なんかコメディにするわ」といって話を切り上げ、グァーダループに会いにいったが、不在だった。

「きょうはお休みです」と病棟デスクにいた知らない看護師がいった。「いま流行ってるインフルエンザにかかって」

「まあ。じゃあ伝言をおねがい。彼女が出てきたら、ええ、ミスター・アスピノールの言葉はまだメモをつづけてほしいって」

「伝言を残しておきます」看護師はポストイットのメモ用紙をとってペンを走らせた。途中で顔を上げ、「ええと、ミスター・アスピノールでいいんですか？　彼は――」

「ええ、昏睡状態なのは知ってる。グァーダルーブにそのまま伝えてもらえばわかるわ」

看護師がメモを書いてグァーダルーブの伝言箱にそれを貼るのを見届けてから、コーマ・カールの病室に足を向けた。アスピノール夫人がベッドの横の椅子に腰かけて、ペーパーバックを朗読していた。

「〝これでやつは袋の鼠だ〟バックは手綱を引いて言った。〝あっちには抜けられねえ。たとえアパッチ族の猟師でも、あのへんの谷では道に迷うんだ〟」

ジョアンナはベッドに横たわるカールを見つめた。この二週間で目に見えて状態が悪化している。胸も顔も前以上に落ちくぼみ、肌の色つやも悪くなっている。点滴袋の数が増え、モニター機器の数も増えている。

「ランダー先生！」アスピノール夫人が驚いたように顔を上げ、うれしそうな声でそういって本を閉じた。

「アスピノールさんがどうしてるかと思って、ちょっと寄らせてもらっただけなんです」

「なんとか持ちこたえてますわ」とミセス・アスピノールがいい、彼女もメイジーの母親のように現実を否認しているんだろうかと思ったが、彼女のようすを見れば、そうでないことは一目瞭然だった。夫とおなじように体重を減らし、心労のあとが顔に刻まれている。

「カール？」ミセス・アスピノールが身を乗り出して夫の腕に手を触れた。「カール、ランダー先生が見えたわよ」

「こんにちは、カール」

ミセス・アスピノールが持っていたペーパーバックをナイトスタンドに置いた。カバーは、ギャロップで馬を走らせている男の絵。「声に出して読んであげてたんです。声は聞こえてるって看護師さんがいうから。ほんとにそうだと思う？」

いいえ。ボートデッキの静けさ、手すりの向こうの闇を思い出し、ジョアンナは心の中で首を振った。ティッシュがヘッドフォンをはずし、リチャードが耳元で叫んだとしても、その声は聞こえなかっただろう。

「ときどき、声が聞こえてるような気がするの。でも、ふだんはとてもそんな……それでも、べつに害はありませんから」といって、ジョアンナに笑顔を向ける。

「それに、役立つかもしれませんよ。患者の中には、昏睡状態のあいだも、愛する人の存在を感じていたという報告がありますから」

「だといいんだけど」ミセス・アスピノールは夫の力ない手を握りしめた。「わたしがここにいて、なんでもしてあげるってことを知っててくれたらねえ。なんでも」と語気を強めていう。

ジョアンナはメイジーのことを思った。「わかります」というと、アスピノール夫人はジョアンナの存在を忘れていたというように、ばつの悪い表情を浮かべた。

「カールに会いに来てくださってほんとうにありがとう」といって、また本をとった。

「いいえ、お目にかかれてよかったです、ミセス・アスピノール」とジョアンナはいった。それから、声の聞こえないどこかにいるんだと信じていながらも、「がんばってね、カール」と病人に声をかけた。

来たときとおなじように裏道を使ってオフィスに引き返した。階段室の扉から出るときは、まず細めに開けて外のようすをうかがった。ミスター・マンドレイクの姿はどこにもなかったが、オフィスに着いてみると、留守番電話に三件の伝言が残っていた。それに、ミセス・

トラウトハイムからも一件。やっぱりインフルエンザにはかかっていなかったので、次はいつ行けばいいかという質問。キットからの伝言はなし。

連絡があるんじゃないかと半分期待していたけれど、キットは今夜返事をするといっていたわけだし、もし彼女からの伝言があったとすれば、いちばん可能性が高いのは、ブライアリー先生の具合が悪いからディッシュ・ナイトの参加はキャンセルするという用件だろう。それでもジョアンナは、キットが電話してきて、「タイタニックはバルティック号とフランクフルト号に連絡していたわ」とか「一等ボートデッキにはピンクのランプと薔薇の絨緞があった」といってくれることを心のどこかで期待していたのだった。そうすれば、あれはたしかにタイタニックで、アマルガムなんかじゃないとリチャードを説得できるのに。

だって、あれはタイタニックなんだから。長期記憶から浚渫(しゅんせつ)された船に関連したイメージのごった煮なんかじゃない。タイタニックなのには理由がある。ブライアリー先生は本をぴしゃりと閉じ、それを机に投げ出して、おもむろに口を開き……ジョアンナは留守番電話を見つめながら思い出そうとした。外は霧だった。そう思った瞬間、晴れた雪の日のイメージがだしぬけに浮かんだ。陽光を反射してきらきら光るつらら……

作話しちゃだめ、ときびしく自分をいましめた。方針を変えたほうがいいかもしれない。あの日の出来事を思い出そうとするんじゃなくて、タイタニックについて知っていることを洗いざらい思い出せば、それが記憶のひきがねを引いてくれるかも。

よし、やってみよう。氷山に関する警告のメッセージを何十も受けとっていたのに全速前進をつづけていたこと、一等喫煙室では救命ボートが出てしまったあとものんびりブリッジの勝負をつづけている男たちがいたこと、夫と離れるのを拒んだミセス・シュトラウスのこと、客室に降りて白の胴着と燕尾服に着替えてきたベンジャミン・グッゲンハイムのこと。「最上の服を着て、紳士らしく沈む用意をしている」とグッゲンハイムはいった。それに、タイタニックが送ったモールス灯の信号を見ず、打ち上げられた信号弾(ロケット)を目にしながらそれが救難信号だと気づかなかったカリフォルニアン号のこと――

「ドクター・ランダー?」ティッシュがドアをノックした。「ドクター・ライトからの伝言で、セッションの準備ができたって」

「もう?」ジョアンナは腕時計に目をやった。なんてこと。もう十時近い。「ごめん。すぐ行く」と返事をして、小型レコーダーと新しいカセットテープとノートを大あわてで準備した。「ミスター・セイジはもう来てるの?」

「ええ。いつものようにおしゃべり」

ジョアンナはくすっと笑ってドアを閉め、万一ミスター・マンドレイクが侵入を企てたときの用心にロックした。ティッシュといっしょに研究室へ向かう。

「まあすくなくともミスター・セイジは、わたしの知ってるだれかさんみたいに、頭の中をRIPTスキャンでいっぱいにしてるわけじゃないわ」とティッシュは皮肉っぽくいった。

「それに、こっちが話しかければ、ちゃんと耳を貸してくれるしね。わざわざ呼びにきたのは」と内緒話をするように耳に口を寄せて、「ドクター・ライトのことはすっぱりあきらめましたって伝えるため。あとはご自由にどうぞ」

「あの人なら、わたしにだって耳を貸さないわよ」タコ・ピエールでのやりとりを思い出しながらジョアンナは答えた。

「四六時中、NDEのことしか頭にないせいよ。ほんとに四六時中。トミー・リー・ジョーンズの映画をレンタルしたっていったとき、彼、なんと答えたと思う？　ほら、あなたと話してた例の新作？」

あなたが話してた映画でしょ。

「ステーキ肉とサラダも買ってあるっていったのよ。そしたら、今夜は忙しいからだめだって。たぶん、スキャンを見つめる用事ね」

ディッシュ・ナイトのことは黙っていたほうがよさそうだ。

「あのスキャンに完璧にとりつかれちゃってる。あれを見てないとNDEが現実だと信じはじめちゃうのよ、ミスター・マンドレイクみたいに」

「そんな日が来るとは思えないけど」といいながら、ジョアンナは研究室に入った。

リチャードはモニターの前で、頬づえをついてスキャンを見つめていた。〝ほ・ら・ね〟とティッシュがこちらに口だけを動かしていう。

ジョアンナは、ミスター・セイジが患者用ガウン姿で腰を下ろしている検査台に歩み寄った。

「おはようございます、ミスター・セイジ。調子はどうかしら」

ミスター・セイジはたっぷり四十秒間この質問について考慮してから、「まあまあだ」と答えた。ティッシュが意味ありげな視線をこちらに向けてきた。

まあすくなくとも、彼の話は記録するのに時間がかからないわね。そう思いながら、ティッシュが準備するのを見守った。セッションに十分、暗かったという情報を引き出すのにもう十五分か。

予想ははずれた。ノンREM睡眠から二分四十秒後、彼はNDE状態に入った。そしてそのままNDEがつづいた。

十分後、リチャードがたずねた。「前回、彼はどのぐらい潜ってた?」

「二分十九秒」とジョアンナは答えた。

「ティッシュ、バイタルは?」

「問題ありません。脈拍六十五、血圧は百十の七十」

一分後、リチャードがまたたずねた。「いまのバイタルは?」

「変化なし。脈拍六十五、血圧は百十の七十。ノンREM睡眠ですか?」

「いや」リチャードが困惑した口調で答えた。「まだNDE状態にある。ジテタミンを止めよう」

ティッシュがジテタミン投与を中止したが、なにも変わらない。十分後、ミスター・セイジはまだNDE状態にあった。

「なにか問題でも?」

「いや。心電図(EKG)もバイタルも正常だし、スキャン・パターンにもまったく異状はない。ND

Eが長いだけだ」

　ジョアンナはミスター・セイジを見下ろした。トンネルか通路か、とにかく彼の帰り道を見つけられずにいるんだとしたら？　通ってきた扉か門か柵にテニス靴をはさんでくるのを忘れ、それがばたんと閉まってロックされてしまったのだとしたら？

　セッション開始から二十八分十四秒後、リチャードが、「よし、もういいかげん長すぎる」といって、ノルエピネフリンを投与して覚醒させるようティッシュに指示した。

「ひとついいことがあるとすれば」スキャンのパターンがついにノンREM睡眠へ、つづいて覚醒状態へと移行するのを見守りながら、リチャードがいった。「今度はミスター・セイジもたっぷりしゃべることがありそうだってことだね」

　しかし、覚醒したミスター・セイジはいつもと変わらず寡黙だった。

「暗かった……」といってから、長い長い間を置いて、「それから明るくなって……それからまた暗くなった」

「今回はいままでより長かった？」とジョアンナはたずねた。

「長かったって？」

　このうすのろめ。心の中で罵倒しつつも辛抱強く質問を重ねた。「ええ。いままでより長い時間が経過したように感じましたか？」

「いつ？」

「闇の中にいたとき」と説明したが、ミスター・セイジのとまどい顔を見て、「あるいは光の中にいたとき」

「いや」

「いままでとおなじ場所でしたか？」

「場所？」

それから二時間半かけて、なんらかの有益な情報を引き出そうと奮闘したが、成果はなかった。

まあすくなくとも、臨死体験談をタイプするのに時間はかからないし、ひとっ走りブロックバスターまで行ってビデオを借りてくる時間はあるだろう。しかし、タイプし終えた記録を研究室に届けると、過去のNDE面接から時間経過に関する言及すべてと（もし記載があれば）その患者が臨床的に死亡していた実時間とをファイルにまとめてほしいとリチャードから頼まれて、その作業に午後いっぱいかかった。まだ終わらないうちにリチャードがオフィスのドアをノックして顔を出し、

「今夜のディッシュ・ナイトには行けそうもない。まだミスター・セイジのスキャンの分析が終わってないし、神経伝達物質の分析も残ってるから」

「いま何時？」ジョアンナは腕時計に目をやった。「まあ、もう六時十五分前じゃない」あわてて作業中のファイルを保存して、コートをひっつかんだ。六時半にはキットを迎えに行く約束だ。それにまだビデオをレンタルしていない。

「ヴィエルに謝っといて。この次はたぶん」とリチャードがいうのを聞きながらキーを手探

りした。

「了解」と返事をしてからブロックバスターに急行した。駐車場に車を入れながら今後の手順を考える。よし、あとは店の中に入って映画を二本借りてキットを迎えにいくだけ。言うはやすく行なうは難し。『グローリー』はレンタル中だし、『ジャンピン・ジャック・フラッシュ』も右におなじ。タイトルを見ながら通路を歩いたが、最初に手にとったのはウディ・アレン映画だし、次のはケヴィン・コスナー主演。ほかのはみんな折り紙つきの駄作に見えてしまう。

「お探しのものは見つかりました？」青と黄色のシャツを着た背の低い若者がたずねた。

いいえ。大階段はどこにあるか知ってる？　あるいは、なぜわたしがタイタニックを見るか？

「いいコメディ映画はないかしら」

「ありますとも」と、店員は自信たっぷりの足どりで新作コーナーに歩いていって、ロビン・ウィリアムズがピエロの扮装で写っているパッケージを手にとった。「『ダイ・ラーフィング』。心臓病で死にかけてる男の話です」ジョアンナは首を振った。「じゃあこれは？『ミッシング・リンク』。自分がどこのだれなのかも知らない記憶喪失の男が主人公のコメディで――」

「ジュリア・ロバーツのは？　ジュリア・ロバーツが出てるやつない？」

「もちろんありますよ」店員は《ドラマ》コーナーに足を向けた。「『愛の選択』。ジュリア

・ロバーツとキャンベル・スコット。白血病で死にかけている男を看護する若い女が主役で――」
「ジュリア・ロバーツのコメディってことよ」とジョアンナは絶望的な気分でいった。

店員はむずかしい顔になった。「うーん、新作はみんなレンタル中だし。『プリティ・ブライド』はどうすかね」

「それでいいわ」青と黄色の箱を店員からひったくり、カウンターのほうに行きかけた店員の背中に向かって、「これ、だれも死なない？ 記憶喪失も出てこないわね？」

店員はうなずいた。

「じゃあ、これにする」といってジョアンナはブロックバスターの会員証を探した。ディッシュ・ナイトは二本立てが原則だが、もう一ラウンドいまの騒ぎをくりかえすのはまっぴらだ。一本で間に合わせるしかない。

それに、時間もなかった。六時半に迎えにいく約束なのに、もう六時二十五分。背の低い店員がさしだした手から『プリティ・ブライド』をひったくり、自分が遅刻したばっかりにキットが決意を翻していないことを祈ったが、キットはコートを着込んで玄関の前で待っていた。

「こんばんは。さあ、入って。出かける準備はすぐできるから」

「どこへ行く？」ブライアリー先生が書斎から鋭い口調でたずねた。

「出かけるのよ、パット伯父さん」とキットが返事をした。「ジョアンナと。映画を観にいくの」

「ごめんなさい」とジョアンナはささやいた。「車で待ってたほうがよかった？」

キットは首を振り、「出かけるところを見られないようにこっそり抜け出したこともあるんだけど」とささやき声で答えた。「そのほうが悪い結果になるの。入って。介護の人に伝えなきゃいけないことがあって。それと、あなたの質問の答えもいくつか見つけたわ」

キットに案内されて書斎に入った。ブライアリー先生は、ダークレッドの革張りの椅子に腰を下ろし、本を読んでいた。ふたりが入っていっても目を上げようとしない。

シャツブラウスを着た銀髪の女性がカウチにすわっていた。どことなくミセス・トラウトハイムを思わせる雰囲気で、おなじように気さくで実際的な〝なにがあっても生き延びる〟タイプに見える。おまけに、彼女のトートバッグには、オリーブグリーンと鮮やかな紫の編み物。どういうこと？　かぎ針編みをする人はみんな自動的に色覚異常になっちゃうんだろうか。

「ええと、ミセス・グレイ、これがわたしの携帯の番号です」とキットがその女性に向かっていった。「自分のを買うまでのあいだ、従兄弟のを借りたの」とジョアンナに説明する。

「たしかに」とミセス・グレイはそのメモをブラウスの胸ポケットにしまった。

「念のためにヴィエルの家の電話番号も伝えとく？」とたずねるとキットがうなずいたので、ジョアンナは番号をミセス・グレイに教えた。

「なにかあったら電話してくださいね」とキットが心配そうにいった。「ほんのちょっとしたことでも」

「電話しますよ」といいながらミセス・グレイは編み物をとりだした。「さあさあ、行ってらっしゃい。ご心配なく楽しんできて。ここはあたしがちゃんと面倒をみてますから」

「行く?」ブライアリー先生が読んでいたページに親指をはさんで本を閉じた。「どこへ行く?」

「出かけるのよ、パット伯父さん」とキットが答えた。「映画を観にいくの。ジョアンナ・ランダーといっしょに」と身振りでジョアンナを示す。

ブライアリー先生はだれだかわかっていないようだった。

「伯父さんの生徒だった人よ、ドライクリークで。わたしたち、映画を観にいくの」

何度もデッキから歩み去ってゆくスチュワード、何度もくりかえし「寒くてたまらない」とつぶやく若い女性のことが頭に浮かんだ。アルツハイマー病を患うというのは、そういうものなのだろうか。幻覚の中に、夢の中に閉じ込められて、おなじせりふ、おなじしぐさを何度も何度もくりかえす? それにキットは? キットもまた、際限なくくりかえされる悪夢の中に閉じ込められている。しかし、キットがブライアリー先生におだやかに返事をし、愛情をこめて腕をたたくしぐさからは、とてもそうは見えなかった。

「ケヴィンはどうした?」とブライアリー先生がたずねた。「ケヴィンもいっしょなのか?」

「いいえ、パット伯父さん」キットがジョアンナのほうを向いた。「もう出られる? あ、待って、行く前に見てほしい本があるんだった」といってキットは二階に駆け上った。

〝行く〟という言葉が出た瞬間、思わず心配になってブライアリー先生のほうを見てしまったが、彼はもう読書を再開していた。キットが教科書を二冊持って降りてきた。

「どっちもちがうと思うけど」といいながらそれをさしだし、「でもせっかく来てくれたついでに――」

どちらもちがうことはひとめ見るだけでわかった。

「まあ、だめでもともとだから」キットは二階に本をもどしにいき、携帯電話片手に降りてきた。「これでよし、と。じゃあね、パット伯父さん」と頬にキスをする。

『老水夫行』は、一般にそう教えられているのとは反対に、直喩や踏韻や声喩法に関する詩ではない」ブライアリー先生が二限の英語の授業のような口調でいった。「そしてまた、あほうどりや、妙な綴りかたをした単語に関する詩でもない。『老水夫行』は死と絶望、そして再生に関する詩だ」立ち上がって窓辺に歩み寄り、カーテンを引いて外を見た。「ケヴィンはどこだ？　もう着いてもいいころだが」

キットがそばに歩み寄り、もとの椅子にすわらせた。「すぐもどるから」とキットはいった。

ブライアリー先生が無邪気に顔を上げた。「どこへ行く？」

「ジョアンナと出かけるの。いっしょに映画を観にいくのよ」キットは、満足げに編み物をつづけているミセス・グレイに向かって携帯電話をかざし、「電話してくださいね」

「出かけるときはいつもあんなふうなの？」車に乗ってから、ジョアンナはたずねた。

「だいたいは」キットが携帯電話の電源を入れた。「これってすごい名案。これがあれば、ミセス・グレイが連絡しようとしてるのにそれを知らずにいるんじゃないかって心配せずに済むもの」

カリフォルニアン号みたいに。反射的にそう考えてから、答えが見つかったとさっきキットがいっていたのを思い出した。どうやってその話題を持ち出したものだろう。いまたずねたら、情報を引き出すためだけにディッシュ・ナイトに招待したように聞こえかねない。でも、待っていたら、映画を観ている最中にヴィエルの前でキットがその話をはじめるかもしれない。ヴィエルはもうとっくに疑いはじめているのに。

いまたずねてしまったほうがいい。でも、せめてなにか糸口ぐらいは必要だ。「あなたが来ることになってほんとにうれしいわ、キット」

「わたしもよ」キットはコートのポケットに手を入れて、折り畳んだ紙をとりだした。「オーケイ、まずモールス灯ね。タイタニックは、カリフォルニアン号に救難信号を送るために、たしかにモールス灯を使ってた。場所はポート・ブリッジ・ウィングだって。『図説タイタニック』によると、それはブリッジのすぐ正面、左のほうみたい。調べなきゃいけなかったわ」とにっこりして、「どっちが左舷（ポート）でどっちが右舷（スターボード）だか、いつもわかんなくなっちゃう。ポートは船首に向かって左側。スターボードは右側」

ブリッジの正面で、左手のほう。あのふたりが立って、ランタンで信号を送っていた場所だ。「モールス灯がどんなものだったか書いてあった？」

キットは首を振った。

「残念ながら、『図説タイタニック』なんて名前がついてるくせに、挿画も説明もぜんぜんないの。ほかのも調べてみるね。ええと次は、タイタニックが連絡をとろうとした船だけど、ぜんぶリストアップできたかどうか自信がない。無線に関する記述はあちこちに散らばってるし、本の半数には索引がないから、これでぜんぶかどうかわからないんだけど、でもとにかく見つかったのは……」車が通り越してゆく街灯の光に照らしてキットは紙を読んだ。「……ヴァージニアン号、カルパチア号――じっさいに救助に来た船ね――ビルマ号、オリンピック号」

ヴァージニアン、カルパチア、ビルマ、オリンピック。バルティック号もフランクフルト号もなしか。でも、無線に関する記述はあちこちに散らばっているとキットもいっていたし、タイタニックが何十隻もの船に無電を送った可能性もある。本は、救助に来られる範囲にいた船や応答のあった船の名前しか言及していないのかもしれない。あの士官は、フランクフルト号が応答しないといっていた。

「それにもちろんカリフォルニアン号」とキットがいった。「でも、〝連絡した〟っていったでしょ。タイタニックはけっきょくカリフォルニアン号と連絡をつけられなかった。カリフォルニアン号の無線技師が、タイタニックが最初のＳＯＳを送信する五分前に無線を切って寝床に引き上げたって知ってた？」

ジョアンナは思わず吹き出した。

「なに？　わたし、なんかへんなこといった？」

「そうじゃないの、知り合いの子と口調があんまりそっくりだったもんだから。その女の子、いつも〝……って知ってた？〟ってたずねるのが口ぐせで」

「あなたの患者？」

「のようなものね。一等の食堂に関してはなにかわかった？」

「一等ダイニング・サロンね」とキットが訂正した。「ええ、山ほど記述があった。それは……」とまた街灯の光でメモを読み、「〝イングランドのハッドン・ホールを手本にした豪奢なダイニング・ルームで、ジェイムズ一世朝（ジャコビアン）様式の装飾が特徴〟」

ジャコビアン。ジェイムズ一世時代風の家具がどんなものなのか見当もつかない。

ヴィエルのマンションの駐車場に車を入れ、ヘッドライトを消してから、「さて、ひとつだけ警告」と、ジョアンナはいった。「ディッシュ・ナイトには、仕事の話をしちゃいけないってルールがあるの。だから、この話のつづきは帰り道で聞かせて」

「了解。でも、ダイニング・サロンの話だけはあともうちょっとだから」

ジョアンナはうなずき、ルームライトをつけた。

「船の中央、大階段のとなりのサロンデッキに位置していたの。長さ百十四フィートで、一度に五百人の乗客が着席できた。白塗りで、中央に白い柱の列が二列。椅子とテーブルは黒のオーク材、椅子はダークグリーンのびろうど張りで、頭台には白百合の刺繍があった」キットは紙をもとどおり畳んでコートのポケットにしまった。「エンジンの停止についてわかったことは帰り道に話すわね」とキットはいったけれど、それを聞くまでもなかった。

リチャードのいうとおりだった。あれはタイタニックじゃない。

28

「SOS。すぐ来てくれ――傾き大――キンセール湾オールド岬の南、十海里――SOS」

――第一次大戦中、ドイツ軍に撃沈された英国客船ルシタニア号からの無電

ジョアンナが連れてきたキットを見て、ヴィエルはかんかんになった。

「頭がおかしいんじゃないの」キットがポップコーンを持ってリビングルームのほうに行った隙に、ジョアンナの耳元でそうささやいた。「あんな女をリチャードに近づけるなんて。目玉ついてる？　あの子は美人だし、男はああいう、かよわくて守ってあげたくなるタイプに弱いのよ。リチャードが彼女をひとめ見たら、あんたのチャンスはゼロ」

「リチャードは来られないの」とジョアンナはいった。「きょうの午後のセッションで問題があって、それで彼は――」

「どういう問題？」間髪をいれずにヴィエルがたずねた。「だれのセッション？　あんた

の？」

「ディッシュ・ナイトのルールその一、仕事の話は禁止。キットにも教えといた」

「だから連れてきたわけ？　あたしに尋問されない防波堤？　プロジェクトの件とか、大嫌いな映画にとつぜん興味を示したのはなぜかとか、知りたいならどうして自分でビデオを借りて——」ヴィエルが口をつぐんだ。キットが携帯電話のボタンをためつすがめつしながらキッチンにやってきた。

「電源が入ってるだけじゃなくて、ちゃんと受信できるってどうしてわかるの？」

ヴィエルが携帯を見やり、「だいじょうぶよ。電話して伯父さんのようすをたしかめる？」

「いいえ、それはいいの。ミセス・グレイにはここの電話番号を教えてあるし。ちょっと神経質になってるだけ。わたしが留守だと、たまに混乱しちゃうことがあって」キットはジョアンナのほうを向いた。「ごめんなさい。ディッシュ・ナイトでこういう話をしちゃいけないんだっけ。なんの話をするの？」

「映画の話」とジョアンナ。「といっても、きょうは一本しかないけど。ブロックバスターでいいのが見つからなくて。『グローリー』はレンタル中だった。『ジャンピン・ジャック・フラッシュ』もね」ジョアンナはビデオをヴィエルにさしだし、「コメディよ。ジュリア・ロバーツの」

「『プリティ・ブライド』」とヴィエルがビデオのタイトルを読み上げる。

「花嫁（ブライド）？」とキット。

「見たことある？」とヴィエル。

「いいえ」とキットは答えたが、ほんとうの気持ちを隠すために嘘をついているような気がした。頬が紅くなっている。「この何年か、映画は一本も観てないの。でも『プリティ・ウーマン』のジュリア・ロバーツはよかったわ。それに『フラットライナーズ』も」

「ただし『フラットライナーズ』のジュリア・ロバーツは、自分の命を無駄に危険にさらすけどね」とヴィエルがジョアンナのほうを意味ありげに見た。

「そしてキーファー・サザーランドと結ばれる」とジョアンナは軽口で応じた。「ケヴィン・ベーコンのほうがずっとハンサムだと思うけど」ヴィエルの手からビデオをとってデッキにセットし、テレビの電源を入れて、「こっちにはリチャード・ギアが出てるわ。じゃ、さっさと幕を開けましょう。キットはあんまり遅くなりたくないだろうし」といったとき、携帯電話が鳴り出した。

キットが携帯にとびついた。「もしもし？」と心配そうに電話に出たあと、こちらをふりかえって、「ミセス・グレイだった」

「なんなら寝室を使って」ヴィエルがそう声をかけると、キットは感謝するようにうなずいた。ヴィエルが電話中のキットを寝室に導いてドアを閉めた。

「ブライアリー先生が騒ぎ出して、やっぱり家に帰らなきゃいけないとかいうことじゃなきゃいいけど。彼女、すごく楽しみにしてたのよ」

「話をそらすな」とヴィエルが一喝する。「きょうのセッションに問題があったって？　だれの？」

「わたしじゃないって」ジョアンナが答えると、ヴィエルはたちまちほっとした顔になった。

「それに、〝問題〟なんていったわたしが悪かったわ。なにかまずいことが起きたわけじゃないもの」と、寝室のドアのほうを見ながらいった。

「じゃあ、あんたのセッションはどうなの？　そっちのほうも、まずいことはなんにも起きてないっていうつもり？」

「どういう意味よ」

「幽霊みたいに真っ白な顔でERに駆けつけて、『タイタニック』にエンジンが止まる場面があるかとたずねたあげく、その答えを突き止めて教えてやったときには全然なんの興味も示さずに、あたしがだれかにしゃべったんじゃないかとそればかり心配していた。それに、小児科のバーバラに聞いたんだけど、あんた、その前の晩、五階の連絡通路に幽霊見たみたいな顔で突っ立ってたんだって？」

もちろん。古きよきゴシップ・ジェネラル。だからこそ、ヴィエルにほんとうのことを打ち明けるわけにはいかない。マーシー・ジェネラルの辞書に秘密という文字は存在しないのだから。

「メイジー・ネリスが心停止したって聞かされた直後の話だっていうのもちゃんと聞いたの？」

「バーバラは、あんたのことが心配だっていってた。あたしも心配。プロジェクトがらみでしょ。NDEでなんかへんなものを見てる。タイタニックを見てるんじゃないの？」

いいえ、とジョアンナは思った。どうもそうじゃないらしい。「いいえ。タイタニックなんか見てない」

「じゃあ、なにを見てるの？」

「わからない。なんていうか――」

ドアが開き、キットが満面の笑顔で出てきた。「通じるかどうか、試しに電話してみただけだって。そのほうがこっちも安心だし、それにパット伯父さんのようすも教えてくれた」

「どうだった？」

「そんなに悪くない。ずっと窓越しにわたしを捜して、どこへ行ったのかと質問してるって」

ミセス・トラウトハイムのそっくりさんなら、そんなことをキットにいわないだけの分別があるだろうに。心配させるだけだ。そう思ったのが表情に出てしまったらしく、キットがいった。「ぜんぜんなんの問題もないっていわれたら、きっと信じなかったと思う。ほんとうのことをいってほしかったのよ」

メイジーみたいだ。三人そろってカウチに腰をすえて『プリティ・ブライド』を観はじめたとき、外見もメイジーに似ていることに気がついた。ブロンドのショートヘアに細い腕と肩。でもそれだけじゃない。キットにはメイジーの勇気、メイジーの魅力、メイジーの真剣さがある。キットは、映画のあとにブライアリー先生の悪名高い期末試験が待ちかまえているんじゃないかというような真剣さで、食い入るように画面を見つめていた。

反対にジョアンナのほうは、心があらぬかたをさまよっていた。もしタイタニックじゃないとしたら、いったいなんだろう。船や船に関連したイメージのアマルガム、とリチャードはいった。船に関連したイメージってなによ。わたしは海なし州の育ちだし、生まれてから一度も船に乗ったことがないのに。

ジョアンナは映画に集中しようとした。リチャード・ギアは、くすくす笑ってばかりの女たちに紹介される。「ベティ・トラウトよ」と女たちのひとりがいうのを聞いて思い出した。ベティ・ピータースンだ。二限の英語でとなりの席だった。彼女は優等生だったから、きっと教科書のタイトルを覚えてるはず。ブライアリー先生がいったことだって覚えているかもしれない。でもあれはタイタニックじゃない。だから、わたしが見ているものとブライアリー先生は無関係で……。

「不公平だね」とヴィエルがいった。

「なにが？」ジョアンナははっとわれに返った。

「あれ」リチャード・ギアがジュリア・ロバーツにキスしている画面を指さして、「彼女は五人のゴージャスな男からよりどりみどりなのに、あたしにはひとりもいないなんて。エンバーミング専門家のハーヴィを勘定に入れればべつだけどさ」

キットはポップコーンを口に運びかけていた手を途中で止めて、「エンバーミング専門家？」

「ええ。おまけに才気煥発な会話の達人」とヴィエル。「死体の歯をぴかぴかの真っ白にするにはコルゲートのエージャックスがいちばんだって知ってた？」

「エージャックス？」キットはポップコーンをナプキンの上にもどした。

「ルールその十八。ディッシュ・ナイトでエンバーミング技法の話は禁止」ジョアンナはポップコーンに手をのばし、「デンゼル捜査官はどうしたのよ」といってから、「ヴィエルはデンゼル・ワシントンそっくりの警察官と出会ったの」とキットに説明した。

「だがしかし、不幸な彼女は、彼ともう一度出会うすべを知らないのであった」とヴィエルがナレーションをつける。「ま、運がよければ、またローグ中毒のバカがＥＲで銃をぶっ放すかもしれないけど」といったとたんに、しまったという顔になる。

「ヴィエルはＥＲ勤務なの」とジョアンナはキットに解説した。「病院でいちばん危険な部署。転属しろと口をすっぱくしていってるんだけど――」

「で、あたしのほうはジョアンナに口をすっぱくして『フラットライナーズ』ごっこをやめろといってるわけ」

「フラットライナーズごっこ？」

「わたしがドクター・ライトとやってる研究プロジェクトのこと。でも『フラットライナーズ』とはぜんぜん似てない」

「あんたが臨死体験してること以外はね」

「あれは薬剤が誘発する幻覚だし、百パーセント安全。ＥＲといっしょにしないでちょうだい。ピストルだのナイフだの——」

「ルールその一」といって、ヴィエルがキス・シーンまでビデオを巻きもどした。「仕事の話は禁止。だよね、ジョアンナ？」

「ええ。ねえ、キット、ジュリア・ロバーツのウェディング・ドレスでどれがいちばん好き？」とジョアンナは話題を変えた。

「さあ」キットは身を乗り出してテーブルに置いた携帯の画面を確認してから、「どれもみんなきれい」

「裳裾のついてるやつ」とヴィエルがいった。「どうせなら、ああいういかにもってドレスがいいな。それにフルセットの盛大な結婚式。新婦付き添い(ブライズメイド)とか花束とかそういうのぜんぶつけて。警察官って結婚式も制服？」

「軍人じゃないんだから」とキットが笑う。

「それに、とらぬ狸の皮算用もいいところね」とジョアンナ。「まだ彼の名前も知らないくせに。教会に連れてくるまでにはまだいろんな障害がある。でしょ、キット？」

「伯父さんがだいじょうぶかどうか電話してみる」といってキットが立ち上がった。

「電話したら、かえって動揺させちゃうっていわなかった？」

「そうなんだけど……」キットはためらうような表情になる。

「帰りたい？」

「ううん、だいじょうぶ」キットはまた腰を下ろした。「きっとだいじょうぶ。それに、なにかあったら電話するっていってくれてたし」

しかし、映画が終わるなり、キットは帰るといいはった。

「すごく楽しかった。でもそんなに長く留守にしないほうがいいと思う。もっとゆっくりしたいけど」

「また来ればいいわ」とヴィエル。「今度は仕事の話をしないって約束するから」

「それにエンバーミングの話もね」とジョアンナがいうのを聞いてキットはにっこりしたが、ふたりで車に乗り込むと真顔になり、「質問があるの」といった。

「エンバーミングについて？」ジョアンナはエンジンをかけた。

「いいえ、あなたの研究プロジェクトのこと。さしつかえなければだけど。つまり、仕事の話についてはルールがあるんでしょ」

「ぜんぜん守ってなかったけどね」駐車場から車を出しながら、「それにディッシュ・ナイトはもう終わっている」キットの家に向かって車を走らせる道中、プロジェクトについて簡単に説明した。「『フラットライナーズ』とはちがうのよ、そういうことが聞きたいなら」

「ううん」まるまる一ブロック走るあいだ、キットは黙り込んだ。それから、信号で車がとまったとき、「そのプロジェクトとタイタニックはどんな関係があるの？　臨死体験中に自分が見てるのがタイタニックだと思ってるの？」とたずねた。

答える必要はない。プロジェクトの内容は極秘だといえばいい。でも、メイジーとおなじように、キットはもう勘づいているし、メイジーとおなじように、率直な答えを返すに値する相手だ。ヴィエルみたいに、ノーと答えられる質問をしてくれればよかったのに。でも、わたしはたしかに、あれがタイタニックだと思っている。一等ダイニング・サロンの内装の色がちがうことや、士官が口にした船の名前がちがうことにもかかわらず。そしてそれは、ブライアリー先生がいったことと関係がある。それがなんなのかを突き止める唯一の希望が、ブライアリー先生とキットなのだ。

「ええ、わたしは自分が見てるのがタイタニックだと思ってる」ジョアンナがそう答えると、キットは息を呑んだ。「でも、確信が持てないの。たしかめるために自分でタイタニックの本を読んだら――」

「本を読んだせいでそれを見るのか、判断がつかなくなるわけね。タイタニック……」とキットはつぶやくようにいった。「なんて恐ろしい」

「ほんとのタイタニックじゃないの。この幻覚はすごく変わってる。完璧にリアルに感じるんだけど、それと同時に、現実じゃないことがわかる」キットの顔を見やり、「伯父さんが見てる幻覚もそれと関係があるんじゃないかと思ってるんでしょ。これは、機能障害を起こした脳が通常生み出す幻覚とはちがうのよ。ほとんどの人は、あたたかくてふわふわした感覚を抱き、光や天使を見る。だからブライアリー先生に、英語の授業でなにをいったのかを質問しにいったわけ。それがＮＤＥ中に起きていることと関係があるような気がするから。その関連性が、わたしの風変わりな幻覚のひきがねを引いてるんだと思うから」

「でもパット伯父さんはタイタニックの専門家よ。伯父さんだっておなじような関連づけをするんじゃない？」

「かならずしもそうとはかぎらないわ」ジョアンナはアセチルコリンや脳の連想機能の増大について説明した。「ドクター・ライトは、わたしの長期記憶からランダムに引き出されたイメージの集合だと考えているけど、わたしはこのビジョンに理由があると信じてる。タイタニックはなにかをあらわしてるのよ。もしこんなことにはこれ以上関わりたくないと思うなら、気持ちはよくわかるわ。自分で説明してててもいかれてると思うし、あなたに頼める義理じゃない。ブライアリー先生を悩ます義理でもない」

　ほんとうのことを打ち明けてほっとした。関わり合いになりたくないといわれたり、NDE狂人を見るような目で見られたとしても、このほうがよかった。

　しかし、キットの反応はどちらでもなかった。

「パット伯父さんは喜んであなたの力になろうとしたはずよ。でも、いまの伯父さんには無理だから、わたしがかわりに手伝いたい。それで思い出したけど、エンジンが止まる話がまだだったわね。あなたがいってた場面は見つかったと思う。ウォルター・ロードの『タイタニック号の最期』に出てくるの。エンジンのハム音が止まったのに気づいて、乗客がデッキにようすを見にいく――待って」とキットがコートのポケットを手探りした。「その箇所を朗読しようと思って本を持ってきた――」

　キットがペーパーバック本をとりだし、ジョアンナはルームライトをつけてから、光を背にしたキットの姿がブライアリー先生に見えるんじゃないかと、家のほうに不安な視線を投げた。

「ここだ…… "ただあてもなくそのへんを歩き回ったり、手すりのそばに立って、事件の糸口でも探ろうとして、空漠たるやみの中に目をすえて見たりした"」とキットが朗読し、ジョアンナはその本に目を向けた。

古いペーパーバックだった。あちこちページの隅が折ってあり、すっかり手ずれしている。カバーは、メイジーの本とおなじタイタニックの絵。船尾を海の上に突き出し、手前の救命ボート群をぎっしり埋めた人々は、毛布を体に巻きつけ、恐怖の目でそれを見つめている。タイタニックに関するあらゆる本に載っている有名なイラストだ。ただし、このペーパーバックでは、赤を基調にして印刷されているため、地獄の情景のように見える。海は血の赤、船はワイン色、巨大な煙突は赤黒い。

ブライアリー先生がこの本を手に、ある一節を朗読したり、要点を力説したりするのを何十回も見た。二限の英語の教科書とおなじぐらい見慣れた本だ。しかし、ジョアンナが見つめているのはそのせいではなかった。あの日、この本がブライアリー先生の手の中にあった。先生がぴしゃりと閉じて机に投げ出したのはこの本だ。『タイタニック号の最期』だったのだ。

しかし、教科書もあった。青のカバーと金のタイトル文字が目に浮かぶ。それに、ペーパーバックは閉じるときにぴしゃりと音がしないし、投げ出しても、どしんと音がすることはない。それでもやっぱり、あれはこの本だった。

「〝……着ているものといえば、バスローブあり、イヴニング・クローズあり、そうかと思うと毛皮のコート、徳利スエーターというように、珍妙な色どりだった――〟」

「キット」ジョアンナは朗読をさえぎった。「タイタニックの船内食堂は一等ダイニング・サロンだけ？」いや、もちろんそんなはずはない。二等にも三等にも食堂があったはず。でも、あそこには銀の食器とクリスタルのシャンデリア、それにグランドピアノがあった。ということは一等だ。「つまり、一等の食堂は？」

「ううん。もっと小さいレストランがいくつかある。パーム・コート、ヴェランダ・カフェ――」

「階段は？　階段も複数あったのかしら」

「乗客用、それとも乗員用？」

「乗客用」

「すくなくともふたつあったのはたしかね」キットはペーパーバックのうしろのほうのページを開き、「それにたぶん――ちぇ、これも索引がついてないやつか。ちょっと家にもどって――」

「ううん、いいの。いますぐ知りたいわけじゃないから。わかったら電話して」

「階段がいくつあったかと、食堂がいくつあったか？」

「ええ。とくに知りたいのは、板張りに薔薇色の絨緞敷きで薔薇模様の椅子がある食堂があったかどうか」

「それと、タイタニックが連絡しようとしたほかの船の名前」

ジョアンナはうなずいた。バルティック号とフランクフルト号の名前がきっと見つかる。そう思いながら、キットが今夜の礼とおやすみなさいのあいさつを告げるのを頭の片隅で聞いていた。ベティ・ピータースンの名前を電話帳で調べよう。載ってなかったら、あしたネットで検索しよう。

ベティ・ピータースンの名前は電話帳に出ていた。住所はいまもエングルウッドで、翌朝オフィスから電話してみると、ひさしぶりにジョアンナの声を聞いて大喜びの口調だった。

教科書の名前を覚えているかたずねた。

「覚えてるはずなんだけど。表紙が青で、文字が金色だった。Mではじまるタイトルで、〝と〟が入ってたのは覚えてる。『Mなんとかとかんとか』」

しかし、タイタニックに関する質問には、「あの授業で覚えてるのは、期末レポートの脚注を四回も書き直しさせられたことだけ。どうして先生に聞かないの？」

アルツハイマー病なんだと説明した。

「ああ、そうだった。そんな話を聞いたような気がする。なんてかわいそう」

「あの授業をほかにだれが受けてたか覚えてる？」

「ええと、あのクラスね……」ベティはしばし間を置いて、「リッキー・インマン。彼、株屋になってるって知ってた？　想像できる？」とても想像できないと答えた。「ジョン・ファーガスン。だめ、彼はいま日本だから。メリッサ・テイラーは？」メリッサ・テイラーは有望そうだ。

「キャンディ・シモンズは？」とジョアンナはこっちからたずねてみた。「しょっちゅう髪を梳かしてたから、ラプンツェルって呼ばれてた子。いまどこにいるか知ってる？」

「まあ、ジョアンナ」ベティがびっくりしたような口調でいった。「知らなかったのね。彼女、二年前に死んだわ。子宮癌で」

「……知らなかった」

ブロンドの長い髪をいつまでもはてしなく梳っていたキャンディの姿が目に浮かぶ。あの長い髪も化学療法の副作用で抜けてしまったんだろうかと考えてぞっとした。

ベティは二限の英語クラスとは関係のない同級生たちの消息や自分自身の身の上話でおしゃべりをつづけている。ベティはコンピュータ会社に就職し、結婚していまは三人の子持ちだという。

「あなたがまだ結婚してないなんて信じられない」とヴィエルそっくりの口調でいうベティに、ジョアンナはもう電話を切らなければならないと断って、「なにか思い出したときのために」電話番号を伝えた。

「そうする」とベティは約束した。「あ、待って。あの教科書でひとつ思い出した。表紙はエリザベス女王の絵だったわ。例のひだひだの襟の服を着てるやつ」

エリザベス女王？　船じゃなくて？　「たしか？」

「ぜったい。だって、リッキー・インマンがそのエリザベス女王の顔に眼鏡と口ひげを落書きしてたの覚えてるもの」

いわれてみれば、なんとなく覚えているような気もする。でも、船のことも覚えている。昼食後に電話したメリッサ・テイラーも同様だった。この事実が証明するのは？　人間の記憶がまったくあてにならないこと。

ポケットベルが鳴り、病院の交換に電話してみると、相手はヴィエルで、伝言は「例のアレがあるわよ」。NDE？　それともまた新しい質問？　たぶんその両方だろうと考えて、ERに降りていくかわりに電話することにした。電話なら、ヴィエルの尋問がはじまったら切ってしまえばいい。でもその前にミセス・ヘイトンに電話しなければならなかった。ヘイトン家のハウスキーパーいわく、奥様はデンヴァー劇場ギルドの資金調達パーティにお出けです。

ERに電話した。長いあいだ呼び出し音が鳴りつづけた。やっぱり直接行って話をするしかないか。そう思って電話を切りかけたとき、男の声が電話に出た。インターンのだれかだろう。ヴィエルなら、言下に「いったいなんのつもり？」と叱りとばして電話をひったくるはず。「ドクター・ランダーです」とジョアンナはいった。「ヴィエルはいる？」

「ヴィエル？」若い男の声がぽかんとした口調でいった。まちがいなくインターンのだれかだ。

「ええ。ヴィエル・ハワード。彼女にかわってもらえる？」

「ええと……ちょっと待って……」遠くでくぐもった話し声がして、それから女性の声が電話に出た。

「どなた?」

「ジョアンナ・ランダーです。ヴィエル・ハワードと話したいんですけど。連絡してほしいという伝言をもらって」

「ああ、ドクター・ランダー。ヴィエルはいないの。あなたから電話があったら、病気で帰ったと伝えてほしいって」

「病気で帰った?」ヴィエルは死にそうな顔のときでも、いまだかつて病気で早退したためしがなかったのに。「だいじょうぶなの? いまはやってる例のインフルエンザ?」

「あとで電話するといってました」

「伝言のことでなんかいってなかったかしら」とたずねたが、ミスター・マンドレイクがしじゅうERを嗅ぎまわっている状況で、NDEに関する伝言を残すとは思えない。

やはり、伝言はなかった。「いいえ、伝言のことはなにも。電話するとだけ」と女性がいって、電話を切った。

ミセス・ヘイトンの家に電話している最中に、ヴィエルが車で送ってほしいと連絡してきてたんじゃなきゃいいけど。自宅にかけてみたが、だれも出ない。ベルが鳴らないように線を抜いてるんだろうと自分にいい聞かせたが、やはり心配だった。ヴィエルが早退するなんてよっぽどのこと。生死の境をさまようぐらい病状がひどいはずだ。だとすれば、たぶん車の運転どころじゃなかっただろう。

もう一度ERに電話して、ヴィエルが早退したときだれかが車で送っていったかどうかたずねようとしたが、今度はだれも出なかった。ミセス・トラウトハイムのセッションの予定が入っていなければ、ひとっ走りヴィエルの家までようすを見にいけるのに。願わくは、ミセス・トラウトハイムのセッションが長引きませんように。

長引かなかった。ミセス・トラウトハイムは一フレームで蹴り出され、なにひとつ覚えていなかった。かぎ針編みといっしょにミセス・トラウトハイムが帰るなり、またヴィエルに電話した。今度は話し中。

「受話器をはずしてるんじゃないの」とティッシュはいった。「あたしのルームメイトがかかったのとおなじインフルエンザだったら、一トンの金槌でぶん殴られたみたいなもの。そんなに長引きはしないんだけど、でもかかってるあいだは死人も同然」

あんまり安心させてくれる情報じゃないわねと思いながらもう一回電話した。今度はヴィエルが出た。

「もしもし、わたし。あなたにもついに春が来たわけ？」

「春？」ヴィエルがぽかんとした口調でいった。

「インフルエンザで早退したって聞いたから。送ってほしくて電話してきたんじゃない？だったらほんとにごめん。被験者の面接の予定を決めるのでずっと電話してたから」

「ううん」泣きそうなほど疲れた声だった。「電話してない」

ないでしょうね」

「どうやって帰ったの？」とたずねたが、返事がないので、「自分で運転して帰ったんじゃ

「ううん。病院の人に送ってもらった」

「よかった。そっちに寄るわ。なんか持ってってほしいものない？　セブンアップとかチキンヌードルスープとか」

「いらない。来なくていいから。だいじょうぶ」

「ほんとに？　枕を直してお茶を淹れるぐらいはできるわよ」

「ううん。インフルエンザをうつしたくない。だいじょうぶだって。今度だけは、具合が悪いのを無視してほんとの重病になるかわりに、家でじっくり治すことにしたの。この電話を切ったらすぐ寝る」

「名案ね。こっちでなんかやっとくことある？　ERに伝言を伝えるとか」

「ううん。二、三日休むのはもういってあるから」

「オーケイ。なんか用事がないか、あしたの朝寄ってみるね」

「いらない」とヴィエルが頑固にいった。「ドアベルも電話も切って、ひたすら眠るようにするから」

「ならいいけど」ジョアンナは疑い深い口調でいった。「なにか必要なものがあったらいつでも電話して。ポケットベルは電源入れとく。約束する。だいじにしてね。このインフルエンザ、すごく凶悪らしいから。あなたの臨死体験なんか聞きたくない」

「まったく」ヴィエルの声にまた疲労の響きが混じっている。

「オーケイ、ゆっくり休んで。またあした」

「電話する」

電話を切ったとたん、もともとの用件だった「例のアレ」について聞くのを忘れたことを思い出した。電話しなおそうかと思ったが、いまのヴィエルは、他人の臨死体験のことでわずらわせていい状態じゃないし、それにどのみちもう何時間か過ぎている。臨死体験者がどこのだれでも、ミスター・マンドレイクがもうとっくに自分のものにしているだろう。かわりにキットに電話して、インフルエンザに感染したかもしれないと警告した。

「だとしても、その値打ちはあったわ。しばらく外出して外の空気を吸うのってほんとに最高だった」とキットはいった。「ゆうべの質問のひとつに答えが見つかった。あなたがいってた食堂——明るい色の板張り、薔薇色のカーペット、グランドピアノ——は、ア・ラ・カルト・レストランよ。薄い胡桃(くるみ)色の羽目板が、豊かなローズ・デュ・バリーの絨緞と美しいコントラストを見せていますってやつ。椅子のカバーは薔薇模様のオービュソン織りタペストリーだって」

「船のどこにあったの?」

「プロムナードデッキの、ずっと船尾(アフト)のほう。船のうしろ側よ」

「艫(とも)だ」とうしろでブライアリー先生の声がした。

「そう、艫のほうね」とキット。「二等階段のすぐとなり。階段がふたつ以上あったのはまちがいなくて、三つかもしれないんだけど、はっきりしない。ある本では船尾階段、べつの本では後方階段と書いてあるんだけど、それがおなじ階段を指してるのかどうかよくわからなくて。大階段が船の真ん中にあったのはわかってるんだけど」大階段はきっと見つけ出してみせる、とジョアンナは心に誓った。

翌朝ヴィエルに電話してみたが、きのうの話どおり電話線を抜いているらしく応答がなかったし、オフィスに着いてから留守番電話をチェックしても伝言はなかった。やっぱり寄ってみればよかったと思いながら、セッションに備えて更衣室で着替えた。セッションが終わったあともまだ伝言が入ってなかったら訪ねてみよう。

「いまさっき交換から電話があったよ」更衣室を出ると、リチャードがいった。「ティッシュも病欠だ。インフルエンザにかかって、きのうの午後、早退したそうだ」

「じゃあ、きょうは潜れないってこと?」よかった。それならヴィエルのようすを見に行ける。

「かわりの看護師をよこすそうだ。見つかりしだいだけどね。交換台の話だと、大量に病欠者が出てるらしい。きみはどう?」

「元気よ」

「よかった。今回は投与量を増やしてみる。それで側頭葉が受ける刺激が増大し、エンドルフィン・レベルも変化する。刺激が変わって、いままでとはちがう統合イメージが生み出されるはずだ」